PARCOURS

DU MÊME AUTEUR

HENRI GUILLEMIN

PARCOURS

ÉDITIONS DU SEUIL
27, rue Jacob, Paris VIe

ISBN 2-02-10690-6.

AR 14,500

Avertissement

Se trouvent réunis dans ces pages d'abord des souvenirs dont les plus anciens remontent à quelques années avant la Première Guerre mondiale. J'en ai presque entièrement exclu ce qui relève de ma vie privée, qui n'intéresse personne en dehors des miens. Principalement, ici, l'évocation de rencontres avec des hommes qui ont compté dans ma vie intérieure – et j'ai groupé en trois dossiers spéciaux ce qui concerne François Mauriac, Paul Claudel et Maurice Chevalier. Des lectures, aussi, qui m'ont remué.

Une moitié environ de ces textes date du moment même où tel incident leur a donné naissance. L'autre moitié est faite de souvenirs tardivement rédigés d'après ce que m'en livrait ma mémoire.

En décembre 1960 (j'avais alors cinquante-sept ans), la tentation m'était venue de constituer quelque chose d'assez semblable à l'ouvrage que voici. J'y avais renoncé ; c'était trop tôt. Et j'ai pu ajouter, en effet, de 1960 à 1988, pas mal de notes à ce que j'ai finalement appelé *Parcours*.

En même temps que se déroulaient mon existence et les faits dont j'étais le témoin, j'inscrivais sur des feuilles volantes des réflexions diverses, ainsi que des documents qui me venaient sous les yeux. D'où la répartition que j'ai opérée, entremêlant les souvenirs proprement dits (dans des sections intitulées « Jours ») et le reste (sous la rubrique « Marges »).

Il m'a semblé que mon *Parcours* comportait assez distinctement quatre étapes :

1. Avant avril 1945 et mon entrée, à quarante-deux ans, dans le service diplomatique.

2. De mai 1945 à la fin de mes fonctions d'attaché culturel, en décembre 1962 (cinquante-neuf ans).

3. De janvier 1963 à juin 1973 (soixante-dix ans), lorsque je fus, dix ans, « professeur extraordinaire » à l'université de Genève.

4. Mes années de « retraite » depuis juin 1973 jusqu'au 19 mars 1988 (mes quatre-vingt-cinq ans accomplis).

Parcours I

1914-1945

Jours

Vers 1910. Mâcon [1]

Le « *Farfadet* ». Quand j'entends ces syllabes, ou que je lis ce mot par hasard, un de mes plus lointains souvenirs reparaît infailliblement.

Des crieurs de journaux parcouraient les rues de Mâcon pour vendre la nouvelle : le sous-marin *Farfadet* avait coulé et on considérait son équipage comme perdu. Tous ces hommes – combien étaient-ils ? Je ne sais plus – allaient mourir asphyxiés. Cela se passait avant la « Grande Guerre », et ce drame créait partout en France une émotion. Je me rappelle que, le soir, à la fin de notre prière, Maman, agenouillée comme chaque jour avec moi devant mon lit (j'avais huit ou neuf ans), m'avait demandé de dire, en même temps qu'elle, un *Je vous salue, Marie* pour les marins du *Farfadet*.

Avant 1914. Mâcon [2]

Je suis assez vieux (près de quatre-vingts ans) pour avoir été témoin – et un témoin participant – d'un procédé d'évangélisation aujourd'hui inconcevable et qui, je crois, a disparu dans les années vingt. Une fois par an passaient à Mâcon, dans l'église Saint-Pierre (où j'ai été baptisé en 1903 et où j'ai fait ma première

1. Rédigé en décembre 1960.
2. Écrit en 1981, dans l'été.

11

communion en 1915), des religieux – il me semble que c'étaient des *rédemptoristes* – qui organisaient, à eux deux, un spectacle éducatif dont je dois dire qu'il réunissait toujours un énorme auditoire. L'église Saint-Pierre est vaste. Le soir de la joute, un entassement de foule. Car il s'agissait bien d'une joute. L'un des religieux occupait la chaire. Dans le *banc d'œuvre* qui, en ces temps très anciens, lui faisait face, avait pris position le compère, l'« avocat du diable ». Je me rappelle très exactement l'aspect de celui que j'ai vu en action, une fois, une seule fois (car je n'ai été autorisé qu'une fois à pareille sortie du soir, contre-indiquée pour un enfant) ; un costaud à barbe rousse, gesticulant, vociférant.

Le public se prêtait sans rire à cette comédie burlesque. Il n'était composé que de fidèles – des hommes aussi – au visage tendu. Le délégué de Satan, il faut le reconnaître, savait son métier, maîtrisait son rôle. Une sincérité impétueuse. L'indignation l'emportait parfois, et il n'hésitait pas à couper brutalement la parole au délégué du Ciel. J'ai su, plus tard, que les deux opérateurs obéissaient à un scénario très minuté ; progressivement l'orateur divin devait enfler la voix et progressivement – mais avec art – l'adversaire devait faiblir, se dérouter, donner des signes de désarroi. La conclusion était prévue, écrasante : triomphe pour le Bon, effondrement pour le Méchant, qui s'écroulait à genoux, mains jointes ; puis, soudain, dépouillant son affreux personnage, se relevait, le visage inondé de bonheur, et bénissait la foule en même temps que son frère : deux grands gestes, pathétiques et synchronisés. Je pleurais d'émotion, et je n'étais pas le seul.

Dans cette église Saint-Pierre, presque constamment, jadis, bourdonnante de prières, quel désert aujourd'hui ! La foi n'y rassemble plus, le dimanche, qu'un petit nombre de survivants.

2-30 août 1914. Mâcon

Au fond d'une caisse de paperasses, je retrouve, ce 26 août 1960, une vingtaine de petits feuillets couverts de mon écriture, et intitulés *Journal de la guerre de 1914 – Henri Guillemin – né le 19 mars 1903*. Bonne écriture, appliquée. Une seule faute d'orthographe.

Intéressant parce que s'y reflète ce que disaient au public la presse et les communiqués affichés à la préfecture, chaque jour, vers 17 heures.

Quelques citations – qui gardent leur valeur d'histoire. *« Dimanche 2 août. Tout le monde est content de partir. Tout va bien. Les Allemands sont en retard de douze jours sur nous. L'enthousiasme est immense à la frontière. On est obligé de retenir les soldats pour les empêcher d'envahir l'Allemagne. Les Français vont au combat en chantant et les Allemands la tête basse.*

« Jeudi 6 août. Un détachement de uhlans ayant passé la frontière, ils furent poursuivis par des cavaliers français. Trois uhlans sont morts ; cinq sont prisonniers ; le reste est passé en Suisse où il a été désarmé.

« Samedi 15. La nuit dernière sont passés en gare plusieurs trains de troupes noires.

« Lundi 17. Il paraît que les Allemands ont été repoussés à Dinant. Ils sont toujours démoralisés et affamés.

« Dimanche 23. On annonce ce soir aux dépêches que le Zeppelin n° 8 a été détruit près de Badonville. Les Autrichiens sont battus par les Serbes.

« Mercredi 26. Les canons français hachent littéralement les Allemands. Les morts prussiens (à Mulhouse) formaient un amas arrivant jusqu'aux naseaux des chevaux. Même si nous étions vaincus dans cette bataille, les Russes écraseraient les Boches, car les cosaques ne sont plus qu'à cinq ou six étapes de Berlin.

« Samedi 29. Par une dépêche de ce matin, nous apprenons que la situation est la même entre la Somme et les Vosges. Nous n'avions encore jamais entendu parler de la Somme !

« Dimanche 30. On dit que les Allemands sont au-delà de Saint-Quentin, à cent kilomètres de Paris. »

Mon *Journal* d'enfant s'est arrêté là, en raison sans doute d'un grand désarroi.

[Été 1918] Mâcon [1]

Le malaise, l'espèce de terreur confuse que j'ai éprouvés – je m'en souviens avec précision – devant le mari de cette pauvre jeune femme qui gagnait sa vie et celle de sa petite fille (sept-huit ans) en faisant des ménages, et qui venait, deux fois par semaine, à la maison. Je ne sais plus comment et pourquoi j'ai eu devant moi quelques minutes, un jour de l'été 1918, ce soldat arrivé du front la veille ou l'avant-veille. L'homme était souriant, torse nu, en pleine forme. Pour l'émerveillement de la gamine, il jonglait avec trois soucoupes brunes (des soucoupes pour les tasses de café). J'avais quinze ans. Une angoisse me serrait la gorge, comme si je me trouvais en présence de quelqu'un à son insu frappé d'un mal sans recours et dont la mort était toute proche.

Trois ou quatre semaines plus tard, il a été porté « disparu ». Sa femme l'a dit, un matin, chez nous. Maman prononçait les paroles requises : « *Pourquoi penser tout de suite au pire ? Il peut très bien être prisonnier. Je suis sûre qu'il reviendra. Ayez confiance. Vous verrez !* » Je *savais* qu'il était mort.

[1921] Lyon [2]

Angèle, ma sœur, vingt-six ans, étudiante en médecine à Lyon, logée dans une pension catholique, a été très discrètement sollicitée par une camarade étudiante en droit et très pieuse. Cette édifiante jeune fille va, elle, à la messe tous les jours. Elle a proposé à A. de se faire un peu d'argent de poche, bien facilement, sans porter préjudice à personne, et sans risques d'aucune sorte. Il s'agit simplement de « faire » plusieurs églises, le dimanche matin ; autrement dit, d'assister à plusieurs messes, d'y communier et de récupérer l'hostie tout de suite, intacte, dans un mouchoir par

---

1. Texte rédigé en décembre 1960.
2. Texte retrouvé tel quel, mais sans date. Je suis du moins à peu près sûr qu'il est de 1921.

exemple. Cette fille astucieuse a un « *débouché* », dit-elle ; une dame qui est dans les « *bonnes œuvres* », mais qui tient à garder l'anonymat. Cette personne achète 10 francs pièce les hosties, pourvu qu'elles soient « *consacrées* ». Qu'on ne lui mente pas à ce sujet – ce serait une « *faute grave* » – et qu'elles viennent directement de la table de communion.

A. est persuadée (et elle a probablement raison) d'avoir eu là confirmation des rumeurs mêlées au folklore lyonnais : messes noires, profanations, tout un monde souterrain.

[1922-1923] Lyon[1]

Programme invariable : un dimanche sur deux (j'étais en « cagne[2] », au lycée du Parc), je prenais le train de 10 heures pour aller déjeuner chez mes parents à Mâcon, regagnant Lyon en fin d'après-midi. Et, l'autre dimanche, je passais de bonne heure à la « permanence » de la *Jeune République* pour y prendre un petit stock de l'hebdomadaire que j'allais tâcher de vendre, à Fourvière, devant la basilique, à la sortie de la messe : « *Demandez la* Jeune République ; *directeur : Marc Sangnier !* » Je mangeais deux sandwiches pour tout repas, un sandwich jambon et un sandwich fromage, et j'essayais de placer encore quelques journaux à l'heure des vêpres. Je repartais vers 18 heures, par la « ficelle » (le funiculaire).

Plus de soixante ans ont passé ; nous sommes en 1987, et je retrouve intacte dans ma mémoire, avec une intensité pénible, la scène que voici. Dans ce « funi » se tenait, adossé à la paroi vitrée, un prêtre grand et gros, la cinquantaine, j'imagine. Il a les mains croisées sur son ventre et, la tête un peu tournée, un peu inclinée, il tient sous son regard, collé contre lui, un petit garçon de huit-dix ans qui, lui, lève la tête, immobile, vers ce visage ecclésiastique impénétrable et solennel. Le petit ne quitte pas des yeux les yeux du prêtre, comme s'il ne pouvait pas détourner son regard

1. Souvenir ; ce texte est de l'été 1987.
2. On disait « khâgne », à Paris, pour les classes où l'on préparait le concours d'entrée à l'École normale. A Lyon, nous avions maintenu « *cagne* ».

15

– dominé, fasciné, possédé. Ils parlent à mi-voix, presque à voix basse, mais je suis tout près d'eux (la cabine est surpeuplée) et je les entends parfaitement ; le prêtre prononce un seul mot, toujours le même : « *Jamais* », et l'enfant répète : « *Jamais* », indéfiniment. Ni l'un ni l'autre ne sourient. Pendant toute la descente (pas bien longue, il est vrai ; trois ou quatre minutes) se poursuit immuable, ininterrompu, cet échange, semble-t-il, d'un ordre et d'une promesse.

Cette image demeurée en moi après plus d'un demi-siècle, indélébile, je l'écarte toujours lorsqu'elle vient m'assaillir, tant elle m'est importune et troublante. Mais j'ai tenu à lui donner place ici, justement parce qu'elle m'a si fort griffé.

[Novembre 1923] [1]

Normalien de la promotion 1923, j'entre à la bibliothèque de l'École normale pour la première fois, et j'adresse, de la tête, un petit salut respectueux à Lucien Herr, dont le bureau est près de la porte, à droite, quand on pénètre dans la salle. Un « monsieur », Lucien Herr. Un imposant ; large crâne chauve, grosses moustaches ; assez « bismarckien ». C'est l'illustre et inamovible bibliothécaire, qui était déjà là quand Péguy a été reçu à l'École, en 1894. La réputation de Herr est bien établie chez les « talas [2] » : un intolérant, sans doute franc-maçon, âprement anticatholique. Devant le catalogue, je tâtonne ; et soudain Lucien Herr est à côté de moi. Il m'interroge, complaisant : « *Vous cherchez quoi ?* » Je me risque ; on verra bien : « *Des renseignements sur saint François d'Assise.* » Lucien Herr n'a pas le moindre sursaut, ne donne pas le moindre signe de mauvaise humeur, de désapprobation. Il sait où chercher. Il me guide. Sa voix est calme et chaude. Il saura très vite, certainement, qui je suis, ce que je pense et mes liens étroits avec la *Jeune République*.

Toutes les fois que je reparaissais dans son royaume, il me faisait un petit signe de l'index : « Vous passerez me voir, n'est-ce

1. Écrit, de mémoire, en décembre 1960.
2. Les catholiques de l'École ; ceux qui « von*tala*messe ».

pas ? » J'aimais beaucoup ces conversations de quelques minutes ; toujours sur mes activités politiques. Il parlait de Marc avec beaucoup d'estime. Je me suis vraiment attaché à lui. Un homme de cœur, la noblesse même.

Il est tombé malade en 1925, et il est mort l'année suivante.

[Juin 1950] Marc [1]

J'avais dix-neuf ans. En « cagne », à Lyon, un camarade m'avait révélé la *Jeune République*, et je m'étais emballé pour l'action menée par Marc Sangnier, alors député de Paris (depuis novembre 1918), et qui, jadis, avait créé et dirigé ce *Sillon* condamné par Pie X en 1910. A la maison, j'étais un peu triste du désaccord absolu de mes parents sur la question religieuse : mon père, républicain décidé (il avait été furieusement dreyfusard), restait, en conséquence, un ennemi déclaré de l'Église ; ma mère, très pieuse. Il me semblait que j'allais les réconcilier en adhérant à un mouvement de « gauche » conduit par un catholique.

Admissible, par chance, cette année-là, 1922, au concours d'entrée à l'École normale supérieure (l'oral a lieu à Paris), ma détermination est prise : j'essaierai d'aller voir Marc Sangnier, me présenter à lui, lui offrir un dévouement sans réserve. J'y vais. J'entre sous la voûte de cette puissante demeure, boulevard Raspail, où résonne le bruit d'une imprimerie et qui mène à un bureau d'accueil. Il était près de midi, et je venais de subir une interrogation (de « philo » ; peu brillante). Je me nomme, précisant que je viens de Lyon, pour le concours de la rue d'Ulm. Un gars gentil téléphone, obtient le « grand homme », qui me fait dire de monter jusqu'à son appartement. On me guide. Le voici. Quarante-neuf ans (je savais qu'il était né en 1873, comme Péguy ; mon père était de 65). Une moustache à la Flaubert, roussie par les cigarettes. Du poitrail, mais pas de ventre. Un beau regard brun-noisette, nullement du genre perforateur, dominateur, mais calme, loyal, viril. Ce mot-là : « viril » m'est tout de suite venu à l'esprit, et les comportements de « Marc » – chacun l'appelait ainsi, dans le

---

1. Pas noté la date de ces lignes écrites quelques jours après son décès.

17

mouvement « jeune républicain », et le tutoyait – ne cesseront, pour moi, de le confirmer. On cause. Il paraît content de ma visite. Il téléphone à sa femme pour lui dire qu'on ajoute un couvert : il me garde à déjeuner. A 2 heures, reprise des interrogations pour le concours. Il me dit : « *Sois reçu, hein ? Débrouille-toi ; et, l'an prochain, on travaillera ensemble.* » Joie d'être pareillement accueilli ; fierté que ce soit par un homme de cette importance, un « personnage historique », en somme, à cause du *Sillon.*

Je ne serai pas reçu à Normale cette année-là, mais le serai l'année suivante. Durant ma troisième année de préparation lyonnaise, j'écrivais à « Marc » une fois par mois, et il me répondait toujours, brièvement, affectueusement, répétant qu'il comptait sur moi pour « travailler » avec lui, dès que je serais devenu Parisien. Me voici « normalien » en juillet 1923 et en avance sur mes camarades de promotion, car je suis déjà muni de la licence et même du « diplôme d'études supérieures ». J'ai eu l'imprudence de ne me soucier en rien, deux ans durant, du concours d'agrégation qui m'attendait à la fin de ma troisième année, rue d'Ulm. Résultat : échec en 1926, et, prenant enfin cette préparation au sérieux – aidé, d'ailleurs, avec une extrême bonté, par Lanson –, j'obtiens, en 1927, mon agrégation « lettres » (c'est-à-dire latin, grec, français). Mais j'avais vécu deux années entières, 1923-1924, 1924-1925, aux côtés de Marc, passant plus de temps chez lui qu'à l'École.

Bonheur. Je l'admirais avec passion ; je l'aimais beaucoup, beaucoup. Toute sentimentalité lui était étrangère. Rieur, il distribuait des surnoms, ses jeunes compagnons formant autour de lui un zoo familier. Il y avait « *le grand cheval* », le « *chien fou* », l'« *éléphant* » (abrégé en « *éléph* ») ; j'étais « *le lapin* ».

Il bousculait nos mélancolies adolescentes : « *le lapin a ses états d'âme* », disait-il, et il accusait « *l'éléphant* » d'avoir pour la méditation un penchant excessif : « *Le voilà qui met ses pantoufles spirituelles.* » Mauriac, dans son premier roman, *L'Enfant chargé de chaînes*, a dessiné de Marc, sous le nom de Jérôme Servet, un portrait caricatural ; on le voit qui commence à dicter un article parce qu'il sent « *monter en lui des réminiscences d'Ibsen et de Tolstoï* ». Marc était peu nourri de littérature slave ou nordique. Il n'a

18

jamais prononcé devant moi le nom d'Ibsen. Quant à Tolstoï, il ne m'a parlé de son œuvre qu'une seule fois, pour me conseiller de lire *La Mort d'Ivan Iliitch*. Il ne lisait guère. Je l'ai vu, en revanche, s'instruire en écoutant – avec attention – Painlevé, Cachin (pour lequel il avait une grande estime) et Charles Rist. Ses discours me « transportaient », comme on dit. Sans doute ce qu'il disait m'atteignait jusqu'au fond de moi-même, tant c'était vrai, à mes yeux, et illuminant et vital, mais j'étais en même temps ébloui par l'art qui s'y déployait comme instinctivement et sans calcul, avec le « poids » des phrases, leur agencement, leur euphonie, leur rythme. Le *don* ; Marc avait le don. Personne ne l'a jamais, pour moi, égalé. Briand seul approchait un peu de cette perfection [1]. Il tenait à m'expédier, de temps à autre, en province, pour des conférences de propagande demandées par tel groupe local. Et c'est lui qui m'a tout appris pour la parole en public. Il était catégorique : « *Tout dans la tête, hein ! Pas de papier. Entre l'auditoire et toi, un papier s'interpose, fait barrage ; le courant ne passe pas. Donc tu ne lis rien (à peine, si tu veux, une ou deux citations. Et encore ! Ça fait cuistre), tu parles à mains nues. Tu peux, pour commencer, et très provisoirement, apprendre ton texte par cœur. Mais deux inconvénients sérieux : d'abord, l'auditoire, quel qu'il soit, se rend compte, infailliblement et tout de suite, du fait qu'on lui récite un topo, ce qu'il n'aime guère. D'autre part, si tu as un trou de mémoire, un blanc, tu es foutu, tu dérailles. Tu dois t'habituer donc, et le plus vite possible, à n'avoir dans l'esprit qu'un plan, mais bien construit, avec des charnières précises entre les grands paragraphes, et une " chute " préparée, une phrase finale que tu sais inscrite en toi dès le départ.* » Il me disait encore : « *Deux grandes lois. D'abord, croire à ce qu'on raconte ; pas de remplissage, pas de " triche " ; pas de mots à effet sans contenu ; rien de pire ; tu fais des bulles avec ça, et elles crèvent tout de suite, ridicules. Et, deuxièmement, ne pas changer de voix parce que tu es sur un podium, sur une estrade ; pas de " voix d'orateur ", conventionnelle, d'un ton factice. C'est le truc habituel, et détestable, d'un*

---

1. En 1962 (ou 1963 ?), comme j'étais allé, pour un livre en chantier, interroger, à Genève, Edgar Milhaud sur Jaurès, Milhaud me dira tout à coup : « *Le seul orateur qui m'ait rappelé, et directement rappelé, Jaurès, c'est Sangnier.* »

tas de politiciens. Écoute-moi, crois-moi : le vrai " truc ", c'est de parler au public avec la même voix, les mêmes mots, le même vocabulaire que quand on discute le coup, toi et moi, ou que tu causes avec des copains. Capital, ça. Il faut ! »

« *Tartufe Sangnier* » ; c'était l'antienne de Maurras, dans son *Action française*, avec ce K à la place du C au bout de son prénom (*Mark* au lieu de *Marc*), lourde astuce pour dénoncer en lui un instrument de l'Allemagne. Ces bassesses ne le troublaient pas. Pas plus qu'il n'avait été bouleversé d'avoir été, par deux fois, assailli, jeté à terre, roué de coups (à vingt contre un, naturellement) par les « camelots du roi ». Nous lisions souvent ensemble, le matin, les coupures que lui envoyait l'*Argus de la presse*. Les insultes ne manquaient pas. Je me récriais ; il souriait ; il hochait la tête : « *Faut s'y faire, c'est comme ça.* » Il ignorait la colère. J'ai beaucoup questionné les « vieux » du *Sillon* qui venaient nous retrouver à la *Jeune République*. Aucun d'eux n'avait souvenir d'un Marc emporté, furieux, déchaîné, contre qui que ce fût. Un chrétien, oui, un chrétien. Il aimait à redire la phrase de Pascal : « *Faire les petites choses comme grandes et difficiles, et les grandes comme petites et aisées.* » Chaque soir, nous disions, à genoux, une prière en commun, sa famille, ses secrétaires, moi-même. Il récitait le *Pater*, l'*Ave*, le *Credo*, le *Confiteor*, d'une voix égale, exempte de paroles vibrées. Quelle chance, pour moi, d'avoir eu sous les yeux, au seuil de ma vie, un tel exemple de loyauté, de courage et de foi, et cette preuve que l'homme peut *croire* sans se diminuer (s'« aliéner »), sans songer non plus à se grandir.

Il portait encore, quand j'ai vécu avec lui, chez lui, son chapeau noir à large bord, et sa lavallière. Quand je l'ai retrouvé en 1938, à mon retour d'Égypte, il n'avait plus sa lavallière noire ; une cravate banale à la place, toujours mal ficelée. Je lui ai dit que c'était dommage. Il m'a répondu : « *T'as p'têt raison. Ma lavallière, c'est ce que j'avais de mieux dans la figure.* » Je crois bien – et je crains d'avoir raison – que, s'il avait adopté, jadis, ces emblèmes vestimentaires, c'était dans une intention quelque peu provocatrice et afin de se rendre, au moins dans son aspect, assez pareil à ces militants de l'ultra-gauche et de l'anarcho-syndicalisme auxquels il empruntait aussi l'apostrophe initiale de ses harangues : « *Camarades !* »

[Hiver 1923-1924] Paris [1]

Ce devait être dans l'hiver 1923-1924. Marc Sangnier était encore député de Paris. (Il perdra son siège aux élections de mai 24.) Il m'avait amené avec lui au Palais-Bourbon parce qu'un débat important allait avoir lieu. Poincaré était au pouvoir. L'ordre du jour comportait une « interpellation » de Briand sur la politique « allemande » du gouvernement et la sinistre affaire de la Ruhr. Marc Sangnier m'avait conduit lui-même dans une des tribunes et assez tôt pour que je puisse y trouver une place au premier rang. Les députés, trop souvent, s'abstiennent d'assister aux séances, mais ce jour-là (« *tu verras* », m'avait dit Marc), peu à peu, dans l'hémicycle, c'est le plein. Poincaré et Briand ont donc successivement pris la parole. Leurs arguments, je l'avoue, échappent aujourd'hui à ma mémoire. Je me souviens seulement, mais très bien, et de l'aspect, de l'allure qu'ils avaient, l'un et l'autre, et du changement d'atmosphère qui se produisit quand Briand prit la parole. Poincaré, teint fleuri, joues roses, barbichette blanche, très droit à la tribune, *récitait* un texte qu'il avait devant lui, sans une seule fois baisser les yeux sur ces pages dont il connaissait, à fond, le contenu ; il tournait les feuillets sans cesser de regarder son auditoire. Voix sèche et monotone ; articulation parfaite. Tout cela (c'est l'impression que j'ai gardée) strictement cérébral ; un exposé juridique à forte charpente conceptuelle, et d'une logique impeccable, cherchant avant tout l'assentiment de la raison. Poincaré termine, longuement applaudi par ce qui me paraît être les deux tiers, environ, de l'assemblée.

Puis Briand se dirige vers la tribune. Il a deux ans de moins (je le sais aujourd'hui ; tous deux sont morts il y a longtemps) que Poincaré et semble nettement plus âgé que lui. Un peu voûté, le dos rond, une épaule plus haute que l'autre, la mine grise, la démarche lourde. Il n'a pas encore dit un mot et déjà un souffle a passé sur la gauche ; « agitation » serait impropre et tout à fait excessif ; un léger mouvement, général, comme spontané, comme sans le vou-

<hr/>

1. Reconstruit, de mémoire, en décembre 1960.

loir et sans y prendre garde. On bouge, dans cette partie de la Chambre ; un peu, à peine, mais on bouge, on se penche en avant, on se sent concerné ; une espèce de passion se révèle, dont je découvre alors qu'elle a été totalement absente chez les partisans de Poincaré pendant son discours. Et Briand commence. Il n'a pris avec lui aucun papier. Il va parler ainsi, démuni de tout recours éventuel à un texte, ne serait-ce qu'à un aide-mémoire. Marc m'avait raconté que, nouveau venu à la Chambre, en 1920, il s'était risqué un jour, dans les couloirs, à interroger Briand sur sa technique ; et Briand lui avait dit : « *Pour mes discours, où que ce soit, je bâtis, sur une feuille de papier, un plan d'ensemble ; trois ou quatre étapes distinctes ; au-dedans de chacune d'elles, des formules auxquelles je tiens ; et, toujours écrite, inscrite dans ma tête, ma phrase de la fin, ma péroraison, comme on dit en style noble.* » Sa fameuse voix, la célèbre « contrebasse », je la guettais. Pas déçu. Quel contraste avec Poincaré et son petit fifre ! C'est vrai que ce Briand, il pouvait vous atteindre aux entrailles. Ni chiffres, chez lui, ni références à tels articles du traité de Versailles. Humanité. Espérance. Il n'avait pas prévu Hitler ? D'accord. Poincaré non plus. La différence entre eux tient en ceci que la politique de Poincaré, pratiquement, favorisa la naissance et le succès du nazisme.

On sortait, avec Poincaré, d'un monde réputé concret, alors qu'il n'était qu'irréalité, abstraction. Avec Briand, retour à la respiration, à la vie. Un vieux malin, peut-être, Aristide. Difficile d'oublier qu'en 1912 il avait joué, contre Jaurès, la carte du militarisme, de la surexcitation « patriotique » et qu'il était l'auteur, pour une part (une large part), de l'avènement de Poincaré. Peut-être, en 1924, Briand était-il moins attentif à la sagesse, à la bonne route, qu'aux intérêts de sa carrière. Je ne sais pas. Mais j'ai « marché », ce jour-là, d'enthousiasme. Dans les tribunes, l'obligation est absolue de se taire. Je n'ai pu que m'associer en silence à l'ovation de la gauche.

[1924-1925] Nizan et Sartre [1]

Je ne dis pas « Sartre et Nizan », car c'était Nizan et non pas Sartre, dans la promotion 1924, à l'École normale, qui captait les regards. On les voyait presque toujours ensemble dans les couloirs : peut-être, disions-nous sans méchanceté, parce que leurs strabismes étaient « complémentaires », un œil, chez Sartre, victime d'une distorsion vers l'extérieur, tandis que Nizan louchait en sens inverse.

Nizan porta quelques mois, en 1925, la chemise bleue des « fascistes », groupés derrière Georges Valois (un dissident de *L'Action française*). Puis il passa au communisme. Sartre semblait parfaitement étranger à toute option politique. Nizan attachait du prix à l'élégance vestimentaire. Sartre y était indifférent, avec outrance. Pourquoi leur connivence ? Parce qu'ils paraissaient résolus, l'un et l'autre, à refuser l'ornière de l'Université, tenant pour dérisoire le métier d'enseignant ; « écrivains en puissance », ils sortaient beaucoup et fréquentaient « les milieux littéraires ». Sans appuyer trop, ils laissaient voir quelque mépris pour la piétaille, autrement dit nous autres, les futurs « profs » ; jamais tout à fait insolents à cet égard, mais « marginaux » avec quelque affectation, Nizan plus affirmé que Sartre dans cette attitude légèrement caustique [2]. Sartre était moins distant ; jovial et blagueur. Au réfectoire – nous étions huit par table, et j'étais par hasard à la même table que lui – il multipliait les grasses plaisanteries, avec une préférence pour l'obscénité joyeuse. Un jour d'extrême allégresse, il se leva, écarta son assiette et posa, à la place, tout son appareillage viril.

Il était très cordial avec moi, très copain, un peu, me confia-t-il (en passant), parce que mon nom se retrouvait dans son ascendance, du côté de sa mère. Il y avait, en effet, à Mâcon, deux familles Guillemin : la première, représentée par un avoué, riche et qui portait beau ; la seconde – la mienne – perdue dans l'anonymat des petites gens.

1. Écrit en décembre 1960.
2. Sartre, cependant, enseignera, des années, dans le secondaire.

23

Nous ne suivions pas les mêmes cours, en Sorbonne, Sartre et moi ; il « faisait philo », et moi « les lettres ». Mais il nous arriva la même infortune, réparée l'année suivante. Nous avons échoué tous deux, lors de notre première tentative au concours d'agrégation.

Paul Dupuy [1]

Le « secrétaire général » de l'École, rue d'Ulm, quand j'y suis entré en 1923. Jamais, à ma connaissance, jamais, de sa part, un seul « rappel à l'ordre » adressé à l'un de nous. Nous nous demandions parfois à quoi il servait et quelles pouvaient bien être ses fonctions réelles, car il laissait faire, laissait aller, laissait courir. Il est vrai que, spontanément et strictement, nous respections tous une certaine règle de base (je ne l'ai jamais vu transgresser) : pas de femme, à l'intérieur de l'École, à partir du repas du soir. Les malveillants – les quelques « droitiers » de chaque promotion – répétaient que Dupuy était un anarchiste, un de ceux qui auraient poussé Lavisse à « découronner » l'École au profit de la Sorbonne. Or ce que Dupuy ne cessait de faire, c'était de protéger *ses* normaliens contre le gouvernement lui-même, les pressions gouvernementales, afin qu'ils soient authentiquement des esprits libres, capables d'opter, en politique et en religion, comme ils l'entendaient.

Je crois que Lavisse n'aurait guère aimé que des hommes politiques fussent invités à l'École pour des réunions de propagande. Dupuy fermait les yeux. Mon camarade Georges Lefranc invita Léon Blum, et moi j'invitai, ensuite, Marc Sangnier. Une nuit, la veille d'un meeting de la *Jeune République* au manège du Panthéon (tout près de l'École), j'ai couvert de tracts chacune des marches du vieil escalier conduisant au premier étage. En principe, pas d'affiches politiques à l'École. J'avais risqué le coup. Le lendemain soir – le meeting avait eu lieu dans l'après-midi –, Dupuy me happe, au passage, comme je rentrais pour le dîner : « *Alors, ça a marché, au Panthéon ?* » Rien de narquois ni d'agres-

---

1. Écrit en 1971.

sif ; comme un qui s'intéressait, s'informait. En fait, et je l'ai bien compris, une allusion discrète à mon incartade de la veille. C'était cela, une « observation » du secrétaire général. Je ne l'ai revu, Paul Dupuy, que quinze ans après mon agrégation. Pendant la guerre, quand j'ai pu m'échapper de Bordeaux et passer en Suisse à temps, en septembre 1942 (après le 11 novembre, c'eût été impossible). Dupuy dirigeait alors l'École internationale de Genève. Bien vieux, décharné, mais toujours ce regard de lumière, de malice et de bonté. Nous avions la même horreur du nazisme et de Vichy. Je l'ai vu souvent, le plus souvent possible. Il me donnait une affection vraie, que je lui rendais bien. J'étais là quand on l'a enseveli. Je ne dirai pas arrachement, ce qui serait littérature. Mais une grosse peine, oui.

[Septembre 1925, septembre 1926] [1]

En juin 1925, Paul Desjardins, l'organisateur des « décades » annuelles de Pontigny, s'adresse à Dupuy pour lui demander un service : trouver un élève de l'École qui assurerait, chaque jour, un compte rendu précis et analytique des « entretiens » qu'allait comporter la décade littéraire de septembre, à laquelle ce garçon pourrait ainsi assister gratuitement (logé et nourri). Dupuy m'en parla. Je sautai sur cette offre ; mon nom fut proposé, et accepté.

Me voici donc, début septembre, à Pontigny. Je ne sais plus l'âge que pouvait avoir Desjardins, mais il me faisait l'effet d'un ancêtre, majestueux et bienveillant, avec une (petite) teinte de condescendance, nettement attentif à ce que me pénètre le sentiment et de l'honneur qui m'était fait et de la chance qui m'était donnée d'être accueilli dans une ressemblance d'empyrée. Songez donc qu'étaient réunis là : André Gide avec, dans son ombre, Marc Allégret ; Roger Martin du Gard, dont l'attitude usuelle

1. Rédigé en décembre 1960, c'est-à-dire trente-cinq ans après l'événement. Mes souvenirs s'embrouillent, car je suis allé deux fois à Pontigny, en septembre 1925 et en septembre 1926. Les noms que je cite sont bien ceux de participants réels, mais Gide n'était certainement pas à Pontigny en 1925. Il se trouvait alors en Afrique. Que Mauriac fût présent à Pontigny en 1925, j'en ai la preuve par la date de la première lettre que je reçus de lui (voir, plus loin, mon « Dossier Mauriac »).

marquait l'importance, et Charles Du Bos, l'éminent critique littéraire, et l'éblouissant Ramon Fernandez, et Louis Martin-Chauf-
fier, et Jean Prévost, et Fabre-Luce, qui venait de faire scandale
avec son livre *La Victoire* établissant l'incontestable responsabilité de la France (partielle, certes, mais lourde) dans le déclenche-
ment des hostilités en 1914 ; et, enfin, François Mauriac, déjà
célèbre, en route vers l'Académie, choisi tout exprès par Desjardins pour que s'atteste, de la sorte, sa parfaite tolérance philosophique. Chacun savait que Desjardins n'aimait pas l'Église ; il
avait, jadis, énergiquement épaulé le modernisme, et dans la
mesure même où Rome y voyait une abomination. Mais c'était,
chez lui, une règle absolue : pas d'ostracisme ; aux décades, tous
les courants de pensée trouvaient, à Pontigny, porte ouverte.

Ce qui restera capital, pour moi, dans mes souvenirs de Pontigny, c'est l'amitié – indestructible – qui prit naissance, là, entre
François Mauriac et moi. J'ai gardé la mémoire d'une soirée extraordinaire où Fernandez, avec un étonnant brio, exécuta toute une
série de numéros comiques.

Je n'échangeai pas trois mots avec Gide. Allégret (je ne sais
pourquoi) se montra très désagréable à mon égard.

18 juillet 1928. Concarneau

Passant en revue, au port, par curiosité, les petits bateaux appar-
tenant à des marins-pêcheurs qui vont en mer tous les jours, je
relève les noms suivants :
*Deo Juventute. Le Berceau de l'Exploité. La Pluie de Roses.
L'Esclave des Riches. Amour du Sacré-Cœur* – et même : *Châtiment de l'Impureté.*

Adjonction de 1986
Sur la plage, cette fois, de Raguenès, je procède à la même investigation qu'il y a cinquante-huit ans, à Concarneau. Plus rien de
semblable. Partout, sur les barques, des prénoms féminins. Ni
Dieu, ni Marx. Thèmes dépassés, oubliés.

16 septembre 1928. La Roque

Ce type, rabougri, lunettes cerclées de fer, denture affreuse (des trous, des chicots jaunes) qui, très gentiment, m'a montré, devant l'étang de Clarens – où l'eau est une merveille de transparence – comment prendre les brochets au lasso. Un fil de cuivre très fin, très souple, est accolé tout le long de la canne à pêche et se termine par une boucle que tu commandes en tirant sur l'autre extrémité du filin. « *Tu repères un brochet qui dort entre deux eaux. Sans faire le moindre bruit, placer la boucle derrière lui, à un mètre, un mètre et demi, exactement à sa hauteur ; et tu fais avancer ton piège en veillant bien, surtout, à ne pas toucher la bestiole. Quand le petit lasso entoure le brochet, qui ne se doute toujours de rien, aux deux tiers du corps – les deux tiers en partant de la queue, tu m'as compris –, alors tu tires sec sur le nœud coulant, et tu le tiens, ton poisson.* »

C'est un instituteur en retraite. Ses parents sont des résiniers. Mais le nom va s'éteindre. Il est « resté vieux garçon » et il n'a pas de frère. Son prénom, c'est « Voltaire », ce qui signifie qu'il n'a pas été baptisé. On ne plaisante pas, dans ces familles, sur la « libre pensée ». Fidèle à la mémoire de son père, s'il lui arrive, dans la rue de croiser un prêtre, il fait un petit détour afin de se tenir, physiquement même, à distance de ce représentant de la Superstition. Un homme doux, qui aura été dévoué à son métier comme on ne l'est pas. Il a été aimé, adoré, par des générations de gamins et de gamines, à la communale. « *Il a toutes les vertus naturelles, me dit le curé. Dommage qu'il soit athée* », et il ajoute : « *Ça vaut mieux que d'aller à la messe, et de n'en avoir aucune, de ces vertus premières. Ça existe, ces cas-là. Ce serait même assez banal.* » L'abbé M. est un original, assez mal noté en haut lieu.

16 avril 1930

Insoupçonnable de satanisme et, tout au contraire, à la fois jamais sûr d'en faire assez pour son salut et soucieux d'édification, ce banquier de Roanne qui, le jour de Pâques, examinant l'horaire des messes, s'arrange pour communier successivement dans les quatre églises de la ville [1].

[Août 1931] Lourmarin [2]

Je me trouvais là grâce à Jean Grenier, qui m'avait fait profiter d'une de ces invitations d'un mois offertes par Laurent Vibert – une chambre au château ; nourriture assurée – à de jeunes intellectuels bien incapables, matériellement, de faire face aux dépenses qu'entraînerait pour eux le séjour, à leurs frais, dans un pareil logis. Nous étions quatre invités : André de Richaud, Jean Grenier, un peintre dont j'ai oublié le nom et moi. Je ne pense pas que Jean Grenier ait donné le moindre des gages politiques dont L.V. me paraissait, tel quel, devoir réclamer l'existence. Il ne me fut rien demandé, par bonheur, en ce sens, car je n'aurais pu que décevoir le mécène et le détourner de m'accueillir. C'est ainsi que j'assistai, au milieu d'août, à un vaste rassemblement royaliste annuel, je crois, à Lourmarin, où le pasteur, le pasteur protestant (un cas unique en France, me dit-on) est un ardent propagandiste maurrassien. Je croisai Maurras, le matin de ce grand jour, dans l'escalier en spirale de la tour où se trouvait ma chambre. Il était accompagné du peintre, un ami, sûrement, un disciple et qui me présenta au Maître. Je savais la surdité de Maurras ; ses amis lui parlaient en collant leur front au sien. Le peintre dit à Maurras que je préparais une thèse de doctorat sur Lamartine ; et en réflexe, à l'instant, sur cette marche d'escalier, Maurras se mit à me réciter plusieurs strophes du poème de Lamartine *Bonaparte*, qui fait partie des *Nouvelles Méditations*. Si cet homme est capable de savoir par cœur un texte rarement cité (et qui n'a d'intérêt qu'en raison de la parfaite lucidité de Lamartine à l'égard du criminel arriviste corse, sans frein et sans âme), à quel hangar géant, à quel prodigieux entrepôt doit ressembler sa mémoire ! Je le regardais réci-

1. C'est ce que m'apprend ma sœur, pédiatre à Roanne depuis trois ans.
2. Rédigé entièrement, d'après mes souvenirs (je n'avais pris alors aucune note), en décembre 1960.

tant : visage immobile, comme indifférent aux mots qui sortaient, en flot continu, d'un orifice agile à demi caché entre une moustache et une courte barbe grises. Léon Daudet, apparemment, est l'antithèse de Maurras. Une exubérance éclatante. J'ai vu, ce jour-là, en action, au banquet de *L'Action française*, pour un grand discours, ce gros homme rubicond et dont la main tremblait sans cesse [1] ; mais un être, cependant, en pleine force, débordant de vie, la voix puissante, les yeux pleins d'éclat. J'écoutais à peine ce qu'il disait, et qui n'aurait pu que me consterner ou m'exaspérer, mais le spectacle était prenant. Ce n'est pas un orateur ; j'en ai entendu un vrai, Briand, et je suis habitué aux discours de Marc, qui, lui aussi, connaît la technique : à l'intérieur même des phrases, un rythme ; jamais d'hiatus dissonant ; un discernement spontané, instinctif, des mots à choisir et du lieu à leur assigner ; et tout cela sans le moindre aspect théâtral ; une espèce de facilité souveraine ayant vertu d'envoûtement. Daudet est totalement étranger à cet art secret, à ces dons sans doute innés. Du bagou, en diable ; une allégresse, une jubilation qui s'épanouit dans les insultes, souvent drôles, prodiguées à l'adversaire. Tout cela rugi, gueulé, n'importe comment, avec une sincérité évidente. A le voir ainsi écarlate, le sang à la tête, on s'attend, chaque seconde, à l'« attaque », infaillible, qui va le foudroyer sous nos yeux. Et non ! Pas encore. Pas cette fois. Il se rassied, dans une ovation triomphale. Il se relève, brandissant, hilare, son verre de vin rouge, et tout le monde se lève en son honneur.

[Souvenir du 7 février 1934] [2]

J'étais alors professeur (en « hypokhâgne ») au lycée de Lille, et Pierre-Henri Simon enseignait à la faculté catholique de cette ville. Le 7 février 1934, vers 10 heures, sortant du lycée, je rencontre P.-H.S. ; il revenait de la gare, accompagnant Robert Gar-

---

1. « *Cadeau de la syphilis paternelle* », me glissa mon voisin de table, qui jouait les compétents. Daudet, soixante-quatre ans en 1931, durera près de onze années encore. Il ne disparaîtra qu'en 1942, âgé de soixante-quinze ans. Un record, compte tenu de l'état physique où j'ai vu cet homme en août 1931.
2. Rédigé, je crois, dans l'été 1935.

ric, qui donnait alors un cours hebdomadaire dans le même établissement que Simon. Garric était l'homme des « Équipes sociales ». Je l'avais parfois coudoyé, du temps où j'étais élève à l'École normale, et j'avais pu constater son extrême réserve à l'égard de Marc Sangnier. Ce 7 février, Garric se montrait en proie à une nervosité sans mesure et du genre fulgurant ; il voulut bien reprendre, pour moi, et avec feu, le récit (qu'il venait de faire à P.-H.S) des tragiques événements dont le pont de la Concorde avait été le théâtre la veille au soir. Il pouvait en parler avec d'autant plus de précision qu'il s'était trouvé là, racontait-il, en personne. J'engage ici mon honneur. Garric, ce 7 février 1934, m'a dit, mot pour mot : « *Il y avait un tank, oui, un tank qui tirait, du pont, sur la foule. Je l'ai vu, vu de mes yeux.* » Et il poursuivait, dans le langage même de *L'Action française* et de Philippe Henriot : « *Ce régime ! Des assassins, à présent, doublant les escrocs.* »

Nous sûmes très vite qu'aucun tank n'avait été engagé par le gouvernement républicain dans son indispensable action défensive. Garric est un honnête homme. Et quand il mentait, ce 7 février 1934, c'était avec une telle flamme qu'il devait croire lui-même, dur comme fer, à son mensonge.

17 mai 1934

Mon collègue D. – trente-quatre ans – vient de perdre sa femme, emportée en quelques jours par une septicémie. « *La veille de sa mort*, me dit-il, *ma femme, qui délirait, m'a demandé : " Apporte-moi la petite ! Je t'en prie ! Je t'en prie ! Apporte-la-moi. " Notre petite Monique est morte, il y a quatre ans.* »

[Mai 1934] Lille [1]

Fête annuelle de Saint-André-lès-Lille. La « ducasse », comme on dit ici. Manèges et attractions foraines sur la place de l'église.

---

1. Décembre 1960. J'ai sous les yeux un bout de papier daté de « *mai 1934* ». Notations abrégées, avec de l'indéchiffrable, mais qui, telles quelles, restituent

Les feuilles des arbres sont encore toutes jeunes et brillantes. Une chance : un ciel de Méditerranée ; rien que l'azur profond ; pas un nuage et le soleil doucement chaud. Sur le kiosque, la musique du 43ᵉ RI qui « prête son concours ». Qu'il est beau, le chef d'orchestre (ça ne doit pas être l'appellation juste, mais tant pis), moustachu, cambré, avantageux. A la fin de chaque morceau, le public applaudit de bon cœur, avec des « *Très bien ! Très bien !* » à haute voix. Saint-André est très « ouvrier ». De nos fenêtres, à la maison, on a le spectacle d'une bonne douzaine de cheminées d'usines ; mais c'est dimanche et les gens, très exactement, sont « endimanchés ». Une vraie fête de famille, tranquille, confiante. Le curé a beaucoup prolongé l'appel des cloches pour les vêpres ; je suppose qu'il n'y a pas grand monde dans l'église ; sans doute, même, à peu près personne. Mais cette sonnerie à toute volée, et qui s'obstine, ne fait pas la retape, ne flatte pas la clientèle. Une manière, simplement, de s'associer à la fête, à la joie commune, cette joie qui est dans l'air ; et, au-dessus de la porte, le Christ ne pose pas au Roi. Il est assis, débonnaire, pour écouter, lui aussi, la fanfare. Les soldats, qui sont là en service commandé, ne donnent pas l'impression de subir une corvée. Ils participent. L'accueil de la foule leur fait plaisir, c'est visible. Ils sourient et font merci, de la tête, quand on les applaudit. La paix. Une merveilleuse paix. Je me souviens de Mâcon et de ces soirs d'été, les dimanches, où la musique du 134ᵉ venait jouer, de huit à neuf. Le concert se terminait toujours par *La Marseillaise*. On nous préparait en douce, et très consciemment, à la guerre. Plus rien de cette atmosphère-là, aujourd'hui ; et il n'y aura certainement pas de *Marseillaise* à la fin. La guerre est devenue inconcevable, d'un autre temps, dépassé.

Jour de bonheur. Et c'est vrai qu'on est heureux, en dépit de tout.

---

pour moi cette journée, cet après-midi dont je me souviens maintenant très bien. Je rassemble et rends lisibles ces quelques « choses vues ».

J'avais un poste, depuis octobre 1933, au lycée de Lille, mais nous habitions en banlieue, à Saint-André.

Au bas de l'original ceci, écrit sans doute pendant la guerre : « *Printemps 1934 ! Hitler était au pouvoir depuis janvier 1933, réarmant l'Allemagne avec frénésie. Nul ne s'en souciait [...] et voilà !* »

21 mars 1935. Lyon [1]

Les feux d'artifice ont toujours exercé sur moi une fascination. Celui d'hier soir, je ne suis pas près d'en perdre le souvenir. Quand j'étais enfant, à Mâcon, avant 14, chaque année, le 14 Juillet, c'était la même et très modeste cérémonie, mais qui me comblait de bonheur. D'abord, dès la nuit tombée, des barques passaient sur la Saône, au milieu de l'eau, discrètes, éclairées, chacune, d'un seul lampion et, de l'une à l'autre, des cors de chasse se répondaient. Ces notes de cuivre, trouant les ténèbres, et tout à fait inhabituelles dans notre région, s'emplissaient pour moi d'une magie pathétique. Puis commençait l'humble féerie céleste. De la rive d'en face partaient les fusées qui traçaient dans la nuit, en montant, un sillage lumineux. Ce sillage, en fin de course, oscillait, ralenti, annonçant l'apparition de la petite gerbe étincelante. A peine, là-haut, avec l'épanouissement du miracle (toujours salué d'ovations), à peine un tout petit bruit tendre comme celui de deux lèvres humides qui se décolleraient pour s'ouvrir.

Mais ce à quoi j'ai assisté – participé – hier soir, je sais bien que j'aurais beau faire, beau m'appliquer à choisir des mots qui ne soient pas inertes, tout effort pour en suggérer la grandeur enivrante est voué à l'impossible. A quoi bon une énumération chronologique ? La tenterais-je que je ne saurais plus la retrouver. Je puise, au hasard, dans cet éblouissant chaos.

Les fusées d'autrefois, avec leurs baguettes, n'existent plus sous cet aspect. A leur place, des objets invisibles s'arrachent du sol, plus exactement du sous-sol ; de gros tubes de lancement sont enfoncés dans la terre. Au départ de la chose, on ne voit, sur ce qui constitue le champ de tir, de l'autre côté du fleuve, qu'une lueur suivie d'un choc sourd. Aucune trajectoire perceptible. Ce qui va éclater dans le ciel, nul sillage n'en révèle la course ; les yeux levés n'ont pas d'indice pour deviner où aura lieu la déflagration. Effacés, dérisoires, les petits groupes de paillettes qui nous ravissaient autrefois. A présent la nuit est violée par des illuminations colos-

1. Forme première, mars 1935. Entièrement refondu dans l'été 1987.

sales. Les « pièces » sont à plusieurs « effets » ; c'est-à-dire qu'elles ne se bornent pas à un seul – et déjà prodigieux – déploiement d'étoiles, mais un deuxième « effet », encore plus beau, succède au premier, puis un troisième, parfois un quatrième, ces incroyables performances multipliant les enthousiasmes. Des volcans crachaient des cônes de feu qui s'élevaient en tournant sur eux-mêmes pour disparaître dans une furie de crépitements.

Des « chandelles romaines », colonnes immobiles, faisaient office de génies cachés jonglant avec des boules flamboyantes et multicolores qui jouaient à s'entrecroiser. Des éruptions de flammes semblaient sortir de l'eau pour y retomber en sifflant. Surgissaient des torsades incandescentes qui, dans une salve de détonations, créaient, pour quelques instants, d'immenses nappes de clarté. Puis vinrent les deux temps majeurs de cette pyrotechnie fantastique : l'avant-dernier et le dernier.

L'avant-dernier (que nous prîmes pour l'habituel, mais cette fois-ci géant, bouquet final) : éclataient dans le noir, très haut, des étincellements d'une ampleur croissante, ouvrant d'énormes voûtes radieuses, ou l'intérieur de dômes transparents, ou l'empan d'un filet de rétiaire aux mailles d'or et qui s'élargissait jusqu'aux limites de notre foule, tandis que pleuvaient sur nous, par myriades, avec une lenteur solennelle, les flocons d'une neige ardente qui s'éteignait en nous touchant.

Le dernier, apothéose inimaginable : par un prodige de synchronisation, à quelque deux cents mètres au-dessus de nos têtes et formant une couronne de foudre au diamètre de dix en dix secondes agrandi, des bombes explosaient ensemble, aveuglantes ; trente, puis quarante, puis pour finir cinquante à la fois (je ne connais ces chiffres que par les journaux d'aujourd'hui) dans un assourdissement de cataclysme et de fin du monde.

Jamais rien vu, jamais rien éprouvé de semblable. J'ai repris mon souffle un peu pantelant, dans un demi-vertige délicieux, soûl de tumulte, de fracas et de beauté.

Adjonction

Au Caire, 1937, pour le mariage de Farouk, un feu d'artifice eut lieu sur le Nil, grandiose dans son intention, mais sans art ; un tir, au surplus, beaucoup trop espacé. Visiblement, aucun plan d'ensemble ; pas même l'indispensable progression dans l'ampleur et le vacarme.

1935. Lyon[1]

Rue d'Ulm, j'avais peu connu Jankélévitch (« Janké »), mais suffisamment pour éprouver, à son égard, une sympathie bien différente d'une amitié à fleur de peau, d'une simple camaraderie cordiale. Aujourd'hui – 1978 – j'écris sans hésitation, à son sujet : *respect*. Quand j'ai su qu'il allait donner une conférence à la faculté des lettres de Lyon (j'étais professeur de « cagne » au lycée du Parc depuis octobre 1934), je lui téléphonai pour l'inviter à déjeuner. Il accepta tout de suite, décidant de prendre un train du matin au lieu de n'arriver à Lyon, comme prévu, que dans l'après-midi.

Notre rencontre fut heureuse et bonne. Je savais déjà combien il me dépassait en finesse d'esprit ; et je le vois, à présent, toujours prêt à se compromettre pour les causes qui lui paraissent justes. Pas l'ombre, chez lui, de cette indifférence, de ce désintérêt, de cette sclérose où l'âge a comme pétrifié tels de nos camarades de l'École, jadis si vivants.

Je ne l'ai plus revu. Comme c'est loin, et comme c'est près à la fois, nos deux-trois heures ensemble en 1935 ! Si nos chemins se croisaient – mais il est bien tard ! –, je suis sûr que tout serait pareil entre nous : une profonde entente immédiate.

Souvenir d'avril 1936. Paris. Leçon de choses[2]

Pierre-Henri Simon avait été mon camarade, rue d'Ulm. Il appartenait aux Jeunesses patriotes, et j'étais d'en face. Mais nous nous entendions bien, parce qu'il était loyal et sans fiel. Avec les

1. Écrit en juillet 1978.
2. Rédigé en juillet 1980.

années, il évolua, jusqu'à lancer un texte qu'on déplora vivement, à droite : *Les Catholiques, la Politique et l'Argent.*

Un jour de printemps 1936 – c'était avant les élections qui portèrent au pouvoir le Front populaire –, je parlais avec Daniel-Rops et lui appris ce que P.-H.S. m'avait tout récemment déclaré : qu'il se proposait d'étudier l'obscure « *histoire du bassin de Briey* », en 1914-1918 : ce complexe sidérurgique, aux mains des Allemands et travaillant à leur profit, mais qu'aucun obus français n'avait jamais atteint, alors que sa destruction, sa complète destruction, était non seulement praticable, mais facile à notre artillerie et semblait aller de soi, s'imposer même. Les intérêts de la famille de Wendel passaient pour n'être pas étrangers à cette singulière abstention. Vrai ou faux ? P.-H.S. était très déterminé à conduire, sur ce point, une enquête approfondie. Ce que j'annonçai là, candide, à D.-R. provoqua chez lui un sursaut. « *Insensé,* s'écria-t-il ; *démentiel ! Si vous avez la moindre influence sur P.-H.S., empêchez-le de commettre une pareille sottise ; il se coulerait, et de manière irréparable !* » J'étais stupéfait et scandalisé. Plutôt tardive (j'avais trente-trois ans), ma découverte d'une évidence : que D.-R. faisait carrière, visait l'Académie, et que ce professeur d'histoire (il enseignait alors à Paris, P.-H.S. à Lille, moi à Lyon) n'avait *aucun* souci de la vérité historique, si cette vérité pouvait nuire à son avancement. Il supposait donc la même prudence chez P.-H.S. et le conjurait de ne pas commettre une gaffe socialement irrémissible. Je transmis l'avertissement à P.-H.S., qui s'en amusa, moins surpris que moi. S'il ne publia rien sur l'affaire de Briey, ce fut seulement – il m'en reparla en toute simplicité – parce que ses recherches ne donnèrent aucun résultat. Impossible de mettre la main sur le moindre document-preuve. Route barrée de toutes parts. On ne s'aventure pas sans de bonnes armes dans une polémique où sont en jeu de grands intérêts et l'« honneur » d'une grande famille. P.-H.S. était courageux cependant. On le vit assez, vingt ans après, quand il fonça, en pleine guerre d'Algérie, « contre la torture », défendue, pratiquée, recommandée, par un Massu. P.-H.S. savait très bien ce qu'il lui en coûterait de lancer ce brûlot, alors qu'il désirait, lui aussi, l'habit vert. Il l'obtiendra tout de même, finalement, sa panoplie, mais devra beaucoup patienter. Il le fera de bon cœur.

En 1964, je crois (ou en 1966 ?), je trouvai, par hasard, dans un pamphlet antigaulliste de Fabre-Luce, publié en Suisse (*Haute Cour*, p. 148), cette pertinente remarque : « *Qu'est-ce qu'un Parisien ? Un homme, avant tout, qui sait de quels sujets il convient de ne pas parler.* » Dans son essai, un peu bâclé, sur Péguy, Daniel-Rops, évoquant les déconvenues dont fut victime l'homme des *Cahiers*, concluait que ses infortunes lui vinrent principalement de ce qu'il n'avait pas « *le pied parisien* ». Question de pied, vraiment, ou de nuque ? Un peu trop raide, celle de Péguy ; ce qui agaçait Barrès et l'irritait. Henri Petiot (dit « Daniel-Rops », en littérature) avait su parfaitement, quant à lui, adapter son pied et sa nuque aux convenances du « Tout-Paris ».

30 juin 1936. Lyon

Meeting du « Front social » au palais du Travail.

Quand je suis arrivé, il n'y avait presque personne. Sous des cartons ficelés, à droite, en ligne contre le mur, un grillon chantait, de temps en temps. (Je sais qu'on ne doit pas dire « chanter » puisque le bruit qu'il fait vient du frottement de ses élytres. Disons pourtant, comme tout le monde, qu'il « chante ».) Il a l'air mal rassuré. Il « chante » à tout petit bruit, s'entrecoupant de silences. La salle se remplit. Il se tait. C'est E. qui prononce le discours attendu. Il est vieux et trop bavard ; des phrases toutes faites, ennuyeuses. Mais on le respecte, à cause de son « grand passé ». Cette foule ouvrière se tient bien ; polie et docile. Alors le grillon, tranquillisé, recommence sa petite musique, mais très faible, comme par respect, lui aussi, pour l'orateur. A côté de moi, un gars solide ; *L'Huma* sort à demi de sa poche ; le grillon l'intéresse plus que ne fait E. Et, discrètement, il se penche, étend une jambe, déplace même, du bout de son soulier, un des cartons ; il tord le cou pour tâcher d'apercevoir le grillon, qui s'est tu, inquiet, dès que la caisse a bougé. Le gars se retourne vers moi et me glisse à l'oreille : « *C'est malin, hein ? ces petites bêtes...* » J'acquiesce, j'acquiesce, tout en lui faisant signe, du menton, qu'E., là-bas, nous parle ; il est venu pour nous. Le camarade secoue la tête plusieurs fois, de haut en bas, résolument approbatif ; et il restera jusqu'au bout très sage, au point de dédaigner le grillon, malicieux et tentateur, qui essaiera deux fois, mais à peine et en vain, de le distraire.

Souvenirs d'Égypte (1936-1938) [1]

L'encens que la servante, entièrement drapée de vert vif, vous souffle à la figure, quand on pénètre dans la demeure (une demeure-palais) de Mme Kout el Kouloub. C'est le nom qu'elle a pris, pour écrire ; son pseudonyme littéraire, qui signifie, m'a-t-on dit : « nourriture des cœurs ».

Au mariage de Farouk, pour la réception nocturne, au pied de chaque colonne, dans la salle immense, se tenait un Nubien géant. Imitant Frédéric II, Farouk n'avait accepté, pour cette section privilégiée de sa garde, que des gaillards de deux mètres. Vêtu de rouge, chacun tenait, au bout de son bras droit tendu, une hallebarde oblique dont le bas touchait sa chaussure en tel point déterminé : dans l'angle creux entre la semelle et le talon. Ils avaient obligation de ne faire aucun mouvement, de garder une immobilité de statue, les yeux fixés un peu au-dessus des têtes. Les premiers des invités arrivèrent au palais vers 22 heures ; les derniers s'en allèrent un peu avant 2 heures du matin. Ces Nubiens, qui devaient être là depuis 21 heures environ, sont donc restés pendant près de cinq heures dans cette rigidité absolue qui, un seul instant oubliée, leur eût valu très certainement un châtiment lourd et sans doute une révocation précédée d'agréments divers.

De la route ou du train, entre Alexandrie et Le Caire, le nouveau venu éprouve un vif étonnement : passent, dans les champs, de

1. Non classés ; la plupart d'après des notes, sans date, griffonnées, souvent mal lisibles, mais prises sur place. Les autres retrouvés en fouillant ma mémoire. La note sur Jean Zay comporte une adjonction de 1987.
J'ai été nommé professeur à l'université Fouad-Ier, au Caire, en octobre 1936. J'avais un contrat de deux ans avec le gouvernement égyptien. En juin 1938, le ministre égyptien de l'Instruction publique me demanda d'accepter un nouveau contrat de deux ans. Mais un poste s'ouvrait à l'université de Bordeaux, et j'ai opté pour Bordeaux.

hautes voiles blanches. Ce sont des bateaux dont on ne voit pas les coques, et qui glissent sur l'un de ces bras du Nil qui font la fertilité du delta.

Un aviateur anglais m'affirme que, dans la baie d'Aboukir, on voit très distinctement sous la mer, et à peu de profondeur, les carcasses des navires qui avaient constitué la flotte de Bonaparte pour son expédition d'Égypte et que les Anglais détruisirent tous, au mouillage, le 1er août 1798. Tout cela, depuis le temps, a dû être dévalisé, écumé, avec minutie.

Ces oiseaux qui tournent sans cesse dans le ciel, au-dessus du Caire, ce sont, paraît-il, des milans ; « rapaces diurnes », m'apprend le dictionnaire.

A l'institut Sainte-Marie, tenu par des religieuses et qui correspond, pour les filles, à ce qu'est, pour les garçons, le collège des jésuites, Mgr X vient de présider la distribution des prix. Il a parlé de l'amour divin avec des gestes arrondis qui soulignaient ses meilleures phrases. Comme il évoquait l'enfer et ses flammes éternelles, salaire de l'impureté, un rayon de soleil entrant par la fenêtre tira de sa bague, plusieurs fois, de beaux éclairs violets appropriés et persuasifs. Pimpant, joufflu, le ventre rond, ce digne homme insistait beaucoup sur « la joie du sacrifice ».

Dans ce pauvre couvent où il a dû se rendre, je ne sais plus pourquoi, le ministre de France [1] a prononcé un petit discours. Assises devant lui, sur deux rangs, les religieuses gardent toutes – est-ce une règle, une prescription ? – leurs mains (de grosses mains rugueuses, dans l'ensemble) posées sur leurs genoux, renversées, la paume ouverte à demi, comme des choses vides et fourbues.

---

1. A cette époque on distinguait encore, au Quai d'Orsay, les « ministres » des ambassadeurs ; ces derniers n'étaient tels qu'auprès des grandes puissances et des États européens. Ailleurs, le représentant de la France n'était que « ministre ». C'était le cas pour l'Égypte. Aujourd'hui, plus de « ministres », partout des ambassadeurs, au Nigeria comme à Londres, au Burundi comme à Moscou, au Honduras comme à Washington.

Le laïcisme ne s'exporte pas. Notre ministre français de l'Éducation nationale, Jean Zay, a honoré de sa visite *et*, à Alexandrie, le lycée de la mission laïque, *et*, au Caire, l'illustre collège des jésuites. Et c'est même là qu'ont eu lieu les échanges officiels de compliments protocolaires avec, en prime, sur Blaise Pascal, le discours prononcé par le titulaire de la chaire de littérature française de l'université Fouad-Ier, c'est-à-dire moi-même. Un voyage de trois jours en haute Égypte ayant été organisé par les autorités égyptiennes, Jean Zay m'offrit d'y participer. Je n'avais jamais vu pareil train spécial ; dans le wagon réservé au personnage principal, une salle à manger, un vaste salon, deux chambres, deux salles de bains. Mme Jean Zay accompagnait son mari.

Jean Zay s'était vraisemblablement renseigné sur ma personne auprès du ministre de France, qui lui avait résumé ma carrière : École normale, agrégation, doctorat ; sans doute avait-il ajouté que j'étais catholique pratiquant et que j'avais appartenu, en France, au mouvement de Marc Sangnier, dont ma femme était la filleule. Jean Zay, juif ou demi-juif (et franc-maçon, je crois), m'a fait la meilleure impression, d'intelligence, de culture, de simplicité non feinte. Sa femme est vive et charmante. Ils m'ont invité deux fois à leur table pour des conversations toujours pleines d'intérêt – et d'humour. J'apprendrai, un an plus tard, qu'usant de ses prérogatives de ministre c'est Jean Zay qui m'a, pratiquement, *imposé* à la faculté des lettres de Bordeaux, où s'ouvrait une « maîtrise de conférences » promise, sur place, à un autochtone nanti d'une thèse pour rire sur une gloire locale. La coutume est que l'Éducation nationale entérine sans discussion le choix de l'Université. Pure habitude, car le ministre garde le droit de désignation. Après examen des dossiers (il avait été alerté par le directeur de son cabinet, Marcel Abraham, avec lequel, depuis le voyage en haute Égypte, j'étais resté lié), Jean Zay crut devoir intervenir en ma faveur, en raison de la disproportion des thèses. Ce geste fit scandale à Bordeaux, où je passai aussitôt, d'un certain côté, pour un catholique imposteur, franc-maçon en secret, ou vendu à l'ennemi[1].

1. Jean Zay sera assassiné, pendant l'occupation allemande, par la milice de Pétain.

Quand Jacqueline vient m'attendre, avec les deux enfants – quatre et trois ans – dans le grand jardin par où l'on accède à l'université, presque infailliblement (disons deux fois sur trois) vient s'asseoir sur le banc en face du sien, et quelle que soit l'allée écartée qu'elle ait choisie pour son ombre, son calme, la rareté des passants, un Égyptien en costume populaire classique (la *djellaba* descendant jusqu'aux pieds), jamais le même, qui, avec un grand sourire, son vêtement relevé, et les yeux fixés sur J., entreprend de se masturber. Afin de s'épargner tout incident possible en prenant le parti de s'en aller aussitôt, J. installe les enfants devant elle et, penchée sur eux, leur raconte une histoire jusqu'à ce que l'opérateur, en vis-à-vis, ait mené à bien son divertissement.

Nous avions décidé, un groupe d'étudiants et moi, d'aller voir le soleil se lever sur le Nil, en aval du Caire ; et nous avions loué une vedette à moteur puissant. Nous étions vingt, environ. Le vice-doyen, averti de notre projet, avait fait savoir qu'il participerait volontiers à cette promenade inédite pour lui comme pour nous. Quand nous avons pris le départ, la nuit était encore complète. Pas de lune. Il faisait froid, et nous étions presque tous entassés à l'arrière, entre le moteur et la poupe d'où partait un bouillonnement furieux. Les premières demi-clartés de l'aube apparurent, se précisèrent. Une partie de notre groupe était restée avec moi, à l'arrière, quand deux des garçons qui s'étaient portés à la proue arrivèrent sur nous en courant : « *Venez ! Venez voir ! Vite !* » J'allai voir, nous tous, en un instant réunis là. Le soleil n'était pas encore levé, mais, à l'est, une rougeur montait. Visibilité parfaite. Ce que nous voyions *tous* était si surprenant que je demandai : « *Quelqu'un a-t-il des jumelles ?* » On me tend l'objet. Très distinctement, devant nous, un fellah traversait le Nil, je dis bien, traversait le fleuve, pas à pas, un bâton à la main (il tenait ce bâton horizontalement).
Il marchait sur l'eau, sans que l'on puisse apercevoir ses pieds. Portait-il des raquettes spéciales, à flotteurs, d'une espèce inconnue ? Il levait les genoux lourdement, mais ses chaussures – s'il en portait – nous demeuraient cachées par l'eau. Le courant

du Nil est fort. L'homme n'en paraissait point gêné. Il avançait droit devant lui, sans aucunement vaciller, aussi tranquillement, aussi fermement que s'il eût marché sur un chemin de terre. Je pris sur moi de faire lancer le moteur à fond. Et ce qui se passa – tous les témoins pourront l'affirmer –, c'est que notre vedette avait beau filer à toute allure, *la distance restait invariablement la même* entre nous autres et le bonhomme, là-bas, qui achevait son parcours. Le soleil se montra juste comme le fellah pénétrait, pour y disparaître, dans les roseaux du rivage. Personne ne nous donna jamais d'explications, et nous avons vingt fois raconté notre histoire. Un mirage ? Le mirage n'est concevable que sous un grand soleil ; et le gars avait traversé le Nil avant l'aurore.

Je n'aime pas beaucoup raconter cette petite aventure qui peut paraître vouloir rivaliser avec les énigmes factices inventées par ces narrateurs qui cherchent à capter l'attention, faute de mieux, par des fables grossières. Je l'écris cependant ici, parce que ce fait d'expérience, aujourd'hui encore stupéfiant, perdra un jour ou l'autre, j'en suis convaincu, son mystère.

Le doyen de la faculté des lettres, Taha Hussein, l'aveugle. Ce calme, cette dignité ; cette intelligence. Progressiste, il est mal aimé du roi qui ne veut pas de lui comme ministre de l'Instruction publique, rôle où il excellerait. J'éprouve à son égard un respect qui n'est guère inné en moi pour les Importants, les Considérables. Plus que du respect ; une admiration sans limites ; une tendresse cachée.

[Mars 1937] vers Baalbek [1]

C'est un jésuite qui me conduit à Baalbek, dans une vieille voiture assez déglinguée dont la carrosserie ballotte bruyamment. Large d'épaules et de poitrine, il paraît calme et solide. Il m'explique ce que nous allons voir. Il me plaît bien. Je lui donne tout bas du seize sur vingt, en attendant mieux, et fais dévier la conversation de l'archéologie à son état de prêtre, prenant pour prétexte

1. Écrit au Caire, après ma brève mission au Liban.

41

le clergé maronite. J'ai été reçu, la veille, par un de ces ecclésiastiques à qui le mariage est permis ; mais le pauvre homme m'a navré ; et l'on m'a dit que, dans l'ensemble, ces maronites sont assez pitoyables. Quoi de vrai ? Malveillances de jaloux ? On les répute ignorants (ils ont tout de même été instruits au séminaire, non ?) et bornés. De nature ? Une chose m'a paru certaine : ils sont loin, fort loin, de l'opulence ; presque, au contraire, des miséreux.

Pourquoi ? La question que je pose à mon « chauffeur » bénévole porte, on s'en doute bien, sur le célibat des prêtres. Le jésuite n'esquive pas le problème. Voici, à peu près littéralement, ce que furent ses paroles : « *Une rude exigence. Difficile et long de trouver la paix ; mais à force de lui dire non, la tentation se décourage. Elle s'en va. J'ai trente-sept ans. Je m'en suis sorti, depuis quatre ou cinq ans. Tout à fait. Dieu merci.* » Il ne me regardait pas en parlant ; il regardait sa route : ses mains – des mains rudes mais belles – tenaient avec fermeté le volant. J'avais la conviction qu'il me disait la vérité. Son chiffre secret est passé, dans ma tête (dans mon cœur) de seize à dix-huit.

Bernanos

C'est au Caire, en mai 1938, que j'ai lu les *Grands Cimetières sous la lune.* Commotion. Joie profonde et adhésion totale. Mais un paragraphe m'avait navré : une allusion cruelle et parfaitement injuste à Marc Sangnier.

J'écris immédiatement à Bernanos, chez son éditeur. Et, quelques jours après, je reçois ceci :

8 juin 1938
Hôtel Megand. Cap Brun-Toulon

« *Cher Monsieur,*
« *Votre lettre m'a beaucoup ému. Il m'apparaît tout à coup possible que je me sois trompé. La personnalité de M. Sangnier – ou plutôt le langage qui l'exprimait – a toujours agacé mes nerfs. Il serait honteux que je m'en sois vengé à mon insu, étourdiment, par*

42

une calomnie dont la gravité ne m'échappe pas puisqu'elle vous a si profondément blessé. L'accent d'un témoignage comme le vôtre vaut toutes les preuves, ou plutôt c'est la seule qui vaille à mes yeux.

« Je prie l'éditeur de supprimer ce passage dans le prochain tirage et je vous demande, si vous le jugez bon, d'exprimer mes regrets à votre ami.

« Je serai très heureux d'être le vôtre. »

G. Bernanos

Effectivement, le jour même, Bernanos écrivait à Pierre Belperron, chez Plon, pour lui demander la suppression du paragraphe sur M.S. (cf. Bernanos, *Correspondance inédite, 1934-1948*, p. 205). La maison Plon a-t-elle obéi à cette injonction ? Je n'ai pas vérifié.

Alexandrie. Juin 1938. Leçon de choses [1]

Je préside la session du baccalauréat français. Les copies ont été corrigées, encore anonymes et simplement numérotées ; leur coin supérieur gauche, replié et collé, dissimulant le nom du candidat, doit rester intact jusqu'à la réunion des correcteurs. Nous y sommes. Se trouvent maintenant dévoilés les noms de ceux et celles à qui nous avons donné nos notes. J'ai corrigé les copies de français et il se trouve que j'ai, à ma gauche, le correcteur des mathématiques. La copie que j'ai sous les yeux est bonne ; j'ai donné un douze, « 12 + », qui signifie que je suis prêt à aller au-delà, s'il le fallait pour épargner l'échec, pour un point, à ce candidat. La copie de mathématiques est bonne, très bonne même ; note proposée : « 14 + ». Par hasard, je regarde cette copie brillante que touche mon coude. Une surprise me saisit. Je prends (« *vous permettez ?* ») cette grande double-feuille pour l'examiner avec attention. Aucun rapport, mais, là, pas le moindre, entre l'écriture de la copie de français et celle de la copie de « maths ». En admettant même un changement de stylo et d'encre, l'évidence éclate : ces deux copies ne sont pas de la même main. Première

---

1. Écrit, tel quel, le lendemain de l'oral.

43

vérification : le « carnet scolaire » de l'intéressé. Ce garçon a échoué deux fois au bachot, en France, et pour des notes, en mathématiques, désastreuses. Ses parents l'ont envoyé, en octobre dernier, à Alexandrie, où ils ont des cousins, parce que le baccalauréat, en Égypte, *passe* pour plus « facile » qu'en France. Je suis résolu, pour ma part – et je l'ai prouvé l'année précédente –, à n'être point, en Égypte, différent de ce que je serais, examinateur, au pays. Je prends à témoin chacun de mes collègues. La copie de « mathématiques » passe sous tous les yeux, et chacun peut en comparer l'écriture avec celle de sa spécialité. Une gêne s'établit ; je le constate tout de suite ; une lourde gêne. La plupart des correcteurs se bornent à hocher la tête en silence, avec des mines graves. Mais l'un d'eux, puis un second proposent des observations, conjuguées, mettant en garde tout un chacun à l'égard d'une sentence trop rapide : « *Oui, assurément, à première vue... Mais pourtant... Remarquez la barre des* t, *la forme des* m, *les signes de ponctuation...* »

La vérité crève les yeux. Ce qui fait question, ce n'est pas le corps du délit, c'est le suspect lui-même, je veux dire le coupable. Nous avons maintenant son nom. Il appartient à une grande, vieille et riche famille française. La fraude essayée là n'a rien d'inédit : substitution discrète, à un candidat en péril, d'un représentant fallacieux, mais capable, et appointé. Dès les premières minutes de l'épreuve écrite, le tricheur demande à sortir et rejoint le complice qui l'attend ; il lui remet l'indication du sujet et les feuillets réglementaires ; puis, dix minutes avant la fin de la séance, prétextant une nouvelle urgence corporelle, il sort, de nouveau, pour recevoir de son... employé une copie satisfaisante. Le risque est faible. Bien improbable que les correcteurs réunis, le jour venu, perdent leur temps à contrôler toutes les écritures. Devant nous, sur la table, les rapports laissés par les surveillants des épreuves écrites, où sont inscrits les numéros des candidats qui ont demandé à sortir, et l'heure où ils l'ont fait. Pendant l'épreuve de mathématiques, un seul est sorti deux fois, et aux heures significatives, notre numéro 44. Affaire réglée. En ma qualité de président, je décide, dans un silence contraint, que le candidat 44 ne figurera pas sur la liste d'admissibilité. Je ne vais pas au-delà. Évitons le scandale. S'il y a protestation de la famille, nous lui expliquerons, confidentiellement, et preuves à l'appui, la fâcheuse histoire que, pour notre part, nous n'ébruiterons pas.

Tout à coup, le délégué du ministre de France, premier secrétaire de la légation, qui n'intervient jamais, mais doit apposer sa signature sur le procès-verbal de la réunion, se lève et, sans un mot, quitte la pièce pour reparaître, trois minutes plus tard, le visage fermé et nous apprendre d'un ton officiel, catégorique, définitif : « *Le ministre déplorerait un incident. Son avis est que le jeune X soit déclaré admissible, mais qu'on le coince à l'oral, si l'on y tient.* »

Ces instructions sont la clarté même : pas d'histoire, et que le « fils de famille » en question reçoive son diplôme de bachelier. A l'oral, j'ai interrogé le garçon sur Chateaubriand ; il a très convenablement commenté un passage des *Mémoires d'outre-tombe* ; le destin de René, il en connaît, en outre, assez bien les grandes lignes. Je ne pouvais lui donner moins que douze (m'abstenant de +). Par curiosité, je suis allé assister à l'épreuve orale de mathématiques. Mon collègue, discipliné, a posé des questions qui auraient fait sourire un élève de troisième et a conclu par le « dix » qu'il avait, d'avance, dans l'esprit.

Les parents de notre gaillard ont eu raison, finalement, de faire confiance au jury d'Égypte et à l'urbanité d'un ministre qui sait vivre.

23 août 1938

J'ai lu, ces jours-ci, les deux derniers tomes parus des discours de Marc Sangnier. Ces deux volumes embrassent une période de douze ans ; et beaucoup de ces discours dont je relisais lentement chaque phrase, je les avais entendus moi-même, directement, auditeur perdu dans la foule.

« *On a beau recueillir les mots qui sont sortis du cœur, ils sont presque toujours desséchés dans les recueils de discours* » : cette parole un peu mélancolique, c'est Marc Sangnier lui-même qui l'a prononcée, en décembre 1932, devant la plaque commémorative que l'on apposait, ce jour-là, sur la maison de Charles Lachaud, son grand-père. Oui, certes, le propre du grand orateur, c'est d'agir presque physiquement, par une sorte de contagion, sur l'assemblée qui l'écoute. Sa présence, cette tension ardente qui est en lui, tel accent placé sur tel mot, la vibration même d'une âme qui brûle et qui cherche à transmettre le feu dont elle est dévorée, tout cela nous échappe et nous manque à l'heure où nous n'avons plus que des mots imprimés sous les yeux, où nous sommes tout seuls dans une chambre avec un livre dans les mains. Heureux ceux dont la mémoire peut alors ressusciter l'instant d'autrefois ! Sous la phrase imprimée et qui semble morte, une image se lève ; c'est là, je me souviens, dans telle salle ; tel ami était près de moi ; ah ! comme nous regardions tous, passionnément, cet homme debout et qui nous parlait ; sa voix nous entrait au plus creux du cœur ; chaque mot semblait nous concerner ; il n'avait pas ce ton enflé, cette perpétuelle emphase, criarde et monocorde, qu'on trouve chez tant de rhéteurs. Rhéteurs, justement, bavards qui bonimentent. Lui, nous savions bien qu'il y croyait, qu'il s'engageait à plein, à fond, sur chaque parole ; on pouvait appeler ça un « discours », parce que c'était beau, construit, solide, parce que les phrases avaient, comme d'elles-mêmes et sans calcul, un poids équilibré, un rythme non factice, mais vital, mais essentiel, parce que la langue, spontanément, avait une exactitude parfaite, sans une erreur, sans une bavure, et que, n'eût été ce seul prestige, déjà c'était pour l'auditeur une fête de l'esprit. Mais il s'agissait de bien autre chose, moins d'un discours que d'un entretien capital : éloquence, comme dit Pascal, « *qui se moque de l'éloquence* », qui n'y vise point, qui a bien autre chose à faire ; ce que porte en elle cette voix – non d'un comédien très savant, mais d'un homme, d'un camarade –, c'est une vérité fougueusement aimée et qu'elle veut nous faire entrevoir, nous faire éprouver, ressentir, qu'elle veut nous jeter dans l'âme pour qu'enfin nous l'aimions, nous aussi, comme il l'aime, de toute sa force, lui qui parle là-bas au bout de cette salle, là-bas et tout près.

Nous autres qui avons eu cette faveur du sort, cette grâce d'être là, nous pouvons à présent ouvrir le recueil des *Discours* sans craindre de n'y trouver rien qu'une prose inerte et desséchée. Tout se met à revivre à mesure ; le courant passe de nouveau ; et maintenant nous sommes assurés de ne plus rien perdre de ce grand message, puisque les voilà toutes, à jamais préservées, ces paroles qui nous ont élevés au-dessus de nous-mêmes et dont nous pourrons, à toute heure, retrouver le frémissement, entendre le rappel à l'ordre.

Ceux qui viendront après nous, ceux qui, parmi nous, n'ont pas d'autre accès à la pensée de Marc Sangnier que ces livres où sont consignées ses paroles, ils auront là, pourtant, un document sans prix, une attestation.

A la fin de cette année scolaire, en Égypte où j'étais professeur, nous avons remis aux meilleurs étudiants de l'université trois magnifiques ouvrages offerts·par le gouvernement français ; l'un de ces volumes était une *Histoire de la Troisième République.* Comme je feuilletais ce livre, admirant les illustrations, j'ai vu tout à coup, au milieu d'une page, un grand portrait photographique de Marc Sangnier. Et je songeais à cet article, un peu hautain, un peu amer, que j'avais lu, l'année d'avant, sous la signature d'un académicien ; ce vieil homme évoquait *Le Sillon*, notait qu'en ce temps-là Marc Sangnier semblait plein de promesses, rappelait qu'il l'avait connu, qu'on pouvait le croire destiné à étonner la France par une carrière éblouissante ; mais, hélas, il était resté piétinant tandis que d'autres, moins doués que lui, avançaient, « arrivaient », devenaient ministres, grands diplomates, que sais-je même, académiciens ! Cependant, je cherchais en vain leurs visages dans les pages de cette « Histoire de France ».

Arriver ? Se ménager une carrière glorieuse et profitable, était-ce donc cela que Marc Sangnier proposait à ceux qui l'écoutèrent d'abord dans la crypte de Stanislas ? Un moyen neuf et enthousiaste de conquérir le monde ? Une voie inédite et subtile pour faire fortune ? Une des premières choses qu'il m'ait dites, cet « arriviste » désappointé, quand je me trouvai devant lui – je me rappellerai chaque détail de ce jour jusqu'à ce que je meure ; c'était un dimanche ; nous marchions en rond, dans son petit jardin, autour du bassin dormant, et Marc avait passé son bras sur mes épaules ; il était député de Paris ; j'avais vingt ans juste – oui, ses premiers mots, ou presque, avaient été un commentaire tout

simple, d'un ton viril et fraternel, de l'Évangile même du matin :
« *Quiconque veut sauver sa vie la perdra...* » Deux routes : « *sauver* » sa vie, faire âprement de son existence une poursuite du succès et des plaisirs, construire son destin comme une entreprise de félicité, ne songer qu'à la vanité, à l'orgueil, à l'égoïsme, réussir avant tout, gagner de l'argent, gagner de la gloire ; ou bien travailler pour tout autre chose que nous-même, prendre au sérieux ce que nos lèvres de chrétien répètent chaque jour, vouer sa vie à l'avènement du « *règne de Dieu* », tout donner, n'aimer que cela vraiment, ce labeur, cette longue peine, perdre sa vie, en somme, aux yeux du monde, mais rester fidèle, pour toujours.

Il ne se donnait pas en exemple ; il me disait seulement de tâcher d'être un homme, de bien comprendre la grande loi, « *l'unique nécessaire* », qu'il s'agissait surtout de ne pas se mentir à soi-même, mais, puisqu'on affirmait au Père, tous les jours, qu'on l'aimait « *par-dessus toutes choses* », de l'aimer vraiment comme cela, et de lui en donner la preuve.

Sa preuve à Marc, la voici. Nous la tenons entre nos mains : ces discours « *qui sont des actes* » et qui commencent avant l'aube même du XXᵉ siècle ; quarante ans d'une vie donnée ; un homme qui n'a pas connu le repos, qui n'a pas voulu de ce qui s'achète au prix des complaisances et des reniements, qui n'a pas cessé d'agir et de se battre ; un témoin, le plus pur qui soit ; un héros des batailles de Dieu.

5 octobre 1938

Cette hideuse Assemblée de Versailles qui organisa, sous les yeux d'un Victor Hugo terrifié, les atroces et interminables représailles contre la Commune, Bainville, dans sa *Troisième République* (p. 302), parue il y a deux ans et que, retour d'Égypte, je lis cette année seulement, Bainville patelin et sachant très bien qu'il ment, l'appelle « *cette assemblée douce et honnête qui voua la France au Sacré-Cœur* ».

14 janvier 1939

Maritain. Quel bond, de sa part, entre ses *Trois Réformateurs*, un ouvrage si «maurrassien», et sa brusque attitude antifranquiste. C'est en juillet 1937, je crois, et dans la *NRF*, qu'il a osé écrire (je cite de mémoire) : « *Ceux qui tuent les pauvres sont au moins aussi coupables que ceux qui tuent les prêtres* », ces derniers, dans la pensée de Maritain, étant « *les rouges* » d'Espagne.

Combien aurons-nous été, parmi les catholiques français, à dénoncer comme monstrueuse la prétendue «croisade» du « Caudillo » bénie par l'épiscopat espagnol ? Une poignée : Bernanos, Mauriac, Maritain, le groupe *Esprit*, le «groupuscule» de Marc Sangnier, la *Jeune République*, sans oublier les dominicains du Cerf. Tout à coup, en août 1937, *Sept*, l'hebdomadaire qu'ils avaient lancé, annonça qu'il cessait de paraître. J'eus rapidement (et par le R.P. Maydieu lui-même) le mot du secret : une campagne tenace avait été menée, à Rome, par l'Église espagnole, pour obtenir du pape qu'il exigeât la disparition d'une feuille catholique française où l'action salvatrice du général Franco était mal soutenue – euphémisme –, alors que des « chrétiens » du premier rang, comme l'académicien Henry Bordeaux et surtout, surtout, le grand écrivain Paul Claudel, servaient avec tant de zèle la bonne cause. Le pape avait obtempéré.

Sept disparu, restait *La Vie intellectuelle*. Le comité directeur s'aventura dans l'audace et publia mon article «Par notre faute[1] ». Le 14 novembre, le R.P. Cordovani (du «sacré palais apostolique ») m'accabla, comme je le méritais, dans *L'Osservatore Romano* ; j'étais accusé de « *faire bénéficier les persécuteurs* [de l'Église] *de circonstances atténuantes* » ; suivait un paragraphe menaçant destiné aux responsables de *La Vie intellectuelle* :

1. En 1979, dans son *Cas Guillemin*, Patrick Berthier a eu la bonne idée de reproduire, tel quel, l'article que j'avais publié sous ce titre dans *La Vie intellectuelle* du 10 septembre 1937. Après la guerre, à la demande de Stanislas Fumet, j'eus la faiblesse de consentir à publier chez Laffont (automne 1946) un *Par notre faute* atténué, émondé, que je désavoue aujourd'hui et dont je ne suis pas loin d'avoir honte.

« *Comment ne s'est-il pas trouvé* [là] *un censeur qui* [etc.] ? » Une fierté vaniteuse me gonfle depuis que le même R.P. Cordovani, dans la même feuille officieuse du Vatican, a su dire son fait, sans indulgence, à Bernanos, pour son déplorable produit : *Les Grands Cimetières sous la lune.* La condamnation était si grave et si fortement argumentée qu'elle s'est étalée sur deux numéros de *L'Osservatore*, les 3 et 4 janvier 1939.

[Juillet 1939] Bordeaux [1]

Quand Mauriac venait s'installer, pour l'été, à Malagar, nous nous voyions assez fréquemment. Dans la première semaine de juillet 1939, je l'invitai à déjeuner chez moi, rue Rosa-Bonheur (j'étais, depuis novembre 1938, professeur à la faculté des lettres de Bordeaux). Mauriac me répond : « *Oui, bien sûr, quand vous voudrez. Mais j'ai Gide à la maison. Puis-je vous l'imposer ?* » Il riait. Je n'avais pas revu depuis 1926 un Gide qui avait plus que probablement oublié notre rencontre à Pontigny. Gide à Malagar chez Mauriac ! Cette conjonction me surprenait un peu (moins inconcevable, assurément, que Gide à Brangues, chez Claudel), mais je savais Claude Mauriac – vingt-cinq ans – grand admirateur de Gide, et le styliste calamiteux des *Nourritures terrestres* s'était montré capable de reconnaître, et de saluer, en François Mauriac, un écrivain exceptionnel. Politiquement, au surplus, dans l'horrible affaire d'Espagne, ils étaient d'accord.

Donc, entendu, Gide accompagnerait les Mauriac père et fils quand ils viendraient déjeuner chez moi. Gide se montra souriant, aimable, mais réservé, très réservé, peu causant. Au cours du repas, il n'avait à peu près rien dit ; puis, tout à la fin, par souci de courtoisie sans doute, il s'était lancé dans le récit d'une anecdote « vécue » mais dont la chute est si brillante qu'un doute subsiste toujours, en moi, quant à son authenticité. A l'en croire, jadis – c'était il y a très longtemps –, Francis Jammes, qui lui témoignait beaucoup d'amitié, s'efforçait avec obstination de persuader sa mère d'inviter, une fois au moins, Gide à sa table ; et cette pay-

---

1. Rédigé en décembre 1960.

sanne basque, d'une piété rigide, résistait à l'idée d'une prévenance, de sa part, à l'égard de ce Gide dont elle savait seulement
qu'il n'obéissait pas à l'Église. A force d'insistance, Jammes avait
enlevé l'acquiescement de sa mère, et Gide avait été accueilli dans
la vieille maison. Mme Jammes l'avait fait asseoir à sa droite, mais,
plus le repas approchait de son terme (le dessert était déjà là), plus
les deux amis avaient le cruel sentiment d'un échec. Leurs généreux efforts n'avaient pas réussi à vaincre la froideur où Maman
Jammes se murait. Quand soudain, à la dernière minute en
somme, la maîtresse de maison prononça une déclaration qu'elle
avait sans doute longuement méditée, soupesée, déclaration à ses
yeux nécessaire, parce qu'elle rappelait ainsi, de manière définitive, sa position morale, son statut, mais bienveillante cependant
pour l'ami – égaré – de son fils ; Gide lui apparaissait comme un
malheureux qui faisait partie des victimes de faux apôtres, de faux
prophètes, de malfaiteurs anciens, terriblement criminels. Elle se
tourna donc vers Gide, l'interrogeant avec douceur : « *Vous êtes
protestant, n'est-ce pas, monsieur Gide ? – De naissance, madame,
de naissance* », répondit Gide, conciliant à l'extrême. Et elle :
« *Les protestants, je ne dis pas qu'ils sont tous mauvais ; il y en a
sûrement qui sont honnêtes, qui sont bons, qui croient bien faire.
Mais c'est les chefs que je ne pardonne pas* [sic] : *Calvaire et
Lutin* [1]. »
En sortant de la maison [2] pour nous diriger vers le centre, F.M.
et son fils, dans la rue, sur un trottoir encombré, avançaient
ensemble, Gide et moi à quelques pas derrière eux. Et, tout à coup,
Gide me dit : « *Ainsi vous voilà parti pour l'Académie.* » Je m'attendais si peu à pareille assertion que je crus à une plaisanterie et
regardai Gide en riant. Il était sérieux, et cordial, disant :
« *Voyons, c'est l'évidence ! Rappelez-vous Barrès lançant Mauriac,
le Mauriac des* Mains jointes, *dans* L'Écho de Paris *d'avant guerre.
C'est Mauriac lui-même, je crois bien, qui a comparé cet article au
coup de sifflet, à la gare, ordonnant le départ du train. La préface*

---

1. La suite, c'est-à-dire la fabrication à trois, dans mon appartement, d'un
article assez féroce (pour défendre Maritain et son *Humanisme intégral* attaqué
par Claudel dans *Le Figaro littéraire*), Patrick Berthier l'a racontée dans son
ouvrage de 1979, *Le Cas Guillemin* (Gallimard, p. 58-59).
2. Écrit en octobre 1987.

qu'il a donnée à votre Flaubert *et qu'il publia dans* Le Figaro, *c'est à l'imitation de Barrès, en votre faveur. Vous voilà sur les rails.* » Je n'en revenais pas.

Quelle idée ! Ce dessein que lui attribuait Gide, Mauriac l'avait-il dans l'esprit ? Si cette pensée l'effleura un instant, il dut très vite comprendre que je ne prenais pas la bonne route, traitant systématiquement de sujets interdits, écrivant ce qu'on n'écrit pas quand on veut réussir, dressant contre moi, en même temps, les conservateurs, les cléricaux et autres gens de bien, les héritiers des « Lumières », grands pourfendeurs de « christicoles », et les adorateurs de Napoléon. Mauvaise affaire, pour un bel avancement social, que d'être en butte, à la fois, aux fureurs d'un Philippe Henriot, aux colères d'un Guéhenno, aux sévérités hautaines d'un Lucien Febvre ; jusqu'à Paul Hazard qui, après avoir confié d'abord à Mauriac qu'il songeait pour moi au Collège de France, lui parlait ensuite, avec regret, de mon « *esprit faux* » et de mon « *sectarisme* ».

Aucun sacrifice de ma part. Pour ce dont mes travaux, à eux seuls, me coupaient la route de manière absolue, je n'avais jamais eu, je l'avoue, même un commencement d'appétit. Un roman (raté), que j'avais soumis à Mauriac en 1928, s'intitulait *Les Petites Gens.* J'étais né l'un d'eux et demeurerai toujours avec eux.

Journal intermittent
(septembre 1939 à septembre 1940)

3 septembre 1939

L'Angleterre a déclaré la guerre à l'Allemagne ce matin à 11 heures. La France à 17 heures. Nous suivons. Daladier a parlé à 16 h 30 ; discours artificiel. Il accentuait certains mots pour les faire sonner ; non comme on parle, mais comme on proclame. Lourd et sans élan. A 19 h 30, allocution du cardinal Verdier. De quoi se mêle-t-il ? A lui les « *Marchons ! marchons ! Aux armes !*

Ce sera vite fait [etc.].» Autant Daladier manquait d'entrain, autant ce cardinal en a à revendre. Pénible.

5 septembre

Suis allé à Bordeaux [1]. Ciel bleu. Soleil. Je me souviens très bien de ce qu'était Mâcon, dans les premiers jours d'août 1914, quand la guerre venait d'éclater : cette fièvre, cette exaltation, ce pays debout. Rien de semblable aujourd'hui à Bordeaux. Absolument rien ; un jour comme les autres, un jour de grand beau temps, sans animation particulière. Les terrasses des cafés regorgent de clients. Des gens calmes, et qui rient.

A La Tresne, c'est autre chose. Un accablement. Les réservistes partent mornes. Au bistrot, où j'ai retrouvé l'instituteur (fin de carrière, un bien brave homme, dévoué, scrupuleux), des consommateurs m'ont interrogé : « *Vous êtes professeur...* » Ils ne comprennent pas cette déclaration de guerre. « *Enfin, quoi, on n'est pas attaqué !* » Les alliances, surtout après Munich, un sujet mort. Je m'aperçois tout de suite que je parle dans le vide. Ça n'« accroche » pas ; zéro. Nul ne discute ni n'approuve ; des grommellements, des gestes vagues ; bras qui s'écartent à demi, et qui tombent. Pas question de mutinerie, de rébellion. Tout le monde a certainement pris note de l'avertissement gouvernemental concernant les réfractaires éventuels, qui seraient punis « *avec toute la rigueur des lois* ». Têtes brûlées, anarchistes ? Races inconnues dans nos parages. Et les communistes ? Ils restent interloqués par le pacte signé, à l'improviste, par Staline et que *L'Huma* saluait comme une contribution décisive à la paix – alors que c'était la promesse donnée par l'URSS à Hitler qu'il pouvait y aller, contre la Pologne, et l'anéantir ; Staline était d'accord. Mais enfin, nos communistes locaux ont tant vilipendé Hitler qu'ils ne sont pas contrariés par la mobilisation. Résultat, cette mobilisation s'opère dans un ordre parfait, où l'enthousiasme n'entre pour rien : obéis-

---

1. Depuis la fin des cours et des examens, au début de l'été, nous nous étions établis, tous les cinq, chez mes beaux-parents, dans leur petite propriété de La Tresne, à quinze kilomètres environ de Bordeaux, direction Langon.

sance résignée, soumission passive. Hitler a réussi contre nous l'opération Bismarck de 1870. Il nous laisse la responsabilité de la guerre. Ce n'est pas lui qui la déclare ; c'est nous. J'ai essayé, devant les pastis, le thème de la guerre préventive : que le Führer, dans *Mein Kampf*, n'a pas caché ses intentions ; qu'il entend bien nous écraser et nous prendre beaucoup plus que l'Alsace-Lorraine. Je savais d'avance que cette justification-là non plus n'intéressait personne ; et les ronchonnements indistincts qui m'accueillirent signifiaient clairement : « *On verra ça le moment venu. Pour l'heure, il nous fout la paix, le Hitler. Alors, lui sauter dessus nous-mêmes...* » Mais rien d'aussi catégorique, d'aussi nu ; des bouts de phrase qui s'arrêtaient tout de suite, découragés d'être bavardage et temps perdu.

10 septembre

Nous avons déclaré la guerre à l'Allemagne pour tenir nos engagements envers la Pologne, et nous ne faisons pas un geste. Pas même le simulacre d'une intervention militaire pour dégager Varsovie et contraindre Hitler à se battre sur deux fronts : contre nous en même temps que contre les Polonais. Terrés dans notre ligne Maginot imprenable, nous ne bougeons pas, et Varsovie est sur le point de tomber, si ce n'est déjà fait. Alors, notre mobilisation, une feinte ? Selon Marquet[1], le 3 septembre au matin, Georges Bonnet aurait téléphoné personnellement à Mussolini pour le conjurer d'organiser, où il voudrait, un nouveau Munich où la France se contenterait d'une déclaration « symbolique » de Hitler quant à un *statu quo* en Pologne : le gouvernement français ne s'opposerait pas à la disparition du « couloir de Dantzig » et au retour de Dantzig au Reich. Marquet rappelle qu'en décembre 1938, quand Bonnet invita Ribbentrop à Paris, il lui laissa entendre, oralement (aucun protocole n'a été rédigé), que la France se désintéressait du sort de la Pologne. Telles sont les affir-

1. Le député-maire de Bordeaux, néo-socialiste, c'est-à-dire en rupture avec son parti. Mon beau-père, Jacques Rödel, qui avait été jadis secrétaire général du *Sillon*, le rencontrait assez souvent.

mations du maire, qui sont à vérifier ; il dit aussi que l'Angleterre, alertée et intraitable, précipita les choses, le 3 au matin, pour couper court à la manœuvre de Bonnet. Du vrai, sans doute, car Marquet, nous le savons, « colle » à Laval, joue le même jeu que lui ; et Laval est ouvertement hostile à la guerre.

L'inertie militaire économise notre sang. Qui s'en plaindrait – hormis les Polonais (qu'en fait nous abandonnons purement et simplement à leur sort)? Que se passe-t-il en vérité? Pourquoi cette surprenante, cette stupéfiante inaction? Faut-il croire que l'on s'oriente, en secret, vers un arrangement avec Hitler? A coup sûr, de toute évidence, un « stop » à la guerre serait accueilli par la population, par les mobilisés surtout, avec un soulagement encore plus « *lâche* » (comme disait Blum) et cent fois plus énorme que celui, l'an passé, qu'engendra Munich. Mais il y a l'Angleterre qui semble maintenant résolue pour de bon à en finir avec les nazis. Je suppose aussi qu'à Londres on est persuadé que l'Amérique, tôt ou tard, mais certainement, interviendra à nos côtés. Deux circonstances qui me paraissent, contrairement au vœu ardent et muet de la bande Maurras-Brasillach-Thierry Maulnier, rendre impossible un renoncement à la guerre. Mais pourquoi notre abstention, notre immobilité, cette guerre déclarée et qui n'a pas lieu? Pour compléter notre préparation? Mais tous ces avantages, pendant le même temps, concédés à Hitler? Une énigme, pour moi, cette fausse guerre. Incompréhensible.

16 septembre

Jacques nous rapporte une longue conversation qu'il a eue, dans le train, cette nuit, avec Marquet, revenant de Paris. Si les Franco-Anglais sortent victorieux de cette guerre – toujours, jusqu'à présent, simulée, sans plus –, il leur restera donc à se battre avec l'URSS pour l'intégrité de la Pologne (puisqu'elle est la raison d'être, officielle, de notre conflit avec le Reich) afin de reprendre à Staline les territoires que la Pologne, armée par nos soins, avait arrachés, militairement, il y a vingt ans, à une URSS tenue pour impuissante. Mais lorsque nous cherchions, du moins en apparence, à avoir l'Union soviétique avec nous contre Hitler (après lui avoir infligé l'affront de céder aux exigences de l'Axe : pas de Russes à Munich, alors que l'URSS, elle aussi, s'était portée garante de l'intégrité territoriale de la Tchécoslovaquie), n'avions-nous pas l'idée, tout bas, de permettre à Staline, sur le territoire polonais, cette récupération légitime ? (Ainsi, au printemps de 1917, pour décider le tsar à une nouvelle offensive, n'avions-nous pas, discrètement, promis son aide à Nicolas II pour maintenir dans l'obéissance la vaste part de la Pologne happée par Catherine II, au xviiiᵉ siècle, et sur laquelle la Russie ne régnait qu'au moyen d'une terreur constante ?) Mais la Pologne, non sans raison méfiante, se refusait obstinément à laisser le passage, chez elle, aux troupes russes pour aller se battre contre l'Allemagne ; de peur que les Russes, créant des bases militaires dans les provinces de l'Est jadis à eux, ne s'y installent à demeure et inexpugnables, comme sur des biens recouvrés. Selon Marquet, ce refus polonais servit d'argument majeur à l'échec d'une négociation visiblement sabotée par les Anglais et par nous-mêmes, et que Staline ne prit jamais au sérieux, sinon pour effrayer Hitler et lui vendre plus cher un pacte de non-agression. Marquet ne croit pas que Staline ait jamais envisagé sérieusement l'idée d'entrer en guerre contre l'Allemagne, en association avec nous. Sa préoccupation majeure, et constante, est de préserver l'URSS d'une guerre à laquelle elle n'était pas prête, surtout après la terrible secousse infligée à ses structures militaires, en 1937, par l'affaire Toukhatchevsky[1]. D'autre part, Staline a certainement compris le sens, trop évident, du chaleureux accueil réservé par le gouvernement français à Ribbentrop en décembre 1938. Tout le monde, au Quai d'Orsay, connaît ou devine ce que Bonnet a, pour le moins, laissé entendre à son invité hitlérien : mains libres pour le Reich, à l'est ; la France ne s'opposera pas plus au dépècement de la Pologne qu'elle ne s'est opposée à celui de la Tchécoslovaquie – avec cette arrière-pensée, un peu trop visible en filigrane, d'une sanglante bagarre entre nazis et bolcheviks. Au congrès du Parti, en mars 1939, Staline aurait fait une allusion ironique à cet espoir nourri par les Occidentaux de le voir s'épuiser à leur profit.

1. 40 généraux fusillés et quelque 30 000 officiers, dit-on.

Vraisemblablement, Marquet développe des idées qui lui ont été soufflées par Laval.

25 septembre

Le catholicisme n'est évidemment plus rien dans l'ordre international. Le pape s'est tu devant l'assassinat de la catholique Pologne par les hitlériens ; puis il prend feu, modestement du reste, avec toutes les convenances requises, devant la tardive coopération de Staline à l'assommade, sans péril, d'une nation agonisante.
L'Église ne compte plus dans les grands drames humains ; et ce n'est pas d'hier.

27 septembre

Dissolution, en France, par ordre du gouvernement, du Parti communiste. Nous n'avons pourtant pas déclaré la guerre à Staline ; mais on a trouvé l'occasion qu'on cherchait : la participation des troupes russes à l'écrasement final de la Pologne.
Juste avant cette dissolution-persécution, Nizan a rendu publique la lettre de rupture qu'il a adressée au Parti. Pourquoi maintenant ? Pourquoi pas dès le pacte « germano-soviétique » ? Ou dès l'entrée, le 19, des troupes russes sur le territoire polonais ? J'ai de l'estime pour Nizan, mais je saisis mal sa tactique.

29 septembre

Je viens d'entendre (20 h 30) Giraudoux à la radio. Il s'est chargé de veiller à notre « moral ». Triste tâche, avec son recours, obligatoire, au mensonge. La voix, aux intonations montantes, fait très jeune, avec quelque chose, même, de candide, qui ressemble peu à cet habile en tous genres. Il dit que c'est aujourd'hui la fête de saint Michel archange ; d'où « *réconfort et promesse* ». Très déplaisante, chez Giraudoux, cette affectation d'une foi qui lui est étrangère. Séduire les imbéciles est un procédé gouvernemental bien connu, mais malpropre et qui révolte, car il est à base de mépris.

30 septembre

Absorbant les pays Baltes avec l'accord de Hitler, Staline contrôle donc maintenant, comme faisaient les tsars, le golfe de Finlande, et il agrandit largement, à l'ouest, la distance qui sépare le Reich de Moscou.

18 novembre

Le 6 octobre au soir, la première édition de *La Petite Gironde* avait reproduit intégralement le discours prononcé par Hitler à midi. Pour la deuxième édition, parue vers 19 heures, la moitié de la page était blanche. La censure s'était interposée. Il n'était pas bon pour l'opinion qu'elle puisse, à loisir, méditer sur les propositions conciliantes de Hitler. Danger d'un affaiblissement dans la volonté de vaincre ? Mais voici que, ce 18 novembre, la censure laisse passer, et, par conséquent, approuve, l'article « de fond » du grand quotidien bordelais, un texte qui ne va guère dans le sens d'un élan martial. Thème essentiel : prendre garde à l'URSS ; Staline ne peut que se réjouir d'une guerre entre « *États bourgeois et capitalistes* » ; son but reste toujours de « *bolcheviser l'Europe* ». Conclusion : « *Souhaitons que l'épuisement consécutif à la guerre ne lui en fournisse, un jour, les trop faciles moyens.* » Autrement dit : gare aux lendemains de la guerre si, par malheur, elle cesse d'être une blague ; autrement dit encore : cette guerre est bien regrettable, bien dangereuse. Tout à fait du Maurras, avec la sourdine de rigueur. Écho, presque, du hurlement de *Je suis partout* à la veille de Munich : « *C'est la guerre des Juifs ! Nous ne la ferons pas !* » Et voici que, soudain, se font entendre, dans le même sens, et sans que la préfecture s'y oppose, les « grands intérêts » dont *La*

Petite Gironde est le porte-parole attitré, en Aquitaine ; la guerre, ouvertement, est mal vue dans ces hautes sphères. Les « honnêtes gens » sont invités à saisir ce qu'a de déraisonnable l'usage de nos forces militaires contre l'Allemagne (et probablement même, le cas échéant, contre l'Italie par surcroît) alors que lesdites forces seraient autrement mieux employées contre l'URSS.

27 décembre

Visite, chez moi, du R.P. Maydieu – ce prêtre courageux qui fut directement responsable de la publication dans *La Vie intellectuelle*, en septembre 1937, de mon article « Par notre faute ». Maydieu ne porte pas sa robe de moine, il porte son uniforme de capitaine d'artillerie et il arrive, en permission, de la ligne Maginot. Il avait « *des choses à* [me] *dire* » et qui, effectivement, sont sérieuses. Il se déclare « *horrifié* » (c'est son mot) des propos que tiennent, dit-il, quotidiennement, « *la plupart* » de ses camarades, officiers de réserve comme lui. Ils déplorent, ils condamnent la « guerre » actuelle qui, pour eux, si jamais elle éclatait, serait « *un non-sens, une folie, un suicide* ». Un « *effroi* » est en lui à la pensée de ce que serait le comportement qu'on verrait à ces « *drôles de combattants* », en cas de « *baroud* ».

J'avoue que ces confidences me tourmentent, tant elles s'accordent avec ce que j'ai noté, le 18 novembre, et avec toutes les indications que je recueille, à l'université, auprès de collègues comme Ch., par exemple, lequel se surveille, quand je suis là, mais que nous savons tous disciple des Bainville et des Gaxotte, chaud partisan de Philippe Henriot.

Une seule fois, le R.P. Maydieu a pu contempler Pie XII. Son impression ? « *95 % Greta Garbo ; 5 % François d'Assise.* »

12 janvier 1940

Jacques s'est longuement entretenu, une fois de plus, avec Marquet, dans le rapide Paris-Bordeaux. Ennemi mortel du « bolchevisme », Marquet, à ce moment, déclare que la France est « *à la remorque* » de l'Angleterre, qu'il n'y a plus de « *politique française* », que nous ne sommes plus que les « *misérables instruments passifs de la City* », ce qui est une des antiennes de la propagande allemande.

3 février 1940. Genève

Jean Marx, directeur, au Quai d'Orsay, du Service des œuvres françaises à l'étranger, et qui m'avait envoyé en Grèce, au printemps dernier, m'a chargé d'une mission d'information en Suisse, sous couleur d'une série de conférences littéraires organisées par une association romande que la France subventionne depuis des années.

Comme je m'étais annoncé, par téléphone, dès mon arrivée, à notre consul général à Genève, M. Perron, ce dernier m'avait invité au dîner qu'il donnait, le 2 février au soir, en l'honneur de Paul Claudel, lui aussi de passage à Genève. Mais l'intérêt principal des conversations, à la table du consul, s'est concentré sur les propos débités avec assurance, et même avec une vivacité singulière, par un personnage officiel qui vient d'arriver en Suisse pour des achats au nom du gouvernement français (quels achats ? Perron prétendra qu'il l'ignore). Un monsieur d'une extrême distinction, très élégant ; la soixantaine, cheveux d'argent, regard aigu ; il porte la rosette de la Légion d'honneur. Et que dit ce Considérable ? Il n'exprime point des hypothèses, des incertitudes, des interrogations ; il nous assène des vérités massives, celles-là mêmes dont je constate, une fois de plus, que nous sommes assaillis par toutes sortes de gens qui vont du groupe Marquet aux dirigeants de *La Petite Gironde*, de certains de mes collègues universitaires aux officiers bien-pensants parmi lesquels se trouve, au front, le père Maydieu. Et l'apostolat de cette éminence, si recommandable, se résume en un couplet usuel : que la guerre présente – et, Dieu merci ! elle reste un simulacre – est une « *terrible absurdité* » ; que le vrai danger est du côté de l'URSS ; que, si jamais nous devions assister à une « *soviétisation de l'Allemagne* », ce serait « *la fin de l'Occident* ».

Le consul général, intimidé sans doute par son hôte, n'a pas tenté l'amorce même d'une discussion ; il se gardait, en même temps, d'une approbation trop explicite, se bornant à des hochements de tête favorables mais silencieux. Grave, non, éminemment grave, qu'un délégué de Paris se permette des considérations à ce point limpides et, pratiquement, pro-hitlériennes ? Nul n'a risqué la moindre objection, pas plus Claudel que les autres convives. J'étais – de beaucoup – le plus jeune. Je n'ai rien dit, assez honteusement. Au moment de prendre congé, j'ai risqué auprès de Perron une brève interrogation sur ce prédicateur volubile : « *Qui est-ce ?* » Réponse chuchotée : « *Un banquier. Un homme de Dautry*[1]. »

3 février 1940. Berne

Pour accomplir au mieux la mission dont m'a chargé Jean Marx, j'ai obtenu de D., le président de l'« Association romande », qu'il organise pour moi, chez lui, dans son salon, une conférence privée (smoking) à laquelle il se fait fort d'amener le chef du « Département politique fédéral » (c'est le nom, en Suisse, du ministère des Affaires étrangères). Le conseiller fédéral qui est en ce moment à la tête de ce Département est un ami personnel de D. Il s'appelle Pilet-Golaz ; un Vaudois. D. m'a dit ce matin, à Genève, par téléphone, que P.-G. lui avait « *formellement promis* » sa présence à ma conférence, et même qu'il voulait bien me recevoir, seul à seul, après mon exposé.

Nous étions une trentaine dans le salon des D. Au milieu du premier rang, et dans un fauteuil (le seul fauteuil), Pilet-Golaz. J'avais choisi un sujet sans périls : « François Mauriac romancier », et m'en étais tenu, sur le conseil de D., à quarante minutes d'exposé ; le chef du Département politique fédéral « *n'avait pas de temps à perdre* ». Me voici donc, dans un petit boudoir, seul devant ce membre du gouvernement suisse et dont les responsabilités sont particulièrement sérieuses. Il est plus grand que moi ; je lève le nez pour lui parler. L'homme est souriant, avec un pli d'ironie, et il

---

1. Ministre de l'Armement.

débute ainsi : « *Alors, monsieur Guillemin, on fait du renseigne-ment ?* » Je bafouille un peu, mais il se montre tout à fait cordial, et même d'une franchise à laquelle je ne m'attendais guère, dénuée, brutalement dénuée, de tout feutrage diplomatique. « *Ce que vous voulez savoir, je vais vous le dire. Mais si vous vous avisez de le faire imprimer dans un journal, vous êtes averti : je lance immédiatement le démenti le plus cinglant. Compris ?* » J'ac-quiesce. J'observe qu'il ne m'a pas interdit de répéter au Quai d'Orsay ce qu'il va me dire. Il n'ignore pas que je suis précisément là pour ça. Mais tout restera confidentiel.

Je n'oublierai jamais ce que j'ai entendu, et vu, le 3 février 1940 au soir, dans ce coin d'un bel appartement bernois. Et c'est là un point d'histoire, infime mais instructif, que fixera le présent récit. Je crois bien ne pas trahir d'une syllabe ce que P.-G. m'a dit – il y a une heure à peine – et je me demande pourquoi cet homme (cet homme d'État) a choisi d'agir comme il l'a fait. Peut-être dans l'as-surance où il est, l'assurance totale et sans le moindre coupage de doute, que les événements vérifieront, ne manqueront pas de confirmer sa prédiction : « *Vous voulez savoir comment je vois la suite des choses ? Vous êtes tranquilles et en bon état, vous les Fran-çais, parce que la guerre n'a toujours pas eu lieu ; mais elle aura lieu ; l'armée allemande vous attaquera ; je ne sais pas quand, mais elle vous attaquera ; et alors, votre belle armée...* » Sur ces deux mots, P.-G. a cessé de parler, remplaçant la parole par le geste. Il a levé à demi son bras droit et a fait claquer son pouce contre l'index et le médius de sa main. Mimique expressive : votre armée, elle sautera en l'air, pulvérisée, volatilisée.

J'ai déjà entendu dire que le service des renseignements de l'ar-mée suisse est l'un des meilleurs du monde. Avec ce que j'ai recueilli de divers côtés, et notamment grâce à Maydieu, je reste moins abasourdi qu'épouvanté par le numéro que P.-G. vient d'exécuter devant moi, avec une sorte de jubilation sinistre *(Scha-denfreude ?)* ou la forfanterie d'un prophète renseigné ? Ou pour nous aider : Attention ! Attention ! Français, prenez garde à vous ! Notre entretien – si je puis dire – n'a même pas duré trois minutes.

4 mai 1940

Rude article de Mauriac dans le numéro de *Temps présent* d'hier 3 mai. (Des articles pour lesquels Mauriac a refusé toute rétribution.) Titre : « Pour que ça change. » Et c'est de l'ordre économique qu'il s'agit, de ce « *désordre établi* » dont parlait déjà Lamennais en 1829, et de l'injustice sociale et d'un régime où l'argent domine tout. Mauriac est, de plus en plus publiquement, hostile au règne, à peine masqué, au despotisme du grand capital. Il sait beaucoup plus de choses que je n'en connais sur le système où quelques puissants groupes financiers dirigent tout, en fait, et à leur profit, dans la vie de l'État. Et Mauriac voudrait se convaincre que cette guerre, quand nous l'aurons gagnée (ce qu'il semble ne pas mettre en doute), permettra une révision profonde du rapport entre les grands possédants et la masse française. « *Nous doutons,* écrit-il, *qu'un grand peuple se puisse soumettre de bon cœur à la terrible discipline de la guerre* [...] *s'il garde au fond de lui le soupçon que certaines tyrannies sortiront fortifiées de l'épreuve qu'il subit.* » Et ceci : « *Se battre pour la personne humaine comme on nous le répète depuis sept mois, cela signifie se battre pour une société* [...] *où s'allégera chaque jour le poids de mille fatalités économiques.* »
J'avoue que je ne vois guère quoi que ce soit, dans la presse, où se retrouverait quelque chose de la pensée ici exprimée. Il reprend, en quelque sorte, d'un autre ton et avec un moindre élan, l'idée-force du *Feu* (de Barbusse) en 1916. Et quand on se souvient de ce que fut, au vrai, la victoire de 1918 et l'écœurant triomphe des conservateurs à la Millerand, à la François-Marsal, à la Poincaré, ce précédent laisse mal augurer du lendemain d'un nouveau, et très incertain, succès militaire de notre pays. Et la « drôle de guerre » continue, invraisemblable, déconcertante. L'explication officielle, parfois murmurée, est que l'assaillant est toujours désavantagé ; nos stratèges ont donc décidé de laisser Hitler s'enferrer dans l'offensive à laquelle il lui faudra bien se résoudre puisque nous n'attaquerons pas. Ainsi, notre longue patience aura gagné

sur lui de le mettre, dès le départ, en position d'infériorité. Vraiment ?

21 mai 1940

Rien écrit depuis le 4 de ce mois. Et pourtant, quelle secousse ! La prévision du Suisse réalisée presque entièrement. Selon Marquet, Reynaud a téléphoné, le 16, à Churchill : « *La guerre est perdue* », et Churchill l'aurait « engueulé ». Aucun doute : si Hitler avait choisi de marcher sur Paris, la voie lui était ouverte. Le « front », sur des dizaines de kilomètres, autour de Sedan, non pas seulement enfoncé, crevé, mais anéanti. Des divisions non engagées, prises de panique, qui se dissolvaient d'elles-mêmes. Le Führer a choisi une autre route, inattendue, astucieuse, perfide, en direction de la Manche.

26 mai 1940

Hermann Dopp – mon ancien adjoint au Caire (maître de conférences), un Belge – se retrouve, un peu hagard, à Bordeaux, avec sa femme et son petit garçon, emportés par la tornade déferlante qui a vidé son pays sur la France méridionale. Il m'a fait signe, et mes beaux-parents l'ont immédiatement accueilli dans leur maison de La Tresne. (Il y a de la place ; mes deux beaux-frères sont soldats ; on ne sait où, aucune nouvelle.)

Dopp m'a demandé de l'accompagner à la gare de Bordeaux, où il y aurait (?) un bureau militaire qui s'occuperait de ses compatriotes. Dopp voudrait se « *rendre utile, servir à quelque chose* ». Nous n'avons rien trouvé, à la gare, qui ressemblât à ce bureau belge. En revanche stationnait un train de troupes – les classiques wagons à bestiaux – arrivant de Tarbes, Pau, Bayonne et qui doit conduire ces renforts « au front », c'est-à-dire on ne sait où. Spectacle effrayant. Des visages contractés, des regards haineux, exactement haineux. Ces récupérés nous haïssent, Dopp et moi, vêtus en civils alors que nous sommes en âge – comme eux – de porter l'uniforme, et on *entend* leur pensées furieuses, des mots prêts à sortir de leurs lèvres : « *Salauds ! Planqués ! Fumiers de planqués !* » Un silence absolu. Tous ces hommes sont sales. Comme sales exprès, par provocation. Pas un seul officier ne se risque le long du quai. S'il n'y avait pas la terreur de l'arrestation, du conseil de guerre, du poteau, l'évidence s'impose : ces malheureux, fous de rage, arracheraient leurs vareuses, s'enfuiraient n'importe où. C'est « ça », la nouvelle muraille humaine qui va barrer la route à Hitler !

Sur ce quai où nous sommes, aux deux extrémités, des réfugiés sans asile qu'on a refoulés là. Sortent de ce grouillement des coulées d'urine qui rejoignent, au bord des voies, des flaques de vomissements.

9 juin 1940 (13 h 30)

Je viens d'entendre, aux « informations », l'ordre du jour de Weygand : « *C'est le dernier quart d'heure.* » Ce qui veut dire que c'est réglé, qu'il n'y aura pas de stabilisation du front, pas de cette longue guerre d'usure que j'avais imaginée, au nord de Paris, de la Somme à Belfort, en attendant les Américains.

Hitler avait dit, en mars : « *Je serai le 15 juin à Paris.* » Très possible qu'effectivement il y soit, le 15. Horlogerie implacable. Cet homme a un pacte avec le destin. Tout ce qu'il a voulu, il l'a eu. A nous d'y passer.

13 juin 1940

Hier, dans le hall du Splendid où C. m'avait donné rendez-vous [1], j'ai vu surgir Paul Reynaud, torse bombé, bien vêtu, petite figure crispée, et qui, une main dans la poche gauche de son pantalon d'où il se malaxait énergiquement le sexe, s'est approché du

---

1. Je ne parviens pas à retrouver le nom de ce personnage ; un adjoint de Marquet, je crois, à la mairie ; très agité, très débrouillard. Nous l'avons perdu de vue dès 1941.

portier pour lui demander l'adresse d'un pédicure ; et il est sorti tout de suite de l'hôtel, sans chapeau, en courant ; peut-être sa voiture l'attendait-elle à deux pas. Il était 10 heures. Moins d'une minute après, Mme de Portes sort à son tour de l'ascenseur, haletante, et se précipite sur le portier pour l'interroger ; puis elle se jette dans une des cabines téléphoniques du hall et, sans fermer la porte ni retenir sa voix, crie à je ne sais qui, mais positivement à tue-tête : « *Figurez-vous qu'il est allé chez le pédicure ! Qu'il est agaçant !* » Cette dame dont les avis passent pour avoir beaucoup compté, ces derniers temps, manque d'allure au plus haut point : visage gris, cheveux en désordre, robe quelconque ; on la prendrait pour une commerçante de la banlieue parisienne qui a quitté un instant sa boutique pour un coup de téléphone urgent. La femme – l'épouse légitime – de Reynaud (qu'on dit d'un tout autre aspect) est à Bordeaux, bien sûr, comme tout le monde, mais dans un autre hôtel.

Nous devions, C. et moi, retrouver Marquet vers 10 heures. Au passage, place de la Cathédrale, un attroupement m'a intrigué. Le détour en valait la peine. Entouré d'étudiants (j'en ai reconnu plus d'un ; tous des fils de famille, et l'on pouvait s'étonner qu'ils ne fussent pas soldats), Philippe Henriot, la mine heureuse, ou, pour mieux dire, exaltée, développait des vues revigorantes sur la « *véritable révolution* » purificatrice, salvatrice que venait de permettre ce qu'il appelait « *la force des choses* », et qui allait tout changer, tout redresser, tout « *remettre en ordre* » dans notre politique intérieure. De toute évidence, et sous mes yeux, la preuve que, si le désastre fait la détresse de réfugiés, par milliers, ou de Français naïfs accablés par notre débâcle, d'aucuns au contraire, et Ph. Henriot en est un exemple typique, s'en félicitent, s'y épanouissent, inspirant le soupçon qu'ils ne sont peut-être pas absolument étrangers à une péripétie qui les ravit à ce point.

Le rendez-vous avec Marquet a été raté, parce que Laval était avec lui. Ils descendaient ensemble l'escalier, à l'hôtel de ville. Je m'écartai, quand Marquet m'a fait signe. Il voulait me présenter à son (illustre) compagnon. Laval – d'où sortait-il ? – portait un costume froissé, fripé ; sa légendaire cravate blanche était bien là, mais d'une blancheur que ne partageaient ni le col ni la chemise.

Tout s'est borné, naturellement, à des poignées de main et à un vague « *très heureux* » prononcé par le « président ». Une chose m'a frappé : je ne pouvais, à aucun titre, retenir l'attention de Laval ; Marquet m'avait présenté : « *Monsieur Guillemin, professeur à la faculté des lettres.* » Et j'ai eu la surprise de constater que Laval m'a regardé avec attention, très brièvement, mais en face. Regard d'enquête, de surveillance ? Je n'en ai pas eu l'impression. Un regard humain, et capable de chaleur. (Certainement plus que le regard de Marquet, que je connais bien, pénétrant certes, mais calculateur et glacé.) Laval, pour me serrer la main, avait retiré de ses lèvres, ses grosses lèvres (face ocre, d'un brun mauresque ou tsigane), une cigarette humide qu'il a tenue, un instant, entre trois doigts de sa main gauche. Je ne sais pas qui est Laval et j'ai peur qu'il n'ait des côtés sombres, très déplaisants. Mais c'est un être humain, que j'aurais envie de connaître, de fréquenter, d'observer.

22 juin 1940

Le temps est toujours prodigieusement beau. Bordeaux, ville surpeuplée. Nulle trace de deuil ou d'abattement. Lorsque j'avais entendu, le 17 à midi, le maréchal Pétain annoncer, de sa voix tremblotante : « *Il faut cesser le combat* », j'avais décidé de voir quel effet avait produit sur l'opinion cette nouvelle énorme : la France, battue, se rend à l'ennemi. J'ai donc « *fait l'Intendance* » entre 17 et 18 heures [1]. Alors ? Alors rien. la foule ordinaire et, dans l'ensemble, des visages sereins, délivrés. Fin d'une aventure grotesque et coûteuse. Bravo !

Le « Quai d'Orsay » se trouve transporté au lycée Longchamp – le lycée où notre Philippe, huit ans, suit les cours de la petite classe. Entre qui veut dans le bâtiment ; je l'ai vérifié ce matin vers 11 heures. Aucun contrôle. Au rez-de-chaussée, sur les portes qui donnent accès aux salles de cours, des carrés de papier ont été fixés

1. Usage bordelais, comme à Lyon, la « *rue de la Ré*(publique) » et à Tours la « *rue Nationale* ». De cinq à sept, les gens « dans le vent » vont et viennent, sur leurs propres pas, d'un bout à l'autre du *cours de l'Intendance*, où l'on est sûr de rencontrer « tout le monde ».

au moyen de punaises et ils portent ces indications, en capitales tracées à la main : EUROPE, ASIE, AFRIQUE-LEVANT, etc. Aperçu là, seul, François-Poncet, immobile, sa canne passée dans ses coudes et tenue horizontalement derrière son dos. Avec son calme, son costume croisé, irréprochable, son feutre gris clair à bords roulés [1], il compense la scène à laquelle je viens d'assister : P.H., du Collège de France, et en uniforme de colonel, hors de lui, effaré, vociférant au visage de je ne sais quel sous-ordre ; il veut, il exige, et tout de suite, un « ordre de mission » pour le Canada, les États-Unis, en tout cas outre-Atlantique. « *J'ai beaucoup d'amis aux États-Unis.* » Pourquoi est-il dans un état pareil ? Que peut-il craindre personnellement des envahisseurs ? Il était je ne sais quoi à la censure, bien planqué ; contrôle de la presse, je crois. Il a fini par forcer le bureau du proviseur, je veux dire celui du ministre. Il a réussi. Il s'en vante à la cantonade, brandissant ce « passeport diplomatique » qu'il a obtenu et auquel il n'a aucun droit.

23 juin 1940

Vers 16 h 30 sur le trottoir, devant l'université, rencontré Daniel-Rops qui me dit aussitôt : « *Eh ! vous avez vu ? Il est devenu tout à fait fou le grand Charles ; je devrais dire le grand Charlot !* » J'ai mis quelques secondes à comprendre qu'il s'agissait de Charles de Gaulle, ce colonel dont D.-R. m'avait parlé plusieurs fois, en 1938, et qu'il portait aux nues, à cause d'un livre (dont j'ai oublié le titre) de cet officier publié dans la collection « Présences » que D.-R. dirigeait chez Plon. C'est ainsi que j'ai eu connaissance de « l'appel du 18 juin ».

Adjonction du 27 décembre 1944
Marcel Pobé revient à Paris. Il a vu *les* Rops, « *très gentils, très contents* ». « *Henri* [Henri Petiot] *m'a dit que le Général les avait*

---

1. Sur un bout de papier ajouté (quand ?) au cahier d'où je tire ces notes, quelques lignes sur François-Poncet : « *Mannequin si parfait qu'il en est ridicule. J'ai quelques informations sur l'origine de sa grande carrière, laquelle a pris naissance dans le choix qu'il a fait, jeune agrégé, entre l'enseignement et les services de propagande du " Comité des forges ". Dès lors, un bel avenir lui était garanti.* »

invités à sa table, Madeleine et lui, dans l'intimité. » De Gaulle les avait vus souvent, en 1938, et gardait à D.-R. gratitude et amitié. Sa politique, lorsqu'il eut saisi le pouvoir, en août 1944 – une politique « très Louis XVIII » – était de ne s'occuper point des comportements qu'avaient pu être, à son égard, ceux des gens qu'il voyait maintenant empressés à le servir (et à tirer de lui tels avantages ; c'est le jeu du monde). Daniel-Rops, de longue date, préparait sa candidature à l'Académie, et l'appui du Général lui était indispensable pour mener à bien cette entreprise.

4 juillet 1940

Le commerce n'a jamais été plus florissant. Quelles belles ventes ! La rue Sainte-Catherine connaît, du matin au soir, une affluence telle que les plus hauts records de la foire sont battus. On ne voit que des soldats verts, les bras encombrés de paquets. Ils achètent ! Ils achètent ! Payant « recta » du reste, et « *bien corrects, il faut le dire* ». Ils ont même l'air d'acheter par escouades et au commandement. Dans le magasin de chaussures où je suis entré ce matin, un sous-officier, qui avait ôté ses bottes, essayait des souliers de dames...

Rationalisation du système primitif, absurde et grossier, de la razzia. Toute déperdition est ainsi conjurée, et tout s'accomplit dans un ordre exemplaire, à la satisfaction générale. On imprime des billets *ad hoc* ; avec ces images, on paie ; et la ponction est radicale.

Adjonction de l'été 1987

Recopiant ces notes, je m'aperçois qu'il n'y est guère question de De Gaulle. L'appel du 18 juin avait peu d'échos. Lors de mes visites à Malagar, c'est le 24 août seulement que Mauriac y fit allusion, sans y attacher d'importance (voir, plus loin, mon « Dossier Mauriac ») : « *Très bien, disait-il, mais inopérant* [1]. »

---

1. Cependant, à Malagar, le 24 juin, F.M. avait écrit, dans son *Livre de raison* : « *L'étoile du général de Gaulle se lève peut-être. Le ton de sa déclaration, hier soir, à la radio de Londres. Aurons-nous deux gouvernements ?* » (cf. Lacouture, *De Gaulle*, I, p. 356). Puis il avait eu le sentiment d'une insubstance, d'un vain symbole.

[Début juillet 1940] [1]

Nous avions entendu, pendant la nuit, les explosions, la canonnade. Le bruit courut, dès le matin, qu'un raid anglais avait été dirigé sur Pauillac et ses réservoirs de pétrole. De fait, le ciel pur s'emplissait peu à peu d'une immense nuée noire, montant de là-bas. A midi, toute la ville était sous une espèce de crépuscule. Partout, les gens levaient la tête. On échangeait avec des inconnus des signes éloquents. Les soldats allemands devaient avoir reçu interdiction formelle de redresser la nuque. Ils marchaient, obstinément, le regard à terre.

Avec quelques étudiants, nous sommes restés vers 17 heures, D. et moi, sur les marches de l'université, absorbés dans la contemplation du firmament éclairci, et nous montrant les uns aux autres, dans les cieux, des choses invisibles. Notre groupe prenait de l'ampleur. Les passants s'attroupaient. Mon collègue Ch. est apparu, sa serviette noire collée au torse ; hâtant le pas pour n'être point confondu avec nous autres, dangereux esprits ; il a grimpé les marches quatre à quatre, baissant le nez, s'engloutissant dans la bâtisse au plus vite.

Une douzaine d'agents de police nous furent dépêchés par la mairie, sur un coup de téléphone, j'imagine, de la Kommandantur. D. s'enquit avec candeur auprès de ces représentants de l'ordre : « *Vraiment, messieurs, qu'est-ce que cela peut bien être ? Quel phénomène singulier !* » Les agents essayaient de ne pas sourire : « *Circulez ! Circulez !* »

31 août 1940

Pour M., qui est malade, nous avons dû faire venir à la maison le Dr L. que je n'ai jamais vu encore, sinon parfois, ce printemps, dans les rues du village, l'air toujours sombre et tendu. Il examine

---

1. J'ai oublié de dater ces lignes, tracées le soir même. Ma supposition est vraisemblable : premiers jours de juillet.

la petite. Je le conduis dans mon bureau pour qu'il rédige son ordonnance. Je vois qu'il a envie de parler. J'ai devant moi un homme d'excellente humeur ; mieux même, rayonnant. « *Mais, cher monsieur, me dit-il, vous ne vous rendez pas compte ! Enfin ! Ils sont balayés !* » Ils ? Le village est occupé. La Kommandantur est devant la poste. Le petit P. a été tué. Vétilles ! Le Dr L. exulte. J'ai compris bien vite à qui j'avais affaire, et avant même qu'il m'eût déclaré : « *Du reste, j'ai dîné avec Maurras il y a quinze jours, et il m'a dit* [etc.]. »

[Août 1940] [1]

C'est, il me semble bien, en août 1940 que Mme P.-H. Simon m'a écrit – ou téléphoné ? – pour m'apprendre que son mari était prisonnier en Allemagne dans un *Oflag*.

Je me rappelle notre rencontre, autour du 20 mai 1940, je crois, chez lui, à Saint-Fort-sur-Gironde. Il m'avait demandé de venir le voir. Il dirigeait depuis deux ou trois ans l'Institut français de Gand, et avait dû se replier en toute hâte devant l'invasion allemande. Il ne tolérait pas d'être inutile, surtout dans les conditions dramatiques où se trouvait notre armée. Il n'acceptait plus son « affectation spéciale » et voulait rejoindre le régiment d'infanterie auquel il appartenait théoriquement, en qualité de « lieutenant de réserve ». Je revois son visage livide, ses yeux brûlés par l'insomnie. Gevotte (sa femme) lui disait : « *Puisque tu crois que c'est bien...* » Les trois petites filles restaient muettes, comprenant seulement, avec effroi, que le papa voulait s'en aller, « se battre ». Mais je dois dire, aussi, pour être complet, que P.-H.S., avec ce grand souci de loyauté que je lui ai toujours connu, et en toute occasion, m'avait également confié ceci : « *Et puis, vois-tu, si je veux faire une carrière politique – ce qui est mon intention –, il ne faut pas qu'on puisse m'accuser d'avoir été un " planqué ". Je ne veux pas avoir cette casserole attachée à mes basques. C'est aussi pour ça, je te l'avoue, que je veux m'exposer, combattre.* »

1. Écrit en décembre 1960, et purement de mémoire. Je n'ai retrouvé aucune note à ce sujet.

La participation de P.-H.S. à la «défense nationale» aura consisté pour lui à courir d'ouest en est, puis d'est en ouest, à la recherche de son «unité», pour se faire enfin rafler par les Allemands à Nantes, dans un coup de filet géant jeté sur le chaos. Il n'avait «combattu» nulle part.

Cinq ans de captivité et de rage (tout ce «*temps perdu*»!), telle aura été pour lui la récompense de son réel élan, de son dévouement patriotique – même accompagné d'arrière-pensées utilitaires. (Mais presque toutes nos motivations ne sont-elles pas complexes?)

Septembre 1940

Je viens de m'apercevoir que Ferdonnet, le fameux «traître de Stuttgart», comme on disait il y a encore quelques mois, est vraiment un étonnant apôtre. Toutes ces conversions qu'il a faites! Les discours officiels parlent aujourd'hui exactement comme Ferdonnet parlait naguère. Pétain a oublié de le nommer ministre. Ingratitude.

[Hiver 1940-1941] [1]

Le passage de Marquet, Déat et quelques autres au «néo-socialisme» en 1933 n'avait été que le premier pas d'une évolution imprévisible. Déat tente maintenant de créer, à Paris, un mouvement ultra-«Kollabo», très critique à l'égard du Maréchal, qu'on accuse de mollesse, d'arrière-pensées, de double jeu, sa «révolution nationale» n'étant, au surplus, pour Déat, que du «*scoutisme clérical*». Profitant de recherches qu'il me fallait faire à la Bibliothèque nationale, j'ai voulu revoir ce Déat, que j'avais assez bien connu, rue d'Ulm, quand il avait été adjoint et suppléant de Lucien Herr, puis lui avait pratiquement succédé en

---

1. Sottement, je n'ai pas daté ce petit texte écrit dans le train qui m'a ramené de Paris à Bordeaux. Ce bref voyage à Paris a eu lieu dans l'hiver 1940-1941, sans qu'il me soit possible de préciser davantage.

1926. J'avais eu peu de sympathie pour lui qui n'avait rien de la bienveillance amicale, affectueuse même, que me témoignait Lucien Herr. Déat s'était montré à mon égard fermé, sec, presque hostile, sans doute sous l'effet d'une aversion d'ordre «métaphysique»... J'ai en horreur sa politique actuelle. Du moins n'a-t-il rien d'un Maurras, et on ne le voit point éclater de joie – comme Philippe Henriot, comme René Benjamin – parce que la République est morte. Il semble croire à la possibilité d'un socialisme concret autorisé par le « national-socialisme » hitlérien.

Il m'a reçu tout de suite. Il est vrai que j'étais seul, à 10 heures du matin, dans l'antichambre de son quartier général, à solliciter une « audience ». Sa poignée de main fut brève, accompagnée d'une esquisse, tôt disparue, de demi-sourire. Il jouait au chef – disons au « petit chef » –, parlant d'un ton pénétré et catégorique. Ses premiers mots avaient été : « *Vous venez vous inscrire ?* », et j'avais répondu que je venais seulement « *m'informer* ». Il m'informait donc, m'affirmant que le Reich ne songeait « *en aucune façon* » à nos colonies. J'ai dit : « *Pour le moment...* » ; et lui : « *Non. Hitler n'est pas un colonialiste. Les terres africaines ne l'intéressent pas.* » L'Angleterre ? Déat la tient pour « *fatalement perdue* », d'autant plus que « *les Américains n'interviendront jamais* ». Cette assurance est-elle feinte ? Il s'applique – et réussit – à donner le sentiment qu'une certitude est en lui, absolue, fondée sur des raisons qui lui permettent d'être péremptoire.

J'écoutais mal, observant ce visage immobile, aux yeux japonais, et ces mains aux gestes coupants. Un homme persuadé que « *notre seule chance, dans la nouvelle Europe, est de nous rallier loyalement à la politique allemande* ». L'hitlérisme doit lui plaire également par son antichristianisme viscéral. Je ne lui crois pas mauvaise conscience. Il va, sombrement, dans une direction qui lui paraît juste. Un ambitieux avide ? Pas sûr ; moins convoiteux, certainement, qu'un Marquet.

Et j'ai revu Marc Sangnier, le lendemain, le cher « Marc », le bien-aimé « Marc ». Soixante-huit ans, blanchi, mais toujours la même solidité jeune, le même regard viril. Je me suis souvenu d'un avis sinistre qu'il avait exprimé devant moi, jadis (ce devait être en 1924 ou 1925) : que la paix était manquée, qu'il faudrait encore « *une marée de sang* » sur le monde pour que l'esprit de fédéralisme s'impose enfin à l'Europe. Il m'avait paru trop pessimiste. Je le lui avais dit. Je sens encore sa main sur mon épaule : « *Ça n'empêche pas de travailler* » ; et, de fait, il avait organisé, en 1926, le congrès de Bierville [1]. Cette guerre-ci, me dit-il, « *nous y sommes pour cinq ans au moins* ». Comme il y va ! Sa conviction est que Hitler finira par être écrasé par les Américains, qui, à ses yeux, interviendront certainement. (A vingt-quatre heures d'intervalle, deux anciens députés auront donc articulé devant moi deux prédictions antithétiques.)

Nous avons fait, Marc et moi, les cent pas – les mille pas – comme autrefois, sous la voûte [2]. Une profonde sérénité en lui. Le calme de la foi. Il vit et respire dans cette grande lumière intérieure.

Retrouvé aussi le père Maydieu, de nouveau en robe blanche. L'hiver dernier, je l'avais vu sous son uniforme de capitaine. Il a encore maigri : « *On ne peut pas nier*, me dit-il, *que, chez nous, certaines gens haïssaient cette guerre qui n'était pas la bonne. Ils n'ont eu de zèle qu'à l'occasion de la Finlande, parce qu'il s'agissait alors de combattre les Russes. L'armée de Syrie était la seule qui les intéressât. Ils la voyaient, dans leur esprit, pointée sur le Caucase. Mais une guerre contre l'hitlérisme ! Une guerre " de gauche ", une entreprise d'"' antifascisme "!* »

C'est vrai, l'ennemi, pour eux, c'est ce qui menace leurs privilèges. Mussolini, bienfaiteur de la fortune acquise, providence des nantis, a l'immense mérite d'avoir rendu docile la classe ouvrière. L'Allemagne hitlérienne s'intitule certes « nationale-socialiste » et a conjuré le chômage. Mais ce « socialisme »-là est de bonne compagnie, accommodant avec les von Papen ainsi qu'avec les magnats, immuables, de la sidérurgie. Se brouiller avec ces messieurs eût été, pour Hitler, l'équivalent d'un suicide.

---

1. Il en est plusieurs fois question, avec ironie, dans la *Correspondance* de Bernanos, encore ardent disciple de Maurras à cette époque.
2. Dans l'immeuble qui avait été celui du *Sillon* puis de *La Démocratie*, puis de la *Jeune République*, la porte s'ouvrait sur un long et large couloir voûté qui conduisait à l'imprimerie et aux bureaux.

30 juillet 1941

Comme la ligne de démarcation coupe en deux son domaine, M. Coste, propriétaire de vignes près de Langon, muni de son laissez-passer « frontalier » permanent, passe la ligne matin et soir. On le fouille, de temps à autre. Sa ferme, en zone « libre », sert de bureau de poste, et lui-même, avec une paisible audace, fait le facteur. La semaine dernière, dans ses pantalons serrés aux chevilles par des pinces, pour le vélo, un joli stock de lettres a franchi ainsi la ligne interdite. Les soldats du poste ont eu la fâcheuse idée de le retenir, pour un contrôle, juste ce jour-là. Ils ont sondé ses poches, tâté toutes les doublures de son veston ; ils ont démonté même sa bicyclette, ôtant la selle et le guidon, pour inspecter les tubulures du cadre. La pensée ne leur est pas venue de vérifier ces gonflements, pourtant horribles, que faisaient les pantalons gris au-dessus des chevilles. C. était souriant, résigné, cordial comme à son ordinaire. Il fumait des cigarettes, sans protester, montrant par toute son attitude qu'il comprenait ces exigences, bien superflues, de la consigne et qu'il s'y pliait de bonne grâce.

C'est lui qui, hier, sur le coup de midi, a « passé », dans un sac de sulfate, un certain paquet dont il savait très bien le contenu. Il véhiculait ainsi, gentiment, sa mort possible.

22 octobre 1941 [1]

Il me fallait absolument passer. Plus moyen, en ce moment, par Langon. M. connaissait un coin. Il avait téléphoné à un ami, dans ce village en bordure de la « ligne ». J'ai pris le train. Je suis descendu à la gare précédente. Le vélo que j'avais trouvé à emprunter datait bien de dix ou quinze ans. J'ai roulé jusqu'au village, comme j'ai pu. Je me suis présenté au magasin en disant seulement que je venais « *de la part de M.* ». Le commerçant m'a regardé un instant, une seconde. Je savais très bien que, la semaine

---

1. Date de mon retour à la maison. Écrit ce jour-là même.

d'avant, la patrouille avait tiré sur un jeune homme qui passait, lui aussi, sans papiers. Mais il n'y avait pas à hésiter, et certainement l'homme à qui M. donnait sa confiance saurait choisir le meilleur moment, le meilleur endroit. Nous sommes sortis du bourg ; nous avons pédalé en silence jusqu'à une ferme où j'ai été remis à un paysan qui sciait du bois. L'intermédiaire m'avait simplement désigné du menton : « *Un colis* », et il était reparti. Jour d'automne, 17 heures ; un peu de pluie, par intervalles. Le paysan a pris sa faux sur son épaule. Je marchais à côté de lui sur la route, poussant ma bicyclette. Il m'a indiqué la méthode en deux mots : à cent mètres environ, sur notre gauche, dans les prés marécageux, un petit ruisseau ; c'était ça, la « ligne ». Quand nous arriverions à tel point – cet arbre, là-bas –, il quitterait la route, prendrait à travers champs. Je feindrais d'arranger quelque chose à la roue ou au frein de mon vélo, guettant son attitude. Si, parvenu au-delà du ruisseau, il continuait à marcher, je m'élancerais pour le suivre. S'il s'arrêtait, au contraire, posant sa faux, ne pas bouger. Il n'y avait personne sur la route ; personne en vue non plus dans les alentours. En principe, nous avions un quart d'heure avant le retour de la patrouille. Mais le danger était que des guetteurs soient postés à plat ventre dans ces hautes herbes vers où, précisément, mon guide allait se dirigeant.

Nous avons atteint l'arbre. J'ai appuyé ma bicyclette contre le tronc. Je me suis accroupi, manipulant la roue arrière, observant, à travers les rayons, les gestes de l'homme à la faux. Je l'ai vu traverser le ruisseau, continuer, dresser au-dessus de sa tête, sans se retourner, l'avant-bras gauche, l'élevant, l'abaissant à plusieurs reprises pour me signifier : « *Vite ! Vite !* »

J'ai couru à travers la terre grasse, pleine de flaques. Tombé dans la boue, ridiculement, sur ma bicyclette, sans mal. Couru de nouveau. Franchi le ruisseau, avec de l'eau jusqu'aux genoux. Derrière une haie, rejoint le passeur : « *Vous êtes propre ! Mais ça y est !* » Il m'a serré la main : « *Au suivant !* »

Il n'était pas question de paiement. M. m'avait prévenu au départ. J'avais seulement été pris en charge, à mon tour, après beaucoup d'autres, avant beaucoup d'autres, par un groupe de Français faisant leur métier de Français.

Juin 1942 [1]

Ce qui reste à Vichy du Service des œuvres françaises à l'étranger (que dirigeait naguère, admirablement, Jean Marx ; c'est lui qui m'avait choisi pour Le Caire, en 1936, puis chargé d'une mission en Grèce en mars 1939, puis en Suisse, en février 1940 ; en avril 1940, j'avais reçu de lui, à Bordeaux, un télégramme énumérant les villes des Balkans où il se proposait de m'envoyer ; départ, 12 mai ; l'offensive allemande du 10 mai avait tout annulé, au dernier moment) est assuré maintenant par deux hommes qui, l'un et l'autre, prennent des risques. Ils savent très bien qui je suis et ce que je pense [2], et c'est pour cela même qu'ils me demandent d'aller faire, au Portugal, une série de conférences. « *Il se pourrait,* me disent-ils, *qu'une chaire s'offre pour vous, si cela vous intéresse, à Coïmbra. Allez donc voir sur place. De toute manière, vous y serez plus en sûreté qu'à Bordeaux.* »

J'ai donc regagné Bordeaux muni d'un « visa diplomatique » sur mon passeport – visa sans intérêt pour le franchissement de la ligne de démarcation (seul compte, là, l'*Ausweiss*), mais qui me sera précieux à Hendaye pour la sortie de France et l'entrée en Espagne.

A Lisbonne, le ministre de France – qui, devant moi, ne se compromet pas et ne me laisse rien percevoir de ses options pour ou contre la « révolution nationale » – me signale seulement, avec humour, que, s'il n'y a pas de cartes de rationnement au Portugal, c'est qu'elles seraient inopérantes, inutilisables par une population où les analphabètes sont la majorité. « *Salazar s'en félicite, du reste, et trouve cet état de choses confortable pour son régime.* »

Un petit tour dans le pays. Trois conférences. Des étudiants mornes ; des collègues éventuels compassés. Non, décidément,

---

1. Rédigé dans les derniers jours de juin 1942.
2. Quand j'ai dû quitter en hâte la zone occupée, c'est encore le Service des œuvres qui m'a fourni les moyens de me rendre, avec les miens, régulièrement, en Suisse, où je pourrai gagner ma vie, grâce à un cours hebdomadaire à l'université de Genève (que Marcel Raymond fit créer pour moi) et par de nombreuses conférences qu'organisa l'« Association suisse des conférences en langue française ».

aucune envie de m'établir chez Salazar. Le jour de mon départ de Lisbonne (je suis attendu à Madrid le lendemain matin, à 11 heures), une erreur de l'agence des Wagons-Lits fait que ma place a été vendue deux fois et que l'autre acquéreur, quand j'arrive à la gare, occupe déjà le compartiment sur lequel je comptais. La légation s'agite en ma faveur. Seule solution : un avion, demain matin, à 8 heures, mais de la Lufthansa. Résignons-nous. Hélas, la Lufthansa déclare que l'avion est complet. Plus une seule place disponible. Allons ! Allons ! Un geste – sans doute attendu – lève la difficulté. J'ai pris cet avion. Il regorgeait d'officiers allemands *en uniforme.* Que de complaisances, à Lisbonne, pour les incontestables vainqueurs, maîtres à jamais de l'Europe ! En attendant mieux.

10 juillet 1942

On me communique le tome II (pas lu le tome I) du *Journal de la France*, que publie à Paris, avec la bénédiction de l'occupant (« *autorisation nº 11.958* »), ce Fabre-Luce dont j'ai fait la connaissance, il y a dix-sept ans, à Pontigny.

Il se déshonore à présent dans la « collaboration ». Les « *Français libres* » de Londres, il les qualifie de « *déserteurs* » : des gens qui vont rejoindre « *un général factieux* » et « *des propagandistes juifs* » (p. 36). Il m'apprend que Laval et Georges Bonnet – ce dont j'aurais dû me douter – ont, en vain, « *tenté d'arrêter l'Amérique sur la pente de l'intervention* » où la poussaient « *nos émigrés* » (p. 105 et 107). Et il salue Giono pour avoir écrit, paraît-il : « *Qu'est-ce qu'Hitler sinon un poète en action ?* » (p. 155).

Des textes qu'il conviendra de garder en mémoire.

[1942] [1]

Un certain jour (j'ai oublié la date) de 1942 – au cours, je pense, du premier trimestre –, je suis abordé, dans le hall d'entrée de la

---

1. Ces pages ont été écrites, d'après mes souvenirs (aucune note prise par moi à ce sujet, ni en 1942 ni plus tard), en décembre 1960.

faculté des lettres, où j'enseignais, à Bordeaux, depuis l'automne 1938, par un officier allemand. L'homme, pas jeune, je dirai la cinquantaine, est d'un aspect lourdaud, toute martialité absente, et l'uniforme qu'il porte fait penser à un déguisement. Des traits quelconques, ni beaux ni laids ; rien de « teuton » ; ce pourrait être un « Français moyen », modeste, vaguement intimidé. Il me demande – maniant parfaitement notre langue – si je ne serais pas (s'il « *n'aurait pas la chance que je sois* ») un professeur de cette faculté. Je lui dis qu'en effet... Il ôte un instant sa casquette militaire (mon ignorance le suppose l'équivalent probable d'un capitaine), comme eût fait un civil bien élevé, et se présente ; il est le « *Professor-Doktor* » K. d'une université allemande. Il n'a jamais « servi » ailleurs que dans l'intendance, et il appartient, à Bordeaux, depuis quelques semaines, à une « commission d'achats » – un quelconque organisme de réquisitions camouflées. Et il me fait part d'un vœu qui l'a conduit à la présente démarche. Il souhaiterait, il désirerait ardemment, se voir accorder par notre « *illustre université* » (qui vit « *sous l'esprit tutélaire de Montaigne* ») un doctorat *honoris causa* qui le comblerait de fierté.

Outre le fait qu'il n'est pas d'usage – absolument pas – qu'une distinction de cette sorte soit l'objet d'une candidature (et directe à ce point), il y a également cette circonstance aggravante que nous sommes sous l'occupation de l'ennemi. La requête de cet officier allemand me paraît déplacée à l'extrême, et je m'étonne que mon collègue d'outre-Rhin n'en perçoive pas l'inconvenance. Je lui réponds par un apologue élémentaire : « *Supposez que les rôles soient renversés, que nous, Français, soyons vainqueurs, comme il nous est arrivé de l'être ; et que je vienne, en uniforme, solliciter de votre obligatoire bienveillance de vaincu un hommage universitaire en ma faveur, qu'en penseriez-vous, dites-moi ?* » Mon interlocuteur hoche la tête, adopte d'abord, en silence, une mine perplexe, mais revient à la charge, tenace, obstiné ; il veut bien comprendre ma réaction, mais ne m'en serait pas moins reconnaissant de présenter sa requête, sa « *respectueuse requête* », au conseil de la faculté.

Ce que je fis sans délai. J'imaginais une hilarité générale, mais retenue, certes, et de bonne compagnie, quand j'eus la surprise d'entendre notre doyen déclarer l'affaire délicate, et opiner pour qu'elle fût soumise au recteur. Ledit doyen alla donc trouver le recteur et nous apprit que le recteur « *déclarait l'affaire délicate et opinait pour qu'elle fût soumise à l'appréciation du ministre en personne*». Et me voici donc – muni, sans le moindre délai, par les soins du principal intéressé, de l'*Ausweiss* nécessaire pour franchir la ligne de démarcation – délégué par le recteur auprès de notre « grand maître ». Et, dans ce train de nuit qui roulait vers Vichy, je n'étais pas sans curiosité à l'égard de qui j'allais voir, non pas un ministre quelconque, banal et sans nom, mais un homme connu, l'incomparable Carcopino, le spécialiste incontesté de l'histoire romaine.

Par l'entremise (détour forcé) des autorités parisiennes, Carcopino avait été averti de ma visite et il avait donné son accord pour que le rectorat de Bordeaux déléguât quelqu'un auprès de lui pour le règlement d'une « *affaire de service un peu délicate*». Il est vraisemblable que le ministre avait demandé que lui soient fournis quelques renseignements sur mon compte. L'amitié que me témoignait François Mauriac (la préface qu'il avait donnée à mon *Flaubert*) n'allait point, à Vichy, en ma faveur. Et si, par surcroît, avait été consulté, à mon sujet, tel ancien collègue avec lequel mes rapports manquaient de chaleur et qui, dès l'automne 1940, avait été glorieusement promu recteur, par le nouveau régime, dans une académie séduisante, les informations qu'il avait pu fournir à mon sujet devaient être d'une coloration sombre. Toujours est-il que l'audience prévue pour 10 heures, 10 h 30, je n'y fus admis que cinq minutes avant midi, et, dès 11 heures, j'avais été seul à faire antichambre.

Carcopino, glacial et cassant, m'avertit qu'il avait trois minutes à me consacrer. Je n'avais pas terminé mon « exposé de la question » que le ministre m'interrompait : « *Est-ce là tout ? Mais vous l'accordez, ce doctorat* honoris causa. *Cela va de soi !*» Terminé. Ah bon ! Je ne connaissais pas encore, à cette date, la remarquable circulaire du ministre, qui, complétant l'épuration effectuée par le Maréchal en octobre 1940 (tous les Juifs chassés de l'armée, de la justice et de l'enseignement), s'avisa d'un oubli qu'il fallait réparer : si des noms, bien choisis, avaient pu dissimuler et protéger certains indésirables, les prénoms, en revanche, pouvaient être révélateurs ; en conséquence, Carcopino prescrivait la révocation immédiate de tout enseignant (du primaire, du secondaire ou du supérieur) nanti d'un prénom « *à consonance sémitique* ». Je n'ai jamais su si ces instructions démentielles avaient été suivies d'effet et si tous les David et tous les Samuel du corps enseignant avaient bien été balayés. Quant à notre problème bordelais, Carcopino avait eu l'imprudence de ne pas nous imposer une date pour l'exécution de sa sentence ; il avait même omis d'employer le mot « immédiatement ». L'affaire de ce « doctorat h.c. » lui paraissait d'ailleurs si minime que nous pouvions espérer la lui voir négliger. Ses fonctions à Vichy, au surplus, ne seraient certainement pas plus durables que celles de ses prédécesseurs. Comme la majorité de mes collègues penchait, dans l'affaire, vers la lenteur, la paresse, l'oubli, la question ne fut jamais réglée – avec la complicité du recteur.

Mon « collègue » allemand venait s'informer auprès de moi, de temps à autre, avec une confiance décroissante. Nous nous entretenions paisiblement. Il m'avouait, même, en me recommandant la discrétion, qu'il augurait bien mal de l'avenir, pour le Reich. « *Il nous aurait fallu,* disait-il, *anéantir l'URSS en quelques semaines. Dès que j'ai vu l'hiver arriver sans que la victoire fût acquise, j'ai pensé (je vous parle en ami) que nous avions perdu la guerre. Et, depuis que les Américains sont dans le coup avec leur énorme puissance, plus d'espoir.* » J'entrevois mieux, dès lors, pourquoi le « Professor-Doktor » K. avait songé à ce « *doctorat h.c.* », en prévision d'un futur lugubre, comme à une précaution – qui sait ? – ou même, peut-être, à une ouverture. Lorsque, en juillet 1942, le *Je suis partout* de Brasillach me désigna comme « gaulliste » aux autorités d'occupation, je jouai franc-jeu avec K., lui fit lire la dénonciation qui me visait et lui annonçai que je franchirais le lendemain, à mes risques et périls, la ligne de démarcation. J'y parvins aisément, galopant, le dos courbé, dans une vigne. Pour ma femme et nos trois enfants, qui devaient emporter avec eux deux valises au moins et une grosse malle (car nous ne savions pas quand nous pourrions regagner Bordeaux), je demandai carrément son aide à K. Il ne me la refusa point, et ma famille passa la

« frontière intérieure » en toute facilité, par le train. Un document fallacieux, et muni de tous les tampons nécessaires, établissait que Mme Guillemin, accompagnée de ses enfants, se rendait à Lyon chargée d'une « *mission économique* » par l'intendance allemande.

Je n'oubliai pas K. après la guerre. Il avait, je crois, déserté quand les forces allemandes évacuèrent la France, en 1944, et je contribuai à lui procurer une situation agréable, qui n'avait plus rien à voir avec le professorat, mais lui assurait des ressources nettement plus amples : sous un état civil renouvelé, il représentera, un temps, les grands vins de Bordeaux en Espagne, au Portugal et en Amérique du Sud.

10 février 1943. Neuchâtel

René Benjamin fait une tournée de conférences en Suisse. Depuis le 12 novembre 1942 et l'occupation complète de la France par les forces allemandes, on ne passe plus de France en Suisse – exception faite pour les diplomates ou quelques privilégiés, envoyés spéciaux du Maréchal. René Benjamin est au nombre de ces délégués agréés par l'Allemagne puisqu'ils servent sa politique.

Ce n'est pas le premier passage en Suisse de René Benjamin depuis la guerre. Des Genevois m'ont raconté, cet hiver, qu'ils ont été stupéfaits, abasourdis même, il y a deux ans, après le désastre subi par la France, de voir reparaître chez eux un R.B. – vieil habitué des performances oratoires – qu'ils s'attendaient à retrouver accablé, malheureux, et qui leur apparut « *radieux* », son pays, disait-il, enfin débarrassé des « *criminels* ». Il annonçait : avec Pétain, « *les idées de Maurras sont maintenant au pouvoir* », et la France se régénère merveilleusement.

Les « bellelettriens [1] » de Neuchâtel, curieux de l'entendre, l'ont reçu à leur tribune, hier 9 février, et m'ont invité à déjeuner avec

---

1. « Belles-Lettres » est une très ancienne association d'étudiants. Les « bellelettriens » étaient particulièrement nombreux à Lausanne et à Neuchâtel. Ils n'ont plus guère – du moins à Neuchâtel – d'existence aujourd'hui.

lui, ce 10. Ces jeunes gens, qui connaissent ma position, m'ont seulement prié de ne pas faire d'éclat, de ne pas créer d'incident. Promis. J'écouterai, bien sage et muet. Benjamin a repris, à table (sa conférence avait été purement littéraire, sur les Goncourt), les déclarations mêmes qui avaient si fort surpris, à Genève. Il a expliqué calmement : « *La défaite a été notre délivrance.* » Autre phrase textuelle : « *Pendant quarante ans, j'ai vécu dans un tunnel. Enfin l'issue !* » Il raconte, illuminé, qu'il a passé, « *en décembre, quatre jours, du matin au soir* », avec le Maréchal. Le 11 décembre, il a déjeuné, chez Pétain, avec Maurras. Une conjonction d'astres. Nous apprenons de lui que, si la France républicaine a gagné la guerre de 14-18, ce fut par « *erreur* » ; « *logiquement, cette guerre devait être perdue* » ; mais l'intervention américaine « *renversa le cours des choses* ». Sur une question de G. Redard (le président des Belles-Lettres de Neuchâtel) concernant les rapports du Maréchal avec le Reich, R.B. affirme : « *Le Maréchal est strictement fidèle aux stipulations de l'armistice.* » Objection : « *Mais les Allemands les ont rompues, ces stipulations, quand, en novembre, ils ont envahi la zone dite libre.* » Réponse : « *Pardon ! Ce sont les Américains, avec leur débarquement en Afrique du Nord, qui ont forcé les Allemands à prendre cette précaution* », et le Maréchal leur est reconnaissant d'être ainsi venus le défendre contre l'agresseur « yankee » ; « *ils le dispensaient ainsi d'avoir à engager nos troupes* ». Et R.B. de décrire, prophétique, mais quelque peu déconcertant, la signature de la paix, où le Maréchal « *aura, à sa droite, le pape et, à sa gauche, l'amiral Leahy* », son ami, son très cher ami Leahy, qui fut, avant l'entrée en guerre des États-Unis, l'ambassadeur de Washington à Vichy : « *un homme éclairé, un homme de bien* » qui « *contrôlera et inspirera Roosevelt* ». Sur Laval : « *Lorsque le Maréchal reçoit Laval à sa table, il a toujours l'impression d'avoir permis au serveur de s'asseoir.* » Sur Mussolini : « *Un géant ! Un lion !* » Mais son agression, en juin 40, contre une France déjà, militairement, plus qu'à demi morte ? « *Ah ! C'est atroce. L'apparence est atroce. Mais Mussolini a été contraint à ce geste par Hitler ; s'il n'avait pas attaqué sur les Alpes, les Allemands auraient envahi l'Italie. Il a retardé, retardé à l'extrême, cette offensive que Hitler lui imposait,*

83

afin de la rendre la plus brève possible et la moins sanglante pour nous. »

Je ne regrette pas d'avoir accepté l'invitation des «bellelettriens». Chez cet émissaire de Vichy, des propos presque incroyables de nudité obscène et qui ont dépassé mes prévisions.

19 mars 1943

Mes quarante ans. Plus j'avance dans la vie, plus je me persuade qu'il n'y a guère qu'une seule loi morale : ne jamais se rendre coupable d'un mal fait à autrui, d'une souffrance, d'une blessure, d'une injustice. Et, dans nos jugements moraux, nous convaincre que tout est, comme on dit, « cas d'espèce ».

C'est très mal de mentir ; mais a-t-on jamais souligné que Hugo, dans *Les Misérables,* nous donne à saluer, admirer, bénir, deux mensonges, et commis par des gens d'Église. L'évêque Myriel ment aux gendarmes, à propos de ses chandeliers, pour protéger Jean Valjean ; et cette religieuse parfaite, sœur Simplice, utilise la vénération qu'elle mérite pour en imposer à Javert et lui mentir effrontément – dans la même intention.

15 avril 1943. Genève

Conversation avec Francis Carco, réfugié, lui, à Genève. Sur l'attribution, l'an dernier, du prix Goncourt. Il avait voté pour Elsa Triolet. Puis les journaux ont précisé qu'elle n'avait pas eu *« une seule voix »* : *« On avait donc escamoté la mienne. »* Sur Duhamel : *« Joufflu et myope, bon enfant et rusé. »* Sur Giraudoux : *« Une anguille. »*

14 juin 1943. Neuchâtel[1]

Entendu, place du marché, une paysanne, devant son petit étalage de légumes, qui disait à une acheteuse : « *Le bon Dieu se fait bien du tort avec cette guerre et tout.* »

13 février 1944

L'*Argus international de la presse* (Genève) me communique un article de Maurras, paru dans *L'Action française* du 11 février : « Une erreur des Suisses ». Il s'agit d'un article de la *Gazette de Lausanne* qui dénonçait les répressions gouvernementales exercées en France sur « *des jeunes gens qui luttent pour la liberté* ». Maurras s'indigne et glorifie *L'Action française*, « *fière*, écrit-il, *d'avoir toujours réclamé une répression rapide du terrorisme et des brigandages communo-gaullistes* ». Il déplore aussi que Neuchâtel accepte d'héberger « *M. Henri Guillemin, gaulliste, panégyriste de J.-J. Rousseau, filleul et même, paraît-il, neveu de ce Marc Sangnier* [...] *le pire désarmeur de la malheureuse France, à la veille de cette guerre*[2]. »

Octobre 1944

Discours de Jérôme Tharaud « *aux Cinq Académies* », le 25 octobre 1944 (plaidoyer, en fait, pour les gens de Vichy).
« *Dans un pays où l'idée de patrie existe depuis près de deux mille ans* [sic], *et constitue le bien commun de tous, il serait indécent qu'une partie quelconque de la nation prétendît se faire du*

---

1. J'avais donc pu quitter Bordeaux, subrepticement (avec l'accord du recteur), et m'étais réfugié en Suisse. Un poste m'avait été offert à l'université de Genève (un cours par semaine). Mais je résidais à Neuchâtel, car c'est là que sont conservées toutes les lettres de J.-J. Rousseau que l'on a pu retrouver, et j'étudiais alors la rupture de J.-J. et des encyclopédistes.
2. Peu après, Maurras rectifia : non, Guillemin n'est ni le neveu ni le filleul de Marc Sangnier – lequel est seulement le parrain de Mme Guillemin.

patriotisme un privilège et l'enseigner aux autres. Il serait indécent de s'en prévaloir pour condamner, excommunier, proscrire, quand la vertu du patriotisme est avant tout de pacifier et d'unir. » Jérôme Tharaud songeait peu, il y a quarante ans, à tenir ce langage quand la droite prétendait monopoliser le patriotisme et couvrait d'outrages et d'accusations monstrueuses l'irréprochable Français qu'était Jean Jaurès.

4 novembre 1944. Vevey

Les B., qui se sont pris d'amitié pour moi [1] (et Dieu sait pourtant si nos opinions divergent ; ils détestent de Gaulle), m'ont dit qu'une chose, du moins, leur paraît satisfaisante dans le gouvernement du Général : la présence de Lepercq aux Finances ; « *un homme sûr* », me dit B., qui prétend le bien connaître : « *Il a eu, chez Skoda, un poste de direction, et, appelé par de Gaulle, il a quitté* [sourire : " *pas complètement* "] *son fauteuil d'administrateur à la Banque de l'union européenne. Avec lui,* poursuit B., *on peut être tranquille. De la poudre aux yeux à l'intention des chambardeurs, et les bases d'une économie saine seront respectées.* »

17 novembre 1944

On apprend la mort de Lepercq dans un accident d'auto. J'imagine la consternation des B.

1. Un détail qu'il serait dommage de laisser dans l'oubli. Ces B. ne demandaient qu'à me rendre service, et le plus concrètement possible. Leur amitié se mua en attendrissement quand je leur avouai que « *ma fortune, la totalité de mes biens* », s'élevait alors à 10 000 francs suisses et des poussières. Ils se récrièrent, et B. m'a aussitôt recommandé une banque genevoise, « *une banque catholique* », précisait-il avec une nuance de respect. Le directeur serait un homme « *de première force* », et « *à la coule* » ; « *vous n'imaginez pas les astuces, les combines inédites qui s'offrent en ce moment, entre la Suisse et la France. Il les connaît toutes.* » Puis : « *Je vous garantis* [reprise : " *ga-ran-tis* "] *que vos 10 000 francs suisses, en moins de dix mois, deviendront, grâce à lui, un million et demi de francs français, au bas mot !* »
    Balourd, je me dérobai, et ils m'en tinrent rigueur. Nos liens se brisèrent tout à fait, l'année suivante, lorsque, attaché culturel à l'ambassade de France, je refusai une invitation à déjeuner que m'avait adressée, à leur suggestion, le trop fameux Jardin (de Morand et Laval). Commentaire des B. : « *Sottise et secta-*

28 novembre 1944

Les B. me font rencontrer chez eux, pour le thé, un personnage
« important », un Français, qui réside ici et qui, associé à la direction de la grande firme locale, a fait, au début du mois, une « *petite
expédition exploratoire* » (ce sont ses mots) en « *France gaullienne* ». Il a passé cinq jours à Paris, du 30 octobre au soir au
6 novembre au matin.

Il est ironique et presque entièrement rassuré. Le danger social
fut réel, selon lui, mais « *c'est fini* ». Il dit qu'en 1936-1937, « *physiquement* », il ne supportait plus d'aller en France. « *Irrespirable,
l'atmosphère fronpopu.* » Et ces routes si mal entretenues ! Il
trouve la « révolution » gaulliste très bonne fille, très naïve. Les
FFI ? « *De bons petits gars. Voyez comme ils se laissent gentiment
désarmer ! De G. n'est ni fou ni sot. Il roulera* [sic] *les bolcheviks et
autres Camus* [1]. *Vous verrez.* » P. m'a fait l'honneur, sans doute
pour m'éclairer, de me remettre une copie du rapport qu'il a
rédigé, en date du 15 novembre, pour ses collègues du conseil
d'administration, sur la situation à Paris. J'y vois que les « *chefs
d'entreprise* » avec lesquels il a pu s'entretenir sont vivement
préoccupés par le « *relèvement considérable des salaires, et surtout
des petits salaires* », imposé par le gouvernement sous la pression
des « *syndicats* » et principalement de la « *CGT qui semble redevenir très puissante* ». Plusieurs « *industriels* » ne lui ont pas caché
leur anxiété et songeraient à « *déposer leur bilan* ». Mais il n'en
paraît pas convaincu. Toutefois, il a bien voulu me fournir, confidentiellement, une indication orale qui me fera « *saisir la gravité
du problème* » : « *Nous avons* [j'ai compris aisément ce " *nous* "]
réalisé en 1943, une année particulièrement favorable [sic], *un
bénéfice net, sur la France, de 19 millions. Le relèvement des*

---

risme. » Ledit Jardin vendait je ne sais quoi, de la tuyauterie ou quelque chose
de ce genre. Il était fort à l'aise.
1. Pourquoi Camus ? Parce qu'un homme comme ce P., toujours en éveil,
avait certainement retenu le « Manifeste » de *Combat* dès son premier numéro ;
je n'ai plus en mémoire le texte exact, mais l'idée-force était la suivante : que la
République reparue ne soit pas comme la précédente ; que l'argent n'y soit plus
le maître de tout. Conséquence : Camus est un ennemi.

salaires nous coûtera quelque 17 millions. Jugez un peu ! Il nous faudra trouver des compensations. » (De nouveau un sourire, qui donnait à penser : rien de bien tragique ; on s'en tirera.) A la place de l'emprunt à 3 %, il eût préféré, quant à lui, un emprunt à 1,75 %, exempt de « *la taxe sur les revenus* » et « *avec assurance de l'anonymat* ». Confrontation cruelle pour moi. Ces gens, les B., le P. et tout ce qu'ils représentent, je suis et nous sommes, les pauvres types de mon espèce, insignifiants, totalement désarmés devant eux, totalement à leur merci. Mais je n'avais jamais encore éprouvé à ce point – compris, « réalisé » – mon incompatibilité radicale à leur égard. Deux camps, ah ! certes ; deux camps, face à face. Le camp des B. et autres P., une option organique me dresse contre lui.

24 novembre 1944. Genève

A déjeuner, chez les O., Edmond Jaloux a dit, devant moi, à propos de Mauriac : « *Depuis que le démon est entré à l'Académie...* »
Jaloux, qui, je crois, s'est établi en Suisse dès le début de la guerre, ne cachait pas son adhésion morale au régime de Vichy, et particulièrement à la « révolution nationale » de Pétain. Il porte à François Mauriac une véritable haine.

[Janvier 1945] Paris [1]

C'est au cours de mon premier voyage à Paris depuis l'hiver 1940-1941 que j'ai appris les circonstances dans lesquelles Jean Prévost a été tué, au Vercors. Et le souvenir m'est revenu d'un dîner, en 1926 ou 1927, chez Mme de L. où nous n'étions que quatre : l'hôtesse, Jean Prévost et sa femme, moi-même. J.P., très en verve, vers la fin de la soirée, avait joué le cynisme, et du genre le plus brutal : sur « *l'énorme blague* » de ceux qui se disent prêts à sacrifier leur vie à « *l'honneur* ». Je me rappelle : « *Mais jamais, voyons, jamais ! Ça n'existe pas !* » J'avais parlé des chrétiens sous

1. Écrit en décembre 1960.

Néron, sous Domitien. Et lui : « *Peut-être. Et encore ! Il faudrait voir... Pas un homme de bon sens n'irait à la mort pour une idée. Surtout pour des idées vagues... Littérature, mensonge, ces histoires-là ! D'abord vivre, à tout prix vivre. En tout cas, c'est bien mon avis.* » Mme de L. souriait en silence.

Et voilà ! En 44, il a choisi le maquis, risquant tout, y compris la mort, qui est venue sur lui, en effet. J'aime mieux l'apologie de l'égoïsme suivie d'un comportement sacrificiel que les déclamations de matamores héroïques, suivies, concrètement, des plus sages prudences. Jean Prévost avait été sincère, devant Mme de L. et moi, et sa femme ; mais il ne se connaissait pas dans sa vérité profonde. Salut à ce camarade qui m'avait navré et qui valait cent fois mieux que moi.

Marges

Ceux qui « *prennent leur parti* » de l'injustice sociale sont aussi
– consciemment ou non – au nombre de ceux qui en « *tirent parti* ».

« *La plus grande faiblesse de la pensée contemporaine me paraît résider dans la surestimation extraordinaire du connu par rapport à ce qui reste à connaître* » (André Breton, 1937).

L'épouvantable catastrophe du 1ᵉʳ novembre 1755, à Lisbonne, aura fait au moins un heureux : Voltaire. Ces milliers de morts *dans les églises*, parce que c'était la Toussaint, que d'eau à son moulin ! Je veux dire que de cadavres à exploiter !

Son admirateur genevois, l'affairiste Du Pan (un ennemi mortel de Jean-Jacques « *l'impie* ») aura, jubilant, le mot de la situation : « *La Providence en a dans le cul !* »

Pénétrante remarque de J.-J. Rousseau – qui n'en préfère pas moins la République, mais qui voit clair : « *Jamais, dans une monarchie, l'opulence d'un particulier ne peut le mettre en dessus du prince ; dans une république, elle peut aisément le mettre au-dessus des lois.* » Surtout quand les élections, bien dirigées (voyez Hugo : « *Maires narquois traînant leurs paysans au vote* », ce qui fut la méthode même dont se targue en ricanant Tocqueville), placent l'opulence au gouvernement et lui confient la législation.

91

De Mme de Duras à Mme Swetchine, le 20 septembre 1817, sur Nathalie de Noailles : « *Il n'y a pas de situation plus pénible, selon moi, que de valoir mieux que sa propre conduite.* »

Voltaire nabab. La privation d'autrui entre comme élément dans sa félicité ; et il ne s'en cache pas. Il dénombre ses joies : « *toutes les commodités de la vie en ameublement, en équipages, en bonne chère* », sans oublier ce détail de première importance : « *de quoi faire crever de douleur plus d'un de mes chers confrères* ». Il se glorifie publiquement d'être « *parvenu à vivre comme un fermier général* ». « *On se demande par quel art ?* » C'est bien simple : « *Il faut être, en France, enclume ou marteau* » ; il a choisi le second emploi, à l'égard de ce qu'il nomme la « *vile populace* » nourricière pour les industrieux à sa façon. Et de lui encore : « *Je mets en pratique ce que j'ai dit dans* Le Mondain. *Oh ! le bon temps que ce siècle de fer !* », du moins quand on sait s'y prendre pour réussir

En métaphysique, et ailleurs (peut-être même en histoire), qu'il a donc raison, Joseph de Maistre, quand il écrit, dans sa *Sixième Soirée* : « *L'euphonie décide de bien des choses.* » Alexandre Vinet dit très bien de Buffon : « *Les intérêts de son style lui interdisaient l'athéisme.* »

« *Elle écrivait :* " *Nous avons changé. Nous nous aimerons autrement, tendrement.* " *Comme si l'amour changeait ! Comme si son seul changement n'était pas de mourir* » (Benda, *L'Ordination*).

Le style Mérimée, dans ses lettres à Stendhal. Le 1er décembre 1831, à propos de la Malibran, ceci : « *Sa voix a beaucoup perdu. Chaque coup de cul qu'elle donne lui ôte une note, et elle en donne beaucoup.* »

« *Le jeune homme qui commande à ses regards et à ses désirs en*

présence de la beauté est un plus grand thaumaturge que Moïse »
(J. de Maistre, *Soirées de Saint-Pétersbourg*, « Onzième entretien »).

Admirable Fénelon (dans son traité *De l'existence de Dieu*) : « *O
mon Dieu, si tant d'hommes ne vous découvrent point, ce n'est pas
que vous soyez loin. Vous êtes auprès d'eux et au dedans d'eux,
mais ils sont fugitifs et errants hors d'eux-mêmes.* »

Naïf Goncourt (Edmond) qui appelle Michelet (l'affabulateur)
« *ce somnambule du passé* ».

Il est bien, cet étudiant, membre du groupe révolutionnaire
ABC, sous Louis-Philippe, que Victor Hugo met en scène dans *Les
Misérables* : si j'étudie l'histoire, dit-il, c'est « *pour m'indigner en
connaissance de cause* ». Pas bête, le gaillard.

Je ne m'attendais pas à cet avis de Montaigne (Pléiade, p. 768) :
« *Tenir son affection immobile et sans inclination aux troubles de
son pays en une division publique, je ne le trouve ni beau, ni honnête. Il faut prendre parti.* »

Points d'histoire.
1. Parmi les ministres qui, le 23 juin 1940, décidèrent la mise à
la retraite d'office du « colonel de Gaulle » et l'ouverture de pour-
suites contre lui : Chautemps, Frossard et Pomaret.
2. Weygand rapporte lui-même, dans ses *Mémoires*, que le
11 juillet 1940, à Vichy, il est intervenu pour que de G. soit (par
contumace) condamné à mort ; ce qu'il obtint le 2 août. Le 11 juillet, il accusera de G. d'avoir déserté, « *alors qu'on se battait
encore* », et cherché refuge « *de l'autre côté de l'eau, loin des coups
directs de l'ennemi* » (ce qui est un prodige de mauvaise foi).

93

3. De G., de son côté, écrit avec exactitude que Weygand, en 1940, n'avait « *ni l'espérance ni la volonté de vaincre* ».

Alfred de Vigny, dès l'éveil de sa sexualité, a très vite rejeté – aidé par Voltaire – l'idée naïve et ridicule d'un Dieu attentif aux comportements des « cirons » que nous sommes, imperceptibles dans l'immensité de l'univers. Puis, plus tard, le même Vigny reprochera à Dieu son indifférence, son « *silence* » et parlera (curieusement) du « *dédain* » qui répond, légitime, à cette évidente irréalité (« *Le juste opposera le dédain à l'absence* »).

Y. m'écrit : « *Ce qui sert de clé pour un être, c'est bien moins les péchés qu'il commet que les justifications qu'il en donne.* »

Faute de m'être jamais reporté au texte même de la déclaration Monroe (décembre 1823), j'ai toujours cru, sur la foi des on-dit, qu'il s'agissait d'isolationnisme : les Américains s'enfermant chez eux, et que l'Europe se débrouille avec ses problèmes. D'où ma surprise en me reportant au document lui-même : « *Les continents américains* [oui, au pluriel] *ne doivent pas être regardés désormais comme des domaines susceptibles d'être colonisés par les puissances européennes.* » Avertissement donné par le gouvernement des États-Unis aux Anglais, aux Espagnols, aux Portugais : l'Amérique centrale et l'Amérique du Sud, c'est à nous, et à nous seuls, d'y « coloniser » par nos propres méthodes. Européens, prenez-en note : chasses gardées.

De cette étonnante R.G., du Caire : « *Il est des cœurs indignes de ce qu'ils savent.* »

Les Martyrs sont, en toute équité, illisibles, indéfendables. Comment Chateaubriand, qui, cependant, a déjà fait la preuve d'un talent que confirmeront, avec magnificence, ses *Mémoires d'outre-tombe*, a-t-il pu écrire cette rhapsodie où la platitude le dispute au ridicule ? Peut-être parce qu'il ne croyait pas – ou ne croyait qu'à peine – à la religion dont il se réclamait.

En tout et pour tout, ayant relu (vertueusement) l'ouvrage ligne à ligne, je n'ai trouvé que de petits groupes de mots à sauver :

Sur les pauvres prières inutiles en faveur des damnés (mais l'enfer, Chateaubriand était-il vraiment convaincu de son existence ?) : « *Les vœux qu'une tendre amitié offre au ciel pour des âmes perdues désolent, au fond de l'abîme, ces âmes inconsolables.* »

Et ce début (ou presque) de l'épisode Velléda : « *Nous nous avançâmes dans la campagne par des chemins infréquentés* [...]. *Si tu m'avais aimé, disait Velléda, avec quelles délices nous aurions parcouru ces champs !* »

Les Martyrs ne sont pas seuls de leur triste et honteuse espèce, dans l'œuvre de Chateaubriand ; les escorte, dans l'inavouable, ce *Dernier Abencérage* dont le titre même, par bonheur, ne vient plus à l'esprit de personne quand on prononce le nom de René.

Y. m'écrit : « *Je suis triste parce que je n'ai plus toujours la force de garder mon intégrité. La force, oui ; mais c'est le désir de cette force qui me manque ; une sorte de lassitude devant un sacrifice qui me paraît absurde et qui n'est dédié à personne.* »

De Y. encore : « *Ce qu'il y a en moi de dur, d'intolérant et d'insoumis.* » Et ceci également : « *T. est toujours prêt à faire l'amour avec moi ; mais il n'est jamais là pour un peu de bonté et d'amitié sincères. Ça ne tient pas debout, mais ça tient couché.* »

La veille de mon départ définitif du Caire, Y.H. m'a remis treize pages de réflexions (ou maximes) dactylographiées par elle-même, dont plusieurs corrigées de sa main.

Je voudrais, dans la faible mesure de mes moyens, arracher provisoirement à l'oubli ceux de ces textes qui me paraissent le plus remarquables :

« *Qu'à travers nous une vérité puisse être la bienvenue, la bien-aimée.* »

« *Nous supplions en silence ceux que nous aimons d'être parfaits.* »

« *Nous nous absentons parfois de nous-même et qui vient à nous pénètre l'inhabité.* »

« *Les rancunes de la chair dispersent leur venin sur toute l'étendue d'une tendresse.* »

« *A un certain degré de lassitude, tout échec est un repos.* »

« *Certains êtres se ferment avec une douceur implacable.* »

« *Le corps a ses doutes, ses convictions, ses sincérités et ses parjures ; mais ayant moins de subtilité que l'esprit pour les traduire, il en a moins pour les falsifier.* »

« *L'ayant fait sombrer, on procède pieusement à son sauvetage.* »

« *L'artiste sent où finit son génie et où commence son effort. Le barbare attribue le génie à la méthode.* »

« *Il est peu de pardons où n'entre du découragement.* »

« *Le mauvais critique a plus de hâte d'exercer son esprit que son jugement.* »

« *Plus d'un message se voile la face en traversant son messager.* »

« *Mon Dieu, le monde qui dort se déplie entre tes mains.* »

« *Elles disaient : Non ! Pas ceci ! Et pleuraient pour qu'on leur donnât l'autre chose, de l'autre pays.* »

« *Anges, gardiens trop secrets, qui devenez lumière dans la lumière et nuit dans la nuit.* »

96

« *Il nous écoutait en regardant devant lui fixement, comme un homme qui, rêvant d'un mort, le voit vivant.* »

Le temps de l'enfance est immobile. Pas même une durée, une permanence.

Peut-être la fin de l'enfance est-elle marquée par le sentiment, tout à coup, que nous avons déjà un « passé ». L'idée du passé est antérieure, chez l'homme, à l'idée de la mort. Elle la prépare.

Parcours II

1945-1962

Jours

3 mai 1945

Parce que, sans nul doute, à présent, Hitler est mort, Salazar prescrit à ses sujets un deuil national de deux jours.

6 mai 1945

Stucki [1] n'a pas caché à H. Hoppenot, l'ambassadeur [2], le « scandale » qu'a été, pour lui, l'accueil fait au maréchal Pétain lorsqu'il est venu, « *si noblement, si courageusement* », se livrer, à Vallorbe, au gouvernement de Gaulle. « *Pensez que l'amiral Bléhaut a dû monter dans un camion militaire!* » Et ceci : « *Nous, quand le Maréchal a pénétré sur le sol suisse, nous lui avons rendu les honneurs.* »

H.H. me décrit une photographie, découpée dans un journal alémanique – document que Stucki lui a mis sous les yeux –, où Stucki en personne exécute une profonde courbette devant (me dit H.H.) « *je ne sais qui de la suite du Maréchal* ».

---

1. M. Stucki, secrétaire général, à Berne, du Département politique fédéral, avait représenté la Suisse à Vichy depuis 1940.
2. J'ai été nommé, en avril 1945, « attaché culturel » à l'ambassade de France en Suisse.

11 mai 1945

Mes beaux-parents apprennent – enfin – le sort qu'a connu leur fils Henry, avocat à Toulouse, qui avait été arrêté par la Milice de Pétain au printemps de l'année dernière et dont ils ne savaient plus rien depuis un an.

Henry avait d'abord été interné dans un « camp de la mort ». On l'en avait extrait pour le faire travailler dans une mine de sel en Saxe. A l'approche des troupes russes, la mine fut évacuée, et les forçats durent gagner, à pied, une autre destination. Presque tous étaient exténués, et Henry n'avait plus la force de suivre le convoi des survivants. Un soldat de l'escorte l'abattit, par ordre, d'un coup de feu, au bord de la route.

Il avait vingt-sept ans.

21 juillet 1945

Valéry disparaît à soixante-quatorze ans.

« *Tous vos ordres sont là, qui attendent l'Histoire.* » C'est un alexandrin glissé par Paul Valéry dans le discours qu'il prononça, à l'Académie française, le 22 janvier 1931, lorsqu'il y « reçut » Pétain. Affirmation un peu imprudente, du reste, car existe, très officiel – mais on le chercherait en vain dans l'ouvrage du général Laure à la gloire du Maréchal –, l'ordre que ce dernier adressa, le 24 mars 1918, à Fayolle, Franchet d'Espérey et Castelnau, pour les inciter à laisser sans soutien les forces britanniques pliant sous l'offensive allemande du 21 mars. Valéry exaltait alors en Pétain quelqu'un, disait-il, que « *la politique semble respecter, elle qui vit de choses injustes* ». De quoi plaire à l'antiparlementarisme qui, en 1931, commençait à s'épanouir du côté des « honnêtes gens », ceux-là mêmes que Pétain comblera d'aise, le 3 décembre 1934, au banquet de la *Revue des Deux Mondes*, par un discours nettement « politique » où les instituteurs étaient par lui dénoncés comme malfaisants.

Il n'est pas inutile de rappeler qu'en 1898, quand *La Libre Parole* de Drumont avait ouvert une souscription où se réunissaient les admirateurs du colonel Henry et de son faux « patriotique », Paul Valéry était là, à côté d'un certain capitaine Maxime Weygand, lui aussi, déjà militant des idées saines. En 1944, lorsque Pétain, docile aux injonctions allemandes, se rend à Paris, au mois d'avril, pour y déplorer, condamner, maudire les bombardements britanniques sur les usines de banlieue, le salut vénérant qui lui est adressé par les grands notables est dû à la plume de Paul Valéry encore : non pas seulement un « *hommage* », s'écriait le penseur, mais un « *acte de foi* » : « *Paris s'offre et se confie à celui qui s'est offert lui-même* [etc.]. »

Quand l'Académie, après la Libération, étudia les cas conjugués de Maurras et de Pétain, Henry Bordeaux vit avec une surprise suffoquée (une « *indignation écumante* », me dira François Mauriac) Valéry se prononcer pour la radiation du Maréchal, son exclusion immédiate et sans appel.

Je ne l'ai rencontré qu'une seule fois, au printemps de 1939, chez Daniel-Rops qui donnait une réception. Valéry était au centre d'une cour d'admiratrices aux mines éblouies. Il « *pérorait* » – c'est, hélas, le mot juste – et s'écoutait parler, jouant à enrouler et dérouler autour de son index droit le mince ruban noir au bout duquel pendait son monocle.

10 août 1945

L'URSS se jette sur le Japon qu'Hiroshima a réduit à merci (comme, en juin 1940, Mussolini s'est jeté sur une France militairement anéantie) parce que Staline veut avoir son mot à dire dans les affaires d'Extrême-Orient. Mais le bureau politique du PCF « *rend hommage* » au « *geste humanitaire* » de l'URSS qui n'intervient que pour hâter la fin de l'effusion de sang.

Déjà, en août 39, le pacte germano-soviétique avait été salué par *L'Humanité* comme une grandiose contribution de l'URSS au maintien de la paix, alors que c'était, en fait, l'autorisation donnée par Staline à Hitler d'attaquer la Pologne sans avoir à craindre une guerre sur deux fronts.

103

9 septembre 1945

Pétain a fait preuve de vilenie, lors de son procès, à l'égard de Laval. Il avait multiplié, à son égard, les déclarations publiques de confiance et, quand Laval s'est tourné vers lui, au tribunal, réclamant son appui et comptant sur sa loyauté, le Maréchal a joué le sourd – comme il l'a fait chaque fois que cette feinte (partielle) lui était utile, mais y renonçant quand il le jugeait opportun.

Sur de Gaulle et ses « nationalisations ». Ce qu'en pense en vérité le patronat – qui empêche comme il peut, par prudence, ses dents de grincer trop fort –, il suffit, pour le savoir, de relire ce « Communiqué » (que je retrouve par hasard) de la CGPF (Confédération générale du patronat français), en date du 16 mars 1940. Notre but, disaient ces messieurs – qui se souvenaient en frissonnant du Front populaire (1936) – est cette « *civilisation spiritualiste* » [sic] qu'assure « *une libre économie* » : « *Toutes les mesures étatistes, ou d'étatisation, ne conduisent à rien, sinon à la paperasserie, à l'irresponsabilité, à l'aveulissement* [...] *Il faut sauver la liberté* [économique, avant tout]. *Hors cela, tout est vain.* »

Adjonction de 1969

Le congé donné à de Gaulle, en avril 1969, Pompidou n'eût jamais réussi à l'obtenir sans l'active collaboration des mêmes milieux qui s'exprimaient déjà, trente ans plus tôt, dans les termes que nous venons de voir.

11 octobre 1945. Neuchâtel

Singulier propos que j'entends et réentends dans la « bonne société » de Neuchâtel, et chez ce banquier, notamment, qui est loin d'être un mauvais homme et qui nous a prodigué prévenances et soutiens quand nous avons dû, très démunis, nous réfugier en Suisse, il y a trois ans.

L'idée courante, et qui monte, est celle de l'urgence d'en finir, une bonne fois, avec le communisme, c'est-à-dire avec l'URSS, ce scandale qui dure, ce danger qui s'accroît. L'Occident a aidé Staline contre Hitler parce que Hitler constituait la menace première ; mais Staline est encore plus redoutable – et même infiniment plus – que Hitler. Il n'y avait pas huit jours que la cessation des hostilités en Europe était un fait accompli, pas huit jours, et déjà l'*Economist* publiait calmement cet article, partout reproduit, et qui signifiait tout net : la guerre contre les Soviets, c'est pour quand ?

Des compétents me disent : rappelez-vous le partage de la Pologne, en 1939, entre Hitler et Staline. L'Allemagne avançait sa frontière vers l'est ; la Russie avançait la sienne vers l'ouest. On se souriait, l'arme au poing et le doigt sur la détente. Il n'a pas fallu beaucoup de temps pour que cette ligne de démarcation germano-russe à travers le territoire polonais devînt une espèce de front latent. Et peut-être bien qu'avec l'aide du Ciel la présente ligne de démarcation, entre « alliés », à travers l'Allemagne, deviendra promptement, comme l'autre, une ligne de départ, un « front » aussi, prêt à s'embraser.

On parle beaucoup ici (Neuchâtel) de la France gaullienne comme d'un pays où l'odieux « Front populaire » s'est reconstitué, et autrement fort qu'en 36. De Gaulle *subit* une situation qu'il ne maîtrise pas et qui doit l'angoisser. D'où l'espoir de salut dans une guerre que les USA (délivrés maintenant de leur naïf et crédule Roosevelt, et appuyés par un Churchill clairvoyant) susciteraient astucieusement et où leur triomphe serait assuré grâce à cette « bombe » dont Staline n'est pas près de pouvoir disposer.

Par bonheur, cet état d'esprit belliqueux (chez des gens qui n'ont rien à y perdre et qui, bien entendu, demeureraient paisiblement assis dans leurs fauteuils de spectateurs, de banquiers et de commerçants), je ne le retrouve absolument pas dans le milieu « diplomatique » devenu le mien à Berne.

7 janvier 1946. Berne [1]

Herriot, invité à Berne par le Parti radical suisse, doit prendre la parole, ce soir, au Kursaal. Il rend visite, de 18 heures à 19 heures,

---

1. J'écris ces lignes chez moi à Neuchâtel, le 7 janvier 1946, convaincu qu'il

à l'ambassadeur, qui m'offre d'assister (seul) à l'entretien. Un sérieux cadeau qu'il me fait ainsi, par amitié, et dont il me demande de ne pas parler le lendemain, ni plus tard, à mes collègues. Son prétexte : Herriot doit me connaître, puisque j'ai enseigné deux ans à Lyon (il m'a très certainement oublié, car il ne m'a reçu, et brièvement, qu'une seule fois).

Herriot est très intéressant. Il raconte qu'en mai 1940, « *dans les derniers jours de mai* », il dîna avec Bunau-Varilla du *Matin* et Bullitt. La guerre tournait très mal, et Bunau aurait dit ceci : « *Ce n'est pas grave, Pétain rencontrera sous peu Hitler, qui le recevra chapeau bas.* » Herriot en conclut qu'« *une certaine bande* » prépara, de longue date, l'avènement de Pétain et la collaboration. Je n'oserais jamais – je ne suis là que par une faveur insigne, et l'ambassadeur entend bien que je reste silencieux – faire observer à Herriot que, le 10 juillet 1940, à Vichy, il a parlé de la « *vénération* » qu'il portait, comme tous les Français, au Maréchal et a demandé au Parlement (sénateurs et députés réunis) d'accorder sans hésitation, avec élan, avec reconnaissance, les « *pleins pouvoirs* » à Pétain. Mais sans doute Herriot ne prévoyait-il pas ce que Pétain allait en faire directement contre la République. Il raconte également une réunion qui se serait tenue à Bordeaux, « *vers le 20 juin* », dans le bureau de Lebrun ; il y avait là le président de la République (Lebrun), le président du Conseil des ministres (Pétain), Jeanneney, président du Sénat et lui-même, Herriot, président de la Chambre des députés. Lebrun aurait dit : « *Il faut préserver la liberté de l'État et passer en Algérie* » ; et Pétain : « *C'est juste. Je suis d'accord. Mais je tiens à rester, personnellement, dans la métropole, parce que Hitler me respecte. Je l'intimiderai ; j'obtiendrai de lui beaucoup.* » Herriot poursuit : « *Nous avons tous marché. Nous pensions que c'était là une bonne méthode. En réalité, Pétain nous fourbait* [sic]. »

Autre récit dont il nous gratifie : ses étranges journées parisiennes, avec Laval, en août 44. Laval avait obtenu des Allemands qu'on allât chercher Herriot dans cette « maison de santé » près de

---

est important que soit relatée telle quelle (pour août 1944) la version des faits présentée hier par Herriot, et qui me paraît très suspecte (elle l'est également à H.H.).

Nancy où Hitler avait donné ordre, en fait, qu'on le tînt captif. Laval voulait obtenir de lui qu'il convoquât à Paris l'Assemblée de juillet 40, en vue d'une passation « *régulière* » (!) des pouvoirs du gouvernement à Pétain à un gouvernement de Gaulle imminent. Herriot s'y est refusé, arguant que cette convocation relevait de Jeanneney d'abord. Le 16 août, dans la nuit, l'officier allemand qui était venu le quérir, le 13, près de Nancy (Herriot et sa femme, si j'ai bien compris, étaient logés à Paris, à l'Hôtel de Ville) reparaît, annonçant qu'ils doivent repartir, sur-le-champ, pour la « maison de santé ». Herriot « *exige* » alors de voir Abetz. Faisant preuve d'une déférence – d'une docilité – surprenante (à cet instant du récit, l'ambassadeur, Henri Hoppenot, m'a regardé, une seconde, une demi-seconde), l'officier allemand va réveiller Abetz, rue de Lille, lui amenant Herriot, et envoyant un adjoint se charger de faire venir également Laval à l'ambassade d'Allemagne. Abetz offre à Herriot de le laisser passer en Suisse, sous la seule réserve qu'il s'engagera, sous serment, à n'en pas sortir. Herriot refuse cette proposition-là, comme la première. Puis Abetz se serait retiré, laissant seuls les Herriot et les Laval. Alors, c'est Laval qui propose à Herriot de gagner la Suisse, tous les quatre, précisant : « *Pas de problèmes financiers. J'ai deux millions sur moi* » (et il se « *tapotait les seins* », c'est-à-dire les poches intérieures de son veston). Herriot : « *J'ai dit* non, *indigné !* » Mme Laval, d'ailleurs, désapprouvait crânement son mari, lequel se faisait des illusions : la Confédération ne lui permettrait pas de chercher refuge sur son territoire [1].

J'étais allé, vers 17 h 45, prendre Herriot à son hôtel pour le conduire à l'ambassade dans la voiture du chef de poste. Je ne l'avais pas revu depuis dix ans. Il m'avait tendu une main molle. Visage raviné, dévalé ; cheveux drus, d'un noir d'encre. Seraient-ils teints ? Le regard neutre. Il se tient droit. Quand je suis entré dans sa chambre, il était debout, massif, en pardessus, immobile, muet, tandis que sa femme, très petite, s'appliquait à lui croiser avec soin, sur le cou, une écharpe de soie jaune. Il avait l'air d'une tour, d'une tour de château fort. Dans le bureau de l'ambassadeur, plus une ombre de léthargie. La vivacité même, et, le soir, au Kur-

1. Ce qui eut lieu, en effet.

saal, je retrouvai, intact, l'orateur que j'avais vu plusieurs fois, à Lyon, en éruption, roulant des épaules, donnant toute sa voix par instants, puis adoptant soudain un ton confidentiel, puis levant le menton et semblant vibrer tout entier pour dire « *la République* ». Je guettais sa phrase finale, qui fut habile, flatteuse, un peu ridicule (saluée d'un tonnerre d'applaudissements), sur la Suisse, « *inviolable écrin de la liberté* ».

Adjonction du 8 janvier 1946
Détails complémentaires sur la visite d'Herriot, hier, à l'ambassade.

Sur Laval : « *Un homme sans foi, sans idéal. En 1935, à la Société des Nations, tandis que l'on discutait de l'affaire d'Éthiopie, j'étais assis à côté de lui. Samuel Hoare monte à la tribune ; alors Laval se lève et me dit : " Il m'assomme ; je vais aller en griller une, dehors. " Il revient quand S.H. a fini son discours et il me demande : " Alors, qu'est-ce qu'il a raconté, cet abruti ? "* »

D'intéressantes remarques, de sa part (intelligence et lucidité) sur de Gaulle qui « *cherche à se persuader que la France appartient au clan des grandes puissances, ce qui n'est plus vrai et constitue plus qu'un contresens, un non-sens. Mais la France garde ce privilège d'avoir, d'être par elle-même* une signification. *C'est la chance qui lui reste de compter pour quelque chose dans la politique mondiale ; à condition qu'elle demeure fidèle à cette image particulière, qu'elle ne l'endommage pas* » ; et Herriot regrette (« *déplore* ») que le Général, en Indochine, cherche visiblement la guerre, au lieu de l'accord – « *indispensable* » – avec les nationalistes. Il estime également que de Gaulle a tort (« *grandement tort* ») de n'avoir prêté, semble-t-il, aucune attention à la tragédie sanglante de Sétif, l'année dernière, en mai ; alors qu'il y a là « *un mouvement profond et qui ne pourra que s'amplifier* ».

De son côté H.H. confie à Herriot, sur Monzie, un détail notable. Au Quai d'Orsay, printemps 40, H.H. était chargé, avec plusieurs autres collègues, des « *écoutes téléphoniques* ». Le téléphone de Monzie était sur la liste des lignes à surveiller. « *J'ai entendu*, dit H.H., *Monzie fournir à l'ambassade d'Italie – il parlait à l'attaché de presse, avec lequel il semblait très amicalement*

lié – des indications diplomatiques et militaires qui relevaient posi-
tivement de la trahison. J'ai établi un rapport, auquel aucune suite
n'a été donnée. »

20 janvier 1946

Un ami que j'ai, au « Département politique fédéral », me fait
lire la copie d'une lettre que Laval avait adressée au président de la
Confédération (stupidement, je n'ai pas retenu la date) pour
demander asile en Suisse. La réponse a été négative. J'apprends,
par la même source, le nom des demandeurs qui, de Sigmaringen,
et par des moyens appropriés (sans doute coûteux), firent passer la
frontière à des requêtes semblables à celle de Laval. J'ai relevé ces
noms : Bonnard, Brinon, Darnand, Déat, Gabolde. Toutes ces
demandes furent écartées. Abel Bonnard avait réussi à se glisser
dans la suite de l'ambassadeur du Japon à Berlin et parvint à franchir ainsi la frontière suisse. Les Japonais descendirent, pour leur
première nuit en Suisse, à Saint-Gall. C'est dans cet hôtel que Bonnard fut repéré par la police helvétique et refoulé. Il adressa, avant
de partir, à Stucki une lettre, paraît-il, « *d'une incroyable vio-*
lence ».

5 mars 1946 [1]

Devant moi, quelqu'un dit par hasard : « *C'est ce soir le bal de*
Normale. » Le bal ! Ces syllabes, si souvent prononcées autrefois
comme une promesse de bonheur, qu'elles étaient poignantes,
soudain, après tant d'années ! 9 heures. Les invités n'arriveraient
guère avant minuit. En allant à l'École tout de suite, tel quel, j'en-
trerais, rien qu'une visite d'un instant, pour revoir la maison et

---

1. C'est un des dix articles que j'ai écrits pour *Le Figaro* de mars 1946 à octobre 1947. Mauriac avait persuadé Brisson d'accueillir, de temps à autre (sans
régularité), une « chronique » de moi ; mais cette collaboration que Brisson n'aimait guère se termina mal, en février 1948 (commémoration du 24 février 1848),
comme l'a raconté, avec exactitude, Patrick Berthier dans son livre de 1979, *Le*
Cas Guillemin. (La date du 5 mars n'est pas celle de la publication de ce texte,
mais celle de sa rédaction.)

passer de nouveau cette porte que je n'avais plus franchie depuis dix-neuf ans.

M'y voici donc. Mises à part ces vastes salles où le bal aura lieu tout à l'heure et qui m'étaient inconnues, comme tout est demeuré pareil ! Voici la cage de verre, dans le vestibule ; voici, sous son porche, en face, l'escalier qui mène au cabinet du directeur (et je me rappelle les yeux de Lanson, ce regard d'écureuil). Mes pas vont d'eux-mêmes vers la droite, côté des Lettres. C'est là, un matin de 1924, que Dupuy arrêta le « conscrit » que j'étais, sa vieille main ridée m'attrapant par l'épaule ; il riait, derrière ses demi-lorgnons ; j'avais fait je ne sais plus quoi d'irrégulier – mais la règle, grâce à lui, était devenue si souple, à l'École, diaphane, abstraite. Cher Dupuy, cher très vieux Paul Dupuy, qui figurez sous votre nom, et sous votre chère pèlerine aussi, dans *Les Hommes de bonne volonté*. Paul Dupuy, né en 1856 (l'année des *Contemplations*) et qui venez ces jours-ci, à Genève, de fêter vos splendides quatre-vingt-dix ans !

Sombres escaliers, aux marches de bois inusables ; couloirs où le long des murs les chevaux en plâtre du Parthénon poursuivent, sous la poussière, leur galopade immobile. Je secoue, bien en vain, je le sais, la double porte de la bibliothèque (salut, là-bas, dans l'invisible, Lucien Herr, son front de Socrate, sa moustache à la Bismarck). Ces jeunes gens que je croise, qui portent des brocs d'eau, de la glace dans une cuvette, des bouteilles de « mousseux » – ils sifflent, ils s'interpellent ; celui-là, tout seul, fredonne un air –, mes camarades si semblables au garçon que j'étais, je dois être à vos yeux un homme du dehors, un étranger ou, peut-être bien, « un type d'une vieille promotion ». L'École était pleine toujours, les soirs de bal, de ces errants dont nous ne savions pas deviner l'amertume et cette âme qu'ils venaient traîner là un moment, si lourde et gorgée de souvenirs.

A présent, je revois en esprit la photo prise un jour sur les toits. Nous portions nos « bleus » de la PMS (préparation militaire supérieure). Ignorant le vertige, Nizan était monté debout sur le faîte même de l'horloge. Sartre était avec nous. Celui qui pressa le déclic visa mal ; sur le film, Nizan se trouva décapité. Ce devait être en 1926. Encore quatorze ans et Nizan (Paul-Yves), le lieutenant Nizan, disparaîtrait devant Dunkerque.

En 1914, la moitié de ce que l'École comptait d'élèves tomba. La moitié. Un record. Cette interminable liste, sur la plaque de marbre, il nous arrivait de la contempler ; pour les seules promotions de 1913 et de 1914, une colonne de soixante-dix noms. Dans notre dos, sur un autre mur, étaient inscrits déjà, illisibles à nos yeux de chair, plus de soixante noms encore que voici maintenant déchiffrables. La rafle, l'affreuse rafle, où des « vieux » cette fois sont inclus (Halbwachs, promo 98), où tous les âges s'assemblent : 1919, Jean Prévost ; 1920, Raymond Naves ; 1922, Brossolette ; 1923, Cavaillès ; 1932, Bonnefoy ; et ces tout jeunes, ces petits qui n'étaient pas nés quand j'avais vingt ans, les morts de 1939-1945...
J'ai traversé, pour m'en aller, la cour intérieure. Le ciel était noir ; point d'étoiles ; le jet d'eau faisait un bruit froid. Je distinguais les pauvres arbres, les étroits parterres symétriques, les quarante messieurs en buste, sur leurs quarante socles, cinq par cinq, dix par façade, montant leur morne faction. Cet aride jardin, c'est l'École pourtant. L'École, dérisoire et magnifique, le fameux « séminaire laïque » que n'aimait point Maurice Barrès, mais d'où sortent, au premier appel, toujours prêts, avec cette étrange facilité qu'ils ont pour mourir, tous ces témoins qui se font tuer.

30 avril 1946. Berne

Massignon traverse Berne et me téléphone pour que nous nous rencontrions (il préfère ne pas venir à mon bureau de l'ambassade). Massignon, pour moi, avant tout, c'est l'homme qui m'a longuement parlé, une nuit, au printemps de 1938, près d'Héliopolis, sous un clair de lune magique, au bord de la Helwa ; de hautes feuilles aquatiques, dont je ne sais plus le nom, étroites et coupantes, faisaient une sorte de froissement d'épées sous une brise à peine perceptible. Il me parlait d'une voix intense d'Hallâj, le « martyr » musulman. Je le retrouve plein de sa passion de vérité, de sa détestation des truquages. Il est exaspéré par le « *mensonge* » de la libération de Paris officiellement présentée comme un merveilleux succès de « *nos troupes* ». « *Paris n'a pas été militairement libéré*, me dit-il, *mais évacué par l'occupant.* » Il a été

« *scandalisé* » par l'attitude du Général dans l'affaire syrienne, l'an dernier. De Gaulle avait son « chiffre » à lui pour les télégrammes qu'il envoyait au Liban, des télégrammes signés « *croix de Lorraine* » et que le Quai d'Orsay devait ignorer. C'est une de ces dépêches secrètes qui prescrivit le bombardement de Damas.

Il m'apprend qu'à force d'insistance il avait pu être reçu par le Général, dans cette crise, et qu'il lui avait dit : « *Vous avez sauvé l'honneur en juin 40. Souvenez-vous qu'il y a aussi un honneur de la France à sauvegarder, au Proche-Orient.* » De Gaulle a passé outre, « *et le résultat a été désastreux* ».

[Printemps 1946] Rome [1]

Qu'il est donc joli, et charmant, avec sa robe si bien coupée, ce jeune dominicain promu par le Quai d'Orsay « attaché culturel » à l'ambassade de France auprès du Saint-Siège ! Son nom pétille dans toute la bonne société romaine. Je crois que le mot qui s'impose pour décrire un tel phénomène collectif est « coqueluche », mais, n'en comprenant guère le sens, j'hésite à l'employer.

Une partie de sa popularité – du meilleur ton, est-il nécessaire de le dire ? – lui vient de sa longue petite voiture américaine, décapotable et d'un vert à la fois si vif et si tendre qu'il l'a baptisée « *grenouillette* ». Le Tout-Rome élégant en parle avec amitié, comme d'une personne en peu de jours devenue célèbre et que l'on s'honore de très bien connaître.

3 août 1946. Paris, hôtel du Pont-Royal

C'est là que Maritain m'a donné rendez-vous. Il semble tenir – m'a-t-on dit au Quai d'Orsay – à être appelé « *monsieur l'ambassadeur* ». Je ne l'ai jamais vu si « distingué » : complet trois-pièces bleu sombre à fines rayures blanches. Raïssa est somptueuse, et sa sœur pareillement. Ces deux femmes qui l'escortent nuisent à son prestige, tant elles se croient resplendissantes, et prêtent à rire.

---

1. Écrit à mon retour, sans date.

Il me dit à quel point le Vatican est « *italien* » ; mais que le Saint-Père (Pie XII) est « *admirable* » et d'une grande bonté envers lui, alors qu'il lui avait été dénoncé par le clergé espagnol (et sud-américain) comme un nouveau Lamennais. Il déplore toutefois que, dans son horreur du bolchevisme, la politique vaticane accepte « *n'importe quels alliés, y compris la haute banque américaine* ».

A propos de Lamennais, je l'ai trouvé en retrait par rapport à son *Humanisme intégral*. Il prétend que la grande faute de Lamennais, tout au moins sa grossière erreur, fut d'avoir « *pris l'Église pour une institution de bienfaisance temporelle* ». Mais le « Samaritain », que l'Évangile nous donne en exemple, n'avait-il pas agi très « *temporellement* » ? Et le Christ ne parle-t-il pas du *pain* qu'il faut savoir donner à l'affamé et de l'*eau* à qui meurt de soif ? Réalités très concrètes, très matérielles, non ?

Maritain ne serait-il pas, plus ou moins consciemment, enclin à retoucher, corriger, pour le Vatican, son image, si mal vue, d'antifranquiste, à donner des gages de bienséance et d'angélisme ?

29 août 1946. Berne

Réception à l'ambassade, à l'occasion du Concours hippique international. Le général Guisan [1] a dit, devant moi, à Mme G. (la femme du conseiller) : « *De Gaulle n'a pas eu le geste : quand Pétain s'est présenté, si noblement, si courageusement, à la frontière française en avril 45, de Gaulle se devait d'aller lui-même l'accueillir et lui serrer la main.* »

J'ai constaté que Pétain est entouré de la plus haute estime dans le milieu diplomatique suisse. Stucki ne cache pas l'admiration qu'il n'a cessé de lui porter. La « collaboration », les persécutions antisémites, la milice, tout cela ne compte pas pour ces Importants chez qui règnent l'aristocratie et la banque. Le « ministre » que nous a envoyé la Confédération pour la représenter à Paris, le

---

1. L'armée suisse n'a de général qu'en temps de guerre. La guerre était finie. Mais Guisan, protocolairement, conservait ce grade, ou plutôt ce titre, qui ne comportait plus aucun pouvoir.

113

richissime Burkhardt, je l'ai entendu [1], il y a quelques mois, à Bâle, au cours d'une exposition, parler du Général et de ses « *complaisances au communisme* » avec une animosité venimeuse.

3 septembre 1946

Soirée Jouvet, à Genève, avec l'ambassadeur. Jouvet en grande forme. Bavard substantiel. Cette lèvre inférieure large et molle. Face rougeâtre et tavelée ; des yeux jaunes dont le blanc est sale. Il nous parle d'un oiseau qui n'existe qu'en Colombie, qui s'appelle « *le veuf* » et qui chante « *coucou à l'envers* » (« *houc ! houc !* »). Il dit que « *Claudel ne comprend rien à son propre théâtre* ». Poignée de main solide. Personnage drôle, attachant mais scabreux. Il déteste Jean-Louis Barrault et s'en cache si peu qu'il le proclame : « *Le type même du cabotin. Il ignore le* b a ba *du métier d'acteur.* » Il me demande l'âge de Claudel ; je le lui dis : soixante-dix-sept ans ; et lui : « *A son âge, je ne vaudrai pas ce qu'il vaut.* »

Adjonction de 1987
Le malheureux Jouvet ne se doutait guère, alors, qu'il n'avait plus que cinq ans à vivre.

6 septembre 1946. Genève

Conférence de Guéhenno aux Rencontres internationales. Il parle assis, mais s'agite beaucoup ; il se dresse à demi, les fesses soulevées (le bord de son fauteuil doit lui couper les cuisses). Il jaillit ainsi derrière son pupitre et semble lutter pour se décoller de son siège sans jamais y parvenir. Il donne des coups de tête comme pour confirmer, avec énergie, ses propres paroles. De temps à autre, il promène sur l'auditoire un regard circulaire, après telle sentence qui lui paraît bien frappée, avec l'allure d'un qui pense : « Qu'est-ce que vous en dites ? C'est tapé, non ? » Il a fait le coup, notamment, après cette formule moins hurlée que glapie : « *Ce*

---

1. Il ne me connaissait pas et ne savait pas que je l'écoutais.

n'est pas un Hamlet européen qu'il nous faut, c'est un Prométhée. »
Je le trouve un peu frêle pour ce rôle de Titan.

Parfois, l'index de sa main droite vient se poser sur sa narine droite, signifiant : « Attention, ce que vous allez entendre est assez subtil. » Il dit : « *La raison est, paraît-il, la chose du monde la mieux partagée* », prononçant cela très vite ; deux secondes de silence puis, à pleine voix : « *La sottise aussi !* » Et il contemple la foule qu'il tient pour médusée. A la fin, il a levé ses deux bras tout droit et parallèles, de chaque côté de sa tête, et sa voix se déchire en essayant d'éclater.

Il est si comique à regarder qu'on prête peu d'attention à ce qu'il dit, qui n'est nullement sans intérêt. Un sincère. Un homme de bonne volonté. Un peu trop, à mon goût, fanatique des « Lumières ». Mauriac – qui l'aime bien – ne m'a pas caché que Guéhenno m'accuse de n'avoir rien compris à J.-J. Rousseau : « *Ce pauvre Guillemin veut à tout prix annexer Rousseau au christianisme ; ce qui est un contresens évident* [1]. » En dépit de cette divergence, Guéhenno est avec moi très amical.

[Septembre 1946] Genève [2]

Au Grand Théâtre pendant l'entracte, Bernanos (invité par le comité des Rencontres internationales) a fait sensation. Il était assis au premier rang, entre André Rousseaux et moi. Soudain, sans que nous comprenions ce qui lui arrive – depuis quelques instants, il ne parlait plus, comme absent, concentré –, soudain, prenant appui sur ses deux cannes, il se met debout, se retourne, s'adosse à la petite paroi qui sépare la salle de la fosse d'orchestre et entame un discours torrentiel sur (contre) les catholiques de gauche, complices, par stupidité pure, des bolcheviks (« *des imbéciles ou des tartufes* », ces « *drôles de chrétiens* ») ; sur la « *blague* » de la Résistance, ce « *bluff* », cette « *comédie malpropre* ». Combien étaient-ils, ces courageux ? Une poignée ! Et maintenant

1. Rappelons que Rousseau, par deux fois, a déclaré, en propres termes : « *Je suis chrétien* » ; une première fois en 1762, dans sa réponse à l'archevêque de Paris ; une seconde fois, en 1764, dans ses *Lettres écrites de la montagne*.
2. Date omise. Note prise le soir même.

tout le monde a « résisté », et « *on s'installe, on se place, on profite !* » Puis il passe à Claudel, « *l'abominable Claudel* ». « *Si seulement c'étaient les femmes, sa passion ! Mais non, c'est le fric !* » Il vocifère positivement. Les spectateurs s'entre-regardent ; des toussotements s'élèvent, des murmures. Déjà l'obscurité est revenue, le rideau va se lever, et Bernanos reste intarissable. Alors Bruckberger se décide, et le tire par le bas de son veston : « *Ce n'est pas vous qui êtes en scène !* » Bernanos le regarde, d'un air hagard, se tait, pivote et se rassied.

Il nous a non seulement consternés, mais effrayés. Sans nul doute, un déséquilibre nerveux chez cet étonnant bonhomme, ce grand écrivain, ce croyant, ce « vertueux ». Des souterrains, chez lui ; des creux nocturnes ; je ne sais quels malheurs secrets l'obsèdent, le rongent. Nous venons d'assister à quelque chose comme une « attaque » psychosomatique, un « cas de possession ».

[Septembre 1946] Genève [1]

C'est lors des Rencontres internationales de 1946, à Genève, que je me suis trouvé – et ce fut la seule fois – en contact avec Benda. Sur sa réputation, je m'attendais à lui voir une sécheresse ironique. Pas du tout. Un petit homme effectivement réservé, lèvres minces, regard aigu, mais qui ne m'est apparu ni narquois ni cruel. Je tenais à l'interroger sur Péguy. Nous avons pris un verre, en tête à tête, au Landolt. Il m'a parlé sans détour. Voici ce dont je me souviens très nettement : Péguy l'« *amusait* » par ses « *incroyables incohérences* » : « *Il n'était pas commode, et capable d'affreuses méchancetés. Ce qu'il a fait à Lucien Herr, je ne le lui ai jamais pardonné. Mais, à mon égard, très, très gentil. Je sais bien qu'il s'est d'abord servi de moi contre Bergson, puis que, Bergson élu* [à l'Académie], *il a viré de bord et lui a proposé – assez drôlement – une alliance ; mais je ne lui en ai pas voulu. Il était constamment pris à la gorge par des problèmes d'argent. Il avait toute une famille à nourrir, sa femme et trois enfants. Sans le sou, en quête de subsides... En dépit de ses angoisses, il était joyeux*

1. Souvenir fixé par écrit en décembre 1960.

– c'est vrai ! – joyeux avec moi. On riait beaucoup ensemble. Ce n'était pas un mauvais bougre, ne croyez pas ça[1]... »

8 septembre 1946

Mme de P. a organisé, dans un château qu'elle possède aux environs de Neuchâtel, un grand déjeuner en l'honneur de Bernanos, invitant l'ambassadeur et moi-même, et – comme si la chose allait de soi – Bruckberger, qui s'attache aux pas de B., qui s'est institué, en somme, le cornac, en Suisse, de l'écrivain. Il commente les paroles du « maître », approuve, renchérit, fait même office, au besoin, de souffleur. Je n'avais jamais encore pu observer ce moine à loisir. Il est mal séduisant ; aujourd'hui du moins : nerveux, poseur. Comment Bernanos peut-il supporter cet acolyte autoritaire et permanent, lequel a hautement réclamé du pape une condamnation « *absolue, radicale et sans équivoque* » pour Teilhard de Chardin. Quant à Bernanos, il s'est déchaîné, lui, contre le groupe de Francisque Gay, ces « *soldats du pape* » ; pour eux, dit-il, Rome était « *archi-infaillible* » quand on y censurait *L'Action française*, mais, quand on s'y montre « *réservé à l'égard des nationalisations* », les encycliques ne comptent plus. Là, Bruckberger place un mot ; ce dominicain en costume de son état tient à faire savoir à l'assistance que les encycliques, sur quelque sujet que ce soit, il se garde personnellement de « *jamais les lire* ».

Bernanos a trois verrues sur le visage, dont une noire, sur le front, à gauche. Sa toison grise est toujours en désordre ; sur le devant, une ligne de cheveux blanc-argent, qui brillent. Comme il entreprenait une nouvelle charge à fond de train contre Claudel, l'ambassadeur a tenté de faire dévier la conversation en l'interrogeant – pourquoi ? un petit test ? – sur ce qu'il pensait, aujourd'hui, de l'affaire Dreyfus. Importuné, grognon, B. a bien voulu reconnaître, brièvement, qu'on peut sans doute parler, pour le capitaine juif, de « *présomptions d'innocence* ».

1. Je relis ce texte en 1987. Peut-être n'aurais-je pas dû mettre des guillemets, comme pour une longue citation fidèle. Je reconstituais. Mais il me semble bien avoir rapporté les paroles de Benda telles qu'elles furent.

Il revient d'Allemagne, où il a circulé dans la zone française d'occupation. Nos « autorités » lui ont laissé clairement entendre qu'une offensive russe est « *plus que probable* », et imminente, « *en direction de Brest* » ; ce qui n'atténue pas sa gaieté. A peine quittée – et très vite – la question Dreyfus, il s'est livré, jubilant, à une imitation (avec un carré de papier) de la belle-sœur de Maritain consultant, en vue d'une audience sollicitée, « *l'agenda du grand personnage* » ; elle (il) tourne des pages imaginaires, scrute des lignes invisibles avec une extrême attention myope, pour conclure, pénétrée, ravie : « *Tout ! Tout est pris ! Jusqu'au 20 !* » Et B. de pouffer, comme un gosse. Il rit beaucoup, sautant des imprécations à l'hilarité.

J'étais là, chez la baronne, quand il arriva. Avec un grand sourire, il me tendit la main : « *Bonjour, mon vieux Guillemin.* » C'était la troisième fois seulement que nous nous rencontrions [1].

15 octobre 1946. Berne

Déjeuner, en l'honneur de Duhamel (qui fera, le soir, une « grande conférence », très attendue), chez le président de l'Association suisse des conférences en langue française. La dernière fois que j'avais rencontré Duhamel, c'était chez Mauriac, en 1938, je crois : un peu bossu, un peu ventru ; une tête de marron d'Inde. Soudain, à table, il pointe son index sur le plat (un beau poulet doré) qu'apporte la servante et déclare d'une voix forte : « *Très bien !* » Avant le dessert viendra un long discours sur les fromages. L'académicien tient entre deux doigts une lamelle de gruyère : « *J'appelle le gruyère le pain des autres fromages.* » Il dit que l'opération de la prostate est, au vrai, « *un cambriolage de la vessie* ». Il attribue à Claudel un mot qu'il prétend l'avoir entendu pronon-

---

1. Je m'aperçois que je n'ai rien noté sur sa conférence, qui eut lieu dans la grande salle dite « de la Réformation ». Je me rappelle la foule énorme, les portes de la salle restées ouvertes sur la place, afin de permettre aux gens « en trop » de s'entasser là, l'oreille tendue, pour saisir au moins quelques bribes du discours. Bernanos lisait un texte, trop long, coupé de coups de sifflet – oui – et de rafales d'acclamations. Un « morceau de bravoure » (sur « *la civilisation de mains* ») auquel je n'ai rien compris.

cer : « *Je résiste à tout, sauf à la tentation* », aimable sentence que j'ai toujours crue d'Oscar Wilde.

Un seul bon moment, dans ce repas. Duhamel raconte que le R.P. Gillet, en 1936, lui avait affirmé ceci : Mussolini n'a fait que gagner de vitesse le négus, qui se préparait à l'attaquer. Et Duhamel aurait enchaîné : « *En somme, mon père, c'est comme pour ce poulet* [ils étaient à table chez lui]. *J'ai su qu'il nourrissait de mauvais desseins, et j'ai pris les devants.* »

24-25 octobre 1946. Allemagne [1]

Chargé de mission par la Direction des affaires culturelles, je vais à Freiburg d'abord, puis Baden-Baden, puis Mayence, puis Cologne. A Mayence, sous mes fenêtres, une petite fête foraine où la musique assourdissante (jusqu'à minuit) d'un unique manège joue sans interruption l'air de *Lili Marlene*. L'Institut français s'orne de très beaux meubles et tapis « réquisitionnés » dans les résidences des environs qu'épargnèrent les bombardements. Pendant ma conférence, le « gouverneur militaire » – un bloc de graisse –, assis au premier rang, n'a pas cessé de tirer vers le bas, et jusqu'à l'extrême, entre son pouce et son index, sa paupière inférieure droite. Dîner à la Gargantua, dans l'auberge du Relais, avec toutes les « autorités ». Gênant, choquant, dans cette ville en décombres.

Roulé, le lendemain, le long du Rhin pendant deux heures. Vu le rocher de la Lorelei, bien décevant, dépourvu de toute grandeur, et les récifs hargneux dits « des sept pucelles ». Incroyable et générale vulgarité des officiers ; presque tous d'aspect mauvais, rageur. Pourquoi sont-ils ainsi ? Mal payés ? Jaloux ? Le cher Michel F., capitaine en 40, révoqué comme juif par Vichy et maintenant commandant, m'avait prévenu : « *Finie, l'occupation joyeuse.* » Un mot assez horrible évoquant, je pense, les facilités royales du début, quand tout était permis.

1. Telles sont les quelques notes, très succinctes, que j'avais prises au retour de cette brève mission. Je les fais suivre ici de l'article que je publiai, début novembre, sur ce sujet dans *Le Figaro*.

Traversée de Cologne-Pompéi. Sur une grande place, ce socle où il ne reste plus, d'une statue, que la jambe d'un cheval en bronze. Beaucoup de monde, dans cet univers de ruines. Les gens habitent sous terre. Je logeai, à quelque distance de ce qui fut la ville, chez le « ministre-consul général », au fond d'un grand parc. Quelle famille allemande vivait là ? Un industriel opulent ? Un banquier ? Dans la salle d'escrime, des barres chaudes pour les serviettes.
Je garde de ce voyage une impression lugubre.

AUTOMNE ALLEMAND

Un « *encaissement sombre* », des « *paysages farouches* », la voix solennelle du fleuve entre les rochers... J'avais relu *Le Rhin*, de Victor Hugo, avant de descendre, pour la première fois, la vallée fameuse, de Mayence à Cologne. Les oréades dont parlait le poète, les gnomes, le chasseur noir, ces « *nuées de vieilles fées, petites comme des sauterelles* » et que l'« *âpre vent* » jetait sur les villes effarées, en retrouverais-je la trace, ou l'origine, dans les bois, sur le bord des eaux ou dans la forme des nuages ?
Au lieu de Burgraves, j'ai trouvé Télémaque. Au lieu du fleuve cimmérien, une espèce de Rhône très apprivoisé. Je n'ai vu que de « *riants coteaux* » et ces vignes étagées, pareilles à celles du pays vaudois, sous le même soleil d'automne qui brillait, hier, devant moi, sur les rives du Léman.
Une eau large, de molles berges, tout un moutonnement de collines. Est-ce possible ? Ce monticule, là-bas, à peine abrupt, ce modeste essai de falaise, c'est donc cela la Lorelei ? L'or du Rhin couvrait les feuillages en cet automne éblouissant. Quant aux ruines, l'attraction pour touristes, si réputées jadis, tous ces burgs à gauche et à droite, comme c'est dépassé ! Comme on a fait mieux ! Un regard distrait suffit pour ces frêles ossements qui tentent encore de garder la pose sur leurs taupinières. La traversée de Coblence, l'arrivée à Cologne surtout fournissent au voyageur d'aujourd'hui tout ce qu'il a cherché en vain de grandeur au long de la vallée lente.
Cologne est devenue Pompéi, mais un Pompéi démesuré ; une énorme ville squelette. Le *Dom* est debout. Les décombres qu'il domine accroissent encore sa taille de géant. Cette cathédrale, trop neuve, n'a jamais été belle ; moins harmonieuse que colossale, elle ressemble à je ne sais quel prodigieux insecte au corps bref, aux antennes dressées, ou encore à un de ces bouquetins dont les cornes sont trop grosses pour le râble court. L'inouï, c'est la foule grouil-

lante dans cette ville morte, si peu morte. Près d'un million d'habitants à Cologne avant guerre ; quelque 600 000 à présent. Où se logent-ils ? Dans les caves qui ont résisté à l'écroulement des édifices, dans ces portions de rez-de-chaussée où une pièce, deux pièces quelquefois, subsistent à peu près indemnes. Mais, de temps en temps, ces abris douteux s'effondrent sur leurs troglodytes.

Et voici, sur le ciel du soir, les cheminées de la Ruhr, à l'horizon, et cette nappe dormante de fumée. Nous avons fait étape à Benrath, avant Düsseldorf. Il y a là ce qui se nomme un « quartier résidentiel », et que les bombes n'ont pas touché : d'opulentes villas sous les arbres. Un certain nombre de ces messieurs pour qui travaillaient des légions d'esclaves « résidaient » naguère en ce lieu tranquille. J'ai habité, pour une nuit, l'une de ces demeures. Au petit matin, le parc était admirable avec ses pelouses et sa pièce d'eau où flottaient les feuilles rousses des saules. Sur la terrasse cerclée de colonnes, autour de la table « pour le café », s'étaient assis quels gens de bien, quels von Papen immunisés ? Ils retrouveront tout en ordre quand le moment sera venu, et rien n'aura changé de place, ni leurs fauteuils, ni leurs tapis, ni leurs ouvriers.

Débonnaire, l'administration britannique assiste avec sympathie à la grande « semaine de culture » organisée par la Ville de Cologne, sur ce thème rassurant : « Le Rhin et l'Europe ». On joue *Othello, Iphigénie en Tauride* et *Le Soulier de satin*. J'ai dîné avec Rodrigue et Prouhèze. L'officier anglais qui passait avec nous la soirée avait la bouche de M. Churchill et un bon humour complaisant. Le lendemain, la salle à manger était pleine de personnages municipaux, d'universitaires et de lettrés souriants qui nous parlaient de la France, et de Voltaire, et de Pascal, et d'André Gide avec toute la verve de l'oubli.

« *Who's next ?* » « *A qui le tour ?* », disent les panneaux, sur l'autostrade, au-dessus de « jeeps » calcinées et tordues, que l'on a installées dans l'herbe, bien visibles, pour l'édification des chauffeurs pressés. Des informations aussi, de place en place : « *Ici, quatre accidents mortels en un mois* » ; ou encore : « *Ce tournant a hospitalisé beaucoup de monde.* »

Le froid était venu, soudain. Les MP chargés de surveiller la route et de punir les excès de vitesse, délaissant leurs motocyclettes, coupaient du bois et se chauffaient autour de feux de bûcherons. Des forêts après des forêts. Ces routes stratégiques, au sol de ciment, et qui foncent droit, à perte de vue, sans une ville sur leur parcours, on dirait qu'elles nous révèlent, dans leur percée continuellement sylvestre, le visage de cette Germanie inchangée depuis Tacite. Une terre opaque, inconnue. Des sous-bois sans fin. Personne sur ces voies désertes. Et pourtant ce sont les mêmes que peuplaient hier ces colonnes grondantes de tanks lourds et de canons en marche contre notre vie.

121

A la limite des deux « zones », la voiture stoppa un instant devant une cabane perdue. Le vent remuait les branches. Sans capote, les doigts gourds, le gendarme français serrait les épaules. « *Ça souffle,* nous dit-il, *Ça vient de l'est.* » Et il regardait, plissant les paupières, le ciel plein de brume, du côté où aurait dû être un soleil qu'on ne voyait pas.

27 octobre 1946. Genève (article) [1]

Largement accoudé sur la nappe et tenant avec précaution dans sa main gauche le petit verre qu'on venait de lui servir, ras bord, il avait annoncé : « *Rendez-vous bien compte...* » Et tout un exposé avait suivi, un vrai cours, admirablement construit, une démonstration bourrée de chiffres, que rendait plus irrésistible encore le mouvement de cette grosse main droite, de ce lourd éventail de chair, persuasif, plein de bonne foi et de compétence. Rien à répondre. Indiscutable. On ne pouvait pas fabriquer à moins. « *Vous n'avez pas idée de ce que sont devenus les prix !* »
Il s'en tirait, tout de même, cet homme. L'hôtel où nous dînions était « son » hôtel, le plus agréable de la ville. Trente ans qu'il y descendait, nous disait-il en souriant. En pleine guerre, quand personne ou presque ne sortait de France, on le voyait là, néanmoins, de temps à autre, entre Zurich, Berne et Genève, solide et raisonnable. La guerre était finie maintenant ; contrariant épisode, mais qui avait glissé sur lui sans compromettre l'excellence ni de sa santé, ni de son humeur, ni du tissu de ses vestons. Tout à l'heure, une femme sans âge, de l'Armée du Salut, s'était approchée de notre table, son journal déployé à la main. Il n'avait pas refusé le journal. Il avait donné à la militante non pas une petite pièce, mais un billet plié : « *Ça va bien. Gardez tout.* » Et le geste avait été fait sans ostentation, sans non plus l'insolente rudesse du monsieur qui se débarrasse le plus vite possible d'un fâcheux. Une bonne voix humaine et cordiale.
Nous parlions de la vie en France. Il citait des prix : un complet, 20 000 ; une paire de chaussures, de 6 à 8 ; on trouvait à 5... Je savais que, dans sa maison, des employés avaient mensuellement des salaires que trois repas au marché noir eussent engloutis ; je connaissais cet humble scribe (vingt-neuf ans, marié, un enfant) qui recevait chez ce patron un peu moins de 4 000 francs par mois. L'un de nous dit : « *Mais comment font les petites bourses ?* » Alors il eut cette réponse, calmement, d'un ton sérieux, exempt de

---

1. On comprendra, lisant ce texte, le peu de faveur que trouvaient, auprès de Brisson, mes rares articles. Il ne les tolérait que pour ne pas déplaire à Mauriac. Mais cette tolérance avait ses limites.

cynisme : « *Eh bien ! Ils s'arrangent. Vous savez, on s'arrange toujours !* »
Il faut croire que tout le monde ne sait pas s'arranger. Le petit du scribe est mort. La femme du scribe n'a pas bonne mine. On a beau se contenter de peu, faire front et tenir le coup en attendant des jours meilleurs, quelquefois les privations finissent par tourner très mal. Les statistiques sont éloquentes : la mortalité infantile s'est accrue chez nous, en même temps que la tuberculose, selon un rythme qui ne laisse aucun doute sur les causes de cette progression. Ceux dont les enfants meurent, ceux qui encombrent les sanas n'appartiennent pas à la classe (ou, si l'on préfère, à l'espèce) de notre dîneur optimiste.

Je voudrais me borner ici à évoquer trois textes qui, récemment, m'ont frappé. De Tocqueville d'abord. Ses *Souvenirs* sont trop peu cités. Ce politique, cet homme d'État, écrit d'un style étonnant. Aucun déguisement ; ses réflexes tels quels devant les choses et les hommes. Le voici, en 1848, député à la Constituante. Lui qui ne connaissait que les bonnes Chambres censitaires, il fait d'étranges découvertes. La Montagne l'amuse beaucoup. Les gens de bien votaient seuls jusqu'ici, les gens qui possèdent, qui ont des biens, d'où leur nom. A présent votent aussi les gens qui ne possèdent pas, qui n'ont rien, autrement dit les gens de rien. Incroyable. Tocqueville considère, plein d'humour, ces délégués des profondeurs, ces « représentants » (comme lui ! c'est trop drôle !) avec leurs façons impossibles : « *Ce fut, pour moi, comme la découverte d'un nouveau monde.* » Et il poursuit : on croit connaître son pays, « *et l'on a tort, car il s'y trouve des contrées qu'on n'a point visitées et des races d'hommes qui vous sont nouvelles* ». Sa curiosité, d'ailleurs, s'arrête là. Ces spécimens d'une faune occulte lui suffisent. Tocqueville n'a pas le goût des explorations, et ce « nouveau monde », entrevu, cesse pour lui d'avoir consistance.

Deuxième et troisième références : Jean-Jacques et l'admiration qu'il éprouve pour ces messieurs comme il en rencontre, « *si doux, si modérés* », avec cette aisance qu'ils ont à « *supporter les maux d'autrui* » ; personnes paisibles, ennemies de l'emphase et qui, « *autour d'une bonne table, soutiennent qu'il n'est pas vrai que le peuple ait faim* ». Puis Victor Hugo, pour finir, avec cette simple observation : « *Le satisfait, c'est l'inexorable.* »

14 décembre 1946. Paris

Bernanos m'avait donné rendez-vous à l'hôtel Cayré, boulevard Raspail, à 14 h 30. Sa femme était avec lui [1] : élégante, très maigre,

1. C'est la seule fois où j'aurai vu Mᵐᵉ Bernanos, *née Talbert d'Arc*.

de grands yeux ; elle n'a pas dit un mot. L'avocat belge qui arrivait en même temps que moi remit aussitôt à Bernanos une forte liasse de billets pliés en deux et retenus par un élastique : produit, mais changé en francs français, des conférences tout récemment faites par l'écrivain à Bruxelles et ailleurs. Pas d'enveloppe ; la liasse remise ainsi, bonnement, sans façons, et que Bernanos enfouit en souriant dans la poche droite de son pantalon.

Il dit qu'il vient de déjeuner avec Malraux (qu'il imite), lequel lui a communiqué un avis formel du Général corroborant ce qu'il nous disait, il y a deux mois, à Genève, retour de Baden-Baden ; mais de Gaulle serait plus précis, avançant une date. Pour lui, « *en avril au plus tard* », les Russes se jetteront sur l'Europe de l'Ouest. Selon Malraux, le Général tient la « *catastrophe* » pour inévitable, « *mathématique* [sic] ». Bernanos me paraît un peu à la dérive. Il déclare qu'il lui faut « *absolument* » quitter sa résidence actuelle de ... (je n'ai pas compris le nom) : « *On m'a odieusement volé.* » Il ne sait pas où aller ; l'Afrique du Nord le tenterait, mais, « *comme ça va barder au printemps, je ne voudrais pas avoir l'air de m'éclipser par prudence* ».

Il a terriblement besoin d'argent et voudrait qu'on lui organisât une grande tournée de conférences en France ; « *cinquante, dit-il, soixante, s'il y a moyen* ». Et il ajoute : « *Pourquoi pas ? Je suis de taille, et on m'écoute de plus en plus, à mesure que je dis de plus en plus clairement ce que je pense.* » En me conduisant ensuite, très gentiment, au Quai d'Orsay, dans sa voiture, E.L., l'avocat belge, me cite de mémoire ces mots que lui écrivait, il y a quelques semaines, un Bernanos déjà convaincu de l'offensive soviétique : victoire russe rapide, écrasante ; la France entière occupée ; il se voyait arrêté, déporté, esclave : « *Quand je casserai de la glace dans le canal de la mer Blanche...* »

29 janvier 1947. Berne

Albert Béguin et moi, nous avons pu arranger pour Bernanos une série, bien payée, de conférences en Suisse, afin de l'aider, au moins un peu, dans ses difficultés « économiques » qui semblent, malheureusement, sans remède, sans issue. Problèmes familiaux que nous devinons, que nous nous interdisons d'analyser. Il a été reçu aujourd'hui à déjeuner par l'ambassadeur. Il aime à rire et à faire rire, et, à table, il a remporté un petit triomphe, dans ce genre, avec une histoire (probablement embellie) de « *chien enragé* » – et qui *n'était pas enragé* – au Brésil. Mais au salon, à l'heure du café, il se lance, à l'improviste, dans une diatribe forcenée sur l'« *ignominie du monde moderne* » ; puis il enchaîne sur Michelet et son *Histoire de la Révolution*. J'apprécie fort peu Michelet, mais Bernanos est insultant, absurde, à la limite même de l'odieux : « *un manant* », Michelet ; chez lui, « *ton de valet congédié* ». Il me navre, il me fait mal ; il se porte le plus grand tort. L'ambassadeur se tait, levant seulement un peu les sourcils. Bernanos prend conscience de son délire, s'arrête court et se précipite dans le récit d'une gaffe, effectivement joviale, qu'il a faite en décembre à Bruxelles. Il avait déjeuné chez l'ambassadeur Brugère. Mme Brugère l'avait prié, comme il se retirait, de lui dédicacer un précieux exemplaire qu'elle possédait des *Grands Cimetières*, première édition. « *Certainement, madame ; avec joie.* » Mais impossible de retrouver le nom de cet ambassadeur qui le recevait, et Bernanos décapuchonne lentement son stylo, très lentement, dans l'espoir de récupérer les syllabes indociles. Rien. Il croit avoir trouvé la voie du salut en interrogeant, timidement, Mme X : « *L'orthographe ?...* » Elle ne s'étonne pas ; elle convient qu'on peut se méprendre sur la fin du mot. Elle épelle : « *Gère,* g, è *accent grave,* r, e *muet.* » Bon. Mais le nom complet échappe toujours à Bernanos, qui, avec le sentiment horrible de plonger dans l'impardonnable, écrit, soigneusement lisible : « *A madame Gère, avec* [etc.]. » Elle regarde ces mots sans donner, femme parfaite, le moindre signe de surprise et remercie vivement Bernanos ; « *couvert de honte,* dit-il, *je me suis replié en désordre.* »

3 heures. Bernanos s'en allait, lourdement, entre ses cannes. L'ambassadeur l'accompagne. Un domestique tient ouverte la porte qui donne sur le perron. Bernanos stoppe, se ravise et demande à M. Hoppenot : « *Connaissez-vous celle de Gustave ?* » (« *celle* » ? La bonne blague, l'histoire drôle). L'ambassadeur amusé : « *Non. Ma foi, non. Allez-y !* » Et Bernanos de réciter,

après éclairage préalable : il s'agit d'un alcoolique, victime d'un dédoublement de personnalité : « *Écoute, Gustave, je vais aller voir où je suis. Mais, si je revenais pendant que je suis parti, retiens-moi bien pour que je sois encore là quand je reviendrai.* » Et il prend congé, s'esclaffant.

13 mars 1947. Berne

Déjeuner chez d'H., le conseiller de notre ambassade, avec l'« auditeur » de la nonciature – c'est-à-dire, dans l'idiome pontifical, le « conseiller » du nonce.

On ne parle que du discours prononcé hier par le président Truman, qui fait entrer la Turquie dans l'orbite américaine ; nouvelle aussi désagréable et menaçante pour l'URSS que le serait, pour les États-Unis, l'apparition, à leur frontière sud, d'un Mexique brusquement rallié aux intérêts du Kremlin. L'auditeur est un homme très calme d'ordinaire, mesuré, cauteleux même, comme il convient à un diplomate-prêtre. On ne le reconnaît plus. Il ruisselle de joie, non pas même excité, mais surexcité. Ce discours de Truman le comble d'un bonheur furieux. Il dit : « *Moralement, c'est une déclaration de guerre à l'URSS.* » Je me risque : « *Vous souhaitez la guerre, monseigneur ?* » Il ne va pas jusqu'au *oui*, il sait son métier ; mais il éclate tout de même : « *Eh ! Que voulez-vous ? Ce n'était plus possible !* » D'H. lui tend une perche secourable, afin de ramener ce collègue qui s'égare aux règles du langage officiel : « *Je vous comprends ; le Vatican ne peut que se réjouir de ce qui tient en respect le communisme athée ; mais il n'est pas anti-russse.* » L'auditeur, décidément hors de lui tant sa félicité l'aveugle sur ses devoirs d'État, ne se dérobe qu'à peine : « *Antirusse ? Non. Mais antisoviétique, ah ! certes, et sans réserve !* »

Avril 1947. Italie. Période électorale[1]

Pas d'affiches, mais les murs sont pleins de vociférations silencieuses, d'inscriptions géantes. Le Sud est décidément beaucoup

---

1. Notes privées, rédigées sur place. Les Affaires étrangères m'envoyaient en

moins « communiste » ou « démocrate-chrétien » que le Nord. Plus on avance vers Naples, plus se multiplient les inscriptions d'un autre ordre : « *W. il re* », « *W. la Casa savoia* », « *W. Umberto* ». Rares sont les invites murales au profit de l'*Uomo qualunque*. Cependant, l'UQ gagne des voix. L'UQ fait peu de bruit dans sa propagande. Il compte, efficacement, sur les difficultés de la République pour s'acquérir des amitiés. Ne dites pas au sympathisant de l'UQ que ce parti rassemble tous ceux que le régime fasciste nourrissait ou rassurait ; vous le désobligeriez autant que si, en France, vous constatiez, en présence d'un enthousiaste du néogaullisme, que le RPF du Général réunit beaucoup d'anciens dévots du Maréchal.

L'URSS, pour le moment, s'efface. L'Italie ne l'intéresse plus. Sa frontière est sur l'Adriatique. On n'abandonne pas pour autant le Parti communiste, mais on lui conseille la modération et le travail de recrutement, sans plus, par toutes les voies appropriées. S'il est utile de ratifier les accords du Latran, ratifiez, n'hésitez pas. Et le Parti communiste ratifie. Rien de touchant comme ces affiches où l'on voit, par l'image, et sur preuves photographiques irréfutables, en quelle estime est tenue la religion chez les Soviets : ces popes mêlés aux dignitaires de l'armée devant les défilés militaires, ces foules débordant des cathédrales, quel démenti aux accusations calomnieuses ! L'Italien aime assez communément « sa » croyance, même quand il n'écoute plus les exhortations politiques du curé. Toujours tenir compte du « réel mouvant » et des diverses conjonctures.

L'Amérique a donc le champ libre.

Et le Vatican ? On y songe beaucoup à la guerre future. Pie XII, dit-on, est trop lucide pour se convaincre qu'abattre l'URSS (et c'est un bien gros morceau) suffirait à purifier le monde du matérialisme athée. On assure qu'il est assez seul dans cette opinion, et ce que je viens d'entendre à Berne, il y a peu de jours [1], prouve que l'idée des États-Unis réglant, d'un coup, leur compte aux Soviétiques tant que ces derniers ne disposent toujours pas de l'arme

---

Grèce, pour un mois. Traversant l'Italie, je ne devais m'y arrêter que trois jours seulement.
1. Voir ma note du 13 mars 1947.

atomique, cette idée paraît séduisante à plus d'un, dans l'entourage même du pontife[1].

PRINTEMPS ITALIEN

Le car pullman fait tout ce qu'il peut pour nous convaincre que c'est « comme avant ». Une voiture scintillante ; de bons sièges profonds, en cuir souple ; suspension parfaite. Il y a même l'Écossais touriste, en kilt, la face rouge et les jambes poilues, le coutelas dans la chaussette droite et le Kodak en bandoulière sur son veston brique. Il voyage avec son fils, seize ans, sérieux, l'œil clair, et qui regarde de droite et de gauche, sans cesse, décemment étonné, avide de s'instruire. Voici les mules aux colliers de clochettes : Naples approche. Voici une quenouille, une vraie, en service ; elle est aux mains de cette gardeuse de chèvres, au bord de la route. Je n'avais jamais vu ce gros bâton mousseux. Le car a ralenti, aimable au point d'en être suspect ; il a ralenti tout exprès pour que nous puissions, au passage, contempler un instant la merveille. Nous avons salué les orangers de Minturne ; la vigne qui danse entre les arbres, cactus, palmiers, le blé déjà haut et, çà et là, ces beaux carrés de topinambours qui font penser à M. Gustave Thibon.

Le Vésuve seul est revêche et contrarie l'effort des agences de voyage. Elles se gardent bien de nous avouer la vérité. Sur les « dépliants » coloriés, le Vésuve est égal à lui-même ; il fume, vertical, avec grandeur. Mensonge ! Je reconnais qu'il est pénible, au moment où le tourisme est si nécessaire, de constater cette défection. Le Vésuve a débrayé depuis deux ans. En vain nos regards l'interrogent. Il chôme. Il fait le mort. Pas la plus minime fumerolle : et rien n'est dérisoire et humiliant à notre attente comme ce volcan désaffecté, retiré, honoraire, ce triste puy de Dôme italien. Tant pis ! La baie de Naples n'a rien perdu de sa splendeur. Sorrente s'allonge sur sa falaise. Le « vapeuret » *(vaporetto)* bleu pâle qui nous emmène vers Capri fend une eau calme et si transparente qu'on dirait un lac de mirage.

... Mais ce gros navire dans le port, couché sur le flanc, et qui montre son ventre blême de cétacé. Mais les vestiges de l'orgueilleuse gare maritime ; fer tordu et béton crevé. Mais, sur les quais sordides, cette foule misérable. A Terracine, ce matin, toutes ces ruines que nous avons vues, et Formio, dont la moitié n'est que décombres, et, au tournant de cette vallée, tel village écrasé de bombes : le désert.

---

1. Comme je l'ai fait pour ma courte mission en Allemagne au mois d'octobre 1946, je fais suivre, ici, mes notes personnelles de l'article que publia *Le Figaro* du 5 mai.

Un professeur d'université, à Rome, ne touche pas 20 000 lires par mois (la lire, au cours réel, vaut maintenant 0,40 francs environ). Un ouvrier « se fait » par jour, s'il a la chance d'être embauché, de 400 à 500 lires (le litre d'huile coûte 800 lires). Le plus petit repas, dans le restaurant le plus humble, coûte 230 lires à peu près. On résout le problème, dans les ménages, en se contentant d'un repas par jour, au milieu de l'après-midi. Mais le loyer ? Mais les vêtements ? Mais les maladies éventuelles ? En trois mois, le prix de la vie, à Rome, vient encore de s'élever de 200 %. Les chômeurs sont au nombre de près de trois millions...

« *Il est sévèrement défendu de cueillir les fleurs sur le parcours du funiculaire.* » C'est ma foi vrai qu'il n'y a qu'à tendre la main. Dans cette tranchée qui monte du port au bourg, à Capri, les roses frôlent les portières du petit wagon vétuste aux sièges étagés, et des liserons blancs, et des géraniums, et d'énormes touffes de marguerites. Sur l'à-pic du promontoire, une huppe s'est envolée du triclinium de Tibère. Dans cette petite « boîte » chaleureuse des *Amici di Capri*, J.-P. Sartre, devant son verre, tient à M. Malaparte des propos où règne la jovialité : 2 000 lires la journée d'hôtel.

Tout de même, on ne les a pas appointées, ces femmes, dans leurs jardins, dans leurs maisons pauvres, pour chanter, à l'intention des visiteurs de l'île. Elles chantent parce qu'elles en ont envie, parce qu'elles trouvent, je pense, que même ainsi la vie est belle. Et ce vieux monsieur, à Formio, assis sur une pierre, devant ses quatre pans de mur, avec quelle tranquillité il lisait le journal, jambes croisées, et fumant sa pipe. Et cette petite fille de Terracine, quel souriant visage elle a levé vers nous, de dessus son ouvrage ! Elle cousait, au soleil, son panier de linge posé près d'elle, au milieu de ce qui avait été la cour d'une maison qui n'existait plus.

Je n'ai senti nulle part d'angoisse. On a confiance. Il paraît, me disait cet homme renseigné, que l'Amérique « *nous veut du bien* » ; que l'URSS laisse faire ; que les dollars, le moment venu, afflueront. En échange, bien sûr, d'un peu de gentillesse. L'octroi aux Américains de quelques bases aériennes (pour leurs affaires militaires, cela les regarde), et vous verrez ce redressement ! *Italia fara da se !*

[Avril 1947] Grèce [1]

Il s'en est passé des choses, ici, depuis la date – printemps 1939 – de mon premier séjour à Athènes. La mission que m'a

---

1. Notes sans date, mais que j'ai prises sur place.

confiée le Département, il m'a été strictement prescrit, signifié, qu'elle devait être « culturelle », *rien que cela* ; surtout pas de politique. Interdiction de me mêler, en rien, des affaires intérieures grecques. Et, comme je m'en doutais bien d'avance, on ne me parle, ici, que de cette sombre histoire, disons le mot, de cette tragédie. Les notes que voici, pas question de les publier[1]. On ne me le pardonnerait pas, à Paris. A peine débarqué à l'Institut français, comme je souhaitais aller revoir Delphes, avertissement : pas question ! Dans certains cas particuliers, l'expédition est praticable. Pour vous, certainement pas. Quoi ! Delphes même ? Eh oui, même Delphes ; les « *terroristes* », vous savez bien, les terroristes, les fameux brigands de la montagne contre lesquels le gouvernement a dû déclencher cette grande offensive dont nous ont fait part les journaux, avec des cartes à l'appui et l'indication en pointillé des « poches » que l'on allait réduire. A la vérité, je ne me rappelle pas avoir lu dans la presse beaucoup de détails sur la suite des choses. Il y eut bien le jour J et l'heure H, et l'on s'attendait à des communiqués triomphants. Rien n'est venu. Je me renseigne, avec la discrétion qui convient : l'état-major a donné l'ordre de supprimer toute allusion à ces opérations de nettoyage que les journalistes, à leur manière, ont grossies contre tout bon sens. Tel jour, on a encerclé une forte bande. On les tenait. Assaut général, concentrique. Finalement, on s'est retrouvé entre amis, au milieu du rond. Les brigands avaient disparu.

Le visiteur étranger constate que l'ordre règne, à Athènes, qu'il n'y a pas de mendiants et que la liberté est parfaite : ne trouve-t-on pas, dans les kiosques, des journaux de toutes opinions ? En voici un, même, le *Rizospastis*, qui s'orne de la faucille et du marteau. Le visiteur étranger salue cette démocratie authentique. Mais il ignore à quel point il est dangereux de se montrer lisant, au grand jour, cette feuille qu'il voit offerte à tout venant ; comme il ignore le nombre des arrestations quotidiennes (et préventives) de malpensants. Le visiteur étranger a d'ordinaire de quoi, en devises, se procurer des drachmes par liasses. S'il s'enquiert des traitements

---

1. Modifiées, atténuées, je les ai données cependant, anonymes, à un hebdomadaire romand : *Servir*.

moyens dans ce pays ensoleillé, il s'étonne alors d'apprendre que le titulaire d'une chaire à l'Université reçoit, par mois, 450 000 drachmes, et il se demande, ayant payé 10 000 drachmes pour un déjeuner très modeste, et 2 000 pour un paquet de cigarettes, comment le grand professeur peut administrer son budget. Le visiteur étranger n'a ni le temps ni le souci de noter les importants « mouvements » opérés depuis 1945 dans les cadres du haut enseignement et dans ceux mêmes du clergé ; mais il entendra dire, peut-être, que dix-huit révocations ont été prononcées, tant à Athènes qu'à Salonique, et que les métropolites de Cozani et d'Élide, les évêques de Chalcy et de Chio sont en disgrâce. L'épuration, sans doute ? De pauvres gens sans caractère et qui, sous l'occupation, ont « collaboré » ? Vous n'y êtes pas. Les plus affirmés des patriotes, au contraire. Le visiteur étranger ignore le nom de M. Anastassopoulos, commandant supérieur (depuis peu) de la gendarmerie en Grèce continentale ; mais il lira avec surprise les documents qui établissent les titres dudit Anastassopoulos à sa récente élévation : ledit Anastassopoulos dirigeait la gendarmerie de Cavalla en 1941 ; lors de l'invasion des Bulgares, il s'y montra ami de l'ennemi au point de l'écœurer même un peu. Avoir fait partie de la Résistance est fâcheux pour vous, dans la Grèce actuelle. En revanche, si vous avez aidé la « milice » – la même milice, exactement, dont nous avons bénéficié sous Pétain –, vos chances d'avancement sont grandes. Le visiteur étranger, s'il ne se contente pas d'un clair de lune à l'Acropole et d'un déjeuner à Sounion, s'il se renseigne, s'il étudie, se sent un peu le souffle court devant les découvertes qu'il fait.

L'histoire décrira un jour tels qu'ils furent les événements de décembre 1944 en Grèce. J'ai sous les yeux les lignes suivantes, datées du 5 juin 1945, et qui sont aujourd'hui plus valables que jamais. C'est la déclaration solennelle que firent, à cette date, non des fanatiques, mais des modérés, les chefs, coalisés, des partis du centre. Ce texte porte, entre autres, la signature de M. Sophoulis, dont on pourrait dire, à peu près, qu'il est l'Édouard Herriot des Hellènes : « *La terreur instaurée par l'extrême droite dans le pays s'étend tous les jours. Elle a pris un développement et une violence qui rendent impossible la vie des citoyens non royalistes. Les orga-*

nisations d'extrême droite qui avaient été armées en partie par les Allemands non seulement ne sont pas poursuivies, mais encore collaborent ouvertement avec les agents du pouvoir en vue d'étouffer complètement toute pensée démocratique. » Telle est la politique pratiquée en Grèce – d'accord avec Staline, à qui les Anglo-Américains ont laissé les mains libres en Roumanie et en Bulgarie.

La résistance au fascisme, malgré l'ordre que j'ai reçu de ne pas m'en mêler, « *les pierres mêmes* » m'en parlent. OXY, c'est NON en grec. Cet après-midi, allant en voiture jusqu'à Sounion – dans un pré, des moutons cherchant un semblant d'ombre, le front contre l'écorce des oliviers, formaient, autour de chaque arbre, comme une ceinture de rayons –, j'ai vu, sur ma gauche, au flanc d'une pente, tout près du sommet, ces grandes lettres dessinées par des morceaux de roche : OXY, cri du refus à la servitude.

De 1 000 qu'ils étaient [1], lors de ma première visite, en 1939, les étudiants grecs inscrits à notre institut d'Athènes sont passés à 3 000 et plus. Des filiales ont été créées en province, de toutes parts. C'est maintenant près de 11 000 jeunes gens et jeunes filles, en Grèce, qui reçoivent communication de notre pensée, qui suivent nos cours de littérature, de philosophie, d'histoire de l'art, et avec un élan, un entrain joyeux, une avidité de connaissance qu'on ne peut voir sans émotion.

Je les ai trouvés fort indifférents à l'existentialisme, et, lorsque nous avons parlé de Mauriac, de Malraux, ce qui retenait leur intérêt, c'était moins la prochaine pièce de l'un, le dernier roman de l'autre que l'attitude militante de ces écrivains dans l'aventure mondiale. Comme je m'attachais particulièrement, selon les instructions que j'avais reçues, à ce qui ne relève pas de la conjoncture, comme j'expliquais, à propos de Victor Hugo, qu'il y a sur lui des découvertes à faire, car il a non seulement entrevu, mais posé avec une lucidité exemplaire ces problèmes, en poésie, dont on attribue à Baudelaire ou à Mallarmé le mérite de les avoir désignés les premiers, tant de remarques me furent proposées, riches et pertinentes, qu'il est aisé de voir à quel point toute cette jeunesse qui

---

1. Écrit dans l'avion du retour.

132

nous fait confiance serait prompte à travailler dans les domaines de la pure recherche, s'il lui était d'abord permis d'échapper à son carcan.

Dans cet avion qui me ramène à Paris, j'ai des cerises de l'Attique sur mes genoux, dans un petit sac de cellophane. Déjà, sous moi, la longue tranchée rectiligne du canal de Corinthe encore obstrué. La côte s'éloigne. Je pense à ce drame, en Hellade, dont nous n'avons guère conscience, dans nos facultés : une douleur et une espérance et une attente, vers nous, qu'on ne peut oublier quand on en a senti, même fugitivement, la brûlure.

25 mai 1947. Pully, près de Lausanne

Enterrement de Ramuz. L'ambassadeur a décidé d'y assister et me demande de l'accompagner. Au départ de Berne, grand soleil, puis le ciel s'est couvert. A Pully, des nuages noirs, et des roulements lointains de tonnerre. Une chaleur lourde. Sur le terre-plein devant le prieuré, la foule (pas tellement nombreuse) écoute les haut-parleurs d'où sortent les discours prononcés à l'intérieur du petit temple. Cortège jusqu'au cimetière. Pas de musique. Mais des grillons, rivalisant d'ardeur. Le pasteur s'est borné à quelques mots devant la fosse, tandis qu'un corbeau passait au ras des têtes.

Je n'avais vu Ramuz qu'une seule fois, chez lui, au printemps 1943. Il m'avait reçu très amicalement. La conversation, presque tout de suite, s'était fixée sur Jean-Jacques. Ramuz avait lu mon *Affaire infernale* (l'affaire Rousseau-Hume) et il me félicitait de ce qu'il appelait « *la démonstration du complot* [je crois, cependant, n'avoir jamais employé ce mot-là] *des encyclopédistes* » contre l'inventeur du « *vicaire savoyard* ». Il me remerciait de nous avoir, disait-il, « *fait entendre le crépitement même des fureurs* » embrasées dans le clan Voltaire-d'Alembert-Diderot-Grimm contre un homme coupable de s'opposer, comme il pouvait, à leur puissant effort pour détruire le christianisme, tenter de l'anéantir. Et Ramuz a eu cette trouvaille : « *Si Jean-Jacques, à la fin de sa vie, a pu paraître, a été, peut-être, détraqué, c'est qu'il se savait traqué.* »

133

27 mai 1947

Je pense à Ramuz de nouveau et revois, posée devant moi, sur la table, sa grande main noueuse.

Il a mis beaucoup de temps à obtenir qu'on écoutât ce qu'il avait à nous dire. Le Suisse est volontiers sceptique à l'égard de ses grands hommes. On dirait qu'il lui faut, pour croire à ses mérites, que Paris s'en porte garant. On ne se décida, dans son pays, à lui prêter une attention sérieuse que lorsque Claudel eut désigné publiquement *Derborence* comme un des sommets de la prose française ; et l'*Hommage à Ramuz* de la *NRF* consacra son illustration.

Ce solitaire, cet enfermé, comme il se ruait, immobile, vers la vie ! « *Alors bonjour tout ! Salut, tout !...* » Ce cri d'ivresse de sa *Salutation paysanne* emplit, en vérité, toute son œuvre. Ramuz « régionaliste » ? Mais pas plus que François Mauriac. L'un comme l'autre, simplement, puisent dans la terre où ils sont nés, et dans le climat de leur environnement, une vision de l'univers. Le même univers ; la même aventure. Ces choses autour de nous, en même temps consistantes et vaines, flagrantes et occultes. Ce terrible désir en nous, contradictoire, d'étreindre et de passer outre.

20 septembre 1947

Souvenir de la conversation que j'ai eue, l'an dernier, à pareille époque, avec Mounier, à Genève, lors des Rencontres internationales. Nous avions souhaité parler un moment, seul à seul, chez Landolt [1], dans un coin tranquille. Et j'avais été très remué par ce qu'il m'avait dit en confidence. En confidence, car il précisait bien : Je ne lancerai jamais de manifeste à ce sujet ; l'esclandre, dans cet ordre de choses, est toujours stérile, et le scandale risque d'être exploité de manière odieuse. Rappelez-vous Tolstoï se refusant à tout hommage collectif pour ses quatre-vingts

---

1. Le grand café tout proche de l'université.

ans, car il voyait trop l'entreprise d'accaparement qui se préparait, à cette occasion, du côté d'une « libre pensée » agressive ; rappelez-vous aussi les obsèques de Hugo, Hugo, l'homme du « *Je crois en Dieu*», avec la délégation (inadmissible, mais qui sut s'imposer, grâce à des complicités officielles), la délégation des « *athées du XVIIIe arrondissement*».

Le sens général de ce que m'exposait Mounier était le suivant : il faut comprendre, et chaque jour davantage, combien sont dénuées d'importance les constructions idéologiques, la théologie dogmatique ; édifices conceptuels, charpentes abstraites. Tristement comique – mais taisons-nous ! –, la conviction avec laquelle les papes se targuent et se persuadent, en toute bonne foi, de détenir la Vérité ; alors qu'une seule chose compte : le contact avec l'Absolu vivant. A une certaine hauteur (il rectifiait : « *Disons profondeur*») se retrouvent, se rejoignent, s'unissent ceux qui ont en eux la présence, la « *présence réelle*» (un sourire) de l'Esprit.

C'était le fond de sa pensée qu'il m'ouvrait là, Mounier, ajoutant qu'à son avis Massignon se comportait très bien auprès de ses amis musulmans. Nul prosélytisme catholique de sa part ; il leur demandait seulement de vivre leur foi « *de toute leur âme*» («*sun holè tè psukhè*», comme écrit Platon)[1]. C'est ainsi, je crois, que procédait également, dans l'Inde du Sud, ce prêtre, l'abbé Monchanin (il me semble que c'est bien ce nom-là) venu me voir en passant à Mâcon, vers 1925-1926, je crois, et qui me parlait de ses rapports avec l'hindouisme.

Je suppose que tout membre du Saint-Office qui eût entendu Mounier s'exprimer comme il le faisait en aurait eu un saisissement, suivi des plus rudes condamnations. Et pourtant, pourtant, que dit d'autre l'Évangile de Jean (en 4, 22-24) dans ce qu'il rapporte de Jésus s'adressant à cette femme de Samarie, devant le puits de Jacob ? Allons ! vous savez bien : « [...] *ni sur cette montagne* [le mont Garizim] *ni à Jérusalem.*» Et aussi : « *Vous adorez ce que vous ne connaissez pas.*» L'Église se comporte – c'est un fait – comme si elle n'avait rien entendu, comme si ces paroles du Christ n'avaient jamais été prononcées.

---

1. Je relis ces lignes en 1963. Mon beau-frère R.S., qui parle en connaissance de cause après ses trois ans d'Algérie, m'affirme que c'est, très littéralement, l'attitude de Mgr Duval, l'évêque d'Alger.

Neuchâtel[1]

Gide habite, à Neuchâtel, chez le secrétaire des Éditions Ides et Calendes, qui s'est converti, naguère, au catholicisme, persuadant Claudel d'être son parrain. Il entoure maintenant Gide de prévenances extrêmes, afin d'obtenir de lui des textes à éditer. Lauréat du Nobel, Gide s'est dérobé à la cérémonie de Stockholm au moyen d'un certificat médical où son « *état cardiaque* » est déclaré « *inquiétant* ». Il a remis à la municipalité de Neuchâtel un chèque de 1 000 francs suisses « *pour les indigents* ». Il semble plein de vitalité, et je l'ai vu, ce soir, à l'entracte du cinéma Studio, galopant comme un jeune homme vers l'urinoir, place de la Poste, les pans de son pardessus flottant dans sa course, et une main à la braguette.

F.U. (le propriétaire-directeur d'Ides et Calendes) me disait, ces jours-ci, que Gide ne veut voir personne, strictement personne, mais qu'il « *fait* » tous les cinémas de la ville (il y en a cinq), quels que soient les films – et il lui arrive de voir deux fois des « navets » –, tant il s'ennuie. Il a « *septante-huit ans* ». Il porte, dans la rue, un feutre beige extraordinaire, haut comme un gibus, auquel il ne peut donner cette forme curieuse que par un coup de poing assené au fond, du dedans[2].

---

1. Sans date ; disons l'automne 1947 ; c'est le plus probable.
2. Bien des années plus tard, l'ancienne épouse du secrétaire me racontera la sombre histoire que voici. Gide était très exigeant pour les choses de la table. Un dimanche, il n'y avait plus, à la maison, que du pain rassis. Elle a dû l'avouer à Gide, qui a fait la grimace. Le dimanche, pas une boulangerie d'ouverte, sauf une « en banlieue ». R. était absent pour la journée. J., sa femme, prend le risque d'aller, à vélo, chercher à Peseux ce pain frais qu'il faut à son invité illustre. Le « risque », parce qu'elle a veillé à ne laisser jamais Gide seul à la maison avec les deux enfants, deux petits garçons de six et huit ans. La voici qui parle : « *Rentrée juste à temps. Au salon, Gide avait Marc* [l'aîné] *assis devant lui, ses deux mains étaient glissées sur les cuisses de mon gamin, dans sa culotte, et, poussant la porte, je l'avais entendu dire :* " *Chauffe mes vieilles mains. Elles ont si froid !* " *J'ai simplement dit à Marc :* " *Monte dans ta chambre* ", *et à Gide, gentiment :* " *Voilà du pain frais.* " »

[1947] [1]

Henri Hoppenot, ambassadeur de France à Berne depuis l'automne 1944, ne faisait que son devoir en transmettant au Quai d'Orsay les articles sévères et têtus de la presse alémanique sur les comportements « *à la Goering* », attribués au général de Lattre de Tassigny, qui, dans la zone française d'occupation, en Allemagne, enrichissait, paraît-il, sa résidence de somptuosités diverses – meubles, statues, tableaux – empruntées aux hôtels particuliers et châteaux de la région laissés intacts par les bombardements.

Quelques mois plus tard, de Lattre fut l'invité d'honneur de je ne sais quel congrès d'officiers suisses, qui se tiendrait, cette année-là, à Neuchâtel. Problème un peu délicat pour l'ambassadeur, lequel n'ignorait pas que de bonnes âmes, à Paris, avaient eu soin d'avertir de Lattre des « dénonciations » venues de Berne à son sujet. La présence, sur le sol suisse, d'un illustre général français exigeait un geste de l'ambassade. Ce geste revenait, de droit, à l'attaché militaire, malheureusement en congé, et qui n'avait pas d'adjoint. Comme j'habitais Neuchâtel [2], H.H. décida que je serais son délégué auprès du « grand soldat ». Mes instructions étaient de me montrer déférent et bref, mais de bien préciser que je venais le saluer « *au nom de l'ambassade de France* ». H.H. prévoyait, me disait-il, que de Lattre serait « *glacial* » : « *Aucune importance ; vos phrases débitées, vous vous inclinerez légèrement et prendrez congé.* »

Les choses, malheureusement, se passèrent moins bien. A l'instant prévu et quand les applaudissements (très chaleureux) prirent fin, je m'avançai vers le général et prononçai les mots prescrits. De Lattre eut un haut-le-corps et, de souriant qu'il était avant de

---

1. Écrit, de mémoire, en décembre 1960.
2. Tout membre du corps diplomatique en Suisse doit, protocolairement, résider à Berne même ou, du moins, dans le canton ; mais Max Petitpierre, neuchâtelois et chef du Département politique fédéral (Affaires étrangères), m'avait très exceptionnellement autorisé – en raison des études de mes enfants – à ne pas quitter Neuchâtel, où nous vivions depuis septembre 1942. Du lundi au vendredi, chaque matin, je prenais, à 8 heures, le train pour Berne et rejoignais ma famille vers 19 h 30.

m'entendre, devint terrible : « *Ah ! vous venez de Berne ? Eh bien, vous avez là-bas pour chef un drôle de coco* [sic]. *Je ne vous félicite pas ! Je vous plains !* »
La présence d'esprit n'est pas mon fort. La suite dut m'être dictée par le ciel. Regardant toujours de Lattre bien en face, je m'entends lui répondre : « *Pardonnez-moi, mon général, mais j'ai estime et respect pour l'ambassadeur ; il a mon attachement et mon entier dévouement.* » Métamorphose instantanée, et comique. De Lattre change de masque en moins d'une seconde, lève les sourcils, adopte un visage radieux et s'écrie, pour le cercle qui nous entourait : « *Bravo, mon petit*[1] *! Vous êtes dans votre rôle. Vous servez votre chef avec discipline. C'est bien, c'est très bien, j'aime ça. Encore bravo !* » Et de me prendre le bras pour m'entraîner au « grand dîner » qui, selon le programme établi, devait suivre la conférence. L'organisateur s'empressait de m'y convier. Je parlai de mes « obligations » bernoises et me dérobai de la sorte. Le (futur) « roi Jean » avait fait son numéro, son double numéro, n'y pensait déjà plus et méditait sans doute d'autres « prestations » spectaculaires.

Décembre 1947

La « Pléiade » a fait accueil, cette année, à trois romans de Malraux. Pour *L'Espoir*, d'accord. Mais *La Condition humaine* et surtout *Les Conquérants*, hum ! Je découvre que, dans cette collection princière (c'est « Bibliothèque » qu'il faut dire) où trouvent place les vrais grands, de Rabelais à Hugo, de Montaigne à Pascal, de Chateaubriand à Rimbaud, figurent aussi les *Œuvres complètes* de Martin du Gard. Une opération sans doute conduite par Gide. L'abus crève les yeux ; car Martin du Gard n'a réussi – tout le monde le sait – qu'un seul ouvrage (celui où est évoqué l'assassinat de Jaurès) dans sa très plate et très ennuyeuse série romanesque.

---

1. Le « *petit* » avait plus de quarante ans (de Lattre, cinquante-cinq environ).

8 mars 1948

Seyrig me communique des documents précis – et horribles – sur ce qui s'est réellement passé à Madagascar au printemps de l'année dernière. En métropole, nous n'en avons pas su grand-chose. La presse, surveillée ou d'elle-même docile, est restée muette sur ces événements qui furent, pourtant, de grande taille. Une authentique insurrection de colonisés. Après tout, la conquête militaire de Madagascar n'est pas si vieille ; à peine un peu plus de cinquante ans, et nous avons réussi à soulever les masses contre nous. Pour écraser cette rébellion, le gouvernement a fait appel aux exécutants tout indiqués : la Légion étrangère et les Sénégalais. Total : de 80 000 à 90 000 morts. Du sérieux, comme on voit. Et le gouvernement, qui c'était ? Mais toujours les mêmes qu'aujourd'hui : la coalition MRP-socialistes. Les communistes avaient fait sécession, le 16 avril ; puis Ramadier les congédia, à l'invitation des États-Unis.

Le haut-commissaire à Madagascar, qui dirigea la répression, était ce Coppet, gendre de Roger Martin du Gard et membre de la Grande Loge de France.

10 mars 1948. Paris

On m'apprend, en riant, aux Affaires culturelles, que Gide est venu, tout dernièrement, trouver le directeur pour lui demander d'intervenir afin que, dans la promotion de Pâques, le secrétaire des Éditions Ides et Calendes soit nommé chevalier de la Légion d'honneur : « *Il m'a hébergé cinq mois* », a expliqué Gide ; comme si, tout naturellement, ce service (intéressé) rendu à André Gide devait être récompensé par le gouvernement français.

13 mars 1948. Paris

Mme de P. avait obtenu de Sacha Guitry qu'il m'ouvrît sa fameuse collection d'autographes. Elle me fit savoir que Guitry me recevrait («*pour une heure seulement*», avait-il précisé) ce 13 mars.

Il me fit attendre, certainement exprès, un bon quart d'heure, puis apparut, grandiose, dans une robe de chambre éclatante, rouge et or. Ses premiers mots : « *Vous êtes mon ennemi, monsieur Guillemin.* » Je ne niai pas avoir répondu, l'année précédente, par un avis défavorable, à un conseil expressément demandé à l'ambassade par le directeur du Grand Théâtre de Lausanne quant à l'opportunité d'une conférence de Sacha Guitry que se proposait d'organiser un groupement suisse très conservateur et où la Résistance française n'avait pas d'amis.

Guitry joua au grand seigneur, qui « passait l'éponge » sur mes tristes comportements professionnels, mais tint à m'infliger d'abord une anecdote, sans nul doute déjà, de sa part, usagée, ensuite une déclaration-proclamation. L'anecdote : « *Quand vos amis gaullo-communistes me conduisirent à Fresnes, pénétrant dans la cour de la prison, je fus regardé de haut par un officier blanc-bec. Je lui dis alors poliment : " Où servez-vous, monsieur ? Dans l'infanterie ou dans la forfanterie ? "* » Et voici la proclamation, stupéfiante et martelée : « *Je demande que l'on me cite quelqu'un qui a été plus courageux que moi sous l'occupation.* »

Puis j'eus droit à la consultation des documents pour lesquels j'étais là. Tous entièrement dénués d'intérêt pour moi ; barrés, diagonalement, d'un trait de plume, par Hugo, c'est-à-dire employés par lui dans tel ou tel ouvrage. Rien d'inédit.

25 septembre 1948. Lyon

De passage à Lyon, je conserverai un petit tract du RPF[1] que des jeunes gens distribuent, rue de la République, devant la façade

1. Le Rassemblement du peuple français.

du *Progrès*, là même où, quand j'étais élève au lycée du Parc, de 1920 à 1923, chaque dimanche matin, des « camelots du roi » s'efforçaient de vendre le dernier numéro paru de *L'Action française*. Frappante similitude entre ces jeunes gens d'autrefois et ceux d'aujourd'hui, au même endroit. Tous très convenables, bien mis, « distingués ». Sur le tract, l'agrandissement d'un timbre où l'on voit une République ailée, les seins nus, vociférant (je suppose) le texte qui sous-tend l'image : « *Pour le salut public, oui !* » De chaque côté, une croix de Lorraine. Au bas du tract, cette invite : « *Le général de Gaulle vous demande de lui envoyer ce timbre, à son adresse : Colombey-les-Deux-Églises, Haute-Marne. Vous pouvez vous le procurer au prix de 50 francs, chez tous les dépositaires et dans les permanences du Rassemblement du peuple français.* »

9 novembre 1948. Bâle

Déjeuner, chez Georges Blin [1], avec Max-Pol Fouchet, qui a tout un répertoire, assez féroce, sur Gide. Il raconte qu'un jour, devant lui, Gide s'est « *enferré dans des stupidités monstrueuses* » (d'ordre littéraire) concernant Claudel, à qui il refusait « *le moindre talent* » ; qu'il jalouse Shakespeare et s'est « *vengé sur* Hamlet, *le dépoétisant avec une sorte de rage* » ; qu'à Alger, un moment, il avait adopté un « *costume de cow-boy, avec cuir et franges* », mais sans, pour autant, quitter son béret, « *à cause d'Érasme* ». Il prétend même qu'il a *vu*, chez les Heurgon, Gide, qui jouait aux échecs avec Saint-Exupéry, profitant d'une pause, revenir, « *en douce, déplacer deux pièces* » dans le jeu afin de s'assurer la victoire. Désagréable. Ces malveillances entassées fatiguent, écœurent, inspirent le doute. J'aimerais savoir la (ou les) raison(s) d'une hostilité pareille, si tenace. Blin – ce qui me surprend – semble la partager. Loin de défendre Gide, il a ajouté un détail concernant un de ses propres élèves, à lui, Blin (une histoire de chantage).

Je me rappelle qu'en mai dernier Gérard Bauër m'avait parlé de Gide, lui aussi, avec une extrême sévérité ; mais, là, j'en ai

1. Qui occupe la chaire de littérature française à l'université.

compris l'origine : Gide *aurait* risqué une allusion méprisante au père de Gérard, communard, et qui fut déporté par Thiers en Nouvelle-Calédonie. Gérard tient Gide pour un «*falsificateur*» (il s'agirait de son *Journal*, de pages publiées sous l'occupation, et truquées ensuite), un «*styliste nul*» ; «*un être sans grandeur, sans souffle et sans âme*».

2 janvier 1949

L'importance concrète du christianisme dans la vie sociale est devenue pratiquement nulle. Pour les meneurs du jeu, les «croyants» sont aussi dénués d'intérêt, aussi insignifiants que les mordus de philatélie ou de numismatique.

[Printemps 1949] Londres [1]

Y.H. (devenue Y.Sh.), qui a travaillé quelques mois, pendant la guerre, dans les bureaux de la censure postale à Beyrouth, me parle d'un prêtre – que nous avons connu, elle et moi, au Caire ; un brave type, un peu limité ; «*une gourde*», disait Y. – qui s'est déprêtrisé, qui a perdu la foi complètement. Elle me le décrit «*déspiritualisé ; du bois mort*», à cause – vraiment à cause ? – de ce qu'il lui a fallu lire, comme Y. elle-même, à la «censure». Il était bouleversé ; il ne s'en remettait pas. Il disait : «*Ces femmes ! Ce qu'elles peuvent écrire ! Incroyable ! Quelles révélations sur l'être humain ! Et ces dessins, en plus !*»

S'il fallait perdre la foi à cause de l'obsession sexuelle de tant de femmes (comme de tant d'hommes), tout confesseur se défroquerait, me disait Y. en riant. Pas drôle, tout de même, le destin de cet homme. Accablé, ne parlant qu'à peine, ne voyant personne, il gagne péniblement sa vie dans un emploi administratif de dernier ordre qu'il doit à son ancien état.

---

1. Rédigé en décembre 1960, à partir de quelques lignes au crayon, pur *memento* personnel.

[Été 1949] [1]

J'ai été élevé, lycéen puis étudiant, par des maîtres qui consentaient bien à ne point refuser « du métier » à Victor Hugo, et même une exceptionnelle technique de narrateur ou de rhétoriqueur, mais qui déniaient à sa pensée toute consistance. Une large part de ce qui se trouve inclus dans ces syllabes « *Victor Hu-go* » provoquait en eux un réflexe immédiat de fermeture et d'hostilité. D'où le dédain qu'ils affectaient à l'égard de ce « penseur pour rire ». Dans le domaine de l'esprit, qu'on leur parlât de M. Renan, à la bonne heure ! Renan n'avait-il pas écrit, au lendemain de la Commune, cette *Réforme intellectuelle et morale* devant quoi s'inclinait Maurras ? Tandis que, chez Hugo, l'ordre, l'ordre social, ce mot sacré, souffre des atteintes odieuses. De lui, cette phrase inadmissible, dans son *Napoléon le Petit*, au lendemain du 2 Décembre : « *Il était nécessaire qu'on sût bien, qu'on sût à jamais ce que* [dans la bouche de certains] *ce mot ordre signifie : pillage des deniers publics, confiscations, déportations, fusillades.* »

Si le temps est passé où Émile Faguet pouvait impunément laisser entendre que Victor Hugo, ce brillant assembleur de rimes, n'était, tout compte fait, qu'un primaire, et si nul ne se risque plus à répéter, après Claude Farrère (l'élu de l'Académie, en 1935, contre Claudel) que Hugo, dans sa vie publique, se montra « *le roi des lâches* » (pourquoi diable ? Mais Péguy, absurdement, pensait de même ; et je crains d'en savoir la triste raison), si le célèbre « *Hélas !* » d'André Gide (avec bonheur répercuté par Péguy) porte tort à l'auteur des *Nourritures terrestres* plus qu'à celui des *Contemplations*, reste que M. Thierry Maulnier demandait encore, en 1941, d'un ton narquois et hautain, que l'on veuille bien lui indiquer ce que M. Hugo peut avoir eu d'un peu sérieux à nous dire.

---

1. Texte sans date ; mais je crois ne pas me tromper en le donnant pour rédigé en juillet (plutôt en août) 1949.

28 septembre 1949. Genève

Herriot en visite semi-officielle. Pour un hommage que lui rend une organisation helvétique. Il me reçoit dans sa chambre d'hôtel. Une futaille, cet homme. Ses cuisses, deux tuyaux énormes ajustés à une barrique. Soixante-seize ans. Les cheveux toujours aussi noirs. On le dirait atteint d'une espèce de stupeur. Quelque chose, dans le regard, d'effrayé. Terriblement changé depuis 1945, et sa conversation dans le bureau de l'ambassadeur, et son grand discours « Troisième République », à Berne. Cependant, il doit prononcer, le soir, une allocution. Il s'est ranimé pour la circonstance. Mais plusieurs accès de toux, le mouchoir sur la bouche. Il était entré sur la scène par les coulisses. Je ne sais pourquoi, sa brève performance terminée, il a gagné la salle en descendant cinq marches, face au public. Descente pénible et lente, qu'on aurait dû lui épargner. Et les applaudissements se prolongeaient, trop visiblement pour l'aider.

Le lendemain matin, je viens prendre congé. Il est assis – effondré ? – dans un fauteuil. Sa gouvernante, Césarine, lui donne un coup de peigne. (A quoi ça sert ? Les cheveux drus sont coupés en brosse.) Il sourit poliment, mais ne parle qu'à peine. Spectacle un peu cruel. Le déclin d'un Illustre qui semble survivre encore, faiblement, à lui-même.

25 mars 1950

Mounier est mort hier. Stupeur. Je ne le savais pas malade, et il est plus jeune que moi. Coup dur. Il me faisait confiance et m'avait associé tout de suite, dès 1932, à la tentative audacieuse que constituait *Esprit*.

Une des dernières choses qu'il m'avait dites, dans cette inoubliable conversation que nous avions eue, à Genève, en septembre 1946 (il faisait semblant de me condamner, de me « *maudire* » parce que j'étais un « *diplomate* », un « *personnage officiel* »), c'était cette sentence semi-blagueuse (pas tellement, au fond) :

« *La vraie place d'un chrétien, dans la civilisation telle quelle, ce n'est ni la magistrature ni, encore moins, l'Académic ~'est l'internement administratif et la prison.* »

J'avais su tout récemment, par Albert Béguin, le calv̩ foyer, pareil à celui des de Gaulle : un enfant mentalement handicapé.

30 mars 1950. Neuchâtel

Claude Roy, qui traverse Neuchâtel et qui est venu me voir (il m'a tout de suite conquis : simplicité et droiture), sortait du bureau de Fred U. à Ides et Calendes, où l'on vient de publier (en un fac-similé admirable) un petit chef-d'œuvre inédit de Valery Larbaud : *Gwenny toute seule*. Claude Roy connaît la vérité sur le curieux destin de ce texte. Larbaud l'avait soumis à Gide en 1912, pour la *NRF*, et Gide l'avait refusé, mais sans le dire ouvertement, prétextant des conseils à prendre, des avis à recueillir. En fait, il n'en voulait pas, me dit Claude Roy, parce que c'est « *une merveille de pureté* » et la preuve qu'on peut très bien « *faire de la bonne littérature avec de bons sentiments* ». Il a donc gardé ce manuscrit par-devers lui, « *s'est assis dessus et l'a étouffé* ». Claude Roy vient de lire la phrase que Gide a rédigée pour la remise de ce texte à Ides et Calendes : « *D'accord avec Valery Larbaud qui m'a offert ce manuscrit en 1912, j'autorise la maison Ides et Calendes* [etc.].» Façon oblique et savante de présenter les choses en jouant sur le mot « *offert* » qui peut laisser croire à un cadeau. Il faudrait dire : « *qui m'a proposé* » ce manuscrit, et ajouter : « *que j'ai tenu caché et que je ne lui ai jamais rendu* ». « *Un subtil, Gide* », commentait Claude Roy.

Encore un mauvais point pour Gide. Y aurait-il, contre lui, une connivence dans la nouvelle génération d'écrivains ?

15 avril 1950

C'est sans doute parce que je vivais en Suisse, depuis 1942, et non en France, que j'ai mis des années – plus de cinq ans – à découvrir l'énormité de la fable lancée, et soigneusement entretenue, par ceux à qui les Américains permirent d'entrer les premiers dans Paris en août 1944 : les hommes du général de Gaulle. Leur courage ne saurait être mis en doute ; mais, dans la bataille de France et la difficile et coûteuse défaite infligée aux forces allemandes, bousculées, enfoncées, réduites à un recul immense, l'action des Français libres, en raison même de leur très petit nombre, n'avait pu compter beaucoup.

Dans ses grandes lignes, le scénario destiné à faire autorité et à prendre valeur de dogme était le suivant : sans une France, tout entière soulevée contre l'occupant, les Américains n'auraient jamais pu remporter la victoire ; quant à la « libération de Paris », sur la foi d'une propagande bien conduite, Bernanos, au Brésil, se l'était représentée – ainsi qu'il l'écrira – sous la forme de *« divisions blindées de la Wehrmacht venant s'écraser sur des barricades couronnées d'insurgés aux bras nus »*. En fait, les Allemands évacuaient Paris, et la police, compromise jusqu'au cou dans la collaboration, affecta, sans risques, et pour conserver son autorité, d'entrer en révolte. Les arrière-gardes allemandes encore en ville subirent des escarmouches où tombèrent quantité de combattants civils pleins d'un authentique héroïsme, mais qui ne devinaient pas à quel point leur sacrifice était superflu. Avec l'autorisation bienveillante – et politiquement calculée (attention aux communistes !) – du commandement américain, la colonne gaullienne fut lancée sur la capitale dans l'intention (et la réussite fut parfaite) de faire croire aux Parisiens qu'ils devaient leur « libération » à de Gaulle en personne.

Constater la duperie dont il avait été victime explique, pour une large part, l'amertume et l'indignation qui ravagèrent Bernanos dès son retour en France.

1er juin 1950. Paris [1]

Marc est mort, le jour de la Pentecôte, et l'ambassadeur m'a permis de prendre un jour de congé pour me rendre à ses obsèques.

---

1. Écrit le soir même, à Paris, chez mes beaux-parents.

Je ne l'avais plus revu depuis plusieurs années, tant j'étais triste de sa faiblesse et de sa docilité (passive) à l'égard du clan – du gang – Amaury. En avril dernier, c'est *Carrefour* qui avait facilité la manœuvre de Rémy pour compromettre de Gaulle dans la réhabilitation de Pétain (Pétain « *bouclier* », de Gaulle « *glaive* ») : une belle audace, imaginée au dernier moment par Massis, ce Pétain « *bouclier* », après la conjonction Pétain-Hitler sur la Syrie en 1941, et l'épouvantable Milice ! Que Marc ait laissé mêler son nom à ce jeu malpropre m'avait horrifié. Mais sans doute était-il déjà très malade et comme absent. L'année dernière, convoqué au Quai d'Orsay, j'étais passé un matin, en taxi, devant le 38, boulevard Raspail, et j'avais aperçu Marc, un instant, debout devant sa porte, seul, nu-tête, très amaigri, le visage creusé. Et le voici disparu, à soixante-dix-sept ans.

Il était député de Paris. Et toute la puissante cohorte de ses collègues MRP à la Chambre (et au Sénat) était là, dans le cortège, avec leurs écharpes tricolores en travers du torse. Obsèques pratiquement « nationales », sans l'être officiellement. Sur le parcours, de sa demeure à Notre-Dame, tous les cinquante mètres, des flics portant la fourragère rouge des grands jours. A l'intérieur de Notre-Dame, Bidault, président du Conseil, a placé à sa droite Herriot, président de la Chambre, Herriot que son voisin aide à se lever de sa chaise, quand il convient. Au moment de l'élévation, Bidault, agenouillé, cache son visage dans ses mains. Debout à côté de lui, monolithe massif et incompromis, Herriot, fidèle à sa conscience d'homme libre, garde strictement sa nuque verticale [1]. Feltin, mitré, donne l'absoute. A la fin de la cérémonie, tandis que les grandes orgues rugissent, la musique de la garde républicaine joue une marche funèbre engloutie dans la clameur pathétique des cloches. Bidault, pour lequel avait été préparé un petit podium sur la place, devant la cathédrale, a pris la parole. Et je dois dire qu'il a

*

1. Cependant, comme on sait, Herriot, mourant, fera mander un prêtre. Il avait eu, je ne sais plus quand (en 1924, je crois), un mot pertinent sur « *le christianisme des banquiers* » ; mais, professeur à Lyon durant deux ans (1934-1936), j'avais appris que, pour assurer sa réélection à la mairie (qui, le règne de Pétain excepté, ne connut pas d'éclipse), cet intransigeant sonore avait pour lesdits banquiers d'heureuses et discrètes prévenances. Il me faisait penser à ce Villèle dont Chateaubriand dit dans les *Mémoires d'outre-tombe* que ses comportements les plus belliqueux laissaient toujours « *luire l'espérance d'une nature abordable* ».

147

été *bien, très bien* : Marc (il a dit « *Marc* » par deux fois, et non « Marc Sangnier »), « *né aux approches de l'opulence, a fini dans le dénuement* » ; il a montré ce qu'est « *une vie qui a refusé d'être une carrière* ». Bidault ne faisait pas d'éloquence. Il était très pâle ; pas une seconde cabotin, même quand il s'est un peu étranglé, la deuxième fois qu'il a dit « *Marc* ». Les « Petits chanteurs à la croix de bois » ont entonné : *Ce n'est qu'un au revoir* ; et, du groupe des ministres et des officiels, s'est élevé comme un accompagnement timide, invraisemblable. Pas possible ! Et le « respect humain » alors ? Et la « dignité » de ces messieurs, leur « standing » ? Mais c'est pourtant vrai. Pas d'erreur. Ils chantonnent ; du moins quelques-uns, ils disent « au revoir » à Marc – peut-être que c'est plus fort qu'eux.

Adjonction de 1987

Voici la phrase qui m'a valu des lettres violentes, ou douloureuses. Elle a paru dans un petit ouvrage collectif (Mandouze, Ricœur, Hourdin, etc.) publié en décembre 1948 aux Éditions du Temps présent : *Les Chrétiens et la Politique*. J'évoquais la vaste clientèle électorale dont bénéficia, dès sa fondation, le MRP, et que « *la naïveté seule a pu prendre, en 1945, pour une conversion générale du milieu bourgeois aux idées, sous un nouveau nom, du Marc Sangnier d'autrefois* ».

L'opération avait été conduite par Maurice Schumann, qui, dès le premier « congrès national » du MRP, le 21 octobre 1945, à la porte de Versailles, fit acclamer Marc comme « président d'honneur » du parti. Élu député (MRP) du « troisième secteur » de Paris, Marc fut réélu en juin, puis en novembre 1946. Il avait alors soixante-treize ans.

Désargenté [1], physiquement, moralement, et intellectuellement affaibli, il s'abandonnait, fermant les yeux, à la manipulation, à l'exploitation politique dont il était l'objet – la victime. Le MRP (ou Mouvement républicain populaire), c'était la proposition faite

---

1. Sa fortune, qui était considérable, il l'a peu à peu engloutie tout entière dans ses entreprises généreuses, du *Sillon*, de *La Démocratie*, de la *Jeune République*, et de ces malheureuses « auberges de la jeunesse » qui achevèrent de le ruiner. Il n'était plus en mesure d'entretenir son immeuble du boulevard Raspail, qui se délabrait de jour en jour.

à la droite, qui, au lendemain de la Libération, n'osait plus dire son nom, d'un travestissement « républicain » et « populaire ».

Dans la coalition gouvernementale (communistes y compris) qui dura jusqu'au printemps 1947, le MRP représentait, en fait, les conservateurs. Je me rappelais, avec une étreinte dans la gorge, ces meetings de la *Jeune République*, du temps où j'étais à l'École normale, et où, chaque fois, Marc soulignait son appartenance à « *l'extrême gauche* ». Il m'en coûta de prendre position contre lui ; mais je souffrais de le voir devenu si différent de ce qu'il avait été : un captif, une proie inerte. Je n'osais plus aller le voir. Sa famille m'en voulait beaucoup, me tenait pour un « *ingrat* [1] », un « *déserteur* ». Où est la désertion ? Rester fidèle à ce qu'il fut, était-ce le trahir ?

30 novembre 1950. Berne

J'ai assisté, ce matin, à une séance de cinéma, organisée par la légation soviétique. D'abord un dessin animé naïf, *Le Coucou et l'Étourneau*, conçu pour glorifier la famille. Puis un « grand film » : *Le Chant de la Sibérie*, vertueux et moralisateur. Propagande pour l'étranger. Je suppose qu'abondent, pour le public russe (ou assimilé), des films très différents, qui exaltent les vertus guerrières et la haine des « ennemis du peuple ». Reste que les deux films qu'on nous a présentés seraient d'un constant usage en URSS. Ce qu'ils enseignent à la foule, ce n'est pas autre chose que l'honnêteté, la générosité, la bonté. Et je pense à notre malheureux peuple français, cohue de basses convoitises, où des productions de ce genre, tenues pour ridicules et bêtifiantes, ne trouveraient nulle part preneur.

Néanmoins, l'Occident, face à « l'athéisme soviétique », représente, paraît-il, « la civilisation chrétienne ».

1. Marc et sa famille avaient été pour moi d'une gentillesse, d'une générosité extrêmes. Pendant les deux années de congé (1931-1933) que j'avais demandées (« *pour convenances personnelles* » et, bien entendu, sans traitement) à l'Éducation nationale afin de me consacrer entièrement à l'élaboration de ma thèse de doctorat, je passais quinze jours, chaque mois, à Paris – mes recherches à la Bibliothèque nationale – et j'habitais chez Marc, comme un vrai fils de plus à son foyer.

18 février 1951. Berne

Bidault n'est plus au pouvoir. Il se rend à Fribourg pour une conférence et déjeune à l'ambassade. Je l'avais assez bien connu, en 1938-1939, petit professeur et qui donnait à *L'Aube* des articles pleins d'idéalisme. Il m'avait reçu, en janvier 45, dans son bureau de ministre, au Quai d'Orsay. Un bureau glacial. Il ne quittait pas son pardessus, se chauffant les mains, de temps à autre, à un feu de bois, modeste, dans la grande cheminée. Bien que marquant (un peu) les distances entre le haut personnage qu'il se trouvait être et moi, l'infime, il avait gardé une cordialité presque chaleureuse qui faisait plaisir. L'entretien avait été court. Il portait de lourdes responsabilités, et je le voyais soucieux et triste. Il ne souriait qu'à peine, et sans gaieté. Mais quelque chose restait en lui de l'homme d'avant guerre, du camarade de combat.

Je le retrouve métamorphosé en réaliste cynique. Il parle des élections qui se préparent et du double danger communiste et gaulliste ; et il explique, avec un ricanement soutenu, « *l'astuce* » qu'il « *combine* » avec les socialistes, et qu'il appelle « *les apparentements* ». Il dit : « *J'avais une religion (annexe) : la proportionnelle. C'est fini. Je suis devenu athée en ce domaine. S'agit d'empêcher l'élection de 40 communistes et de 30 gaullistes. C'est tout le secret de la réforme électorale. Et on réussira.* » Il ajoute : « *Et que les autres* [qui ?] *ne me fassent pas rigoler avec leurs principes à la noix de coco.* » Tel est le style qu'il affecte à présent. Pour dire : « *Si je reviens au pouvoir* », il préfère : « *Si je repique au truc.* »

Sur la guerre de Corée : « *La fourmilière chinoise, c'est une blague ; 400 000 hommes de chez Mao ? Allons donc ! Pas plus de 30 000 à 40 000. Mais les Américains font une guerre de routes, tandis que les autres s'insinuent partout, dans des endroits inaccessibles aux tanks yankees. Ces routes, d'ailleurs, leurs camions-douches en panne les coupent tout le temps...* » Sur de Gaulle : « *Fin décembre 1945, il disait : " On s'embête ! " Et il a fichu le*

camp sans prévenir. C'était raide ! Il s'est conduit comme le président d'un conseil d'administration qui sent venir la crise et qui s'esquive, laissant les collègues dans le bain. On répare ses gaffes comme on peut. On fait remonter les actions de la France ; et lui, il tonitrue : " Salauds ! Misérables ! " »
Déplaisant, ce Bidault nouvelle manière.

20 février 1951

Voilà donc terminée, à quatre-vingt-un an, la vie d'André Gide. Je rouvre son *Thésée* de 1946 où, sous ce masque noble et légendaire, Gide avait pris la parole pour saluer, à soixante-dix-sept ans, sa personne et son œuvre. Les phrases finales valent d'être reproduites :

« [...] *mon destin, je suis content, je l'ai rempli* [...] *C'est consentant que j'approche la mort solitaire. J'ai goûté les biens de la terre. Il m'est doux de penser qu'après moi, grâce à moi, les hommes se reconnaîtront plus heureux, meilleurs et plus libres. Pour le bien de l'humanité future, j'ai fait mon œuvre. J'ai vécu.* »

Mais où est-il, le message, le seul message de Gide ? Je n'y vois qu'un seul contenu inédit : la justification – et presque la glorification – de l'homosexualité. Cette déviation, cette anomalie, j'entends bien qu'il est absurde de la foudroyer et de la maudire. Et Gide a bien fait de s'élever contre ces censures et imprécations. Mais tourner la défense en éloge, je ne saurais l'en féliciter. Et j'ajoute : que Verlaine et Rimbaud couchent ensemble, comme Cocteau et Jean Marais, si c'est leur goût, c'est leur affaire ; ça les regarde et je n'y vois pas d'inconvénient. En revanche, que, pour s'assouvir, Gide utilise des enfants, ça ne va plus et je m'insurge.

D'autre part, la « loi morale » de Gide n'est pas différente de celle dont se targuait Voltaire, le *« plaisir »*, selon lui, étant *« l'objet, le devoir* [sic] *et le but de tous les êtres raisonnables »*. Autrement dit : l'hédonisme pour règle de vie. Autrement dit encore : l'égoïsme intégral. D'où l'observation de cette infortunée qu'André Gide prit pour femme : « *Tu es à toi-même ton seul but,* lui dit-elle, par écrit, un jour, calmement, *ton seul souci, ton seul amour.* »

La trajectoire de Gide ? Une histoire pitoyable et funèbre : un homme, sous nos yeux, acharné à venir à bout de son âme dans l'intérêt de ses satisfactions sexuelles particulières, et qui n'était plus, à la fin, qu'une créature poreuse, vacante, inhabitée, aussi légère et sèche qu'une pierre ponce.

25 février 1951

Quoi de vrai ? Les journaux suisses reproduisent tous une information Reuter ; déclarations du général Franco à un reporter qu'il serait « *heureux, si l'occasion s'en présentait, d'accueillir en Espagne le maréchal Pétain* », lequel, « *rappelé dans son pays* » à l'heure du désastre, « *me dit, avant de partir, et les larmes aux yeux, que j'étais dans le vrai et que les événements de France étaient le résultat de trente années de marxisme* ».
L'évocation de Pétain en larmes, quand on connaît un peu le personnage, est de la dernière imprudence. Quant au reste, sa véracité n'est pas impossible.

9 mars 1951. Berne

Le deuxième secrétaire, à l'ambassade, se nomme Romain Gary. C'est un écrivain, et H.H. me parle de lui comme d'« *un garçon plein de talent* ». Aussi lui laisse-t-il un peu la bride sur le cou, fermant les yeux sur la brièveté, parfois, de ses heures de présence au bureau.
Il s'est pris d'amitié pour moi et m'invite régulièrement à déjeuner chez lui une fois par semaine. Sa femme, une Américaine sans laideur ni beauté (un peu plus âgée que lui peut-être), publie des biographies sous le nom de Leslie Blanch. Leur appartement est modeste ; ils mènent une existence très simple, fort peu « mondaine ». Ils semblent, sans affectation, très gentiment unis. Je les aime bien, tous deux, encore que Gary me paraisse assez hâbleur. Il est « compagnon de la Libération ». S'étant engagé dans l'aviation de la France libre, il aurait pris part, comme « navigateur », à

quantité de combats aériens, et connu trois tragédies : trois fois
« descendu » par la chasse allemande, pour finir s'écrasant au sol
avec un « éclatement du foie ». Ce foie « éclaté » me trouble ; je
croyais que d'un tel inconvénient nul ne pouvait se relever. Mais
tant pis s'il « en rajoute », ce bon copain. On ne s'ennuie jamais
avec lui. Il aime parler. Il a du vocabulaire et une sorte de feu
– que je définis mal – dans l'esprit et dans les veines. Attirant. Il
m'a interrogé sur mon travail personnel. Je terminais mon *Coup
du 2 décembre* ; il a voulu lire mon manuscrit, s'est déclaré
« *emballé* » ; et c'est effectivement à lui que je dois d'avoir signé
un contrat avec Gallimard.

**20 mai 1952. Lettre du Général
après la publication de mon *Coup du 2 décembre***

Les événements, « *peut-être n'avez-vous voulu les voir, et les faire
voir, que dans l'optique de la réprobation, c'est-à-dire sous leur jour
le plus mauvais, et condamnable. Mais je crois, quant à moi, que,
dans l'affaire, il y eut aussi quelques éléments de meilleur aloi et qui
ont joué leur rôle aussi et dans l'âme des auteurs – et d'abord de
Napoléon III – et dans l'opinion publique ; le désir confus de venger
l'abaissement de 1815 était l'un de ces éléments* ».
Comme il a soin de ménager la droite et la gauche ! « *Venger
l'abaissement de 1815* » ? Louis-Napoléon Bonaparte n'y songeait
pas, le 2 décembre, et, pour se faire acclamer empereur, il annon-
cera, on s'en souvient : « *L'empire, c'est la paix.* »

23 décembre 1952

J. Chauvel [1], me parlant de Vichy dans l'été 1940, me dit : « *Je
n'ai jamais vu autant de généraux rassemblés dans un espace aussi
restreint, et l'air aussi glorieux.* » Il m'affirme aussi (mais ce serait

1. Jean Chauvel avait succédé à Hoppenot comme ambassadeur de France à
Berne.

153

à vérifier) que la presse, alors, appelait couramment de Lattre « *le vainqueur de la Somme* », et Frère « *le défenseur de Paris* ».

Autres détails : que la relève de la garde, devant l'hôtel du Parc – et Pétain saluant le drapeau –, « *faisait Gerolstein à s'y méprendre* ». Et que Darlan cherchait à « *glaner quelque popularité* » en accompagnant le plus souvent possible, revêtu de son uniforme, Pétain presque toujours en civil. J.Ch. me rapporte aussi un mot de Tixier-Vignancour qui « fit florès », un temps, à l'hôtel du Parc : ces Français privés de leurs jeux électoraux et qui « *gémissent de ne plus pouvoir urner* ».

10 février 1953. Genève

Dans le train vers Genève, avec Massignon. Il n'a pas de chapeau et porte un imperméable verdâtre. Vieux, mal rasé, beaucoup de poils blancs sur ses joues creuses.

Extraordinaires confidences intimes. Pourquoi ? Pourquoi moi ?

Très agité par les affaires du Maroc et la destitution du sultan préparée par les militaires et le MRP. Plein d'admiration et de reconnaissance pour Mauriac. Il me dit que Guillaume [1] « *a envoyé un inspecteur de police à Feltin, pour que Feltin obtienne de Mauriac qu'il se taise. Episcopos, comme vous le savez, veut dire inspecteur. Son émissaire et l'archevêque étaient donc, selon Guillaume, entre collègues* ».

Massignon a eu cette phrase plus qu'étrange, dont le sens m'échappe : « *Je me suis fait prêtre pour être plus pleinement arabe.* » Il m'affirme que Bernadotte a voulu donner Nazareth aux Israéliens parce que « *ça l'arrangeait à cause du pipe-line ; il est administrateur d'une grande société pétrolière* ». Il parle de « *la pieuvre des Services de renseignements. Tisserant* [2] *en est. Je puis vous l'assurer. Un agent comme les autres.* » Sa dureté est extrême, un mépris (des « *imposteurs* ») à l'égard des membres du CICR

1. Le général Guillaume, qui a succédé à Juin en qualité de résident.
2. Le cardinal Tisserant, au Vatican.

– le Comité international de la Croix-Rouge. Mais il n'apporte aucun argument, aucun fait.

Un être convulsif. Je n'ose écrire les mots qu'il a prononcés sur ce qu'on ne peut guère appeler son « foyer ». Et, pour conclure : « *Ma vie est effrayante.* »

Avec tout cela, si déroutant, déconcertant et qui me hérissait malgré moi, je l'aime bien, je l'aime beaucoup, cet homme très évidemment malheureux, ravagé.

11 septembre 1953

J. Chauvel me parle du Maroc. Pour que l'affaire ait quelque utilité, il faudrait que l'on imposât au nouveau sultan de profondes réformes sociales ; mais « *c'est ce qui est précisément impensable, puisque les grands colons n'ont monté toute cette opération que pour assurer mieux leurs privilèges* ». Le sultan déposé n'était « *guère intéressant : un personnage immonde, comme le Glaoui* ».

Puis j'ai été secoué d'entendre soudain J.Ch. m'affirmer que « *ce qui manque à la France d'aujourd'hui, c'est une volonté, un élan. Ces minutes-là ont pourtant existé !* » Je m'attendais à ce qu'il dît : en 1914. Mais non, l'ambassadeur Jean Chauvel, homme du monde, diplomate du meilleur ton, et que l'on répute « de grande classe », a prononcé les mots suivants, à propos de « minutes » nobles, de beaux mouvements collectifs dans notre histoire nationale : « *Tenez ! En 36, par exemple, au moment du Front populaire* » ; et, un instant après : « *En 1871, j'aurais probablement pris parti pour la Commune.* » Eh oui ! Signé Jean Chauvel.

Dans la même (assez stupéfiante) conversation, à l'improviste, J.Ch. me raconte ce qu'il tient de sa mère, laquelle lui a rapporté quelques confidences dont le Maréchal l'a gratifiée peu de jours après Montoire. Pétain lui aurait dit : « *J'ai compris* [pourquoi ce jour-là plutôt qu'un autre ? Hitler l'aurait donc impressionné à ce point ?] *que les Allemands étaient invincibles.* » Il paraît que Hitler, dans son wagon, aurait fait à Pétain, « *avec des allumettes, des démonstrations stratégiques* » (?).

16 octobre 1953

Chauvel, c'est visible, n'aime pas de Gaulle. Il l'a servi pourtant à Alger, avec une entière loyauté, et salue sa « *largeur d'esprit* » ; car, dit-il, le Général « *savait très bien d'où je venais et ma froideur à son égard ; il ne m'en a pas moins désigné pour le secrétariat général des Affaires étrangères* ».

Il me dit avoir été frappé par l'aspect qu'offrent les mains de « *cet homme de volonté et d'action* » : des mains « *petites, molles, insignifiantes* ». Au repos, me dit-il encore, et dans le train-train des jours, de G. a « *un regard d'éléphant morne* ». Leger (Alexis Leger ; Saint-John Perse), qu'il a retrouvé aux États-Unis, éprouvait, me dit-il, « *encore plus que moi, un éloignement radical à l'égard de Gaulle* [il dit toujours " *Gaulle* ", comme on dit " Vigny " et " Chateaubriand "], *de son jeu d'ambitieux, de son souci constant de poser pour sa propre statue* ».

[1953 ou 1954] [1]

Je me rappelle avoir interrogé, un jour, Jean Chauvel sur Philippe Berthelot, personnage à mes yeux énigmatique. J'ai noté, ailleurs, ce que j'ai appris des rapports qui s'établirent entre Claudel et Berthelot. Je ne relate ici que ce qui concerne B. lui-même.

Un « *esprit lumineux* », me disait J.Ch. ; dans les affaires les plus complexes, il discernait très vite l'essentiel (« *le nœud central* ») et indiquait la solution. Chez lui, un « *côté sadique* ». Lorsqu'il convient d'« *acheter* » quelqu'un, ce n'est jamais ni le ministre ni le secrétaire général qui se charge de l'opération ; toujours quelque sous-ordre ; c'est le train normal des choses. Mais Berthelot, dans certains cas importants, savourait la joie d'humilier à mort l'homme qui se vendait ; il le recevait personnellement, l'obligeant à tendre la main au-dessus du bureau pour saisir l'enveloppe convoitée. Berthelot jouissait de contempler à nu la cupi-

---

1. Écrit en 1978.

JOURS

dité, la bassesse humaines. Il dévisageait le malpropre avec « *une volupté de voyeur* ».

14 décembre 1953. Berne

Hier, incident, avec l'ambassadeur[1]. Cet homme que j'estime, à juste titre, qui me traite si peu en subalterne qu'il me communique, chaque semaine, la totalité des dépêches venant du Département – y compris les plus secrètes, qu'il a fallu décoder (le « conseiller » l'a su, je ne sais comment, a très mal pris la chose, et me l'a fait sentir) –, cet authentique « grand monsieur », s'est emporté contre moi, un instant, un instant seulement, mais avec violence : « *Taisez-vous ! Vous ne savez pas ce que vous dites !* » Il s'agissait de Pétain, et j'avais osé déclarer que je trouvais Pétain plus sinistre, et plus criminel, que Laval. J'ai rapidement compris que j'atteignais là, dans l'esprit et dans le cœur de J.Ch. une région secrète et interdite. Il m'a longuement parlé du Maréchal, qu'il a « servi » jusqu'à l'automne 1943 – alors que je croyais savoir qu'il avait rompu avec Vichy, comme bon nombre d'autres diplomates en novembre 1942, quand, avec l'occupation entière de la France, l'asservissement du régime à Hitler fut absolu. Mais non. J.Ch. m'apprend qu'il n'avait rejoint de Gaulle qu'avec l'autorisation et sur « *le conseil même, pour mon avenir* », du Maréchal ; que Pétain était lié avec sa famille depuis plus d'un demi-siècle, depuis le temps lointain où, jeune officier, il exerça un commandement à Quimper (ou « Brest », je ne sais plus) ; que lui, Jean Chauvel, doit au Maréchal, très littéralement, d'avoir échappé à la mort en 1941 ; il eut, à Vichy, un abcès au poumon, et Pétain le fit conduire à Paris dans son propre train spécial. Il a ajouté à ces confidences des détails que je n'oublierai pas, et notamment que Pétain lui a dit, un jour, en propres termes : « *Hitler a perdu, par sa faute, une guerre qu'il avait gagnée* » ; s'il avait eu plus d'audace, d'après le Maréchal, les forces allemandes, en juillet 1940, pouvaient aisément envahir l'Angleterre ; « *en huit jours, Hitler l'aurait écrasée ; il a manqué le coche* ».

1. Jean Chauvel.

157

J'écoutais, je ne disais rien. Et c'est spontanément que J.Ch. a cru bon de préciser : « *Je voyais Pétain souvent à Vichy. A quelque heure de la journée que ce fût, y compris en fin d'après-midi. Je ne l'ai jamais vu embrumé, l'esprit semi-perdu, comme d'aucuns le disent. Toujours le même, l'œil clair et l'intelligence agile.* »

29 avril 1954. Joli-Port

Pour toute la durée de la Conférence sur l'Indochine, à Genève, le gouvernement français a loué, pour sa délégation (que Bidault dirige) une agréable propriété, à Versoix, au bord même du lac. Jean Chauvel a été requis par Bidault, qui dit avoir besoin de lui constamment. J.Ch. réside donc, lui aussi, à Joli-Port. Le conseiller lui téléphone, de Berne, tous les jours, et, une fois par semaine, on lui apporte des dépêches à signer. Il m'a demandé – ce qui me touche – d'accompagner toujours le secrétaire porteur des papiers officiels.

J'ai donc revu G. Bidault après trois ans ; amoindri, la poitrine creuse. Il n'est pas gai, pessimiste. Il dit : « *Un trois de trèfle et un cinq de carreau, c'est ce que j'ai dans la main, et on veut qu'avec ça je gagne la partie ! Je tâcherai de voir Dulles seul, ce soir ; si je peux ; pas commode d'avoir un entretien avec ces gaillards-là. Et Dieu sait ce qu'Eden aura pu encore fricoter, ce matin, avec Molotov !* »

J.Ch. m'a confié que Bidault ne cherche aucunement la paix en Indochine, mais qu'il souhaite, là, au contraire, une grande guerre menée avec des moyens militaires énormes qu'il veut obtenir des Américains. « *Malgré les rumeurs qui courent, je suis certain, certain,* me dit l'ambassadeur, *que B. ne songe pas à leur demander une bombe pour dégager Dien Bien Phu. Inconcevable. Nos forces y passeraient, comme celles d'en face.* » Et il répète : « *Inconcevable.* »

Ce petit homme aigre, incertain, limité et « *parfois* » (me dit J.Ch. sans insister), « *parfois hors d'état de négocier et même de*

158

suivre une conversation », c'est lui, la France, à Genève. Doit-on s'y résigner ? Mais que faire ?

8 mai 1954

Nous roulions vers Genève, le premier secrétaire et moi, quand, à midi 30, par la radio de bord qui diffusait, comme chaque jour à cette heure-là, les informations de Sottens, nous apprîmes la chute de Dien Bien Phu. Nous n'étions plus qu'à quelques minutes de Joli-Port, et, au moment même où nous y arrivions, sortaient de la maison et se dispersaient les membres d'une conférence restreinte qui s'était tenue là avant la réunion générale de l'après-midi. Comme je descendais de voiture, G. Bidault vint à moi, main tendue. Je lui dis : « *C'est terrible, non ?* » Et lui : « *De quoi parlez-vous ?* » Tout comme ceux qui participaient à cette réunion informelle, il ignorait encore la nouvelle du désastre ; et je me trouvai donc la lui apprendre [1]. Il me regarda un instant, ne répondit rien, se retourna et marcha seul sur la pelouse, les mains derrière le dos, jusqu'au bord du lac, où il resta quelques minutes, immobile.

Un « déjeuner » était prévu pour des Tunisiens entourant une princesse. J'admire Bidault et sa parfaite maîtrise. Il est la courtoisie même. A table, il tient, avec autorité, des propos dérisoires : « *En Norvège, il n'y a jamais que trois meurtres par an. Jamais deux, ni quatre ; trois toujours, rigoureusement.* » Pas un mot sur l'Indochine, cela va de soi. Toutefois, G.B. ne peut s'empêcher d'évoquer le vote d'hier à la Chambre, ce vote qui a donné à Laniel (« *c'est-à-dire à moi* », dit-il, explicatif) 311 voix contre 260. Et il ajoute : « *Bien. Très bien. J'ai contre moi tous ceux que je n'estime pas, sans en oublier un seul.* » Le visage de Bidault est contracté par la haine. Jean Chauvel se précipite pour faire bifurquer les propos, appelant l'attention sur le Musée ethnographique de Genève.

1. Dans son admirable *Commentaire* (1973, III, 52), Jean Chauvel commet, à ce sujet, une petite erreur de mémoire. C'est bien moi qui ai appris le désastre de Dien Bien Phu à Bidault ; le reporter de *Match*, témoin direct, l'a même précisé.

18 mai. Joli-Port

Bidault, aujourd'hui, a vitupéré *L'Express*, qu'il a baptisé, spirituellement, « *L'Omnibus* » : « *Une bande de canailles ! J'ai dit et je répète que c'est une publication qu'il est honorable de ne pas lire. Je ne comprends pas que Brisson tolère encore la prose de Mauriac dans son* Littéraire. »

Mme Bidault avance cette assertion : « *Je sais, je* SAIS [elle articule une seconde fois le mot, d'un ton décisif] *que quatre des collaborateurs habituels de* L'Observateur *sont membres du Parti communiste.* » De Suzy[1] encore, s'adressant à son mari : « *Répétez donc à Guillemin ce que vous avez dit, hier soir, de la réputation* » ; et Bidault répète : « *Quand on est jeune, on croit que la réputation, c'est l'ovation. Quand on vieillit, on s'aperçoit que c'est l'outrage.* »

28 mai. Joli-Port

A table, Bidault a monopolisé la parole. Il s'exprimait lentement, très lentement, cherchant ses mots. Exemple : « *Mais* [un silence, pendant lequel il mastique] *moi* [nouveau silence, nouvelle mastication], *j'ai toujours dit...* » ; suit une très plate banalité. Puis il regarde fixement les convives, un par un (nous sommes neuf, aujourd'hui). Regard de vérification ?

Jean Chauvel, comme nous faisions, lui et moi, quelques pas dans le jardin avant le déjeuner, m'a dit, entre ses dents : « *Essayez, pendant le repas, de nommer l'abbé Pierre. – Ah ! Pourquoi ? – Vous verrez !* » J'avais donc attendu un trou dans la conversation, et je commençai : « *L'abbé Pierre...* » Bidault me coupe immédiatement la parole. Il a laissé tomber sa fourchette et prononce à mots pressés, sourds, mal audibles, ce qui doit être une diatribe dont je n'ai perçu que ceci : « *Communiste !* », « *En prison !* ». Personne n'a posé de question, et l'ambassadeur s'est borné à m'adresser un très bref coup d'œil satisfait.

1. Susy Borel, nom de jeune fille de Mme Bidault.

La conversation reprend, et quelqu'un signale que Rotvand, dans *Réalités*, assure, paraît-il, que *L'Express* offre cinq millions à de Gaulle pour la prépublication de quelques chapitres de ses *Mémoires*. Bidault explose : « *Oh ! Alors ce serait parfait ! PARFAIT. Ils ont déjà M. Robert Schuman et M. Mauriac. S'ils ont encore de Gaulle, c'est complet !* » Et de nous offrir une réédition de sa phrase, ici même prononcée le 28, sur cet « *hebdomadaire qu'il est honorable de ne pas lire* ». Suivent une charge effrénée contre Mauriac, Mauriac et le Maroc (« *pour Mauriac, les vingt-huit femmes du sultan font partie de sa vision béatifique* ») et une histoire confuse sur un article, « *au vitriol grand cru* », que Mauriac aurait risqué, un jour, contre Pinay, dans *Le Figaro* ; Brisson aurait reçu, alors, « *cent cinquante mille lettres d'engueulade* », et, aussitôt, Mauriac aurait fait réparation. « *Le Maroc, c'est pas grave ; on peut y aller ! Mais toucher à Pinay, ça, c'est du sérieux !* »

Mardi prochain, 1er juin, réunion de la Chambre. Bidault se déclare convaincu qu'« *il ne se passera rien* » et que « *Laniel tiendra* ». Laniel ? « *Un bon Français ; un homme de sens et qui ne commet pas d'erreurs.* »

4 juin. Joli-Port

G.B. énonce toujours des sentences préparées et qu'il voudrait immortelles. Mais il lui arrive de ne point aboutir, et, après trois ou quatre mots fortement accentués, il s'arrête, ne trouve pas la suite et plonge le nez dans son assiette. Comme s'il s'entendait, et préférait se taire.

Moins respectueux des convenances hiérarchiques, J.Ch., je le sens, serait, à la rencontre, pris de gaieté, mais il domine toujours cette tentation sacrilège, laquelle, d'ailleurs, s'efface vite devant un homme qui donne, finalement, l'impression d'être atteint dans sa substance, de se déliter, de tomber en miettes. Ramadier était là aujourd'hui. Du poids ; l'allure d'un sage. Bidault en fait un peu trop dans les amabilités. Le MRP tient beaucoup à l'alliance socialiste. J.Ch. me dit qu'à Paris on s'attend, si Laniel tombe, à un cabinet Edgar Faure, qui maintiendrait Bidault au Quai d'Orsay.

G.B. prétend que Briand, jadis, aux Affaires étrangères, avait – en valeur actuelle – cinquante millions de fonds secrets. «*Je n'en ai pas le quinzième.*» Il raconte que, au premier dîner offert par Molotov, le silence était écrasant, Molotov en fut réduit à discourir «*sur le voyage de Marco Polo et sur les phoques du lac Baïkal*». Je lui montre, après le repas, l'ouvrage que je viens d'acheter : *Les Murailles politiques, 1870-1871*, recueil d'affiches qui m'est très précieux dans le travail que je poursuis actuellement sur la guerre de 1870 et la politique intérieure, laquelle commanda tout, et pour le gouvernement dit «de défense nationale», et pour Thiers, et pour les généraux. G.B. tourne les pages, lit quelques textes : «*Quelle mine! Vous avez de la chance de pouvoir étudier de près tout cela. Vrai, Guillemin, je vous envie!*» Puis : «*Vous êtes assez communard, hein? J'en suis sûr.*» Je ne nie pas. Il sourit, gentiment. Quand il part pour la réunion de 15 heures à Genève, il garde un instant ma main dans la sienne, d'un air complice. Il m'émeut tout à coup. Un autre, à l'improviste, en éclair ; l'ancien camarade enfoui, caché, trahi, renié ; pas mort.

23 juin 1954 [1]

Laniel remplacé au gouvernement par Mendès France. Le recul du temps permettra de comprendre le sens de l'opération. Le MRP ne se résigne à laisser le pouvoir à un franc-maçon – juif par surcroît – qu'afin de lui faire endosser la responsabilité de l'inévitable solution imposée par la stupidité de nos généraux qui ont perdu la guerre d'Indochine. Il va falloir concéder aux gens du Vietnam au moins un morceau de leur patrie dont ils réclament l'indépendance. Ce sont des communistes, et ils ont l'appui de la Chine, qui, depuis cinq ans, est dirigée par Mao Tsé-toung. Une fois l'amputation territoriale accomplie, le MRP et ses alliés renverseront aisément Mendès France, sous tel ou tel prétexte. Il s'agit donc, pour le nouveau président du Conseil, de limiter, le plus possible, les dégâts. Les États-Unis ne demandent qu'à l'y aider, avec l'arrière-pensée de substituer sous peu leur puissance

1. Texte rédigé de mémoire en décembre 1960.

militaire (qu'ils tiennent pour invincible) à la nôtre, déficiente, pour faire barrage au communisme dans cette région de la planète.

La France n'a pas « reconnu » la Chine de Mao, dont le représentant, Chou En-lai, ministre des Affaires étrangères à Pékin, prend part officiellement à la Conférence de Genève. Jean Chauvel a soumis à Mendès une idée hardie, que Mendès a jugée excellente : en dépit de nos rapports ambigus avec la Chine (de Gaulle, qui prendra le pouvoir quatre ans plus tard, mettra lui-même trois ans encore avant de reconnaître *de jure* la Chine rouge), pourquoi Mendès n'inviterait-il pas Chou En-lai à se rendre à Berne, à l'ambassade de France, pour un entretien confidentiel portant sur le fond des choses, en Indochine ? Affaire conclue. Chou En-lai est attendu à l'ambassade le 23 juin 1954, à 15 heures. Et nous vîmes donc arriver, à l'heure dite, deux longues voitures noires, probablement blindées, et dont les vitres étaient opaques. Mendès France, suivi de Jean Chauvel, s'avança sur le perron de l'ambassade pour accueillir ce visiteur extraordinaire, qui nous apparut mince, d'une sveltesse élégante ; peau d'ivoire, regard sombrement lumineux. Nous autres, les membres de l'ambassade, nous lui faisions une haie d'honneur, et il nous serra la main à tous, Jean Chauvel nous nommant et précisant nos fonctions pour nous présenter à lui. Sa poignée de main était ferme, chaude, rapide. Il savait le français mais se refusait à le parler. Il avait donc amené un interprète avec lui. L'ambassadeur le conduisit dans son bureau, où ils s'enfermèrent à quatre ; Mendès, Chauvel, Chou En-lai et le traducteur.

Après un petit discours – exempt de toute confidence précise – que nous adressa Mendès lorsque les Chinois furent partis, mes collègues rentrèrent chez eux, mais Chauvel me demanda de rester là, disant : « *Je prendrai l'avion [1] pour Paris à 18 h 30 avec Mendès. J'ai un rapport à rédiger. Voulez-vous tenir compagnie à Mendès, en attendant ?* » Ainsi, je me trouvai seul avec Mendès France, après que l'ambassadeur nous eut installés sur la petite terrasse derrière la maison, invisible de la rue.

Deux chaises longues de toile y avaient été préparées, et le valet de chambre nous apporta des jus de fruits. Il n'était pas conce-

1. Du petit aérodrome de Berne. Un avion spécialement frété.

vable, il ne pouvait être question, de ma part, d'aborder avec le président du Conseil l'affaire capitale pour laquelle il était là. Je cherchai, en hâte, que dire à Mendès France qui pût l'intéresser au moins un peu. Je me risquai : « *Je ne pense pas, monsieur le président, que vous ayez gardé souvenir d'une discussion que nous avions eue, en quelques minutes, au printemps 1924 – il y a donc trente ans juste !* –, *dans un café du boulevard Saint-Michel, quelques jours avant les élections où entrait en lice le Cartel des gauches pour supplanter, à la Chambre, le Bloc national. C'était un " débat " entre étudiants du quartier Latin. Vous aviez fait un brillant exposé en faveur du Cartel ; normalien, j'étais intervenu au nom de la* Jeune République, *entièrement d'accord avec le Cartel, sauf sur un seul point : le programme anticlérical d'Herriot.* » Mendès : « *Vous m'étonnez. Je n'avais pas dû évoquer ce sujet ; l'anticléricalisme n'a jamais été un de mes chevaux de bataille.* » J'insistai : « *Vous portiez un pull blanc, à col roulé...* » Mendès sourit : « *Exact ; je m'en souviens. Mais pas de votre intervention.* »

Je lui expliquai alors que j'étais très déterminé à voter pour le Cartel, et que je l'avais déclaré, souligné. Je me demandais seulement s'il était bien opportun de mettre au premier plan, avec Herriot, la rupture des relations diplomatiques avec le Vatican, reprises par le Bloc national. Je pensais que d'autres problèmes, économiques et sociaux, avaient une importance prioritaire. Je ne me rappelle plus ce que Mendès, ce 23 juin 1954, m'a répondu à ce sujet, mais tout ce qu'il m'a dit ensuite est resté, à jamais, inscrit en moi. Émotion, et comme une vague stupeur ravie, d'avoir devant moi ce chef de gouvernement qui me parlait comme il l'a fait. Une première fois, en 1934, je m'étais entretenu – si l'on peut dire – avec un « grand personnage », en politique. Je venais d'être nommé « prof de cagne » à Lyon et j'avais cru correct d'aller présenter mes devoirs au « maire de Lyon », lui-même, jadis, titulaire de ce poste où je lui succédais après quelque trente ans. Souvenir sans joie. Herriot m'avait reçu « en majesté », grandiose et pontifiant. Mendès, c'était vraiment tout autre chose. Une simplicité presque déconcertante. Il oubliait, effaçait la distance entre un président du Conseil et un simple attaché d'ambassade. Dans son esprit, j'imagine, j'étais, au vrai, un professeur provisoirement détaché par l'Éducation nationale auprès du Quai d'Orsay. Je présume aussi que Jean Chauvel lui avait parlé brièvement de moi, en termes chaleureux. Toujours est-il que nous eûmes (et je ne m'y attendais guère) une conversation d'homme à homme. J'avais cinquante et un ans, il en avait quarante-sept. Il m'interrogea sur mes recherches – il avait lu mon *Coup du 2 décembre* –, ma famille, mes enfants, évoquant les siens, l'un de ses fils particulièrement, « *entré en mathématiques*, me disait-il, *comme d'autres entrent en religion, se font bénédictins* » ; puis s'ouvrant, à n'y pas croire, sur sa propre situation, sans une ombre d'ironie ou de sarcasmes. Il me confiait son sentiment – sa certitude – que ses prérogatives présentes ne dureraient guère (« *je ne suis là qu'en passant* ») ; qu'il était un peu « *vertiginé* » ; pas huit jours, ce 23 juin, moins d'une semaine, qu'il dirigeait le pays ; qu'il avait « *tout à apprendre* » d'un métier où il débutait ; qu'il s'efforcerait de s'y montrer « *de taille* » sans savoir s'il en avait « *les moyens* », mais qu'il travaillerait avec une « *bonne volonté totale* » (les mots que j'accompagne ici de guillemets sont ceux dont je puis affirmer que Mendès les employa). Je n'aurais jamais pu supposer qu'un gouvernant tînt un pareil langage. Pas un discours. Rien d'un manifeste destiné à la presse ou médité, composé en vue d'une grande réunion publique. Mendès n'avait en rien un ton d'orateur. Des silences ; de courtes phrases, sans art et sans précautions, regardant devant lui, parfois, comme si nul n'était là pour l'entendre ; mais, de temps à autre, s'adressant à moi directement comme à un compagnon de route, occasionnel, dans l'aventure humaine. De quoi m'interloquer, me serrer le cœur. Un tumulte intérieur m'étranglait. Et, pendant qu'il parlait de la sorte, se formait au fond de moi quelque chose comme une prière.

Plus de trente ans se sont écoulés depuis ces minutes, hors du temps, que j'ai vécues jadis et qui n'ont rien perdu, quand je me les remémore, de leur intensité.

Adjonction de juillet 1987

Mendès est mort en 1982, demeurant, jusqu'au bout, ce témoin qu'il était d'une conscience vouée avec passion (et abnégation) au bien commun.

5 décembre 1954. Ernisch

Comme en 1946, et huit ans après, je suis envoyé par les « Affaires culturelles et techniques », pour trois conférences, en Allemagne. François-Poncet est absent ; je suis reçu par sa femme pour un exposé, prévu « à la résidence », et réservé aux personnalités françaises de Bonn. (La « résidence » est un domaine altier, au-dessus du Rhin.) Mme F.-P., extrêmement aimable, me raconte qu'elle a vu Hitler de près, plusieurs fois, dans de « grands dîners » ; « *il m'a fait,* dit-elle, amusante, *le coup du regard terrible, dominateur ; mais je vous assure qu'au vrai, dans ses numéros d'homme du monde, il manquait complètement d'allure et faisait penser à l'électricien du coin*[1] ». Un soir, c'est lui qui m'a « *conduite à table* », et « *je n'ai jamais senti, sous ma main, un bras pareillement dur, rigide, comme en bois* ». Il retournait, la tête en bas, les verres placés devant lui pour signifier qu'il ne boirait rien. Il mangeait « *quelque chose comme du gruau* ». « *Je lui ai dit : " A ce régime-là, vous vivrez cent ans. "* Il a pivoté pour me faire face et *m'a répondu : " Non, madame, je n'ai besoin que de dix ans encore ; pas plus*[2]. " » C'était en 1937 : il n'aura pas obtenu ces dix ans.

Mme F.-P. me confie que Goering, chaque année, pour Noël, offrait aux enfants de l'ambassadeur de France « *des armées entières de petits soldats de plomb et aussi de petites autos à pédales portant deux fanions, l'un tricolore, l'autre à croix gammée* ». Cette « grande dame », prodigieuse d'inconscience ou de cécité tranquille, a eu un mot inouï : sa fille – quel dommage pour elle ! – n'aura donc pas pu profiter de ma « *remarquable causerie littéraire* » ; « *un des avions de mon mari* » l'a emmenée, tout à l'heure, à Hambourg pour une petite fête intime organisée par des amis, et où elle dansera : « *Elle adore !... Ah ! La vie des jeunes filles d'aujourd'hui est pleine d'agréments.* » Je cite sans erreur ni retouche

1. *Sic* pour ces trois derniers mots.
2. *Sic* pour les cinq derniers mots.

pour embellir. Textuel. En toute candeur, Mme François-Poncet m'a bien dit : « *les* jeunes filles ».

6 février 1955

René Mayer a toujours été, pour moi, un personnage particulièrement repoussant. Ce qui vient de se passer à la Chambre ajoute encore à ma mésestime. Je transcris ce que je viens de lire dans *Le Monde* daté du 5. Quelques lignes de « *l'interpellation* » Mayer contre Mendès. L'individu s'est déclaré « *attristé par les tentatives d'intimidation auxquelles se livre certaine presse. Tel article, publié hier soir, a dû, j'imagine, apparaître à quelques membres du gouvernement comme un pavé de l'ours plutôt que comme un piédestal* (rires et applaudissements au centre et à droite). *Je voterai sans être, en quoi que ce soit, intimidé par ces manifestations de presse, ou même d*'Express (rires à droite). *Je suis sûr, monsieur le président du Conseil, que vous avez mesuré le mal que vous ont fait certaines colonnes hebdomadaires ou certain " Bloc-notes " où l'on voit trop souvent se profiler les longues cornes noires du chapeau de Basile.* (Vifs applaudissements, au centre et à droite, et sur de nombreux bancs républicains sociaux [1].) »

Délicate façon d'en appeler aux vrais amis de la « laïcité » contre le soutien apporté par le catholique Mauriac au Juif Mendès.

20 février 1955. Berne

Étienne Dennery, l'ambassadeur, a invité Charlie Chaplin et sa femme, qui résident depuis plusieurs années en Suisse, près de Montreux. Prennent part aussi à ce déjeuner Vercors et Louis Guilloux, tous les deux de passage en Suisse, membres du jury pour le « prix Veillon [2] ».

1. C'est le nom que portaient alors les anciens députés RPF (les gaullistes modèle 1947).
2. Un prix littéraire curieusement fondé par un marchand d'habits, je veux dire un spécialiste du « prêt-à-porter ».

Chaplin porte un costume croisé, bleu sombre à fines rayures blanches ; cravate grise. Des yeux bleu clair de près, bleu-noir de loin. Il a cru devoir s'incliner, gentiment, devant chacun de nous, serrant avec énergie les mains masculines. De magnifiques cheveux argent, un peu ondulés. Il dit, par deux fois, qu'il a soixante-cinq ans. Il rit beaucoup, largement, renversant la tête, de sorte que l'on voit presque toute sa denture jusqu'aux molaires. Il écoute avec attention ce qu'on lui dit, d'un air confiant ; une espèce d'enfance, alors, dans le regard. Doit-on s'y fier ? Il dit qu'il « *compose entièrement* » la musique du film qu'il prépare en ce moment ; « *c'est ce qui m'intéresse le plus* », car, dit-il, « *mes rôles, à mon âge, n'ont plus guère d'importance* » ; et il se tapote les joues, qui sont pleines, en effet, mais non pas lourdes ; pas l'ombre d'une « poche » sous les yeux, et il « fait jeune » *beaucoup* plus que moi (qui ai cinquante-deux ans) et que Vercors et que Guilloux surtout.

A la fin du repas, Dennery, debout, a levé son verre « *au grand Charlie Chaplin, oui au grand Charlie Chaplin qui, tout en faisant rire, apprend au monde la bonté* ». Chaplin a levé son verre comme timidement, gauchement, mais avec un beau sourire heureux.

Au salon, ensuite, il a été très drôle, racontant qu'il a essayé d'apprendre le français « *sur disques* », mais qu'il ne parvenait à rien et s'est très vite découragé. Du moins a-t-il retenu deux phrases, qu'il nous a débitées, se reprenant pour les articuler avec exactitude (et il a répété le dernier mot, en détachant les syllabes : *aujourd'hui*, insistant sur le *u-i*) : « *Je voudrais prendre le train pour Paris, malheureusement c'est impossible* [il prononce " *imm'possibeul* "] *aujourd'hui.* » Et de pouffer. Il abonde en gestes. Il imite Claire Bloom, si maniérée, dit-il, si « *sophisti-quée* », quand elle s'est présentée à lui. Il dit qu'au Japon il a voulu goûter d'un plat qui lui paraissait « *ravissant mais...* ». Et le voici penché en avant, muet, bouche ouverte, les yeux horrifiés, en proie à une véritable stupeur des papilles gustatives.

Au total, deux heures passionnantes et joyeuses où l'adhésion générale l'emportait – au moins passagèrement – sur les réserves ou les perplexités.

18 mars 1955

Qu'on ne me raconte plus d'histoires sur le père de Foucauld, ce saint homme, ce contemplatif héroïque ; il ne vivait qu'en Dieu, paraît-il, et il est mort en martyr du Christ. J'ai donné à plein dans ce scénario sans l'ombre d'un soupçon et avec toute l'émotion qu'il implique. Et je découvre, avec une tristesse d'où je voudrais bannir la colère (mais une espèce de rage est en moi, que j'ai du mal à éteindre), je découvre qu'on m'a menti, ou que les thuriféraires en exercice étaient eux-mêmes dupés (ce qui me semble peu crédible). Bien plutôt, je pense, l'application – c'est juré ! – d'une règle de silence. Pas dire. Sauter par-dessus. Dans toute la mesure du possible, effacer, abolir. Mais c'est fini. La comédie est bloquée. Un livre m'éclaire brusquement, et de la manière la plus sinistre. Cela s'appelle *Lettres inédites* (du père de Foucauld) *au général La Perrine*. Des lettres horribles, qu'on aimerait prendre – mais pas moyen ! – pour des faux, d'atroces calomnies. Le bon père, le messager du Seigneur, l'homme de Dieu, il est au service du colonialisme le plus cynique. Il renseigne l'armée d'occupation ; il indique les mouvements des indigènes, suggère des entreprises, félicite le commandement pour les représailles qui ont été, malheureusement, nécessaires. A vous couper le souffle, ces propos-là, sous cette signature. On rougit de honte. Ainsi, c'était un imposteur, l'ascète, le tout-humble, le transfiguré ? Mais non. Un « grand croyant », je veux dire, comme tel, légitimement illustre ; une foi exemplaire ; un religieux d'une immense vertu. *En même temps* (désarroi en nous devant ce double jeu) un ancien officier, irréprochable, soldat toujours quoique « détaché » – comme un fonctionnaire détaché d'un département ministériel auprès d'un autre, de l'Éducation nationale, par exemple, auprès des Affaires étrangères ; et lui, Foucauld, il est détaché de l'armée auprès de l'Église. Un nationaliste dans l'âme, qui s'en voudrait de rester indifférent à la grandeur militaire de sa Patrie et qui contribue, comme il peut, secrètement (car il le faut) à l'asservissement des tribus sahariennes. Voir notamment ses lettres du 4 et du 23 mai

1915, des 27 avril, 31 juillet et 30 septembre 1916. Il avait créé, dans son ermitage, un dépôt d'armes clandestin. Ceux qu'il traitait en ennemis, tandis qu'il affectait de les aimer, ont vu qu'il portait un masque et l'ont exécuté. La violente secousse que m'ont value ces lettres, je n'en suis pas encore remis. Quelque chose comme une déception affreuse. Noble, et sans doute admirable, la « conversion » de Foucauld en 1886 ; conversion, avant tout, à la chasteté. Mais il est cent fois moins grave (non ?) de courir les filles que de participer à des assassinats coloniaux sous le vêtement d'un prêtre.

14 octobre 1955. Berne

Stucki déjeune à l'ambassade. Il parle sans retenue, ces choses étant loin maintenant. Il raconte qu'en avril 1945, quand Pétain demanda, venant de Sigmaringen, à traverser la Suisse pour se rendre en France, il « confia » (lui-même, Stucki) le Maréchal à un « inspecteur », qui l'accompagna, respectueusement, d'une frontière à l'autre. Comme la voiture approchait de Vallorbe, Pétain donna soudain au policier une « *grosse enveloppe grise, qu'il le priait de me remettre,* dit Stucki, *en mains propres. J'ai ouvert l'enveloppe ; elle contenait des titres provenant d'Argentine. Interrogé par moi, un ami compétent déclara que, si ces titres, pour l'heure, ne valaient rien, ou presque, ils pourraient fort bien devenir, plus tard, intéressants* ». Et Stucki poursuit : « *Il y a deux ans* [en 1953, donc], *j'ai retrouvé par hasard* [?] *ces papiers dans le coffre où je les avais enfermés en 1945. Et la banque m'a compté 7 000 francs suisses. Que devais-je en faire ?* » Ce 14 octobre 1955, et parlant à l'ambassadeur de France, Stucki s'exprime avec une tranquille sincérité : « *Livrer cet argent à l'État français ? Pas question. Pour rien au monde* [sic] ! » Il alla donc, en personne, trouver la maréchale dans son appartement du boulevard de Latour-Maubourg pour lui restituer cette somme ; « *ce dont Me Isorni me remercia avec effusion* ».

[1955] Fribourg [1]

L'abbé Journet, de Fribourg, qui dirigeait la revue *Nova et Vetera*, s'était montré, pendant la guerre, hardiment antinazi. Il était la « bête noire » des Romands de l'autre bord, amis de Vichy, relativement nombreux, soutenus par cette *Revue suisse* que subventionnait l'ambassade d'Allemagne à Berne. Un « saint prêtre », Journet. Il se rendait régulièrement à Genève pour des entretiens théologiques, des commentaires de l'Évangile ; des consciences, aussi, qu'il « dirigeait ». Je l'avais parfois rencontré. Il m'intimidait par sa perfection, sa voix frêle, ses yeux le plus souvent baissés pour écarter tout soupçon de magnétisme.

Je lisais avec attention chaque numéro de la *Revue biblique*, et l'idée se faisait en moi tentatrice d'un ouvrage où je rassemblerais tout ce que l'exégèse catholique a pu nous apprendre sur les Évangiles. J'étais particulièrement reconnaissant à la *Revue biblique* (dirigée par les dominicains de Jérusalem) de reconnaître en toute franchise, dans nos textes, la transposition « rédactionnelle » d'événements interprétés selon l'outillage mental de l'époque. Je me hasardai donc à aller trouver Journet, un après-midi, à Fribourg et lui soumis mon projet en prenant un exemple : « *la troupe nombreuse de l'armée céleste* » dont parle Luc, et qui, dit-il, « *se joignit* » à « *l'ange du Seigneur* » venu annoncer aux bergers la naissance du Messie. Évidemment, là, n'est-ce pas ? une transposition imagée selon l'usage du temps. Je vois aussitôt le visage de l'abbé Journet se durcir, et il me déclare, sévère : « *Croyez-vous donc que le Tout-Puissant ne pouvait déléguer quelques-uns de ses anges pour saluer la naissance de son fils ?* »

J'ai aussitôt battu en retraite. Je peinais, irritais, consternais ce prêtre digne de toute estime et qui, nommé cardinal, s'affirma, au concile, comme l'un des tenants les plus fermes de l'immobilisme.

---

1. Écrit en 1978. Souvenir de 1955, je crois.

25 mai 1956. Berne

Dorival, du Conservatoire, me disait hier, vantant l'écrasante supériorité des flûtistes et clarinettistes français dans les compétitions internationales : « *Nos vents sont incomparables.* »

16 juillet 1956. Lettre du Général
après la publication de *Cette curieuse guerre de 70*

Votre ouvrage « *m'a vivement intéressé. Tout ce que la psychologie nationale du temps, psychologie " bourgeoise " sans doute, eut de ressorts essentiels, c'est-à-dire, naturellement, de préjugés, de passions, de craintes, s'est confondu avec des événements désastreux. Vous montrez cela très bien et je vous en fais mon sincère compliment ; tout en ajoutant que, pour moi, le " gauchisme " influant sur les préliminaires, puis sur le développement de cette guerre, n'a pas laissé d'être également néfaste* ».

Même souci, évident, d'équilibre politique que dans sa lettre d'il y a quatre ans. Mais, d'une part, le mot « *confondu* » est faible pour désigner le parti pris immédiat, véhément, effaré, des notables d'assurer à la Prusse une victoire qui les délivrera, au moyen d'élections rapides, d'une République dangereuse à leurs intérêts ; et, d'autre part, je vois mal en quoi le « *gauchisme* » – de qui ? de Gambetta ? – aurait pesé, de façon « néfaste », sur le déroulement de la guerre. On observera que de G. garde un complet silence sur Bazaine, dont le rôle ignominieux (partagé par les Canrobert et les Bourbaki) est étudié avec ampleur et précision dans mon livre.

[195 ?] Berne [1]

La presse et la radio avaient annoncé une conférence à Berne de l'abbé Pierre. J'avais la chance de le connaître personnellement ;

1. Rédigé en décembre 1960 ; je n'ai pas retrouvé la date des faits.

et l'ambassadeur, Étienne Dennery, que je tutoyais – nous étions entrés à l'École normale la même année, 1923 –, m'avait dit, parlant de l'abbé Pierre : « *J'aimerais bien le recevoir, organiser pour lui un déjeuner. Tâche de le décider...* » Le pauvre homme n'était guère en bonne forme. On me répond, au téléphone : « *Il est arrivé ce matin très, très fatigué. Il s'est allongé sur un lit. Je vais aller voir s'il dort. Si c'est le cas, vous me pardonnerez de ne pas le réveiller...* » Une minute après : « *Vous êtes bien M. Henri Guillemin ? – Oui. – Il tient à vous voir. Venez. Il vous recevra tout de suite.* » J'arrive. Il est couché, en effet, tout habillé, une couverture jetée sur lui, de la poitrine aux chevilles. Bien maigre. Bien pâle. J'ai l'impression qu'il n'a plus de dents. « *Vous voyez où j'en suis ! Alors, un déjeuner, non, je vous en prie ; vraiment pas. L'ambassadeur comprendra.* » Je me risque à insister doucement. Parce que mon « chef », l'ambassadeur, est juif, agnostique, mais ouvert à tout et que l'abbé Pierre l'intéresse autrement que sous l'effet de la curiosité à l'égard d'une « vedette »... J'explique tout cela en quelques mots au cher abbé, ma main posée sur la sienne. Alors, il remue un peu la tête en souriant, comme pour dire : « Faut que j'y passe ! » Et il m'indique sa bouche démeublée : « *Dites-lui que je ne peux avaler que des bouillies.* »

Donc, il est venu à l'ambassade. Dennery n'avait arrangé qu'un déjeuner presque intime. L'abbé Pierre avait « pris sur lui », comme on dit, courageusement. Il se tenait droit, ne donnant aucun signe d'épuisement. Il avait gardé ce gros bâton qui lui sert de point d'appui ; et je le revois, au salon, après le repas, posé au bord d'un fauteuil, son gourdin contre l'accoudoir, genoux joints, sa soutane usée laissant voir complètement ses brodequins à crochets. Dennery m'avait demandé, pour épargner les forces de ce visiteur résigné, de donner moi-même le signal du départ, afin que l'abbé puisse regagner son refuge dès 14 h 30, alors qu'il est d'usage, à l'ambassade, que les invités ne se retirent pas avant 15 heures. Je fis ce qui était convenu, et l'abbé Pierre fut reconduit à sa clinique hospitalière, par la voiture de Dennery, à 14 h 20 environ.

La « grande conférence » publique eut lieu à 21 heures. L'abbé, intarissable. Comment fait-il ? Où trouve-t-il de telles réserves de vigueur ? Le lendemain, vers 11 heures, Dennery m'appelle et me remet un mot, sous enveloppe, qu'il me prie de porter à l'abbé. Je le fais sur-le-champ. L'abbé Pierre ouvre l'enveloppe et me montre son contenu : un billet de 1 000 francs suisses et, sur une carte de visite, de la main de Dennery, quelques mots affectueux.

Autre visite ecclésiastique. Le « Département » – dans le strict langage des diplomates, le « Département », ce sont les Affaires étrangères : le « département ministériel » chargé des affaires étrangères – avise l'ambassade d'avoir à préparer, avec les meilleurs soins, une réception en l'honneur du cardinal archevêque de Paris, qui doit se rendre à Berne, à telle date, sur l'invitation de je ne sais plus quel organisme catholique suisse. Notre équipe exécute les ordres au mieux : la grande mise en scène ; un aboyeur clamera même, à la porte du premier salon, le nom des invités : l'élite bernoise au complet. M\ :superscript:gr Feltin est arrivé revêtu de sa *cappa magna* écarlate. Une splendeur. Tout a été parfait.

Après le repas – nombreux participants, menu somptueux –, le haut dignitaire de l'Église se trouve être assis dans le fauteuil même où nous avions vu l'abbé Pierre, si réservé, et si peu décoratif. Puissant contraste. M\ :superscript:gr Feltin occupe son fauteuil avec une autre aisance ; il l'occupe tout entier. C'est un homme vaste et rose, heureux de vivre et débonnaire. Dans sa main gauche, un cigare. Dans sa main droite, un verre de fine. Allons, stop ! Courir après l'effet facile serait indécent. Et puis quoi ? Dans l'Église, à chacun son rôle, n'est-ce pas ?

8 septembre 1957. Berne

L'abbé Pierre me dit, avec un accent de conviction (mais qui ne saurait constituer une preuve), que Giraud, fin 1942, à Alger, méditait un coup d'État au profit du comte de Paris, venu tout exprès de Larache (Maroc espagnol) ; mais, lorsque le « prétendant » apprit que tout reposait sur l'assassinat de Darlan, il a regagné Larache avant l'attentat qu'il désapprouvait. L'abbé Pierre prétend que Lemaigre-Dubreuil était, à fond, dans le complot royaliste de Giraud.

174

10 septembre 1957. Genève

Je rapporte à Beuve-Méry ma conversation avec l'abbé Pierre. Il rectifie. Selon ses informations, qu'il tient d'Ordioni (tout dévoué à Giraud), le comte de Paris était parfaitement à Alger quand Darlan fut « descendu » par le petit Bonnier de La Chapelle, lequel – selon les sources couramment admises – avait été armé par l'abbé Cordier (qui lui avait donné, pour l'assassinat qu'il devait commettre, une absolution préalable). Mais, au « *Conseil de l'Empire* », les choses ne tournèrent pas en faveur du prétendant, qui repartit, déçu, pour Larache. Les Américains ne voulaient pas de lui.

On avait promis au gamin tueur qu'il ne lui arriverait rien, et il a juré, sans cesse, comme il s'était engagé à le faire, qu'il avait agi seul. Giraud s'est empressé de le liquider, pour couvrir les conjurés (et se couvrir lui-même). Les manipulateurs de l'exécutant, qui restèrent soigneusement muets, ont donc sa mort sur la conscience – ce qui ne les gêne guère.

[195 ?] [1]

Notre consul général à Lausanne (un type bien, raisonnable, sérieux, actif, ponctuel, estimé) me confie, en secret, qu'il est « *révolté* » par un versement de l'État, dont il avait reçu l'ordre – et les moyens (une « *somme énorme* », me dit-il, « *et en francs suisses* ») –, en faveur de Paul Morand, qui réside, somptueusement, comme on sait, près de Montreux. Morand, en toute justice, a été « cassé », dès la Libération, et rayé des cadres des Affaires étrangères, tant il s'était compromis avec Pétain-Laval. Quelques semaines avant la fin du gouvernement de Vichy, il s'était fait nommer, venant de Bucarest (les Russes approchaient), à l'ambassade de France à Berne, juste à temps pour faire passer en Suisse,

---

1. Pas de date. Omission regrettable. Ce texte a été rédigé par moi le lendemain même de ma visite à Lausanne. Il est certainement antérieur à la reprise du pouvoir par de Gaulle (mai 1958).

sans difficulté, la fortune de sa femme, et s'assurer ainsi, en pays neutre, un asile doré, à l'abri de toutes représailles. Mais il ne s'est pas contenté de ces avantages. Il a entamé et obstinément poursuivi, avec de solides appuis « dans la maison », une manœuvre administrative pour faire annuler la mesure prise contre lui, fin 1944, et obtenir sa « réintégration ». Il a gagné. Le consul me signale que, d'ailleurs, ce serait le cas de tous (« à peu près tous ») les agents du Quai d'Orsay révoqués en 44-45 et, un par un, réintégrés. Si bien que Morand vient de recevoir, au consulat, « de la main à la main », tout un stock de billets de 1 000 francs suisses (« Je ne vous dirai pas le chiffre ; je n'en ai pas le droit : mais, croyez-moi, un beau chiffre ! ») représentant son traitement d'ambassadeur pour toutes les années qui se sont écoulées entre la date de l'incident administratif (désormais réparé) et celle, normale, de sa retraite – une retraite, bien entendu, dont il va maintenant percevoir régulièrement la pension.

Tant de misères, en France ! Ces millions de gens qui vivent constamment étranglés par des problèmes d'argent insolubles, et ce Morand « incivique », opulent depuis son mariage, et qui, dans un esprit de vengeance, et pour l'insolence du geste, arrache encore à l'État une monstrueuse aumône.

2 novembre 1957

Une fois de plus, avec une affectueuse confiance qui m'émeut, Jean Chauvel, depuis deux ans ambassadeur à Londres, m'a invité chez lui, à la résidence. Il m'a donné à lire, dans ma chambre, son *Journal* intime, où il n'y a du reste que des jugements, réflexions, remarques, citations ; aucun fait. J'ai trouvé ceci, qui donne à penser : « *Le désir est premier. L'amour n'est qu'un sous-produit.* »

3 février 1958. Berne

Le « conseiller » me raconte qu'il a connu, à Biarritz, pendant la guerre, le singulier « monsignor » Boyer-Mas, agent gaulliste dont l'emploi principal était d'obtenir le ralliement à la « croix de Lorraine » des notables, membres de la « Légion » du Maréchal. Ces messieurs objectant qu'ils avaient prêté serment au Maréchal et qu'ils ne pouvaient pas, hommes d'honneur, se *« parjurer »*, Boyer-Mas a réuni un jour chez lui les principaux d'entre eux pour leur soumettre une argumentation imparable : « *Soyez réalistes. Vous êtes tous mariés. Vous avez tous, devant l'autel, juré fidélité à votre épouse. Vous n'allez pas essayer de me faire croire que vous avez tous respecté ce serment ! Un peu de logique, non ?* » Et ce prêtre, ce prélat (on l'appelait « *monseigneur* », comme Ducaud-Bourget) ami du réalisme, écartait des bras convaincants.

Adjonction de 1984

J'ai publié, dans mon ouvrage *Le Général clair-obscur*, la courte lettre, mais d'un vif intérêt, celle-là, que m'adressa de G. le 17 mars 1958. Devinant, sur certains indices – et notamment un avis renseigné de Clavel – ce que serait l'attitude du Général dans l'affaire algérienne s'il revenait au pouvoir, je lui avais communiqué mon souhait de le revoir, le plus tôt possible, à la tête de la France. Il me répondit que « *le silence* », pour l'heure, lui paraissait tactiquement opportun ; « *mais je n'en ai pas fait,* m'écrivait-il, *le vœu éternel* ».

15 mai 1958

Dans *La Croix* de ce 15 mai, sous le titre « Il y a cinq mois Massu m'a dit », Jacques Duquesne écrit, évoquant une visite qu'il fit à Massu : « *Sur sa table, un seul livre,* Contre-révolution, Stratégie et Tactique ; *l'ouvrage, interdit en France, mais largement diffusé dans les cadres militaires d'Algérie, prône la prise du pouvoir par l'armée et, reprenant l'exemple espagnol de 1936, l'instauration d'un régime fasciste. Le Général, au cours de notre conversation, m'en lut plusieurs extraits qu'il estimait particulièrement bien sentis.* »

18 mai 1958. Londres

De nouveau chez J. Chauvel, et de nouveau son *Journal* sous les yeux. Je transcris trois textes (j'ai sa permission expresse : « *Recopiez ce que vous voudrez* ») :« *Jouhandeau, clown officiant.* » Ceci : « *Je suis présent à mon côté, revêtu d'invisibilité, mais presque constamment présent. Et seul présent* » ; ceci encore (de quel exemple historique J.Ch. nourrit-il cette assertion ?) : « *Laissez les morts enterrer leurs morts. Mais il y a des morts qui ne se laissent pas enterrer.* »

[Juin 1958]

Après avoir repris le pouvoir dans les conditions (singulières) que l'on sait, de G. joue la « réconciliation nationale ». Comme Doumergue, en février 1934, se fit photographier entre Tardieu et Herriot, de G. apparaît, sur l'image officielle, entre Pinay et Mollet.

Octobre 1958

Devenu président du Conseil – en attendant la présidence de la République –, de Gaulle (et je le comprends) n'a plus le temps de me lire [1]. Il se borne, le 14 octobre 1958, à une simple carte de visite : « *Merci, mon cher Guillemin. Bien cordialement. C.G.* »

7 novembre 1958. Luxembourg

Conversation, à l'ambassade, avec Mme Delouvrier, dont le mari a été brusquement chargé, par de Gaulle, d'aller (« *en principe* ») examiner sur place, en Algérie, les moyens de « *mettre en œuvre le plan de Constantine* » pour une profonde transformation économique et sociale du pays. Delouvrier a dit à sa femme que

1. Il s'agit de mon livre *Benjamin Constant muscadin.*

178

tout cela lui paraît irréalisable, une « *pure abstraction* ». Il faudrait des investissements énormes, au détriment de notre industrie métropolitaine ; ou bien des capitaux américains, qui ne demandent que ça, qui sont aux aguets ; mais de Gaulle n'en veut pas ; « *et il a bien raison* ».

Delouvrier a dit au Général qu'il souhaiterait savoir, « *au moins un peu, où nous allons en Algérie* ». De G. lui a répondu : « *L'intégration ? Ça n'a pas de sens. L'indépendance ? Est-ce que nous sommes indépendants nous-mêmes, entretenus en fait par les Américains ? L'indépendance de l'Algérie ? Dans trente ans.* » Delouvrier : « *Mais les fellaghas se battent à mort ; ils veulent ce mot-là ; cette chose-là, absolument, passionnément. L'indépendance viendra forcément, et vite.* » De Gaulle : « *On verra.* » Delouvrier : « *A Alger, qui dois-je voir ?* » De G. :« *Qui vous voudrez. Tout le monde.* » Delouvrier : « *Les comités de salut public ?* » De G., en riant : « *Oh, ça, c'est démodé ; ça n'occupe plus que les journalistes.* »

Delouvrier s'inquiète, aussi, du problème démographique. On lutte efficacement contre la mortalité infantile, mais il faudrait savoir persuader les musulmanes de faire moins d'enfants. De G., mystérieux et avec un demi-sourire entendu : « *Elles évoluent, elles évoluent...* »

31 décembre 1958

Depuis que Duhamel a, positivement, fait faillite en Suisse comme conférencier et s'y est « coulé » d'un seul coup et d'une manière définitive (pour sa première conférence depuis l'avant-guerre, il avait donné lecture, bonnement, d'un article de lui arraché, dans le train, sans doute, aux pages d'une revue canadienne ; le public avait mal accueilli cette désinvolture), c'est Maurois qui s'assure la vedette [1].

1. Mon métier d'attaché culturel consistait, pour une part, à faire venir en Suisse de *bons* conférenciers, c'est-à-dire qui ne lisaient point un texte de leur main et capables d'être instructifs, chacun dans son domaine. Mais je ne pouvais aller contre le vœu, formel et insistant, des groupes locaux avec lesquels j'étais en rapport ; on y luttait de zèle et de concurrence pour « avoir » Maurois, de préférence à tout autre.

PARCOURS II (1945-1962)

Je n'ai jamais vu quelqu'un capable de parler comme il le fait, pendant une heure et demie, au moins, agréablement, et de manière si distinguée, *pour ne rien dire* ; une coulée ininterrompue de lieux communs. Heureux propos, lisses et brillants, dont aucun ne saurait désobliger personne (tous sont « *calculés pour* » et, comme dit la presse, unanime, « *frappés au coin du bon sens* »).

Décembre 1958

Dennery (même promotion à Normale, même date de naissance, en plus ; il m'appelle son « *jumeau* ») me communique une note d'information confidentielle qu'il avait demandée au Quai (d'Orsay) sur l'équipe dirigeante de *L'Express*. La sincérité de ces « *polémistes* » n'est pas mise en cause. Insoupçonnable. Mais, en même temps, dit la note (qui ne porte pas de signature), des « *affairistes* ». Ils (et elles) ne conçoivent la vie que « *dans la plus grande aisance et avec toutes les facilités, tous les agréments de la richesse* ». Pour « *la tribu S.-S.* », l'argent est « *d'une importance capitale* ».

15 septembre 1959

Lu *La Semaine sainte* d'Aragon. Je n'aime guère le « roman historique », genre faux, surtout quand, mettant en scène des personnages qui ont réellement existé, on leur prête des gestes et des paroles de pure invention. Il s'agit ici des quelques jours qui suffirent à Napoléon, échappé de l'île d'Elbe, pour ressaisir à Paris le pouvoir. Aragon me paraît avoir fort bien restitué le climat de ces journées singulières, et, en particulier, l'état d'esprit du clan resté fidèle à Louis XVIII. Mais Aragon n'aurait jamais dû faire discourir, à la frontière, le « garde du corps » Lamartine, qui n'escorta le roi que sur le sol français, refusant d'aller plus loin. Aragon est mal renseigné ; et ce qu'il sait de l'aventure politique du poète l'induit à lui faire tenir, en 1815, un discours tout à l'opposé de ce qu'il pensait à cette date.

180

Très bien, ce qui concerne la grosse ruse de Napoléon pour obtenir l'adhésion du peuple. Il n'ignore pas que beaucoup de gens sont excédés par les comportements, les prétentions, les exigences des privilégiés, reparus, de l'Ancien Régime et il joue à l'ami des humbles, au « libéral » vengeur, alors que, bien entendu, il est tout à fait décidé à reprendre son jeu, qui n'a rien changé, depuis le 18 Brumaire, à la condition plébéienne et où tout repose sur l'appui, largement rémunéré, de la Banque dite (pour rire) de France avec son puissant groupe d'affairistes [1]. Ce ne sont pas ces choses-là – elles comptent ; elles confèrent à l'œuvre une part de sa valeur – qui m'ont touché, dans ce livre. Ce sont des éclairs, çà et là, ouvrant sur l'Aragon secret de brusques coups de jour. « *Nous pouvons tout concevoir,* dit-il, *excepté le néant.* » Sait-il qu'il répète Bergson ? J'en doute. La remarque est bonne, riche de sens. Et ces deux lignes : « *Un homme, même un arrogant, même une brute, cela se brise, cela saigne ; et l'âme apparaît à la cassure.* » L'« *âme* » ? Aragon se risque à l'emploi d'un tel mot ? Il n'est donc pas fidèle au matérialisme de son parti ? Et j'avoue avoir été remué par l'allusion que voici au tableau de Philippe de Champaigne, qui est à Lille, et où l'on voit – c'est le Christ – « *ce prisonnier sur fond noir qu'un geôlier demi-nu tire à reculons des ténèbres* ».

2 octobre 1959. Zurich

L'argent. Notre consul général, W. [2] – un homme que j'aime beaucoup ; la droiture même ; le respect de son métier ; un ardent souci de bien faire – me raconte, encore frémissant, ce qui vient de lui arriver, ces jours-ci mêmes.

Son adjoint, B., a été nommé à Oudjda, avec ordre de rejoindre son poste sans délai. Il laisse ses meubles, pour le moment, dans l'appartement qu'il occupait et dont son successeur est trop heureux de pouvoir disposer. La veille de son départ, il reçoit la visite

---

1. Et Benjamin Constant, qui va se mettre à son service, aux appointements de 15 000 francs par an, le sait parfaitement.
2. D'un homme comme W., je suis *sûr* que le récit qui va suivre est strictement conforme à la vérité, et sans aucun embellissement romanesque.

de son propriétaire, un homme richissime qui possède, à Zurich, une dizaine d'immeubles. Ledit propriétaire a découvert des « *déprédations* » : traces de clous dans les murs, taches, etc. Il fixe à 200 francs l'indemnité à lui verser. Soit. B. s'exécute aussitôt. Puis il reçoit, à Oudjda, une lettre par laquelle, disons M. X lui réclame, après un nouvel examen des lieux, 214 francs supplémentaires. Cette exigence-là, B. la refuse. M. X répond qu'il met l'embargo sur les meubles, dont B. a maintenant besoin. Le consul général écrit à M. X pour s'interposer et l'amener à composition. M. X lui envoie sa femme, très élégante, qui déclare : « *Si mon mari ne reçoit pas ces 214 francs dans les huit jours, j'embarque le frigidaire ; je le cache ; et, si un tribunal nous interdit l'embargo, je nierai qu'il y ait jamais eu un frigidaire dans l'appartement.* » W. convoque le mari lui-même, qui se rend au consulat général flanqué de son épouse. W. a téléphoné à B., qui cède et enverra les 214 francs ; que M. X veuille bien patienter un peu. M. X : « *Je ne lâcherai pas les meubles avant d'avoir reçu mes 214 francs.* » W. : « *Je vous donne ma parole, la parole du consul de France, que cet argent vous sera versé.* » M. X : « *Nous autres Suisses* [sic], *nous n'aimons pas les paroles. Nous voulons l'argent dans la main.* » Et, résolu : « *Je me suis déplacé. Je ne me serai pas déplacé pour rien. Je veux mes 214 francs tout de suite. Payez-moi et vous vous arrangerez avec votre subalterne. Je ne partirai pas d'ici sans mon argent.* »

Alors, me dit W., j'ai éclaté en dedans. Je me suis levé d'un bond ; je suis allé ouvrir le coffre, ayant soin de prendre non pas deux billets de 100 francs, mais dix de 20 francs et 14 francs en petite monnaie, et j'ai jeté le tout, à la volée, sur M. X et sa femme. Tous deux se sont accroupis puis agenouillés pour ramasser pièces et billets. M. X s'est même allongé à plat ventre pour atteindre une pièce de un franc qui avait roulé sous la commode. L'homme a tapoté son pantalon, aux genoux, et sa femme a épousseté sa robe. Puis, montrant à W. l'argent rassemblé dans sa main, le propriétaire a dit calmement : « *Maintenant, monsieur le consul, c'est en ordre.* » Et ils sont sortis avec dignité.

6 janvier 1960

Camus vient de disparaître, à quarante-six ans, dans un accident de la route. Je ne sais trop pourquoi, j'ai toujours été sans chaleur, je dirais presque sans foi, à son égard. Il tenait Zola en « *mépris* », ce que je trouvais inquiétant, et se targuait d'avoir « *exécuté* » Rimbaud, ce qui n'est pas moins fâcheux. En revanche, il couvrait d'éloges un Martin du Gard dont le talent ne va pas loin. D'autre part, il nous a clairement avertis, en 1954, dans une page de *L'Été* : prière de ne pas « *confondre l'écrivain avec son sujet* », et il précise que ce thème de l'« *absurdité* » (de la vie, du monde) qui l'a rendu célèbre, il l'a emprunté à « *une idée assez commune* » (celle de Sartre, dans *La Nausée* : celle, vécue sans bruit, mais à fond, par ce Pascal Pia auquel Camus devait beaucoup ; ce qui ne l'a pas empêché de rompre durement avec lui en 1947). Ainsi, un thème littéraire, pour lui, « *l'absurdité* », sans plus. Et « *la révolte* », alors ? Oui, du temps de *Combat*, Camus donnait l'impression de se battre sincèrement pour ses idées. Bien fini pour lui, ce temps-là. Depuis la fameuse déclaration qu'il a faite, à Stockholm, sur l'Algérie, il ne s'engage plus, politiquement, sur rien ; d'où le soupçon vague mais dont on se défend mal : la « révolte » aussi, chez Camus, un thème occasionnel ? Dans *La Chute*, en 1956, il a mis en scène un personnage qui déclare, sarcastique : « *J'avais une spécialité : les nobles causes.* » On a pu croire que Camus s'y livrait à une confession lucide, cruelle et courageuse, comme celle de Péguy dans ses *Quatrains*. Mais, là encore, Camus a prié ses lecteurs de ne pas s'égarer. Je me souviens parfaitement de cette interview qu'il a donnée au *Monde* il y a deux ou trois ans, et où il récusait très vivement toute ressemblance entre lui-même et son Clamence au nom fictif, un de ces « *petits prophètes comme il y en a tant aujourd'hui* » (?) et dont l'incompétence est grotesque. « *Ma seule parenté avec Clamence*, déclarait Camus, *c'est que je ne me sens pas chrétien pour un sou.* » Entendu. Qui visait-il ? Sartre ? Peut-être. Leur brouille, retentissante, date de 1952. Il est certain que Sartre, qui est loin d'avoir toujours raison, s'engage, aime à s'engager, prend des risques. Camus, non. Terminé.

J'ai éprouvé un frisson en découvrant, dans le discours prononcé par Camus à Stockholm, en décembre 1958, lorsqu'il reçut le prix Nobel, ce classement qu'il établissait dans son œuvre. Vinrent d'abord les ouvrages consacrés à « *la négation* » ; puis ceux que lui dictait « *la révolte* » ; mais il entrevoit « *un troisième ordre, autour du thème de l'amour* ». Aïe ! Hélas ! Holà ! Des interjections disparates se bousculent, en silence, sur mes lèvres. Camus emboîtant le pas à Duhamel, Duhamel si bien parti, jadis, avec sa *Vie des martyrs*, et qui, pour réussir une belle carrière (selon le monde), s'est fait, peu à peu, anodin, doucereux, inoffensif, empli d'une bienveillance universelle. L'ancien pauvre, authentiquement pauvre, Albert Camus – et qui ne manquait pas d'éloquence à ce sujet –, est désormais un bourgeois aisé. Le chèque afférent au Nobel, et qui n'a rien de négligeable, lui a permis de se muer en propriétaire (à Lourmarin) ; et je savais, par Mauriac, ces temps derniers, que Camus était en pourparlers avec Malraux, « ministre d'État et chargé des Affaires culturelles », en vue de l'achat, à Paris, d'un théâtre qui lui appartiendrait, le Récamier, et dans lequel il aurait sa propre compagnie de comédiens. N'était-il pas en chemin, notre Camus, vers l'Académie ? Oserais-je noter ici, tout bas, que je me demande si, pour le bien de sa légende, Camus ne serait pas mort à temps ?

10 mars 1960

Mon beau-frère, Robert Schmelck, procureur général à Alger (il est à Paris pour cinq jours) me dit (précisant : « *Et crois bien que je parle en connaissance de cause* ») : « *Ce qui se prépare à Alger, c'est le vrai coup d'État. Bien autre chose qu'en mai 58, et en sens inverse.* » Cette fois, contre de Gaulle.

5 octobre 1960

Une fois de plus, je regarde (je contemple, j'interroge) l'extraordinaire photo de Lénine, quand il fut, au printemps de 1917, obligé de se réfugier en Finlande sous l'allure d'un employé des chemins de fer. Entièrement rasé. Un visage *inconnu*. Tout à coup, sous nos yeux, un autre homme. Plus rien de l'intellectuel, issu d'une famille bourgeoise et devenu révolutionnaire parce que ses réflexions, sa pensée, sa loyauté ont fait de lui un garçon en révolte contre son milieu. Sur la photo unique, et trop peu célèbre, un homme du peuple, un ouvrier, un prolo, aux traits lourds et durs, et dont les raisons d'agir sont inscrites dans sa chair même.

Le Lénine officiel, le Lénine à la barbichette, m'intimide, me glacerait presque, ne m'intéresse que froidement, sauf quand il sourit (ces images-là sont rares). L'autre, j'aimerais l'étreindre. M'emporte vers lui un élan de joie. Et si c'était le *vrai* Lénine, né par hasard chez des « gens bien » et qui conserve, par respect pour eux et parce qu'il les aimait, quelque chose de leur aspect ? Alors que, tout au fond de lui-même, vivait, commandant tout, une nature plébéienne au sens le plus fort du terme, et que nous révèle ce visage d'un instant.

Pourquoi m'émeut-il si fort ? C'est un fait, en tout cas, que je le préfère cent fois, mille fois, au Lénine définitif.

1er novembre 1960. Londres, à la résidence

J.Ch. revient sur ses souvenirs d'Alger 1944. Il semble qu'il ait à cœur de souligner devant moi un aspect, qui l'aurait beaucoup frappé, du comportement de « *Gaulle* » à l'adresse des politiciens qu'il avait, très délibérément, fait venir à Alger pour sa « *Consultative* ». Il s'agit d'une réunion, dans son bureau, des membres de la commission des Affaires étrangères. Selon J. Chauvel, le Général déploya « *devant ces gens ce qu'il se représentait comme la technique usuelle du radical-socialiste avec ses électeurs de province : le genre jovial, vulgaire et roublard, lourdement séducteur et démagogue* ».

Et J.Ch. me communique la première rédaction manuscrite de ce qu'il destine à son *Commentaire* sur de G. donnant audience, à Alger, à ces gens qu'il méprisait : « *Je vis alors, à ma grande sur-*

prise, l'homme altier se pencher démocratiquement à travers la table, vers tel imbécile, et user d'arguments directs, avec une expression de cautèle campagnarde assez canaille. Puis il se redressa » et rentra dans son personnage [1].

17 mai 1961

De passage à Genève, J.Ch. m'a demandé de venir passer une heure avec lui à son hôtel.

Il me rapporte avec exaspération une phrase qu'il a entendu Maurice Schumann prononcer sur « le Général » (j'aurais dû lui demander *où* et *quand*) : « *Il est plus facile de le prendre pour cible que de l'empêcher d'avoir raison.* » Cela devait concerner, je pense, la « force de frappe », c'est-à-dire la « bombe » dont le Général veut à tout prix se doter, alors que, selon J.Ch., « *tout cela sera ruineux et, en fait, dans le rapport des forces, négligeable* ».

4 avril 1962. Fribourg

Déjeuner avec Emmanuel d'Astier (de La Vigerie). Yeux clairs, cheveux gris un peu crépus, teint brique ; un très beau profil. Parle beaucoup du Général, qu'il se vante (un peu, me semble-t-il) d'avoir « *connu de près* », à Alger, « *déjeunant ou dînant très souvent,* dit-il, *avec les de G.* ». Il donne pour « *certain* » (comment le sait-il ?) que, lors de son séjour « *en Syrie* [2] », le jeune commandant de G., « *tout marié qu'il fût, s'est envoyé quelques femmes, mais sans aucune liaison ; comme ça, à la hussarde* » ; qu'il

---

1. Ci-dessous le texte auquel s'arrêta J.Ch. pour l'envoyer à l'imprimerie : voici de G. « *se penchant à travers la table pour se rapprocher de ses interlocuteurs, parlant d'un ton qui allait du bonhomme au goguenard, presque au vulgaire, puis se redressant, déployant en majesté* » une carte de l'Italie (*Commentaire,* II, 21-22).
2. Le commandant Ch. de G. fut, à l'automne 1929, affecté à l'armée du Levant. Il dirigera, à Beyrouth, à la fois les 2ᵉ et 3ᵉ Bureaux, jusqu'à l'automne 1931. Marié depuis avril 1921, il avait alors trois enfants, dont l'infortunée petite Anne (mongolienne), venue au monde le 1ᵉʳ janvier 1928. C'est à Beyrouth que de Gaulle eut ses quarante ans, en novembre 1930.

« *n'associe jamais, en rien, Yvonne à ses affaires ; n'aurait même pas l'idée de lui demander son avis, mais lui est néanmoins très attaché* » ; qu'il est « *peut-être croyant* », mais que, « *en tout cas, aucun principe chrétien n'a droit de cité dans sa vue du monde et dans sa politique* » ; que « *le personnage est tout à fait hors du commun ; un phénomène, oui ; un personnage phénoménal* ». Je n'ai pas perçu chez d'Astier, à l'égard du Général, quoi que ce fût qui ressemblât à de la tendresse ou même de l'affection. Une curiosité distante.

20 juillet 1962. Berne

Louis Joxe déjeune à l'ambassade et dit des tas de choses intéressantes. En vrac, parmi ce que j'ai retenu :
– que de G. est un homme « *pudique* » ; le suicide de Larminat l'a bouleversé ; il s'est vainement évertué à n'en rien laisser paraître ;
– que, lors des séances du Conseil des ministres, il commence par faire présenter par un comparse, ministre d'État, la situation telle que lui-même la voit. Puis il approuve ; puis il interroge, un à un, tous les présents ; « *et si quelqu'un moufte, de G. commente : " Personne n'est obligé d'être ministre "* » ;
– que, si Salan avait été condamné à mort, de G. ne l'aurait sûrement pas gracié. C'est ce que prévoyait, savait, Pasteur Vallery-Radot, qui a personnellement veillé à ce que Salan sauvât sa tête. Pourquoi ? Joxe propose, en souriant, une explication très « *mondaine* » ;
– que, pendant les premières négociations d'Évian, les Algériens avaient tenu des « *propos lunaires* », d'interminables harangues sans rien de positif. « *Ils arrivaient sans dossiers ; alors je me contentais d'écouter, de subir ; j'avais l'habitude ; pendant quatre ans, à Moscou, je n'avais fait que cela même. Aux secondes négociations, tout changea ; ils avaient leurs dossiers, solides* » ;
– que de G. a « *le complexe de l'ambiguïté. Il adore ça. Il jouit de cette situation, fausse, de président arbitre et moteur en même temps ; deux choses inconciliables* ».

Un homme fin, Joxe. D'une intelligence évidente. Ambitieux, bien sûr, et souple et subtil. Mais je le crois sans bassesse, ayant en lui une certaine propreté (ou, si l'on veut, « pureté ») fondamentale, avec le goût, réel, très vif et très sérieux, d'être utile.

2 novembre 1962

J'apprends la mort de Massignon, 31 octobre. Personnage mystérieux, insaisissable, à la fois attirant et vaguement effrayant, avec de profonds arrière-plans, des grottes obscures, habitées de fantômes. Sa traversée – lointaine – de l'homosexualité a laissé en lui des traces. Ce qu'il a écrit sur Marie-Antoinette est tellement inattendu ! Atmosphère trouble. Je me représente mal ce qu'était sa prière.
Il m'a toujours témoigné une amitié vive et sûre.

10 décembre 1962

La formation donnée aux séminaristes pendant tout le siècle dernier (et au-delà) les maintenait dans une entière ignorance non seulement de l'exégèse, mais de l'histoire vraie de l'Église – et de la pensée philosophique. D'où des prêtres qui semblaient comme préposés à faire prendre le catholicisme pour le ghetto des imbéciles.
Les chefs politiques du catholicisme français, comme ce Maurras qui, disait Barrès, « voulait bien du pape mais surtout pas de Jésus-Christ », tous ces « athées de la nuance catholique » repérés, en 1850, par Victor Hugo (à propos de la loi Falloux), tous ces voltairiens façon Thiers qui avaient mis la main sur l'Église, après les journées de Juin, pour lui confier le soin de préparer, à l'usage des nantis, des générations d'esclaves médusés, tous ces étranges « chrétiens » en ont tant fait, ils ont à ce point rendu méconnaissable la foi dont ils osaient se réclamer que ce tour de force signalé par Bernanos est leur œuvre : l'Évangile devenu « la bête noire des hommes libres et des pauvres ».

Graham Greene a eu, dans son premier livre, *La Saison des pluies*, ce mot cruel et trop vrai : « *Pourquoi faut-il que ce soit toujours ceux qu'il ne faut pas qui sont croyants ?* »

Jean Hugo

Comme je regrette de n'avoir pris aucune note après mes trois visites à Jean Hugo et son passage, ensuite, de trois jours, chez moi, à Neuchâtel[1] !

Je ne sais plus si ce fut en 1947 ou 1948 qu'il m'invita à venir, dans son « mas » de Fourques – près de Lunel, dans l'Hérault –, prendre connaissance de tout ce qu'il gardait de son arrière-grand-père (écrits, dessins et un vaste stock de lettres adressées au poète, dans ses dernières années). J'avais alors mes fonctions à Berne, et ne pouvais disposer librement que de mes fins de semaine. Je partais donc, de Genève, dans la nuit du vendredi au samedi, arrivant à Lunel vers 3 heures du matin. Et chaque fois, à cette heure incivile, je trouvais Jean Hugo à la gare, m'attendant avec sa voiture. Je repartais dans la nuit de samedi à dimanche, afin de passer, comme toujours, le dimanche avec les miens. Ainsi, je travaillais au mas de Fourques le samedi, à peu près sans interruption, de 4 heures environ à 22 heures à peu près.

Jean, fils de Georges (lui-même, Georges, petit-fils de Victor Hugo), me rappelait les détails qu'il tenait de son père sur le climat pénible – et parfois aux confins de l'affreux – qui régna dans la demeure du vieux poète après que sa belle-fille Alice (veuve de Charles Hugo, qui était mort subitement, à quarante-cinq ans, le 13 mars 1871) fut devenue Mme Lockroy. Lockroy, député de Paris, ne dissimulait pas l'hostilité que lui inspirait le vieillard, pour des raisons diverses, mais notamment pour sa pensée religieuse, sur laquelle V.H. insistait avec ses poèmes de 1878-1880 : *Le Pape, Religions et Religion, L'Ane* ; autant de textes qui irritaient Lockroy, et lui paraissaient déplaisants, déplorables, rétrogrades.

1. Écrit en décembre 1960.

189

Jean Hugo est un homme extrêmement attachant, d'une gentillesse foncière. Je n'ai jamais entendu, dans ses propos, la moindre malveillance pour qui que ce fût (même pour Lockroy, qu'il ne jugeait pas). Est-ce l'hérédité qui a franchi deux générations (Charles, Georges) sans laisser de traces, et qui s'affirme chez l'arrière-petit-fils ? L'accueil à l'étrange, au mystérieux, au « surnaturel », bien connu chez Victor Hugo, le voici qui reparaît chez Jean. Il me faisait visiter ses serres, où vivent des plantes rares, et soudain, d'un ton changé, presque à mi-voix, avec une sorte de respect craintif : « *Voici la mandragore.* » Je n'avais sous les yeux, dans un petit pot de terre, qu'une plante comme une autre, entièrement privée d'attraits ; une chose minime, grisâtre, ratatinée ; mais le nom évoquait en moi des idées, vagues et noires, de gibets, de fleur sinistre naissant du sol sous le sperme des pendus. En réponse à la « présentation », presque solennelle, de Jean Hugo, je dis seulement, avec prudence : « *Ah ? la mandragore...* » Et lui : « *Elle crie, vous savez, si on veut l'arracher.* » J'eus la sottise de sourire ; j'attristais Jean Hugo, et m'en aperçus aussitôt. Il tint à effacer mon scepticisme : « *C'est vrai, ce que je vous dis là. Absolument vrai.* »

Il m'a montré, au fond de la propriété, une petite butte, une bosse du terrain en friche. C'est là, me dit-il, que Kerensky, réfugié en France après « Octobre » (novembre) 1917, et invité par les Ménard-Dorian, anciens propriétaires du mas de Fourques, chaque matin, venait, tout seul, à cet endroit même, haranguer la solitude. Il y prononçait, passionnément, de grands discours, en russe : sans doute ce qu'il aurait voulu dire à ses compatriotes, mais qui n'avaient pour auditeurs que des lapins sauvages, jaillissant parfois de la garrigue, devant lui, à perte de vue déserte.

Jean a un don réel de dessinateur et de peintre. J'ai de lui une petite toile qui « me parle » plus que ne le fait la « chouette » que m'a donnée Lurçat, plus que toute ma petite collection d'images.

J'ai appris que Jean Hugo s'est marié – sur le tard – et qu'il veut autour de lui « *une famille nombreuse* ».

Que Dieu bénisse ce cœur simple, ce cœur d'or.

Marges

Hemingway dans une interview : « *Croyez-vous en Dieu ? – Oui, parfois, la nuit.* »

Le coup de griffe de Renan, dans son *Avenir de la science*, aux prétendus « savants » catholiques : « *Ils ne cherchent pas ; ils tâchent de prouver.* » Mais c'est très exactement, très précisément, l'impression que me donnent les « chercheurs » du type Lévi-Strauss.

Quand on s'est nourri d'espérances, il est cruel d'ouvrir les yeux sur les tristesses de la réalité. Tentation de se dire que ce que l'on a pris longtemps pour une exigence de justice n'est qu'une réclamation jalouse.
Je me souviens de Merrheim, le combattant « métallo » d'avant 14, l'horreur et l'épouvante des nantis, et dont les bras retombèrent : je n'ai jamais pu, disait-il, obtenir d'action que pour des objectifs à ras de terre. Ainsi encore, Lissagaray, en 1871, qui avait vu de près, de trop près, la Commune ; pour un Varlin, une Louise Michel, que de pauvres types sans âme et dont toute l'ambition était que cessât le lock-out patronal, afin qu'ils puissent redevenir des esclaves à cent sous par jour, moins les dimanches et fêtes chômées. « *Deux cent mille fédérés* », constatait Da Costa, et « *pas dix mille* » pour se battre. Que l'humanité ne soit pas drôle, j'en conviens, mais ça ne suffit pas pour lâcher prise et rejoindre le camp des « mangeurs » contre celui des « mangés ».

Et Lamartine, comme ses compatriotes l'ont déçu ! Comme il a vite compris à quel point étaient peu nombreux ceux qui, comme lui, de février à juin 1848, avaient été soulevés d'une espérance ! D'où son découragement et son dégoût, et sa phrase terrible : « *Laissons aller le monde à son courant de boue !* » Non. Résister. S'accrocher. Plus nos semblables sont décevants et aveugles sur leur propre bonheur, plus il faut s'acharner au travail pour changer, au-delà des structures, le regard des hommes.

Maurice Sachs écrit de je ne sais plus qui : elle « *couchait de-ci de-là avec une passion frigide* » ; ce sont, dit-il, « *les plus forcenées* ». Ce serait l'histoire de George Sand. Il semble qu'elle n'ait réussi à jouir qu'avec Michel de Bourges, qui l'aurait, enfin, comblée, Musset lui-même y ayant échoué, comme ses prédécesseurs, comme son successeur vénitien.

J. Chauvel a très peu d'estime pour Vigny. Le poète, me dit-il, souffre d'un « *malheur d'expression* » presque perpétuel ; l'homme, en revanche, « *connaît l'art de ne mettre jamais en doute son intégrité morale* ».

Il y a des libertés, je crois, que l'on ne saurait prendre, même dans les meilleures intentions, à l'égard des grands écrivains. J'avais déjà regretté qu'Albert Béguin (un excellent homme, cependant, lucide et courageux, et qui, succédant à Mounier pour la direction d'*Esprit*, ne se montra indigne en rien de son prédécesseur) ait intitulé *Suite d'« Ève »* les vers auxquels Péguy avait renoncé lorsqu'il fit paraître, en janvier 1914, son poème démesuré. Il en supprima des pans entiers. Nous les faire connaître était une très bonne idée, mais donner pour une « *suite* » de l'ouvrage ce qui en constituait, au vrai, des déchets, des rebuts, non.
Puis ce serait Mounier qui inventa de baptiser *Les Enfants humiliés* (sans doute en souvenir du *Père humilié* de Claudel ; mais je ne vois pas le rapport) le *Journal* tenu par Bernanos pen-

dant la « drôle de guerre ». Le procédé me paraît mal admissible. Ce n'est pas tout. Bernanos se voit refuser, par les responsables du film, les dialogues qu'il avait écrits, en Tunisie, pour *La Dernière à l'échafaud*, une nouvelle de Gertrud von Le Fort que Bruckberger, de longue date, rêvait de porter à l'écran. Inhabile (il n'a jamais encore rien fait de semblable) et gêné par le carcan du scénario, Bernanos n'avait pas réussi. Ces textes de Bernanos restés inédits, Albert Béguin leur fit un sort ; à la place du titre original, il choisit *Dialogues des carmélites* et disposa le tout de telle sorte que cela prît l'aspect d'une pièce de théâtre, en quatre tableaux et quarante-huit scènes.

Procédé contestable (et, encore une fois, il ne m'est pas agréable de critiquer Albert Béguin, à tous égards un « type bien »).

Mme de Staël observe, narquoise et triste : « *Il y a des phrases pour tout* [1]. » Benjamin Constant lui en aura fait, maintes fois, la démonstration.

Un mois environ après la mort de Y.H. (devenue Y.S.), son mari me fit parvenir trois feuillets où Y. avait recopié des réflexions complémentaires, avec ceci, à la fin : « *Londres, 15 novembre 1945. Pour Henri.* »

« *J'aime celui à qui je dis : ne te trahis pas pour moi.* »

« *L'oiseau fou dit au piège : cache-toi !* »

« *Le pharisien est celui que les tentations n'ont pas daigné visiter.* »

« *Ce que l'on fait de tout son cœur est d'avance lavé ; le mal n'engage pas tout le cœur.* »

« *Le fleuve, avant de se perdre, ouvre enfin le delta de ses bras.* »

« *L'âme est parfois dans le corps comme une visiteuse qui voudrait se lever et partir.* »

1. Dans son dernier ouvrage, *Considérations* [...], II, 397.

Je crois vraiment que chacun de ces petits textes mérite d'être relu, soupesé, médité.

J'aurais dû relever pour ma *Tragédie de 1848*[1] ce passage du *Journal* du comte Rodolph Apponyi, 24 février 1849 (donc, jour anniversaire de la révolution). C'est une phrase de Changarnier que le diplomate hongrois vient d'entendre et qui lui paraît excellente : « *La liberté ? On vous a vus à l'œuvre, messieurs les Rouges.* [Le gouvernement provisoire avait attenté à la liberté des entreprises, en ramenant, arbitrairement, la journée de travail de douze heures à onze pour les ouvriers parisiens.] *L'égalité ? Ce n'est certes pas moi, commandant, qui la réclame. Quant à la fraternité, je l'ai tellement en horreur que, si j'avais un frère, je l'appellerai mon cousin.* »

« *Elle jeta sur moi sa magie comme un gladiateur jette son filet* » (J.H. Chase, *La Culbute*).

Jean Chauvel – où a-t-il lu ça ? Tradition familiale ? – m'assure que le comte de Chambord (celui que Chateaubriand appelait « *Henri V* »), étant allé saluer Mac-Mahon, président de la République et royaliste, répétait ensuite : « *Je croyais aller chez un maréchal de France, et je suis tombé chez un capitaine de gendarmerie.* »

Le même J.Ch. (dont l'érudition est inépuisable) prétend que, si Louis XV courait souvent les filles, dans Paris, déguisé en domestique de grande maison, il prenait soin, toujours, d'être rentré pour la messe, disant : « *Il n'est pas nécessaire de faire des péchés de tous les côtés.* »

---

1. Ouvrage publié en 1948, sous ce titre, aux éditions genevoises du Milieu du monde. Largement augmenté et sous le titre : *La Première Résurrection de la République*, il reparut, en 1967, chez Gallimard, dans la collection « Trente journées qui firent la France ».

Sur Pétain « collaborateur » de l'ennemi. Dans l'ouvrage de Liddell Hart, *Les généraux allemands parlent*, un texte précieux fourni par Blumentritt : Hitler et son état-major de l'OKW commirent une lourde erreur en se persuadant qu'ils auraient très largement le temps d'organiser, si jamais les troupes allemandes devaient reculer, en juin-juillet 1944, de solides bases de repli. Cependant, « *Pétain avait, à plusieurs reprises, mis en garde von Rundstedt contre le danger de sous-estimer la vitesse de marche des Américains* ». Ainsi, le Maréchal rendait service, autant qu'il le pouvait, aux forces de l'occupation, non seulement par sa « Milice » qui traquait les résistants, mais par d'utiles conseils stratégiques.

Cette intelligente méchanceté de Hugo, sur Montalembert : « *Il avait l'espèce de talent possible à une âme médiocre.* »

A propos de Paléologue (qui eut un grand rôle comme ambassadeur à Saint-Pétersbourg, en 1913-1914, pour amener la Russie à souhaiter la guerre), H.H. me cite, de mémoire, ce quatrain d'auteur inconnu qui aurait (quand ?) « couru le Quai d'Orsay » :

> *Sitôt que sa verve s'allume*
> *Rien ne saurait plus l'arrêter.*
> *Il prend son doigt pour porte-plume*
> *Avec son œil pour encrier.*

De M.N., qui non seulement se connaît bien, mais n'écrit pas mal :
Sur un de ses amants : « *Je me rappelais qu'il m'avait plu et déplorai la fragilité de mes désirs.* »
Et : « *L'amour a toujours été pour moi comme les trois premières et impérieuses bouffées de la cigarette.* »

PARCOURS II (1945-1962)

La démonstration à laquelle je me suis employé, en trois volumes (1956, 1959, 1960) consacrés à la guerre de 1870-1871, portait sur la furieuse détermination des « *gens de bien* » de s'arranger, le plus vite possible, avec la Prusse en lui accordant, sans discussion, ce qu'elle voulait, c'est-à-dire Strasbourg et Metz, dans l'épouvante où l'on était, chez les possédants, de voir s'établir une république tenue pour infiniment dangereuse quant à la sauvegarde de la propriété. D'où la haine des « Jules » (Favre, Ferry, Simon, Trochu) à l'égard de Gambetta-le-résistant et de sa « *guerre à outrance* ».

Tout a recommencé, à droite, avec une similitude saisissante, à l'idée d'un conflit avec Hitler, protecteur des « honnêtes gens » contre la peste socialo-communiste. *Je suis partout* et *L'Action française* ont salué Munich avec bonheur. Juste avant la déclaration de guerre, le 26 août 1939, l'ambassadeur d'Allemagne à Paris transmet à la Wilhelmstrasse un texte qui ne pourra qu'être très agréable au Führer : l'éditorial de *L'Action française* où Maurras se déchaîne contre les « *fauteurs de guerre* », en France, tous « *Juifs ou amis des Juifs* » ; et, le 26 juin 1940, Maurras reprenait le vocabulaire même de ses prédécesseurs, de Gaulle remplaçant Gambetta sous sa plume, de Gaulle et autres partisans de « *la lutte à outrance* ».

Hugo. Dans un de ses carnets, V.H. s'est aventuré un jour à cette définition de lui-même : « *Je suis un homme qui pense à autre chose.* » Constatation d'une distance intérieure permanente entre ce qu'il dit, ou écrit, ou fait, et, en lui, un « moi » qui trouve que tout cela, paroles, poèmes, actes, est, « à côté », terriblement pauvre, simpliste, rudimentaire, insuffisant à ce point que c'en est dérisoire. Et quantité de notes de sa main ne sont pas autre chose que des coups de sonde essayés par Hugo sur les arrière-plans de lui-même, ses idées de derrière la tête, cet « *autre chose* » dont l'obscure préoccupation l'accompagne sans cesse.

196

MARGES

D'un « *essai* » que Jacqueline O. m'envoie, je transcris ces trois
citations :

« *Armée du Salut. J'étais persuadée qu'en soufflant des cantiques
dans une trompette, j'obligerais Dieu à se déranger pour moi. Il ne
s'est rien passé. J'ai posé ma trompette.* »

« *Quand il me caressait, une boule allait et venait dans ma gorge,
et je ne savais pas si c'était à cause du plaisir ou à cause du
dégoût.* »

« *Elle pue, ta pudeur. Tes pensées font l'amour avec cette fille.* »

Parcours III

1963-1973

Jours

12 juin 1963. Tel-Aviv

Chez l'ambassadeur (Bourdeillette). Conversation très instructive avec le R.P. Perrot, un chercheur de l'École biblique. Sur l'« *absurdité* » de la « *monogenèse* » ; sur l'énorme lenteur de l'évolution, des humanoïdes à l'*Homo sapiens* (l'écriture semble bien n'être apparue que très tard ; il n'y aurait pas plus de sept mille ans). Ainsi, par centaines de mille (peut-être deux millions), des « *années dormantes* » ; puis une soudaine et prodigieuse accélération du psychisme.

Le lendemain 13 juin, à Jérusalem, au consulat général, je retrouve Perrot, accompagné du poète et professeur juif Claude Vigée. Ils sont d'accord pour déceler, dans la Genèse, deux traditions distinctes, entremêlées, dont l'une venait de Perse. De même l'École biblique a désormais *établi* que l'on discerne, sous le quatrième Évangile, au début, deux documents préliminaires, aujourd'hui disparus, superposés et entrecroisés dans le texte finalement adopté par le groupe johannique. (Et non pas seulement deux, mais trois Isaïe... Je pense à Claudel et à l'accueil qu'il eût réservé à une folie pareille [1].)

---

1. L'École biblique de Jérusalem estime aujourd'hui que la genèse du quatrième Évangile doit avoir comporté quatre étapes. Une première rédaction ne contenait « *aucun des grands discours* » de Jésus ; ce document fut « *repris et amplifié* » par un « *Jean II* », qui procéda, d'ailleurs, en deux temps, ajoutant d'abord « *quelques discours* », puis remaniant le tout dans une « *nouvelle rédaction* » où se traduit « *l'influence des lettres de Paul* » et « *des textes de Qumrân* ». Enfin, un troisième « *auteur* » (dit « *Jean III* ») introduisit dans l'Évangile définitif « *un certain nombre de gloses* » (cf. *L'Évangile de Jean*, de Boismard, Éd. du Cerf, 1977, p. 11).

14 juin 1963

Je suis à Tibériade, à l'hôtel, sur le balcon de ma chambre, face à ce lac sur lequel le Nazaréen a « marché » (disent trois Évangiles ; Luc n'en parle pas) et où glissent, derrière des canots rapides, des amateurs de ski nautique. Le soleil descend. A midi, venant de Saint-Jean-d'Acre, j'étais à Safed, 1 200 mètres d'altitude. Tibériade est à moins 200. La colline dite « des Béatitudes » (ou du « Sermon sur la montagne ») est, déjà, au-dessous du niveau de la mer.
J'ai vu, et je vois (effaçons les skieurs) exactement ce que voyait le Christ. *Rien* n'a changé. La haute muraille de Syrie, sur l'autre rive ; et sans doute y avait-il à Capharnaüm, au bord de l'eau, de grands eucalyptus tout semblables à ceux dont j'ai touché l'écorce.
Tumulte en moi. Le cœur étreint. Prière d'adhésion passionnée. Trop facile, ici, bien sûr... Que Dieu m'aide à lui rester fidèle quand il s'agira d'autre chose que d'une émotion de touriste.

[Juin 1963] [1]

Bourdeillette se déclare convaincu que les Israéliens « *ont* » la bombe atomique. Il souligne à mon intention ce que je devinais sans en être certain : « *l'indifférence religieuse* » à peu près générale chez ces Hébreux qui révèrent, en principe, la Bible, mais sont incroyants, dans l'ensemble. Moshé Dayan lui aurait dit, expressément, qu'il était, pour sa part, « agnostique » – ce qui constituait, me dit l'ambassadeur, un euphémisme.
J'ai passé seul à Tibériade, dans un bon hôtel, le jour du sabbat. La jeunesse dorée de Tel-Aviv s'y divertissait sans scrupule ni modération.

---

1. Écrit dans l'avion, à mon retour d'Israël.

202

10 décembre 1963

Comme le faisait jadis l'abbé Journet, venant régulièrement de Fribourg à Genève pour des « entretiens » dans un cercle privé, l'abbé Steinmann s'adresse à Paris, tous les quinze jours, à un petit groupe de croyants auxquels il *« propose des réflexions »*. Steinmann n'est point en dissidence ; il se contente d'offrir à ses amis quelques « *remarques* ». Je viens d'entendre l'enregistrement d'un de ses exposés. J'en garde très présentes à l'esprit les deux observations que voici :
– que, durant *« des siècles »* (j'aurais souhaité des précisions), il ne fut pas question, dans les communautés chrétiennes, de baptiser les nouveau-nés. On ne baptisait que des adultes qui se convertissaient au christianisme ;
– et cette phrase que je crois avoir retenue à peu près, telle quelle : « *Notre catéchisme par questions et réponses est tellement inintelligible aux enfants qu'il est à l'origine du* [ou " qu'il explique le "] *vaste abandon de la foi. Dès que l'enfant parvient à l'âge d'homme, et qu'il se souvient de ce qu'on lui a fait répéter, il s'en détourne avec colère et dégoût.* » Et je retrouve là ce que j'ai lu dans Tolstoï au sujet des popes et de l'enseignement qu'ils donnaient aux petits moujiks : « *L'Église* [russe] *fait infailliblement des athées.* »

29 novembre 1964. Paris

A l'Institut des sciences techniques et humaines, le secrétaire du comte de Paris (un des fils du prétendant suit les cours supérieurs) m'a déclaré que la vérité sur l'attitude réelle des généraux en 1870 (moins deux ou trois comme Chanzy et Faidherbe) est « *tout à fait impossible à dire dans un manuel scolaire* ». Il ne préconise pas « *le mensonge* » à ce sujet, mais tient le silence pour « *absolument nécessaire* », sous peine de mettre en péril, dans la jeunesse, l'indispensable « *respect de l'armée* ».

203

6 décembre 1964. Taizé

Entretien avec le frère Roger qui revient de Rome ; sur le concile. Les trois derniers jours ont été « *dramatiques* ». On s'est séparé « *en pleine crise* » ; il y eut une « *allocution polémique de Paul VI sur le protestantisme* ». Le pape « *corrige ce qui a été voté* ». Tisserant n'a cessé de manœuvrer contre l'acceptation par le concile de la « *liberté de conscience* » ; il était principalement soutenu par les évêques espagnols. Paul VI est assailli, harcelé, par des gens qui lui disent qu'il « *perd l'Église en brisant avec la tradition* ». Il aurait voulu que le concile, dont il est « *excédé* », prît fin, et voilà une quatrième session !

2 février 1965

Mauriac s'est abstenu d'assister aux obsèques de Weygand. L'ont imité Chamson, Jules Romains, etc. En revanche, Guéhenno était là, à côté de Massis et de Guitton.

19 avril 1965

Intéressant, solide, l'ouvrage d'Henri Lefebvre : *La Proclamation de la Commune*. Mais lassantes, la manie marxiste de Lefebvre et ses perpétuelles références au grand maître. On pense à l'ancienne scolastique où il fallait, à tout bout de champ, saluer saint Thomas. Comme si la pensée chrétienne s'enfermait dans saint Thomas ! Comme si la pensée et l'action révolutionnaires pour la substitution de l'ordre au désordre et de la justice à l'iniquité n'avaient de prix que s'il y a moyen de leur coller le label marxiste. Il s'en faut qu'il ait toujours raison, Karl Marx. Jaurès l'a parfaitement montré : fausses prédictions, théories contestables. Un grand penseur, Marx, et d'une importance capitale dans l'histoire des idées. Mais en faire ce Pontife, ce Prince à qui sont dues, à chaque instant, des courbettes vénérantes, non, zut, marre !

Ce qui ne cessera jamais de m'émouvoir dans la Commune, c'est qu'on y a vu des gens à la Delescluze, à la Rossel, à la Vallès, à la Varlin (celui-là, surtout, quelle haute figure, bouleversante !), des hommes qui ne « jouaient » pas, qui risquaient tout, et le sachant, parce qu'ils avaient une certaine idée du Bien, du Bien des hommes. Trois pas, seulement trois pas accomplis dans cette direction (et sans espoir de récompense), simplement parce que c'est le Bien, j'appelle ça, disait Simone Weil, trois pas « *miraculeux* ». Ils en ont fait, ces communards-là, ils en ont fait beaucoup plus de trois, de ces pas « *miraculeux* ».

30 octobre 1965

Le 5 mai 1789, Louis XVI, ouvrant les États généraux, mit les députés en garde contre un « *désir immodéré d'innovations* ». Ce fut le mot même, ou presque, de Paul VI. Si seulement c'était vrai que le concile ait été quelque chose comme les états généraux de l'Église, pour de sérieux changements ! Mais non, plus rien « à craindre ». Le poids de l'immobilisme est cent fois, mille fois plus lourd, dans l'institution religieuse, qu'il ne l'était dans l'institution politique d'autrefois.

[Octobre 1965] [1]

Dans l'avion de nuit Montréal-Paris, nous n'étions, en première classe, que deux passagers – ni l'un ni l'autre, sans doute, à nos frais –, Lecanuet et moi-même. J'avais achevé, la veille, une tournée de conférences au Québec, et Lecanuet, candidat à la présidence de la République, n'avait passé que vingt-quatre heures à Montréal, invité par Radio-Canada pour une interview.
Avant que j'aie pu intervenir pour l'en dissuader, l'hôtesse crut bon de nous présenter l'un à l'autre. J'eus droit au sourire, déjà fameux par son ampleur (impeccable exhibition dentaire) du candidat du centre contre le Général. Lecanuet connaissait mes orien-

1. Écrit à Neuchâtel, dès mon retour à la maison.

tations et me dit, de bon cœur, en me serrant la main : « *Sans doute ne puis-je guère compter sur votre voix ?* » J'en convins, avec des regrets courtois. Il ajouta : « *Vous me prenez pour un homme de droite ?* » Je dis : « *En somme, oui* » ; et lui : « *Vous vous trompez, je vous assure.* » Notre conversation s'arrêta là. J'ai regagné ma place, que j'avais choisie tout au fond. Lecanuet et moi, à bonne distance l'un de l'autre, étendus sur trois fauteuils dont l'hôtesse avait rabattu les accoudoirs (tout en nous apportant des couvertures), nous avons traversé l'Atlantique dans les meilleures conditions pour un bon sommeil. A Orly, nous n'avons échangé qu'un signe de tête.

En attendant, à l'aéroport, mon avion pour Genève, j'ai eu tout à coup devant moi Jean Lacouture, qui partait pour je ne sais plus où. Une vraie joie, cette rencontre-là.

26 mars 1966

M'efforçant d'en savoir plus long sur Chateaubriand nommé par Talleyrand, en 1814, ministre de France à Stockholm et qui n'alla jamais occuper ce poste, surpris de la pauvreté du dossier Chateaubriand aux archives du Quai d'Orsay, j'ai posé au conservateur desdites archives, M. R. Glachant, une question à laquelle il vient de me répondre comme suit : « *Vous me demandez s'il est concevable que le ministre des Affaires étrangères de 1823* [c'est Chateaubriand] *ait apuré son dossier. Je vous répondrai que c'est parfaitement concevable, et même traditionnel.* »

10 mai 1966

Ph., mon fils aîné, qui est à Pékin et va, une fois par trimestre, à Hong-Kong pour des achats, m'écrit qu'il y a rencontré un Américain, directeur d'une petite compagnie d'aviation, lequel lui a déclaré : « *La guerre du Vietnam, c'est exactement la guerre qu'il nous faut, où il nous faut, de la taille qu'il nous faut. Et* [" *j'ai reçu alors dans le dos*, dit Ph., *une affectueuse bourrade* "], *tenez, moi, j'ai déjà triplé ma fortune avec ça.* »

[Septembre 1966] Montréal [1]

Un Canadien brillant, jovial, riche, catholique, la quarantaine. Il m'a adopté. Il s'ingénie à me faire plaisir. Pour ma journée de repos à Montréal, avant ma tournée de douze jours en province, il se charge de moi, du matin au soir : on ira voir ceci, cela, dans sa Cadillac, et il me réserve, dit-il, une charmante surprise pour le déjeuner dans sa « hutte » des Laurentides.

La surprise, c'est une autre invitation qu'il a faite pour ce pique-nique dans sa résidence secondaire : une gentille, en chemisier blanc, pantalon bleu sombre ; petite, blonde, rieuse, dans les vingt-huit, trente ans. Intelligente, fine, drôle. Un mari et deux enfants. Lui-même est marié. Sa femme, que j'ai vue le matin, au départ, et qui devait rester auprès de sa mère, impotente, n'a certainement ni le charme ni la jeunesse de la survenante. Je devine que, pour mon hôte, le clou de sa journée était de m'éblouir en mettant sous mes yeux sa conquête. Comme la jeune femme venait de nous laisser seuls un instant pour s'affairer dans la « kitchenette », le propriétaire de la hutte et copropriétaire de la toute-belle a fait un geste de haut style : trois doigts en boucle devant ses lèvres, puis qui explosent : « *Comme baiseuse, mon vieux, n'avez pas idée ! Fantastique !* »

Et généreux, avec ça ; car il m'assure aussitôt que, si j'en ai envie... Eh oui, il me donne sa parole : elle serait d'accord, il lui en a « *touché un mot* ».

Il est vraiment trop bon. Un chrétien des premiers temps, qui sait partager.

[Septembre 1965 et septembre 1966] [2]

Deux tournées de conférences au Québec, l'une de quinze jours, l'autre de trois semaines. Un accueil chaleureux, parfois même

---

1. Écrit sur place, mais sans date, lors de mon deuxième séjour au Canada.
2. Texte que je rédige en vue du présent ouvrage, à partir de maigres notes sans date, et très mal lisibles, prises au lendemain de mon deuxième séjour.

émouvant. Mais je n'ai guère vu de près que les milieux de l'audio-visuel et quelques écrivains ou professeurs. Un moyen sûr de s'y couvrir de ridicule eût été d'avouer la moindre estime pour *Maria Chapdelaine*, cette « *niaiserie* », cette « *bouffonnerie* ». Profondément frappé par leur animosité extrême à l'égard du catholicisme. Sans doute une réaction inévitable après des décennies d'écrasement clérical. Un seul de ces jeunes intellectuels m'a été hostile, courageusement et publiquement : Jacques Godbout. Interrogé, à la radio, parmi d'autres (et tous favorables) sur ce qu'ils pensaient de mes exposés – des « portraits », forcément sommaires, de Rousseau, Hugo, Flaubert, Zola, etc. –, il avait trouvé cette formule percutante : « *J'appelle ça de la biophagie alimentaire.* » Je lui ai téléphoné, l'ai invité à une conversation paisible, dans un bar. Il est venu, raide et glacé. Je l'ai questionné sur sa vie, les siens, ses idées. J'avais deviné qu'il me tenait en mépris à cause de mon attachement à une foi chrétienne qu'il rejetait comme imbécile, et en suspicion quant à mes avidités d'argent sous une couverture d'« idées nobles » et un certain travestissement gauchiste. Je lui ai parlé sans masque, avec une sincérité totale, sur mes origines, l'emploi de ma vie, ma trajectoire, mes amours, mes convictions, presque tout... Il m'écoutait, s'ouvrant peu à peu. Il a fini par me dire : « *Tout ce que je veux, c'est tâcher de n'être pas un salaud.* » Nous nous sommes quittés amis, amis pour de bon, et, en 1968, je l'ai fait venir à Paris pour trois jours, aux frais de la télévision, lorsque, en décembre, j'ai été, grâce à Mme P.-E.V., « L'invité du dimanche », avec l'autorisation de choisir, pour corser l'émission, deux Français (j'ai choisi J.-L. Barrault et Trénet), un Belge (j'ai choisi Brel), un Suisse (Georges Haldas) et un Canadien (lui, Godbout).

Tous ces gens de radio-télévision canadienne, avec lesquels je vivais constamment et dans la plus cordiale entente, me « pardonnaient » mon christianisme que je ne proclame ni ne cache, parce que mes livres leur semblaient du travail sérieux, avec des éclairages inédits ; mais aucun d'eux, jamais – jamais –, n'a fait allusion à ma pensée religieuse. On tolérait cette faiblesse de ma part ; on voulait bien en détourner les yeux. Mais un jour, à Montréal, en fin d'après-midi, comme j'étais assis, seul, dans un coin de la cathédrale – vide –, un prêtre s'est approché de moi : « *Vous êtes bien monsieur Guillemin ?* » C'était un très vieil homme, voûté, cassé, blanc. Il m'a dit d'une voix qui tremblait : « *Je vous remercie. Notre malheureuse foi, si abandonnée, désertée ! Quel service vous rendez à la religion !* » Des mots (les derniers surtout) qui me mettaient très mal à l'aise.

A l'université Laval [1], le recteur m'a confié que, sur les quelque cinq mille étudiants inscrits là, à peine cinq cents vont à la messe. Existe une petite feuille imprimée, hebdomadaire, semi-clandestine, que rédige et édite un groupe d'étudiants [2]. Ils m'ont introduit dans leur antre. Sur les murs, un prodigieux affichage de caricatures anticléricales, antireligieuses, innocentes par leur énormité même.

29 novembre 1966. Liège

Le vieil Englebert (des pneus), ce mammouth auquel la légende attribue une des plus grosses fortunes européennes, m'a placé à sa droite au dîner de la « Société d'études et d'expansion » (après ma conférence sur Tolstoï). Il me raconte quelques souvenirs et, notamment, cette confidence « *désolée* » que lui aurait faite Dautry (ministre de l'Armement, en 1940) sur nos terribles insuffisances en chars et en avions, avec ce complément d'information : « *Ah ! le Front populaire a été terrible pour la France !* », sous-entendant qu'il a négligé, ou saboté, la défense nationale ; alors que ni le gouvernement Doumergue, où figurait Pétain, ni le gouvernement Laval, ni le gouvernement Sarraut n'avaient augmenté les crédits militaires, et qu'il fallut Blum au pouvoir pour qu'enfin, et bien tard, face au formidable réarmement de l'Allemagne nazie, 14 milliards soient votés pour l'indispensable accroissement de nos forces.

1. Du nom de Mgr Montmorency-Laval, premier évêque de Québec.
2. Le recteur est au courant, mais se tait, n'intervient pas.

3 décembre 1966. Genève

Une heure au buffet de Cornavin avec J. Chauvel venu de Londres pour voir des représentants de l'ONU. Il me parle à nouveau, et spontanément, de Morand, dont j'ignorais qu'il avait été, un temps, « suspendu » par Rochat, secrétaire général des Affaires étrangères à Vichy, en raison des « *procédés déloyaux* » qu'il aurait eus pour quitter Londres, où il appartenait à une « mission commerciale ». Rochat souhaitait qu'il y restât, même après Mers el-Kébir, afin de « *garder un fil* » avec Londres et de tenir Vichy au courant des activités « gaulliennes ». Morand fit passer par Lisbonne un télégramme prétendant que Halifax l'avait chargé, pour le Maréchal, d'une note secrète. On le rappelle. Il rentre. La « note » n'existait pas. Ou, plutôt, il ne s'agissait que d'« *élucubrations, d'ailleurs inconsistantes et attribuées par Morand à Halifax* ». Au vrai, il redoutait un débarquement allemand et des bombardements intensifs. Il « *se garait* ». D'où sa « *mise à pied* ». Il sut gagner Laval à sa cause par des propos « *tout à fait dans la ligne* » et obtint de passer « *ministre* » en Roumanie, où sa femme disposait de « *grands biens* ». Et J.Ch. renouvelle, à peine modifié, le jugement qu'il avait déjà porté sur Morand : « *Un homme qui ne mérite aucune estime ; et c'est trop peu dire.* »

Il ajoute, quant aux sommes considérables que Morand finit par percevoir à notre consulat de Lausanne (« rappel de traitement ») : le fait qu'elles lui aient été versées « *en francs suisses* » constituait une « *scandaleuse entorse* » à la législation sur les devises.

[Avril ou mai 1967] [1]

Reçu, chez moi, à La Cour-des-Bois, l'abbé Auguste Rosi, celui dont Sulivan a fait son « Tonzi » de *Car je t'aime, O Éternité*. Il m'a dit, entre autres choses, textuellement :

---

1. Date omise, que je reconstitue approximativement. Seule certitude : l'abbé Auguste Rosi (dit « Tonzi ») est venu me voir en Bourgogne, au printemps 1967.

« *Oui, j'ai donné la communion à des invertis, qui vivent ensemble et qui s'aiment. Pas leur faute. Question de glandes. Le vice, la vertu ? Soyez bien sûr que Dieu s'en fout. Ce n'est pas ça qui l'intéresse, mais une disposition essentielle de l'être. Il nous faut, dogmatiquement, affirmer que Jésus* EST *Dieu. Mais qui est Dieu ? Qu'est-ce que Dieu ? Définissez d'abord avant d'exiger cette profession de foi.* »

A deux questions que je lui ai posées, et dont l'élucidation m'importe, Tonzi vient de me répondre, par écrit. Il m'avait demandé de patienter afin qu'il puisse lui-même s'informer de telle sorte qu'il soit assuré de répondre juste :

1. A quelle époque le crucifix devint-il liturgique ?
Réponse : Décision du pape Jean VII, en 705.
2. A quelle date l'obligation du célibat ecclésiastique ?
Réponse : Décision du pape Grégoire VII, en 1075.

Il ajoute que, la Vulgate, traduction latine, par saint Jérôme, des Évangiles (qui furent écrits en grec), et où ne manquent ni les inexactitudes ni les « interprétations » modifiantes, le concile de Trente, en 1546, déclara (contre les protestants, coupables de récuser la Vulgate en raison de ses erreurs) que c'est ce texte-là, et lui seul, qui, pour l'Église, « fera foi ». Sur la messe en français (et non plus en latin), Tonzi propose cette remarque : « *Tant mieux ! Les gens s'apercevront de ce qu'on leur fait dire... Sans blague, que peut-on mettre de pensable sous les mots liturgiques :* " *Seigneur, nous vous rendons grâce pour votre immense gloire* " *? J'ai vérifié dans le Robert ; cela signifie très exactement et uniquement :* " *Action de reconnaître un bienfait. Reconnaissance. Remerciement.* " *Ainsi, nous sommes reconnaissants à Dieu, nous remercions Dieu de sa gloire, sans doute parce qu'elle illumine et rend fier chacun de nous comme celle de Louis XIV et de Napoléon.* »

Adjonction

Les communautés chrétiennes tardèrent plusieurs siècles avant de prendre la croix pour emblème, car la croix évoque seulement la mort, la souffrance, l'expiation et n'implique en rien l'essentiel, qui est la résurrection. Pour signe de ralliement, les chrétiens choisissaient le grand X de *Xristos*, ou l'image sommaire d'un poisson :

IXTHUS, mot constitué par les initiales de la formule *Iesus Xristus Théou Uïos Sôter* (Jésus Christ fils de Dieu, sauveur).

20 novembre 1967

Partiellement, mais réellement, un document d'histoire, les souvenirs d'enfance que Pascal Jardin publie sous le titre *La Guerre à neuf ans*. On y voit revivre le Vichy de 1940-1944, lorsque Pétain avait établi là, sous l'égide allemande, son pseudo-gouvernement français. La bande publicitaire de l'ouvrage annonce : « *Vichy vu par un Saint-Simon en culottes courtes* » ; ce qui est beaucoup dire, d'autant plus que le « Saint-Simon » auteur du livre n'est plus, de longue date, en « culottes courtes » et qu'il aurait eu beaucoup de mal à écrire pareil récit lorsqu'il était le petit témoin des choses qu'il nous raconte à présent. Beaucoup d'années ont passé, et le lecteur ne saurait être très sûr qu'il n'y ait point quelque appréciable distance entre les souvenirs réels d'un garçonnet et l'habillage que leur confère l'homme qu'est devenu le gamin ; un gamin un peu rancunier, car il égratigne au passage « *le richissime écrivain catholique Daniel-Rops, de son vrai nom Petiot* », dont Pascal Jardin était le filleul, et qui commit l'inconvenance de le « *déshériter* ».

Une galerie de portraits, d'abord. Divers illustres. Voici « *Son Excellence Lequerica, gigantesque dindon doré, ventru comme un galion de Charles Quint, ambassadeur d'Espagne à Vichy* » ; voici le nonce apostolique, « *une sorte de prélat à la Fellini, sanglé dans une soutane de soie taillée par Jeanne Lanvin* » et qui frétillait d'émotion « *à l'idée d'être témoin au mariage de Danielle Darrieux et de Rubirosa* » ; voici Abel Bonnard, ministre de l'Éducation nationale, « *petit, précieux, précis et pourvu d'une chevelure blanche et mousseuse* » ; de mauvais esprits l'avaient surnommé « *la Guestapette* » ; et voici Paul Marion, ministre de l'Information sous Pétain, ses « *dents de loup jaunies par la nicotine* », déconseillant autour de lui le mariage, source, à l'entendre, de « *chieries lancinantes* », goinfre et jouisseur, mais promis à un affreux destin de cancéreux ; ce qui inspire à Pascal Jardin une phrase digne de Chateaubriand : « *L'enfer l'avait cueilli de son vivant.* »

Des bévues par-ci, par-là, dans l'ouvrage. Quand, par exemple, à propos du style de Paul Morand, il nous est déclaré que, de ce magnifique art d'écrire, « *Roger Nimier, Antoine Blondin, François Nourissier* » sont les disciples – ce que je veux bien ; mais Pascal Jardin ajoute à la liste le nom de Jacques Laurent, comme si M. Caroline chérie disposait de quoi que ce soit qui ressemble à un style. De même, bien amusante la qualification de « *revue d'avant-garde et de gauche* » pour cet *Ordre nouveau* que j'ai bien connu, trop connu, dans les années trente, et où écrivait Daniel-Rops, ce qui suffit à définir le gauchisme de la publication, principalement soucieuse de contrecarrer, vaille que vaille, l'influence de Mounier et de sa jeune revue, elle, effectivement « de gauche », *Esprit.*

De bien savoureuses pages, dans le livre, sur Mme Paul Morand, ex-princesse Soutzo, fille d'un banquier d'Athènes, devenue Roumaine par son premier mariage et qui, en 1942, « *avait encore des maisons disséminées de l'Estérel à l'Oural* » ; « *pour elle,* écrit P. Jardin, *la révolution russe est un incident de parcours* », tandis que « *la catastrophe, c'est 1914* » ; « *non pas parce que c'est le début d'une guerre qui va saigner la France à blanc ; cette condottiere n'en a cure ; mais la mobilisation générale, c'est la fin de la grande domesticité, d'une valetaille pléthorique happée par des champs de bataille* » ; « *elle ne pardonnera jamais à ses gens d'avoir quitté leur livrée pour le bleu horizon* ».

Mais passons aux choses sérieuses. Pétain nous est montré, en promenade dans le parc, racontant à M. Jardin père « *une histoire de cheval, du temps où il était jeune officier* », allègre et dessinant dans l'air « *des moulinets très brillants avec sa canne* ». J'aime mieux ce détail-là, qui est *vu*, que cet autre, inventé, et pour lequel l'écrivain doué qu'est Pascal Jardin s'écroule, tout à coup, dans l'image d'Épinal : le Maréchal, « *désespéré, pâle comme la mort* » et debout « *dans son uniforme de Verdun* », qui reçoit von Rundstedt, le 11 novembre 1942, pour apprendre l'entrée des troupes allemandes en zone libre. Imaginaire, également, la scène où Laval, à Munich, après le débarquement américain en Afrique du Nord, affronte « *un Hitler fou furieux* » pareil à « *un dément sha-*

kespearien ». En revanche, Pascal Jardin n'a pas oublié telle visite de Laval chez Jardin père, au cours de l'été 1943, dans leur seigneuriale résidence de Charmeil. « *Entre deux Delahaye décapotées, bourrées de flics en civil* », Laval arrive dans « *un monstre noir de plus de quatre tonnes* » et qui « *tient de la Rolls-Royce et du Panzer* ». La voiture blindée stoppe sur le terre-plein ; « *les flics du président s'éjectent des Delahaye* » et se dispersent autour de la maison. « *Ils ont tous une arme à la main et des figures de tueurs professionnels. Le chauffeur ouvre la portière arrière* [...] *Au moment où Laval pose pied à terre, je vois qu'il est chaussé de fines bottines de chevreau noires, avec des tiges de drap et des petits boutons de nacre* » ; et l'enfant ouvre de grands yeux sur cet ami de son père, si solennellement entouré, cet « *auvergnat de soixante ans à tête de péon métissé d'Asiate* ».

Jean Jardin, « directeur de cabinet » du président Laval, et qui, au bon moment, je veux dire à l'échéance, juste avant l'échéance, ira rejoindre en Suisse un poste abrité (sous Morand, éphémère ambassadeur à Berne), Pascal Jardin fournit sur lui de brèves indications non dénuées de valeur : « *Fils d'un boutiquier de Bernay, élevé dans l'ombre des régisseurs des ducs de Broglie, il a voulu un jour entrer dans le château, dans tous les châteaux* », et il y est parvenu grâce à sa « *souplesse de caméléon* ». Suivent ces aveux gentils, quoique un peu glaçants, sur son propre père : « *Ses acrobaties intellectuelles m'ont exaspéré très tard, jusqu'au jour où je me suis rendu compte d'être devenu une sorte de second lui-même, usant des mêmes trucs, l'esprit toujours en éveil, tendu non vers les autres, mais uniquement vers ce qui peut m'amuser et me fasciner chez eux, rejetant le reste sans vergogne. Faits des mêmes chromosomes, mon père et moi roulons tout droit. Si un gêneur traverse la route, il arrive qu'on l'écrase. Après, bien sûr, on regrette. On regrette, mais on ne s'arrête jamais.* »

Un monsieur, comme on voit, dont la fréquentation n'est pas dénuée de risques.

[Avril 1968] [1]

Une réunion de spécialistes du langage – des marxistes, dans l'ensemble – avait été prévue à Cluny, dans l'hôtel situé à l'entrée du bourg, près du pont. C'était pendant les vacances de Pâques, et ma famille et moi, nous nous trouvions, à cette époque, pour une quinzaine, dans notre petite maison de La Cour-des-Bois, à peu de distance de Cluny. Henri Mitterand, avec lequel, grâce à Zola, je m'étais lié d'une solide amitié et qui était l'un des organisateurs (je crois, même, l'organisateur principal) de ce colloque, avait insisté – malgré ma profonde ignorance, qu'il connaissait, de la sémantique – pour que je prenne part au déjeuner : « *Vous verrez des gens charmants : Raymond Jean, Sollers, Juquin...* » Peu de temps auparavant, dans *Tel Quel*, Sollers avait parlé sans indulgence de mes ouvrages d'histoire littéraire : même pas du Lanson, disait-il ; presque aussi archaïque et dépassé que Sainte-Beuve : « *La critique de papa ? Non, la critique de grand-papa.* »

J'étais arrivé à l'hôtel un peu trop tôt avant midi, exprès pour causer tranquillement, si possible, quelques minutes avec Mitterand, et nous étions assis dans le petit salon qui précède la salle à manger. Soudain, une grande silhouette derrière la porte vitrée, et Mitterand me murmure : « *Sollers.* » Il est tout en noir ; pull noir aussi, col roulé. Nous nous levons pour lui serrer la main, et, avant que Mitterand m'ait nommé, je me présente moi-même : « *C'est grand-papa.* » Sollers marque le coup, d'un mouvement de tête en arrière, et, gentil comme tout, multiplie les excuses : « *Vous savez ce que c'est ; on se laisse aller, on va trop fort, le goût de l'effet...* » Il rit. Je ris, et nous gagnons gaiement la table, où j'aurai, en vis-à-vis, Juquin, volubile jusqu'à m'étourdir.

Tout le monde parle un idiome auquel je ne comprends à peu près rien ; terminologie d'initiés. A ma gauche, Raymond Jean ; il

---

1. Texte rédigé quelques jours après la réunion, en omettant la date ; mais Henri Mitterand, que j'ai interrogé à ce sujet, a bien voulu me dire, sans retrouver le jour exact, que ce colloque de Cluny avait eu lieu « *en avril 1968* ».

me témoigne une cordialité qui me touche, et son vocabulaire m'est intelligible.

Adjonction de 1987
L'année suivante, Raymond Jean est venu d'Aix à Marseille pour entendre une analyse de l'affaire Dreyfus qui m'avait été demandée par le Centre culturel. Mon estime et mon amitié pour R.J. n'ont cessé de grandir, comme pour cet honnête homme et prodigieux bûcheur d'Henri Mitterand. Quant à Ph.S., ses pitreries successives ont perdu pour moi tout intérêt.

4 mai 1968. Genève

Le pasteur Babel me raconte qu'à Lambaréné Schweitzer lui disait : « *La nature est un scandale. Divisée contre elle-même ; elle se révèle carnage, tuerie. Comment comprendre que le même Dieu ait créé cette nature terrifiante et nous ait mis dans le cœur cet amour ?* »
Et aussi : « *Le Christ n'a rien expliqué. Il s'est contenté d'assumer la condition humaine et l'horreur où elle peut atteindre.* »
Et encore : « *Il ne prescrit pas d'endoctriner le blessé* [parabole du Samaritain], *mais seulement de le soigner.* »

31 mai 1968

Vivant en Suisse, je n'ai suivi l'aventure politique de mon pays qu'au moyen de la presse et de l'audiovisuel.
Mais j'ai marché, et follement. Je me revois, il y a dix-douze jours, écrivant à l'ami G., de Marseille : « *Le compte à rebours a commencé.* » Quelle blague !
Au pouvoir, à Paris, un personnage qui dit s'appeler de Gaulle, et dont le vrai nom est Frégoli. L'insolent aplomb avec lequel il peut changer, du tout au tout, en cinq jours, d'avis et de ton ! Ce qu'il a dit le 24 et ce qu'il a proclamé hier.
Toutes les espérances sont détruites. Le Général prend la tête

d'une croisade contre des chances soudain surgies, exaltantes, de progrès véritable.
Rage et dégoût.

[Été 1968] [1]

Une fois qu'on a lu le *Journal* de Tolstoï et que la vérité s'impose à nous : dans *Anna Karénine*, Lévine et Kitty, c'est Tolstoï lui-même et sa femme, alors le récit nous passionne beaucoup moins pour ce qui arrive entre Anna et son amant que pour la sourde et profonde mésentente entre Lévine et Kitty – lesquels sont cependant, à dessein, dans la pensée de Tolstoï, l'image d'un authentique « amour », légitime celui-là, et qui n'a pas besoin, pour être savouré, du piment de la transgression. Malheureusement, dans ce bonheur, une faille secrète ; un fossé s'ouvre, et ne cesse de s'élargir, entre ces deux êtres que l'on prend, et qui se sont pris d'abord, eux-mêmes, pour d'« heureux époux ». C'est dans *Anna Karénine*, vers la fin, que, sous la fiction romanesque, se trouve publiquement révélée l'« *éversion* » (empruntons à Péguy ce mot juste) qui se produisit dans la vie intérieure de Tolstoï, un peu avant ses cinquante ans, et dont il ne prévoit guère encore le prix terrible qu'elle lui coûtera, du côté, précisément, de Kitty-Sonia.

Encore un de ces cas, *Anna Karénine*, où la connaissance de l'auteur, dans la réalité de son destin, ajoute immensément à l'intérêt de l'œuvre.

23 décembre 1968

Quel énorme coup de vent, quel torrent d'air pur, grisant, vivifiant, ces lettres de Teilhard de Chardin (1926-1952) qui viennent de paraître sous le titre (arbitraire) d'*Accomplir l'homme*. Je n'en finirais pas de transcrire tout ce qui m'a comblé, là, de lumière, de

1. Sans date, mais le contexte de mes notes situe ces lignes, avec certitude, en 1968 (juillet, sans doute).

joie, d'espérance. Et d'abord – pour moi, cela compte, et beaucoup – le réflexe de Teilhard à l'égard de Vichy : 22 décembre 1940 : « *J'espère que la France n'est pas tombée aussi bas qu'elle le paraît* » ; 3 avril 1941 : « *J'ai cru pleurer, il y a un an, en lisant le fameux slogan : Travail, famille, patrie.* [...] *Où sont nos pères de 89 ?*» Et surtout, surtout : « *L'ennui, avec Einstein et tant d'autres, c'est qu'ils en sont encore à un Dieu personnel comme une sorte de Super-Man*» (18 octobre 1940). Et ceci, du 25 juillet 1950 : « *La grande chose qui se passe en ce moment*», ce n'est pas « *Dieu qui meurt*», mais « *Dieu qui change*» ; peut-être « *la place se trouvera* [-t-elle] *ouverte pour un christianisme nouveau, la vraie religion de l'homme de demain*» ; et encore ceci, du 30 octobre 1926 : « *Je suis de plus en plus frappé du vide ou du fixisme de ce qui s'écrit chez nous* [nous, les catholiques] ; *on ressasse indéfiniment les mêmes choses, ou, si on ajoute quelque élément nutritif nouveau, c'est à dose infime : un grain de blé dans un tonneau de sciure de bois.* » Hourra ! Le « *grain de blé* » perdu dans la « *sciure de bois* », exacte définition de ce que fut l'*aggiornamento*, modification plus avenante de la vitrine, alors qu'il fallait un *risorgimento*, une réfection de fond en comble.

Teilhard « matérialiste » ? Certes ; mais pas dans le sens restrictif, aveugle, minable, adopté par d'Holbach et La Mettrie, et Taine, et Lénine (gênante, affligeante, la lecture – essayez, pour voir – de sa dissertation : *Matérialisme et Empirio-criticisme).* Jaurès n'avait pu s'empêcher de sourire devant la proclamation péremptoire de Marcelin Berthelot : « *Le monde est désormais sans mystère.* » La matière, à vos yeux, explique tout, rend compte de tout ; mais comment ne voyez-vous pas que la matière, précisément, c'est « *la grande inconnue* », « *l'inconnu suprême* » ? Il ne se doutait pas lui-même, prononçant ces mots en 1904, à quel point il disait vrai. Toutes ces surprises – stupéfiantes – qu'elle nous réservait, la matière. Son investigation n'est jamais terminée. « *Étrange matière* », dira Kastler. Et si la science écarte avec raison toute intervention divine pour l'apparition de la pensée dans la créature humaine – l'image illustre de la Sixtine : la main de Dieu à la rencontre de celle d'Adam – , c'est donc qu'à l'intérieur même de la matière, dès le premier battement de la vie, l'esprit

était là, obscur, caché, latent, mais présent déjà. Ainsi, la matière
est la virtualité de l'esprit. Ainsi existe un « *cœur de la matière* »,
« *une âme de la matière* ». Immanence du transcendant. « *Sainte
Matière* », murmurait Teilhard... Dire que l'Église rejeta le constat de l'évolution, comme un
attentat à la foi ! Je citerai là Jaurès encore, qui a risqué cette
audace : l'évolution ? Mais « *c'est la démonstration expérimentale
de Dieu* ». Et comment nier, rejeter, proscrire ce que Teilhard
avait conclu de ses recherches : que l'évolution obéit à une « *idée
directrice* » ; à une loi, à un programme : complexité croissante et
montée du psychisme. « *Un programme sans programmateur ?* »,
disait Kastler.

Il s'impatientait parfois, Teilhard, devant le refus du réel par la
théologie empêtrée dans un thomisme antérieur à Copernic.
Témoin ces quelques mots, en fin d'épître, le 22 août 1950 : « *Je
ne peux pas prendre au sérieux des gens qui, en criant, pensent
empêcher la terre de tourner.* »

7 février 1969

Décidément, Bourbon-Busset, personnage du meilleur monde
et qui ne saurait être suspect d'inclinations démagogiques, risque
de déplaire à beaucoup d'« honnêtes gens » – je veux dire, comme
l'entendait La Fayette, de gens qui ont « du bien », estimables, par
conséquent, et, avant tout, amis de l'ordre – par l'indépendance
de son jugement à l'égard de notre première et incomparable
gloire nationale, l'empereur Napoléon Bonaparte.

Dans le tome III de son *Journal, L'Amour durable*, je lis ces honteux propos : « *Il serait salutaire d'exorciser ce fantôme* [...] *Comédien de province, bandit corse mal embouché, truand jouant au philosophe, arriviste, éperdu de snobisme* [...] *C'est Julien Sorel
tournant mal, devenant roi de l'épicerie* » (p. 274) ; et, en supplément, cette pénible inconvenance : « *" J'arrive, ne te lave pas ",
griffonne Napoléon à Joséphine. Les très grands hommes ont
besoin de très peu de mots.* »

11 avril 1969

P.-H. Simon, « pour me divertir » et sachant mon peu de goût pour Lamennais, m'envoie, dans une lettre, copie d'un texte – effectivement fort instructif – de Lamennais, mais sans m'en indiquer la référence (je la lui demanderai). Je transcris : « *Tel que ces grands coupables dont nous parle l'Antiquité, le Juif a perdu l'intelligence. Le crime a troublé sa raison. Il se sent fait pour le châtiment. La souffrance et l'ignominie sont devenues sa nature.* »

Un souvenir s'est réveillé en moi, rattaché à ce *Paysan de la Garonne* publié par Maritain il y a cinq ans. J'ai retrouvé la page dont une trace assez nette était restée dans ma mémoire. Courageusement, Maritain clouait là quelques échantillons d'un sermon de Bossuet prononcé en 1652 dans la cathédrale de Metz. Les Juifs, encore. Pour quelle raison Dieu les a-t-il « *dispersés par toute la terre* » ? « *Comme les magistrats, après avoir fait rouer quelques malfaiteurs, ordonnent que l'on exposera sur les chemins leurs membres écartelés* », ainsi le Seigneur a « *répandu* » les Juifs « *çà et là, portant imprimée en eux la marque de sa vengeance ; peuple monstrueux qui n'a ni feu ni lieu [...], maintenant la fable et la haine de tout le monde, misérable sans être plaint de qui que ce soit, devenu la risée des plus modérés* ». Si « *Dieu conserve les Juifs, c'est afin de faire durer l'exemple de sa vengeance* ».

Le même Maritain, et avec la même rigueur, nous rappelle cet édit de l'Inquisition, « *en date du 15 septembre 1751* », obligeant les Juifs de Rome à « *porter la marque de couleur jaune qui les distingue des autres gens* ». Préfiguration sinistre. Ainsi, il y a donc bien, dans l'Église, une solide tradition d'antisémitisme. Mais qui, par bonheur, semble en voie d'effacement. Ce serait, néanmoins, une erreur de croire que ces fâcheuses dispositions ecclésiastiques servirent d'argument à Voltaire, dans sa campagne furibonde et jamais lasse, contre les « *christicoles* » ; lui-même parlait des Juifs comme d'une race « *odieuse* » et voyait en eux des « *ennemis du genre humain* ».

Du *Journal* de Gide, 24 janvier 1914 : « *Blum considère la race*

juive comme supérieure, comme appelée à dominer. » Où ça, chez
Blum ?

[Été 1969][1]

La RTBF (Radio-télévision belge francophone) avait demandé
à Simenon d'accueillir chez lui, dans sa propriété d'Épalinges, près
de Lausanne, une équipe qui le filmerait et l'interrogerait, quatre
ou cinq jours. Simenon avait dit oui, sauf sur un point : il veut
bien s'exprimer, si l'on y tient, sur la politique, mais refuse de le
faire sur la religion. Puis il s'est ravisé et a signalé aux responsables
liégeois : « *Sur le chapitre religion, je n'accepterai de parler qu'avec
Henri Guillemin ; uniquement avec lui ; personne d'autre.*» Liège a
pris contact aussitôt avec moi, et, bien sûr, j'ai accepté. J'éprouve
pour Simenon beaucoup d'admiration, et il y a, à son sujet, dans le
monde littéraire, l'affectation d'un demi-dédain. Or c'est un créateur extraordinaire. Ses personnages respirent ; des êtres humains
et non des abstractions. En quelques pages, et usant des mots de
tous les jours, Simenon a fait surgir sous nos yeux, je dirais
presque parmi nous, une foule de créatures vivantes. Pas de trouvailles de style chez lui, d'accord, mais rien non plus qui heurte. Ni
maladresse ni mauvais goût. On ne lui demande pas d'effets littéraires. Ce qu'il nous offre nous suffit. Simenon introduit le lecteur
dans telle atmosphère particulière où se déroule telle aventure si
crédible qu'elle nous happe tout de suite.

Je ne l'avais jamais rencontré et me réjouissais de le faire. Je
suis arrivé à Épalinges au jour dit, vers 15 heures, un peu avant
qu'il ne descende de sa chambre. Il est venu à moi souriant, la
main tendue. Je le croyais plus grand. Il me dit : « *On supprime les
formes, n'est-ce pas ? Salut, Guillemin !*» Je réponds : « *Salut,
Simenon !*» Deux fauteuils étaient prêts, en vis-à-vis, un peu
obliques, devant la caméra, et nous avons « parlé religion », en
toute liberté et sans réserves, sans prudences. Je le savais athée ; il
me savait croyant. Il m'a déclaré, en toute simplicité, que ce qui
l'avait, très jeune, radicalement écarté de sa foi d'enfance,

1. Reconstitué, de mémoire, en 1987.

221

c'étaient les exigences « *impraticables, déraisonnables, absurdes* » de l'Église dans l'ordre de la sexualité. « *Je voulais baiser, et l'Église me racontait que j'allais me damner. Alors, j'ai tout bazardé ; les autres raisons sont venues ensuite, avec leur réalité propre. Mais je vous devais la vérité : à l'origine, à la base, un* NON *catégorique opposé à la prétendue morale sexuelle du catholicisme* [1]. » Je connaissais ses options politiques et sociales, son horreur des multiples exploitations de l'homme par l'homme. Et, à la fin de l'entretien, non par courtoisie ni dans le souci d'un *happy end*, j'ai exprimé un sentiment qui m'est viscéral : qu'un athée façon Simenon, attentif comme il l'est aux tragédies humaines et soulevé d'indignation comme il l'est par l'injustice, je me sens plus près de lui cent fois, mille fois, que de coreligionnaires officiels comme Michel Droit ou Bruckberger.

La semaine suivante, je suis venu passer à Épalinges un après-

1. Je ne puis affirmer que ce sont là, littéralement, syllabes par syllabes, les mots qu'employa Simenon. Mais j'ai veillé à rapporter ses paroles le plus exactement possible.

midi entier. Nous avons beaucoup parlé, de tas de choses, Simenon et moi. Il venait de publier *Novembre*, et, avant de le quitter, j'ai reçu de lui un exemplaire de ce roman, avec la dédicace que voici et qui ne m'a pas laissé indifférent : « *A Henri Guillemin, que j'admirais et que je viens d'apprendre, en quelques heures, à aimer par surcroît.* »

20 novembre 1969

Un titre austère, gris, et qui semble annoncer un travail réservé aux seuls spécialistes : *Ecclésiologie du haut Moyen Age.* Mais ce livre est du P. Congar, et ma curiosité, du coup, s'est éveillée. Congar est une des bêtes noires des Salleron, Madiran et autres Bruckberger. Grandes chances, donc, pour que son livre soit instructif. Et, de fait, je lui dois trois découvertes.

1. Ce fut autour du ixᵉ siècle que le mot « ecclesia » s'est mis à signifier ce qu'il ne signifiait point auparavant. Jusqu'alors « *on n'emploie pas* ecclesia *pour désigner ce que nous appelons la hiérarchie* ». On vit sur la pensée de saint Jean Chrysostome : « *L'Église de Dieu est un rassemblement spirituel* » ; elle déborde le groupe des « *baptisés* » ; c'est « *la somme des esprits vivants de la charité* ». Pour saint Grégoire, l'*ecclesia universalis*, c'est « *l'ensemble des justes* » ; et Congar de reproduire un admirable texte de saint Anastase, patriarche d'Antioche à la fin du vᵉ siècle : Dieu « *s'est mélangé à Adam tout entier [...] C'est pourquoi on appelle le genre humain le corps du Christ* ». Nous avons bien lu : « *le genre humain* ». Nous voilà loin de l'interprétation en vigueur lorsque, par exemple, en 1431, l'Inquisition ordonnera de retrancher Jeanne la Pucelle du « *corps mystique du Christ* », lequel est l'*Una Sancta Catholica*, autrement dit le troupeau romain. Le glissement s'est effectué, et le pape Jean VIII, au ixᵉ siècle, précisait déjà, parlant de l'*ecclesia* : « *C'est principalement le clergé que désigne ce mot.* »

L'époque dont le R.P. Congar restitue pour nous le climat est celle où « *le clergé tend à se constituer en un état sociologique à part* ». « *A partir de la fin du* viiiᵉ *siècle* », alors que, précédemment, des laïcs figuraient aux conciles espagnols, aux conciles franco-germaniques, apparaissent « *les signes très nets d'une accentuation des distances entre le prêtre et les fidèles* » : ces derniers « *n'apportent plus eux-mêmes leurs offrandes à l'autel* » ; et le prêtre se met à « *célébrer le dos au peuple* », comme si les gestes qu'accomplit l'officiant ne regardaient pas la communauté. S'inaugure « *la messe sans assistance* », ce qui eût revêtu, l'avant-veille, l'aspect d'un non-sens.

2. Une mutation s'est produite quant au rôle, dans l'*ecclesia*, de l'évêque de Rome ; particulièrement avec le pape Nicolas Ier, qui, de 858 à 867, vise « *à faire de la soumission au siège romain le critère et la mesure de l'obéissance à Dieu, et du christianisme lui-même* ». Nicolas décrète qu'« *aucun concile* » ne peut plus être désormais « *convoqué sans l'ordre du siège apostolique* », et, sous nos yeux, écrit le R.P. Congar, voici « *le début du processus qui, à travers un article fameux de la* Somme *de Thomas d'Aquin, aboutira à la reconnaissance de la supériorité du pape sur le concile œcuménique* ».

Ce n'est pas qu'on en soit déjà à Pie IX et au concile de 1870 proclamant l'infaillibilité du pontife. Les textes foisonnent qui prouvent qu'« *aux VIIIe-XIIe siècles on ne tenait point le pape pour infaillible* » (p. 160, note) ; mais une réalité nouvelle ne s'en affirme pas moins sous la « *poussée* » qui s'opère, de Rome, en vue d'une « *monarchie pontificale* ». Jusqu'à ce haut Moyen Age sur lequel nous voici, grâce au R.P. Congar, bien renseigné désormais, « *il n'y a pas de dogme de l'Église* » : L'Église « *est un fait plus qu'une doctrine* ». Tout change, et la cruelle rupture se prépare, qui interviendra, en 1054, entre l'Église d'Orient et l'Église d'Occident, parce que, de plus en plus, « *Rome pense juridiquement* » et qu'en Orient l'Église continue à être pensée « *sacramentellement* ».

3. Il s'agit du pape devenant un prince temporel avec un territoire à lui où il règne comme les autres princes.

Étienne II, en 753, procède au sacre de Pépin le Bref, et, « *en échange* », Pépin lui fait une « *donation territoriale* », que l'on qualifiera de « *restitution* » et que l'on voudra, ancestralement, justifier par « *un des faux qui ont fait le plus de mal à l'Église* », la célèbre et menteuse « *donation de Constantin* ». Ce texte factice, mais diligemment exploité, a « *favorisé une évolution de l'idéologie papale* » transformant l'autorité religieuse du pasteur en « *puissance politique d'allure impériale* ».

Et que dire de cet autre faux gigantesque, connu sous le nom de *Décrétales*, qui fait son apparition autour de 860 : collection truquée de décrets pontificaux, le premier étant une épître supposée de Clément à Jacques, le frère du Seigneur. Dans le lot, cent vingt-cinq pièces authentiques, mais falsifiées au moyen d'interpolations, et cent quinze documents « *entièrement fabriqués* ». « *D'un bout à l'autre, les fausses* Décrétales *attribuent aux papes de l'Antiquité les structures, les précisions, les affirmations d'autorité* » du temps dont elles veulent façonner le visage. Nicolas Ier ne manque pas d'en tirer parti, et si des doutes commencent à leur égard au xII^e siècle, si leur imposture devient de plus en plus flagrante, cela « *n'empêchera point certains promoteurs de l'ultramontanisme d'en invoquer encore tel ou tel article jusqu'en plein xxe siècle* ».

Un des principaux soucis des fausses *Décrétales* est de « *rendre inviolable la propriété ecclésiastique* » ; mais elles auront une bien autre efficience, créant « *une aura de tradition et de perpétuité à un droit public et à une vision de l'Église centrés sur l'autorité romaine* ». Elles « *ébranleront la théologie communément reçue en Occident selon laquelle les clés ont été données non seulement à Pierre, mais à tous les apôtres* » ; et elles attribuent frauduleusement « *à un pape contemporain de saint Cyprien l'affirmation que l'Église romaine n'a jamais erré* ».

L'Église est « *l'épouse du Christ* », mais dans le sens nouveau qu'*ecclesia* revêtait : « *Puisque le Christ est roi, l'Église, étant son épouse, est elle-même reine.* » Elle s'appuie sur Charlemagne et fait de lui (ou tolère qu'on le dise) le *rector Ecclesiae*. Ainsi, de même que jadis Constantin, après sa prétendue « conversion », gardant avec soin son privilège païen de *pontifex maximus*, et « *transportant dans ses rapports avec l'Église la logique païenne d'une fusion du religieux et du politique* », était intervenu dans la vie de la communauté chrétienne au point de se réserver et la convocation d'un concile et le contrôle même de ses définitions dogmatiques, de même on verra Charlemagne « *imposer à son tour, et de manière unilatérale, le* Filioque *malgré la résistance du pape Léon II* ».

Le Saint-Empire, qui prend naissance, se déclare « *identique à l'Église* » et « *coextensif à l'orbis christianus* », ce qui permet aux empereurs de réaliser des conquêtes sous le prétexte de « *dilater la foi* » ; s'étendant, Charlemagne travaille, dit-il, pour le Christ et décrète la peine de mort contre ceux des asservis qui se refuseraient au baptême. Le pape Nicolas Ier concède que leur « *dureté de cœur et leur résistance à la vérité* » exigent « *l'usage de la force* ».

Ce qui devait arriver arriva, le pape n'étant plus, en fait, qu'« *un des grands de l'Empire* », « *jusqu'au milieu du xie siècle, ce sont les empereurs qui font les papes* » et les défont à leur guise ; puis on assiste au spectacle, préfigurateur de celui du Grand Schisme, « *trois papes rivaux* ». « *Pauvre papauté* », commente le R.P. Congar, « *mêlée aux intérêts politiques ou familiaux !* »

Précieux ouvrage d'histoire vraie alors que tant de mystificateurs cherchent à nous en imposer sur la « tradition » chrétienne grimée et travestie par eux au mépris de toute vérité historique.

[Novembre 1969] [1]

Nous avons passé, J. et moi, la soirée d'hier chez Simenon, à Épalinges. Seulement nous trois. Heureuse et chaude atmosphère de confiance.

Parmi les choses, nombreuses, qu'il nous a racontées, celle-ci, édifiante : Pagnol et lui avaient été jadis de « *bons copains* », très liés, parfois complices dans de « *joyeux divertissements* » ; ils ne se rencontrent plus pendant des années ; Pagnol est élu à l'Académie, et lui, Simenon, l'en félicite affectueusement. Très gentille réponse de Pagnol. Puis ils se retrouvent, à l'improviste, conviés tous deux à un grand dîner parisien ; au salon d'abord, où Pagnol, assez changé et jouant « *l'Important* », fait à Simenon une impression triste : « *Plus du tout le gentil Pagnol d'autrefois.* »

Comme on passe à table (une douzaine d'invités), Pagnol s'aperçoit que sa place n'est pas, comme elle *doit* l'être, à la droite de la

1. Sans date ; mais je suis sûr de novembre.

maîtresse de maison. Il ne fait aucun commentaire, mais adresse seulement à sa femme un signe rapide ; et tous deux, sur-le-champ, disparaissent, s'en vont. « *J'en étais soufflé* », nous dit Simenon.

Adjonction
Peu de temps après, j'ai raconté l'anecdote à P.-H. Simon, lui aussi académicien. Stupeur. P.-H.S. m'a déclaré que Pagnol avait « *très bien fait* » ; l'Académie, en sa personne, était blessée, outragée, par l'incroyable « *incorrection* » de l'hôtesse.

4 novembre 1969. Genève

Déjeuner chez Rudler, le chirurgien français de grand renom qui dirige un service de première importance à l'hôpital général. Nous sommes en petit comité. Rudler est un homme dont les propos sont toujours mesurés, surveillés, et qui passe même pour être assez « froid ». Je ne le reconnais plus. Il a perdu son calme. Il est déchaîné – le mot n'est pas trop fort –, déchaîné contre le CICR.
Je tente d'en savoir plus, mais il se mure dans le silence. Cet incident me rappelle la stupéfiante violence avec laquelle, il y a quelques années, Massignon avait abordé, devant moi, en éclair aussi, le même sujet.

1ᵉʳ janvier 1970

Il faut appartenir, comme moi, à cette génération née dans les toutes premières années du siècle pour savoir quelle valeur émotive contenaient, jadis, ces quatre syllabes : « *soixante-dix* ». J'ai grandi dans le climat de « *la revanche* ». Mon père me conduisait, chaque année, devant la stèle (était-ce bien une « stèle » ?) élevée à l'entrée du cimetière de Mâcon et sur laquelle étaient gravés les noms des Mâconnais tués au combat en 1870-1871. Une chanson patriotique est restée dans ma mémoire. Ma sœur la chantait parfois, à pleine voix, au piano devant la famille (mon père, ma mère, la mère de ma mère) réunie – comme religieusement – pour l'entendre. Et j'étais, chaque fois, bouleversé. « *Senti-nélaupan-talon-rou-ge, à l'est-que vois-tu ? Je vois un grand nuage rouge, vapeur du sang qui s'est perdu. L'éclair y trace en formes nettes, en déchirant ses flancs brouillés, de grands éclairs de baïonnè-èè-èteu.* » Et le refrain m'atteignait en plein cœur, suivi des premières notes de *La Marseillaise.* « *Sentinelle ! Sen-en-tinelle ! Veillez !* » Ainsi les gamins de dix ans, comme moi, étions mis en condition par les soins de M. Poincaré pour le bien de sa politique.

Combien de Français aujourd'hui, cent ans après, savent la vérité sur ce qui se passa, en 1870-1871 ? Une poignée, j'en suis sûr. Pas plus d'une poignée. Le général Trochu, le célèbre « héros » de la défense de Paris, rédigea des *Mémoires* qui virent le jour en 1896 seulement. La presse n'en parla qu'à peine. Le monsieur était trop bavard. Il levait, de façon inconvenante et dangereuse, un coin du voile [1]. Curieux, frappant, comme certaines dépositions, certaines précieuses dépositions de témoins (particulièrement renseignés) sont promptement étouffées. L'Histoire de bonne compagnie, l'Histoire bienséante, les couvre aussitôt de toutes les épaisseurs possibles de silence et de nuit. C'est le sort, par exemple, qu'a connu le long témoignage, prodigieusement instructif, de Mollien, lequel avait été, depuis 1806, le « trésorier » de Napoléon. Dans ce gros ouvrage, des documents de premier ordre, mais que la légende napoléonienne, faute de pouvoir les abolir, dissimule autant qu'elle le peut (et elle peut *beaucoup*) à l'opinion publique. Simone Weil ne dit que trop vrai : l'Histoire officielle « *n'est pas autre chose qu'une compilation de ce qu'ont prétendu les assassins relativement à leurs victimes et à eux-mêmes* ».

7 février 1970

Un jeune professeur m'apporte la photographie du véritable masque mortuaire de Napoléon (moulage tardif), en date du 7 mai

1. Maurice Barrès, cependant, dans *Le Journal* du 20 novembre 1897, se risqua (mais n'y revint plus) à l'aveu : « *Ennemis de Paris* », écrit-il, d'un Paris plébéien *résistant* et qui croyait (avec raison) la victoire possible, les généraux « *n'avaient qu'une tactique, qu'une stratégie : parvenir à faire accepter la capitulation par la population civile. Leur but n'était pas la victoire, mais la reddition* ».

1821, alors que le cadavre décomposé coulait déjà, pestilentiel. Un large visage affaissé, hideux. Aucun rapport, mais, là, *aucun*, avec le masque officiel, bien connu, trop connu – inadmissible, en effet, par son allure et sa jeunesse, quand on sait ce qu'était devenu Napoléon à Sainte-Hélène. Il y était arrivé déjà ventru, et n'avait cessé de grossir. Sa mort avait été précédée d'abominables souffrances. Le simple bon sens suffit à établir que le masque traditionnel est une supercherie.

Mon collègue (un garçon sérieux) croit savoir – il ne me donne pas sa source – qu'une conjuration s'organisa entre la comtesse Bertrand, d'abord, et le docteur Antommarchi, avec la complicité, vite acquise, de « Madame Mère » (Laetitia Buonaparte, qui vivait alors à Rome) pour que l'on substituât, à l'intention de la postérité, au vrai visage du mort, un visage qui n'était pas le sien. On disposait, par chance, d'un moulage de remplacement, effectué, trois ans plus tôt, à Sainte-Hélène, par le docteur O'Meara. Ce masque était celui de Cipriani, le « maître d'hôtel » de Napoléon à l'île d'Elbe, et que Napoléon avait emmené avec lui à Sainte-Hélène, attaché qu'il était à ce beau garçon par des liens sexuels. Cipriani aurait été, à Sainte-Hélène, un « rival » de Gourgaud dans ses rapports avec « l'Empereur » (on sait maintenant, grâce au « décryptage », par Fleuriot de Langle, du très précieux *Journal* tenu par Bertrand, à Sainte-Hélène, les services homosexuels que Gourgaud rendait volontiers à son maître) ; et Cipriani s'était, assez mystérieusement, suicidé en 1818. Or il y avait une certaine ressemblance, curieuse mais indéniable, entre les traits de Cipriani et ce qu'avait été, jadis, le visage de Bonaparte. L'art aidant, rien de plus aisé que de fabriquer, dans l'intérêt de la légende impériale, un prétendu masque du « grand mort », masque menteur mais présentable, celui-là, et même d'assez belle allure. Ce qui fut fait.

Adjonction
Je découvre aujourd'hui, 2 mars 1970, la « source » où avait puisé mon informateur du mois dernier, et je comprends mieux

---

Après quelques simulacres, ils firent « *saigner copieusement la garde nationale pour l'anémier ; ce fut Buzenval* ». Conclusion de Barrès : « *Les généraux* [de Paris] *trahirent la foi de la nation.* »

229

son silence. Il s'agit d'un ouvrage presque confidentiel, publié en 1969 par un nommé Rétif de La Bretonne, et qui s'intitule ridiculement *Anglais, rendez-nous Napoléon !* L'auteur veut nous convaincre que le corps remis par l'Angleterre à la France en 1840, en vue de l'apothéose des Invalides, *n'était pas* celui de l'Empereur. Aucune preuve consistante à l'appui de cette thèse (d'ailleurs, à mon sens, dépourvue d'intérêt). En revanche, ce qui concerne le masque mortuaire est beaucoup plus sérieux, et convaincant. On trouve à la page 53 du livre deux photos saisissantes du moulage exécuté à Sainte-Hélène le 7 mai 1821. Cet objet véridique, et hideux, serait aujourd'hui conservé au « Royal United Service Museum » de Londres.

Barrès avait-il, en secret, deviné l'imposture quand il a écrit, dans *Les Déracinés* (chap. VIII), ces lignes singulières : « *Quand il* [Napoléon] *eut prononcé les dernières paroles que lui imposait sa destinée, sa volonté* [...] *fit sur ses traits un superbe travail de vérité. Après avoir flotté un moment* [...], *ils se rapprochèrent de l'image consulaire* [...] *On vit réapparaître l'aigu de la jeunesse, l'arc décidé des lèvres, l'arête vive des pommettes et du nez. C'était cette expression héroïque et tendue qu'il devait laisser à la postérité comme essentielle et explicative.* »

27 avril 1970. Taizé

Sur la colline de Taizé, à une dizaine de kilomètres de Cluny (direction Chalon-sur-Saône), dans ce village, avant la guerre presque abandonné, à peu près désert, quelque chose se passe d'imprévisible, d'extraordinaire. Un jeune pasteur suisse (suisse par son père, bourguignon par sa mère), Roger Schütz, a eu l'idée – neuve et belle – de donner au protestantisme ce dont il se privait sans raison : une communauté de contemplatifs. Ils furent deux, au départ ; puis vint la coupure de la guerre où ces deux « moines » d'un ordre inconnu aidèrent des résistants, accueillirent des Juifs qui avaient réussi à franchir la « ligne de démarcation » toute proche. Lorsque en novembre 1942 disparut cette zone dite libre, où, par bonheur, Taizé était inclus, Roger Schütz et son compagnon regagnèrent la Suisse. Ils ne revinrent (cette fois, quatre ou cinq) à Taizé qu'en 1945. D'authentiques « contemplatifs ». Pas le moindre commencement, de leur part, pas même l'idée, d'une propagande. Et cependant – je ne m'explique pas encore comment – des jeunes gens et des jeunes filles, d'Europe au début, puis de tous pays, prirent le chemin de Taizé, à Pâques d'abord, et l'été. Cette année 1970, on en a compté, pour Pâques, qui venaient des États-Unis, de l'Inde, du Brésil et de l'Afrique noire ; au total quelque 2 500. D'une braise, au départ, minuscule, une flamme a jailli et c'est maintenant un brasier.

Les protestants y sont majoritaires, mais le nombre de catholiques grandit chaque année. Et règne ici un « œcuménisme » – le mot ne m'emballe pas et sonne mal – authentique, une fraternité chrétienne véritable. Les incroyants même ne manquent pas dans cette petite foule. Et tous ceux que Taizé attire (sans un geste publicitaire, et par son seul rayonnement) sont des adolescents qui ne supportent plus les « paroles verbales » (cette trouvaille est, je crois, du *Canard enchaîné*), les mots creux, les phrases qui ne sont que du vent, les propos de théâtre. Pendant les offices – trois par jour ; chaque fois d'une demi-heure au plus –, un silence total et vivant. Accueil, méditation, prière muette. Jamais de vociférations à la « *Jésus sauve !* » Jamais d'hystéries gesticulantes. Jamais non plus de « miracle » ou d'« apparition ». Taizé n'est ni Lourdes ni Fatima. Je me rappelle Bernanos appelant l'humanité à « *refaire un pacte avec son âme* ». C'est cela même, pas autre chose, qui se produit à Taizé.

Le jour de Pâques, moi le sexagénaire, je me suis mêlé, timidement, à cette jeune multitude ; et je voyais avec bonheur autour de moi ces visages attentifs, lumineux, tandis que le prieur commentait en quelques mots cette deuxième Épître de Pierre où il est question des « *ténèbres* » et de ce « *soleil du matin* » qui « *se lève dans nos cœurs* ».

6 octobre 1970

Lisant, avec passion, l'énorme bouquin de William L. Shirer (plus de mille pages), que je viens de recevoir, *La Chute de la Troi-*

sième République, je déplore le peu de place donné par l'auteur à une question toujours ouverte et sur laquelle nous possédons déjà plus de lumières que cet Américain ne nous le dit : les longs calculs de Pétain pour accéder à la puissance et renverser la République, ainsi que les regards très attentifs qui, de Berlin, suivaient sa manœuvre. Ce n'est tout de même pas pour rien que « *le traître de Stuttgart* », Ferdonnet, avait d'abord mené campagne sur le thème de « *Pétain au pouvoir* ». Shirer rappelle opportunément l'étrange propos que Pétain, ambassadeur à Madrid, pendant la « drôle de guerre » tint à Franco lorsqu'il lui signala « *l'éventualité d'un proche recours* » que les Français feraient à lui, lui-même, le Maréchal. Comme Shirer a raison de souligner, chez Weygand, cette pensée évidente : que « *la débâcle pourrait avoir un bon résultat, la chute d'un régime méprisé* ». Je ne savais pas, je l'avoue, et cela m'intéresse beaucoup, que le fameux mensonge de Weygand, à Cangé, le 13 juin 1940 (les communistes en insurrection, Paris entre leurs mains, Thorez à l'Élysée), lui avait été suggéré par Pétain.

Ces menées obscures sur lesquelles on s'applique à jeter des épaisseurs d'ombre, elles finiront bien par apparaître au grand jour, lorsque l'Histoire sera ce qu'elle doit être, et non plus, comme si souvent encore, selon le mot de Chateaubriand, confiée aux soins de « *l'imposture* ».

16 décembre 1970

De Gaulle avait adressé à Mme François Mauriac, après la mort de son mari, une de ces lettres somptueuses qu'il lui plaisait de composer, à l'occasion. Mais j'apprends, par Jean Chauvel, un détail, concernant Mauriac et de Gaulle, qui courait les salons, à voix basse, depuis des mois : profonde amertume éprouvée par Mauriac ; jamais, pas une seule fois depuis son abdication d'avril 1969, jamais de Gaulle ne l'avait invité à Colombey. Au pouvoir, d'ailleurs, il ne l'avait reçu que deux fois seul à seul, et sur sa demande. Peu probable, au surplus, que le Général, qui savait lire, ait été très satisfait de l'ouvrage que Mauriac lui avait consacré en

1964 et qui n'était pas uniquement extatique. Je suis persuadé que de Gaulle trouvait les écrivains (Malraux mis à part ; les raisons de son privilège tenaient à la politique et non à la littérature) encombrés de préoccupations morales qui n'avaient rien à voir avec le maniement des affaires. Il n'avait accueilli Bernanos qu'une seule fois, gardant, sous l'avalanche de ses paroles, une bienveillance difficile, exaspérée par les naïvetés exorbitantes de ce rêveur.

Dès son premier contact personnel avec le Général, en 1944, Mauriac avait tout de suite perçu la distance, le gouffre qu'ouvrait immédiatement de Gaulle entre l'interlocuteur et lui-même, un abîme dont F.M. avait parlé à son fils Claude, qui l'a noté dans son ouvrage de 1971, *Un autre de Gaulle*. Dans la pensée du Général, il y avait, d'un côté, lui-même, hors série, unique, prodigieux et, en face, sur l'autre rive, très loin, là-bas, très bas, les autres, tous les autres, et notamment ces « *veaux* » de Français, si peu dignes des efforts qu'il dépensait en leur faveur, et à l'intention de l'Histoire. L'accès à la maison de Colombey, après avril 1969, resta réservé par de Gaulle à sa famille (la sienne et celle de sa femme). Malraux lui-même ne fut accueilli qu'une seule fois, brièvement et encore non point seul – d'une pierre deux coups. La porte de l'illustre demeure ne s'ouvrait guère, occasionnellement, que pour des entretiens concernant l'édition des *Mémoires*. Michel Droit, convoqué à cet effet, eut soin de ne confier la chose qu'à très peu de gens, pour épargner à François Mauriac une blessure supplémentaire.

19 février 1971

Il y a aujourd'hui vingt ans que Gide est mort. Envie (besoin) d'écrire à son sujet certaines choses. Et ceci d'abord : quand, en juillet 1939, sur la place des Quinconces à Bordeaux, après ce déjeuner, chez moi, auquel Gide avait pris part, je restai seul, un petit moment, avec Mauriac, je l'interrogeai tout de suite. Gide était à Malagar depuis plus d'une semaine, je crois ; il y reviendrait le soir même ; j'avais hâte de savoir ce que Mauriac pouvait bien penser, réellement, de l'homme des *Nourritures terrestres* et des *Caves du Vatican.* Et Mauriac me répondit (je me rappelle très bien ses mots, qui m'étonnèrent et s'inscrivirent d'autant mieux dans ma mémoire) que Gide l'avait beaucoup surpris lui-même – bien qu'il fût prévenu en sa faveur par les témoignages répétés de Claude, qui portait à Gide une amitié sincère et «*reconnaissante*».

Il me décrivit un Gide «*très simple*», sans rien de «*composé*» et d'«*artificiel*», «*parlant de tout – je dis bien de tout – avec une liberté d'esprit et une ouverture de cœur auxquelles je ne m'attendais guère*»; «*je vous le dis comme je le pense, comme je le sens: il est émouvant de loyauté et de chaleur humaine*».

Je me devais de faire un sort à ces paroles, à cet avis explicite d'un homme qui ne passe pas pour facilement confiant et que tout, semble-t-il, devait éloigner de Gide (il est vrai que, dans l'affaire espagnole, ils appartenaient au même camp). Je le devais d'autant plus qu'aucune œuvre de Gide ne m'a jamais séduit (son *Journal* encore moins que le reste) et que son style m'est, trop souvent, insupportable. Et je n'aime pas qu'il ait triché, après la guerre, quant à ce qu'il avait *osé* écrire, sous l'occupation, dans la *NRF* de Drieu, sur la part de responsabilité qu'il attribuait aux instituteurs dans notre défaite militaire. Je tiens à préciser, d'autre part, que les détails désobligeants dont j'ai fait état dans ces notes, je ne les ai *jamais* sollicités. Ils m'ont été spontanément fournis par des interlocuteurs qu'on ne saurait soupçonner de partager mes options «métaphysiques»: Claude Roy, Georges Blin, Louis Guilloux, Gérard Bauër ne donnaient pas dans la «superstition».

2 avril 1971

Joyeuses, les déplorations de penseurs «libres» sur les changements (bien modestes, bien timides) qui semblent se dessiner dans le comportement de l'Église. Mauriac nous avait déjà confié, dans un de ses «Bloc-notes», la tristesse dont lui faisait part, à ce sujet, Jean Guéhenno, son confrère du quai Conti (quel chemin de sagesse parcouru, hein ? du Front populaire à l'Académie, et de *Vendredi* au *Figaro* !), dont j'ai pu éprouver, à propos de Jean-Jacques, la vieille haine anticléricale. Ce crocodile (honoraire) avait des larmes. Je le comprends. Si les chrétiens cessaient d'être cléricaux, ils lui ôteraient le pain de la bouche. Et voici l'agnostique Druon – spiritualiste insigne – qui se lamente à son tour. Les éloges qu'il décerne à Paul VI sont les plus injurieux qui soient pour cet homme *« vraiment d'exception »*, dit Druon, *« et dont l'élection, un peu plus tôt, eût sans doute évité bien des remous et des drames »*. Navrant Jean XXIII ! Le mal que ce pape scandaleux a pu faire !

Un des paragraphes les plus réjouissants du texte de Druon, et le plus bel accent de son *lamento*, lui viennent de ce qui se passe en Russie. Quel exemple, là-bas, sait donner le clergé ! Ce n'est pas lui qui chercherait des noises au pouvoir civil, à l'ordre établi ! *« Les Églises orthodoxes montrent plus de fidélité à leur vocation [...] J'oserai dire qu'elles sont plus divines. »* (Rien de tel que les incroyants pour s'y connaître en religion : le sens du divin est leur spécialité.) A preuve : *« Elles font partie [elles] de la Patrie. »* Hélas ! Hélas ! Chez nous, de plus en plus, c'est le contraire. *« L'Église de France est-elle encore la France ? »* Déchirante question quand on pense, mon Dieu, que la France était jadis *« la fille aînée de l'Église »* ! Et maintenant, avec ces prêtres impossibles...

Observateur perspicace, pénétrant, Druon note aussi cette supériorité du clergé russe sur le clergé français : qu'en URSS l'Église orthodoxe a eu grand soin de *« conserver aux sanctuaires leur richesse ornementale »*. Un marxiste loyal, André Wurmser, me disait, à ce sujet, il y a peu, que, si l'État soviétique avait jugé bon – utile, opportun – de laisser ors et pierreries à ce qu'il tolérait encore de la vie cultuelle, c'est qu'il estimait tactiquement efficace d'exhiber, aux yeux de la jeune génération dressée à l'athéisme, quelques spécimens – étroitement tenus en main, d'ailleurs – de ces somptueux ilotes arriérés. De quoi écœurer tout garçon raisonnable.

Quand M. Druon réclame sans rire un *« front commun du sacré »*, il met ses pas, exactement, dans ceux du comte de Vigny, lequel, sachant à quoi s'en tenir sur les superstitions chrétiennes, ne s'en était pas moins senti, après les journées de Juin, dans ses « *terreurs propriétaires* », envahi d'une tendresse pour M. de Falloux et cette « *Église de l'Ordre* » dont parle Maurras. L'académicien d'aujourd'hui rejoint tout droit l'académicien de jadis dans l'anxieux appel que ce dernier adressait à un pasteur genevois qui s'était permis – ah ! c'était bien le moment ! – de critiquer le pape. Ne voyez-vous pas, lui remontrait Vigny apeuré, que « *ce n'est pas trop de toute l'armée du Christ* [catholiques et protestants réunis] *pour faire face à la barbarie qui vient de sortir de ses repaires* » ? Les « barbares », ce sont les affamés de Paris qui se sont soulevés quand les excellents manœuvriers du bon parti – les Falloux et les Montalembert – ont obtenu l'insurrection qu'ils souhaitaient (et qu'appelait ardemment M. de Tocqueville pour qu'on « en finisse » avec l'esprit de Février) de ces 100 000 assistés des Ateliers nationaux, soudain privés net des 30 sous par jour qui leur permettaient de survivre.

Coup sur coup, dans *Le Monde* (13 juillet, puis 7 août), la réclamation urgente d'une « *constitution civile du clergé* », dit l'un ; d'un « *néo-gallicanisme* », dit l'autre. Vivement le retour à un Concordat, du type impérial, capable de tenir les prêtres en « *respect* », de « *contrôler* » leurs agissements. C'est ce que M. Gilbert Comte souhaitait vivement à ce sujet, un « *système adroit, modéré, vraiment français* ». Lourde erreur, la Séparation voulue par Combes ; car c'était l'État « *abandonnant ses droits légitimes sur l'univers ecclésiastique* ». Et M. Druon d'évoquer avec gourmandise la vigueur d'un Philippe le Bel qui crut avoir « *quelques mots à dire* » (et par des voies appropriées) au responsable en chef des fidèles. Druon veut encore espérer qu'il ne sera peut-être pas nécessaire d'en venir là, si du moins Rome fait son devoir et, prenant les initiatives nécessaires, dispense l'État français des gestes que le salut public finira par exiger. Dans la pensée de Druon, la bonne volonté du Vatican n'est pas en cause. Mais le pape a-t-il encore les moyens de se faire obéir ? Peut-être Rome est-elle « *impuissante à imposer au clergé plus de réserve dans l'intervention politique* ». Dans ce cas, à l'État d'agir, car les choses, on ne saurait le nier, prennent un tour dangereux. Un Concordat ! Un Concordat ! Le propre des concordats, ainsi que Bonaparte en a donné l'excellent exemple, étant de conférer à l'Église nationale un statut de domestication. Quelle faute, quelle folie, cette Séparation de 1905 ! L'Église échappait ainsi au pouvoir civil ; un péril dont on mesure aujourd'hui toute la gravité. Aux yeux de M. Druon, l'Église de France – n'est-ce pas monstrueux ? – ne ferait pas autre chose qu'« *user de son antique autorité pour égarer les siens, et les autres* ». Quand on pense, s'écrie l'académicien angoissé, qu'« *au cours de deux millénaires* » on n'avait connu nulle part « *une société plus fondamentalement chrétienne que la nôtre, socialement parlant* ». Une merveille, ces deux adverbes l'un sur l'autre, le second éclairant comme il faut le sens du premier.

30 avril 1971

Mort de Jean Grenier. Cher Jean Grenier, si « pur », si peu remuant, qui s'efforçait, avant tout, de *comprendre* et dont le regard, en toutes choses, allait au-delà des apparences.

J'ai vécu un mois avec lui (et sa famille) à Lourmarin, pendant l'été 1931. Dans cette atmosphère souvent trouble [1], nous étions toujours heureux de nous promener tous deux, seuls, loin du château qui nous hébergeait. Je m'attachais à lui de plus en plus.

Il n'aimait pas « le monde », le bruit, dédaignait les « relations utiles ». Nous ne serons qu'un petit nombre, je le crains, à garder son souvenir comme une clarté dans nos heures noires.

« Le Hasard et la Nécessité » (1971)

Professeur au Collège de France, et biologiste de grande classe, Jacques Monod s'élève – il faut le lire pour le croire – contre ce qu'il nomme « *le scandale de la vie* ». L'être vivant est pour lui un esclandre, une réalité choquante, quelque chose, dit-il en propres

---

1. Le 13 novembre 1931, Mauriac m'écrivait : « *Une conversation avec Richaud* [André de Richaud, qui s'était trouvé à Lourmarin en même temps que Grenier et moi] *m'a fait mieux comprendre la folie que c'était de vous établir, avec votre petite femme, dans cette caverne.* »

termes, « *qui n'aurait pas dû exister* ». Cet « *objet* » qui se prétendrait doué d'un « *projet* », cet « *être vivant* » qui bénéficierait d'un « *haut degré d'autonomie par rapport à l'environnement* », constitue à ses yeux une intolérable infraction à « *l'hypothèse de base* » de la science, à son « *postulat* » fondamental.

Constatons qu'il y a là une méthode, inverse, sans doute, mais identique (renversée, sans plus) – identique à la méthode théologique dont Galilée fut victime. Interdiction, dans les deux cas, de contredire un « *postulat* » sous peine d'hérésie. Et, quand c'est la nature qui se permet d'être non conforme – hérétique, anarchiste –, c'est la nature qui a tort.

Je ne puis éviter de me rappeler ici l'observation de Victor Hugo : « *Un certain esprit scientifique est aussi étroit qu'un certain esprit religieux. L'erreur fait peau neuve, simplement. Elle était fétichiste ; elle devient idolâtre.* » Et je citerai aussi Edgar Morin, qui, tout récemment, dans *Le Nouvel Observateur*, écrivait : « *On peut réduire la biologie au physico-chimique ; on n'en peut pas déduire le vivant.* » Écoutons notre scientiste : « *L'évolution résulte non du fonctionnement normal du mécanisme* [qui repose sur la " *nécessité* "], *mais des accidents de ce fonctionnement* » ; « *toute apparition de traits nouveaux dans la biosphère* [procède de] *perturbations dans le mécanisme chimique* ».

Il y a trois ans, j'avais étudié l'ouvrage d'un de mes anciens camarades de l'École normale, Gabriel Germain, helléniste doublé d'un arabisant – et non catholique, ce qui l'eût récusé aussitôt, et de manière irrémédiable, aux yeux d'un penseur sérieux comme Jacques Monod. Dans son *Regard intérieur*, Germain nous rappelle que le mot « hasard » vient de l'arabe *Zahr*, qui veut dire « dé », et son nom véritable serait donc : « *Zahr ben Adam* » : « *hasard fils d'Adam* » ; fabrication humaine, substitut d'« *ignorance* » ; le hasard est « *un fils de notre esprit* ».

« *La conception que l'univers nous impose* », dit Monod. Pas du tout. C'est lui, Monod, qui cherche à nous en imposer. Et, lorsqu'il affirme que « *le résultat capital de la science* » est d'avoir réussi à faire que l'homme « *se démontre à lui-même son insignifiance* », il franchit les bornes de ce qu'autorisent ses connaissances de savant.

Mais pourquoi se laisse-t-il aller à écrire que « *le mal le plus profond, c'est le mal de l'âme* » ? Tiens donc ! « *L'âme* », tout à coup, ressuscite pour lui. Et le rôle, courageux, que nous lui avons vu jouer en mai 68 était un démenti qu'il se donnait à lui-même.

14 juin 1971. Neuchâtel

Dans ce quotidien que je reçois, chaque matin, depuis près de trente ans, *La Feuille d'Avis*, dirigée par des maurrassiens, le rédacteur en chef énonce, comme une vérité établie, définitive et qui ne saurait être mise en doute, cette affirmation précise : « *On sait où l'expérience du Front populaire a conduit la France : à la défaite, à l'invasion, à la honte.* » Prodigieux, non ?

16 juillet 1971

Bruckberger. Dans le dernier produit de cet auteur fécond, le révérend père nous livre des confidences notables : « *L'univers féminin m'a toujours passionné* » ; et il consacre un paragraphe à l'enchantement où le plonge l'Évangile de Luc (8, 1-3) à propos de Marie-Madeleine et de Jeanne, « *femme de Chouza, Premier Ministre d'Hérode* » (les majuscules pour « *Premier Ministre* » sont de notre moine). Avec « *Suzanne et quelques autres* », dit-il, elles accompagnaient Jésus et « *les douze* », et « *elles les assistaient de leurs ressources* ». Devant ces indications financières, il jubile, Bruckberger. Il frémit dans un transport : « *C'était donc des femmes riches, socialement très haut placées, de vraies dames, de grandes dames* [...] *C'était des femmes, jeunes, belles, fortunées* » ; ces deux premières épithètes constituant une pure et simple adjonction de B. au texte de Luc, mais indispensable au charme de sa rêverie. Elles étaient riches, « *et, apparemment, Jésus ne leur avait demandé d'abandonner ni leur fortune, ni leur rang social* ». Récidive : « *de très jolies dames habituées à la Cour du Roi* » (encore des majuscules). Et l'aveu souriant : « *Je m'imagine cela très bien. Ce devait être sensationnel. Je l'imagine et je m'en délecte.* » On s'en est déjà aperçu.

239

Mais il insiste, le cénobite (un peu particulier, car il préfère vivre seul). Il développe et complète Luc dans un ravissement d'appétit. Béatitude pour lui d'évoquer tout ce « *luxe* », toute cette « *élégance* » que lui fait entrevoir ce texte évangélique dont on dirait qu'aucun autre, à son goût, ne le surpasse : Ah ! « *Ces fous rires dissimulés derrière des éventails* », ces « *grelots tintinnabulants de mules empanachées* », ce « *bruissement de soie* », ces « *traînées de parfum* ». Et, plus loin, ces quelques lignes, avec leur délicate incise : « *Je suis sans doute inguérissable. Je mourrai croyant toujours que les femmes – sauf deux ou trois de ma famille qui me paraissent des monstres – sont des anges.* » Et, plus loin encore, une allusion, qui fait plaisir, à ce qu'il nomme « *ma puissante animalité* ». Un mâle, au moins, un vrai, ce prêtre-là.

Mais voici, toujours dans ce remarquable ouvrage, des propos d'un autre ordre ; tout un stock d'outrages et d'insultes déversé par le R.P. sur des gens dont les noms se devinent tout de suite : « *volaille intellectuelle* » et autres « *experts* ». Il recourt aux guillemets pour ce dernier mot, afin de faire bien comprendre qu'il s'agit de certains théologiens dont les interventions, au concile, l'ont exaspéré. Le R.P. abandonne, dès lors, le frétillement pour la fureur et la menace. « *Nous vous attendions, messieurs. Vous vous êtes annoncés* [...] *Nous vous reconnaissons. Il semble que nous vous ayons déjà vus quelque part, un soir entre les soirs, au milieu du cliquetis des piques, à la lueur des lanternes.* » Pas d'erreur, c'est bien Gethsémani. Nous sommes en plein réquisitoire d'intégrisme, et voici Congar dans le rôle de Caïphe. Un exploit. Quand l'honneur de la foi est en jeu, notre fulminant n'a jamais assez de sarcasmes pour ces « *petits curés* » et ces « *moinillons* » atteints, selon lui, d'« *un gâtisme prématuré qui dégouline en parlotes* » et qui, au lieu d'orienter sans cesse nos yeux, comme c'est leur devoir, vers l'« *au-delà* », s'arrêtent et se complaisent à tel spectacle de « *l'en-deçà* » et quel ! « *L'en-deçà* » le « *plus sordide et le plus immédiat* » : des histoires de pouilleux et de sans-le-sou. Les bidonvilles l'importunent. Il ne respire à l'aise, nous le savions déjà, que parmi les jolies femmes riches.

Autres cibles : les malfaiteurs qui prétendent modifier, retoucher, le catéchisme traditionnel formé de questions et de réponses, cet « *admirable instrument d'éveil des intelligences* [sic] », ce chef-d'œuvre « *que les génies de l'humanité nous envient* [sic] ». Et voulez-vous savoir « *le sens de l'entreprise* » ? Ces criminels « *ont tout bonnement décidé d'empêcher les semailles de la foi dans l'âme des enfants* ». Des opérateurs infernaux.

Le R.P. Bruckberger, qui ne peut souffrir « *l'infâme baragouin* » de la messe en français, s'efforce à la drôlerie. Dans l'idiome barbare des curés d'aujourd'hui, le latin *audemus dicere* devient « *nous osons dire* » ; ce qui fait éclater B. d'un gros rire : « *Nouzozon !* » Une véritable « *injure à l'oreille* » : d'où ses gambades vengeresses sur le « *style zozon* », la « *République zozon* », etc. Malheureusement, le même raffiné que « *zozon* » met dans une joie féroce se paye, dans le même ouvrage, un très beau « fufu » (« *ainsi fut fusillé* » [p. 77]) et un intrépide « cécel » : « *Cette France-là,* dit-il [celle des " honnêtes gens ", sans doute], *c'est celle que j'aime* » (p. 68).

Dans le langage théologique, Bruckberger vomit ce qu'il nomme « *une lavasse délayée* [sic] *au pipi de chat* ». Mais quoi ! A chaque écrivain son style propre. On écrit comme on peut, comme on est.

25 août 1971

Le curé de Bray – Bray dont dépend le hameau de La Cour-des-Bois où nous passons toujours l'été – est aussi prêtre ouvrier, ouvrier forestier, à mi-temps. Tous les matins, après sa messe, dès le lever du jour, il travaille dans les bois. Il y fait, régulièrement, plus que ses quatre heures de besogne exigée, parce qu'il aime ces « secteurs solitaires » qui lui sont confiés. Vers 11 heures, il mange un sandwich, qu'il a emporté dans sa besace, et il commence sa vie de « ministère ». Il rôde perpétuellement, dans sa petite voiture, jusqu'au soir, visitant ceux de *ses* « paroissiens » qui sont à l'hôpital (Cluny ou Mâcon), de vieilles gens délaissées, des fiancés qui sont venus le trouver, et quiconque a fait appel à lui. Tout le monde le connaît sur vingt kilomètres à la ronde, et parle de lui avec affection, « croyants » ou non-croyants (ces derniers, majoritaires à 80 ou 90 %) [1]. Quarante-neuf ans : un Bourguignon de pure race, qui roule les *r* comme Colette, qui parle le patois local aussi facilement que le « bon » français. C'est lui qui m'a enseigné que, dans notre coin, la tourterelle, c'est la « *tôrte* » ; le hérisson, un « *r'chon* » ; un épouvantail, un « *égarouyau* » (pour égarer, tromper, les oiseaux). Un homme plein d'humour, qui rit beaucoup, mais sans bruit, balançant le torse d'avant en arrière, ses deux mains sur les accoudoirs qu'il frotte, frotte, comme pour les rendre encore plus lisses. Et, lorsqu'il a terminé une bonne histoire vécue – jamais malveillante ; il déborde d'indulgence, de bonté, de générosité –, il conclut toujours par une explosion du genre : « *Ça paye, non ?* »

Quand, chaque année, un dimanche d'été, il est absent (pour conduire des gamins, six-sept jours, au bord de la mer), à trois laïcs, nous essayons de le remplacer un peu. L'un de nous lit les prières requises, l'autre distribuera les hosties, déjà consacrées, et moi, je « fais l'homélie », de mon mieux. Un suspect, cet abbé F., pour certains, parmi les « honnêtes gens » : il « pense mal » en politique. Nous votons toujours pareil, lui et moi. Pour les cantonales, je ne sais plus quand, nous avons, en toute sérénité, et publiquement, pris parti pour le candidat communiste (un professeur d'école technique, maire de Cluny, avec plusieurs catholiques dans son conseil municipal ; un administrateur consciencieux) parce qu'il n'avait en face de lui que le nommé Philippe Malaud, ancien ministre sous Pompidou et qui se déclarait ouvertement d'extrême droite.

J'ai dû me méprendre sur la réalité canadienne quand j'ai fait, en 1965 et 1966, deux petits séjours au Québec et que j'en suis revenu persuadé de l'extinction de la foi dans ce malheureux pays. Aveuglement de ma part. Je n'ai guère fréquenté que des « intellectuels ». C'était oublier que le Québec est encore très largement rural ; et, dans les campagnes, là-bas, le catholicisme – ou ce qui en tient lieu – ne se porte pas si mal. L'abbé F. m'en fournit une

1. Il m'a dit plusieurs fois qu'il ne faut pas s'imaginer que le pays est « *déchristianisé* ». A son avis, cette région-là (la Bourgogne sud) n'a *jamais* été « *christianisée* ».

preuve toute chaude. Il vient de recevoir la visite de quatre ecclésiastiques québécois, venus « en touristes », premièrement pour déguster quelques « grands crus » de Bourgogne, accessoirement pour jeter un coup d'œil aux églises romanes. Ils voyagent avec leur Lincoln, arrivée par mer avec eux. Des messieurs-prêtres, installés, cossus, habitués à régner ; mais, en même temps, d'une aimable gaieté, tranquilles, sûrs d'eux-mêmes. Fonctionnaires d'une Église infaillible, ils parlent avec commisération de ce qui se passe en Hollande, où trop d'évêques, disent-ils, « *perdent la tête, font scandale, que c'en est douloureux* ». Quant au clergé français, qui les inquiète aussi, ils ne l'ont évoqué, devant ce « prêtre ouvrier » qui les déconcertait, qu'avec les atténuations de langage requises par la courtoisie. Pour eux, pas de problèmes, aucun problème. Il y a la tradition millénaire hors de laquelle tout est errance et folie. Ils *ont* la Vérité ; ils *sont* la Vérité.

29 septembre 1971. Taizé

Déjeuner à Taizé, tous les trois seulement (frère Roger, ma femme et moi) ; très frugal ; parfait ainsi. Le curieux menton de ce « prieur » qu'on ne saurait dire « prognathe » à la Mussolini dans ses numéros publicitaires, mais un drôle de menton, rond comme un biscaïen, comme une petite pomme dure.

Toujours son pull beige. Sur sa table de travail, des pages couvertes de sa grande écriture. Qu'il ressemble peu à Rousseau, en matière de graphie ! Je me rappelle ces heures passées en 1942-1943, au « château » de Neuchâtel, à étudier les textes de J.-J. : cette petite écriture serrée ; le papier utilisé du haut en bas et d'un bord à l'autre ; pas un demi-centimètre de perdu, de laissé en blanc. Le frère Roger ne trace guère que dix lignes, au plus, sur chaque page.

Il dit que l'on a recensé, depuis le 1er janvier de cette année, 43 000 passages à Taizé, pour une nuit au moins (non compris, par conséquent, les visiteurs qui n'ont pas dormi là) : 43 000 jeunes gens, garçons et filles, qui ont été hébergés. L'an dernier, 19 000 pour toute l'année. Un bond énorme. Le feu prend. Quel feu ? Frère Roger dit : « *Il n'y a pas de théologie à Taizé ; même pas non plus de spiritualité particulière.* » Tandis qu'il parlait ainsi, je me souvenais de Marc : « *Nous ne sommes pas un parti. Simplement une âme commune.* » Catholique, Marc Sangnier était vulnérable : Rome l'avait brisé en 1910, toléré ensuite. Roger (il souhaite que je ne l'appelle plus « frère Roger », mais Roger tout court) est invulnérable, car il échappe à toute obédience. Je lui demande quel nombre, dans ces 43 000 passants, de catholiques, de protestants, d'agnostiques, etc. Réponse : « *Je ne sais pas. Sur la fiche que nous leur demandons de remplir – nom, âge, nationalité, métier, appartenance religieuse –, la plupart, l'immense majorité maintenant, refusent d'inscrire quoi que ce soit sous la rubrique appartenance religieuse.* » Leur nom, même, beaucoup ne le donnent plus. Un prénom seulement.

Ceci, de Roger : « *Surtout, ne pas être une secte, une secte de plus.* » Est-ce pour cela qu'il tient à n'accueillir, dans la « communauté » elle-même, que très peu de postulants. « *Je sens le péril d'être trop nombreux* [1]. »

La réalité de Taizé est dans la même ligne – d'une manière plus immédiatement visible – que ce qui s'est passé en mai 68. Une preuve de plus que la question fondamentale, pour une foule de « jeunes » d'aujourd'hui, est celle du sens de la vie, de l'emploi de la vie. L'esprit général de cette jeunesse qui vient à Taizé est, politiquement, « de gauche » – et de façon très déterminée. Mais je suis sûr, profondément sûr, que tous souscriraient à ce que j'ai relevé, jadis (vers 1950) dans l'*Histoire socialiste* de Jaurès, à propos de Robespierre : « *L'œuvre révolutionnaire*, écrivait Jaurès, *si entier qu'on en puisse espérer le triomphe, lui apparaissait bien courte et bien superficielle, à moitié flétrie d'avance* » par la faiblesse humaine et ses convoitises. Pour que l'espérance temporelle ait chance de s'accomplir, une autre âme est nécessaire, une autre vue du monde. Une volonté de regarder, en même temps, plus loin, plus haut, que les seuls changements de structures.

Jaurès, l'homme de son « *arrière-pensée* », eût respiré à pleins poumons sur la colline de Taizé.

---

1. Les « frères » de Taizé étaient une trentaine en 1971. En 1987, ils ne sont pas loin, je crois, d'être 80.

Matin de Pâques 1972. Taizé

Environ 18 000 jeunes gens, garçons et filles. Avant midi, pendant près d'une heure, frère Roger, revêtu de son aube, au seuil de la grande église (prolongée par deux vastes tentes) accueillit ceux qui demandaient sa bénédiction. Chacun, chacune, posait sa tête sur l'épaule gauche du prieur, et je voyais des mains, souvent crispées, lui étreindre les bras, les hanches. Parfois, on lui murmurait des mots à l'oreille, et il répondait en quelques syllabes. Tous le regardaient avec des yeux illuminés, sans doute comme ceux qui, jadis, contemplèrent le Nazaréen. Je suis allé, moi aussi, seul « vieux » (soixante-neuf ans !), enfouir ma tête aux cheveux gris dans ce creux de lin vivant. Quand je m'approchai de frère Roger, il m'a souri, étonné, tendre.

Soir de Pâques 1972

Quelle nuit ! C'est le printemps, et l'on eût dit une vraie nuit d'été, chaude, avec tout l'énorme attirail céleste en plein fonctionnement. Un peu après 21 heures, l'office prenant fin, j'ai écouté, sous un haut-parleur juché dans un arbre, la voix calme de frère Roger. Il parla d'« *aventure intérieure* » débouchant sur « *l'action extérieure* ». Il a rappelé qu'à Taizé on s'insurge contre toute exploitation de l'homme par l'homme, quelle qu'elle soit. Il a dit : « *Nous prendrons des risques. Nous n'hésiterons pas à être des signes de contradiction.* » Il parle, sans insister, de « *pressions* » – lesquelles ? de quelle nature ? venant d'où ? – de « *pressions à la limite du tolérable* » qui ont été exercées, qui se poursuivent, contre la communauté, et dont il précise que la communauté ne tiendra pas compte. Deux mots guides, a-t-il dit encore : « *lutte* » et « *contemplation* » ; « *contemplation* » pour l'approfondissement de nous-même, pour l'ardente saisie de ce qui nous constitue essentiellement ; énergie, élan, réclamation de l'absolu ; et « *lutte* » contre l'oppression, du pauvre par le riche, de celui qui n'a que ses bras ou son intelligence par celui qui détient l'argent, de l'homme de couleur par l'homme blanc, du Juif par l'Aryen. Et il a annoncé qu'un « *concile des jeunes* » s'ouvrira, ici même, à Taizé, dans deux ans. J'écris ces lignes chez moi, 23 heures, remué comme lorsque, jadis, je sortais d'un meeting de Marc. Plus profondément encore. Beaucoup plus, parce que, tout de même, à mon âge, on est moins facilement qu'à vingt ans la proie de l'espérance. Sentiment qu'en fin de course je vais assister, *participer* à quelque chose d'immense, à une Révolution, à l'essai d'une Révolution conduite par des chrétiens authentiques. Rêveries ? Mais frère Roger n'est pas un simulateur. Je veux, je veux avoir confiance. Éperdument. Ce mot même trahit mon doute, et me navre.

14 avril 1972

Ces *Mélanges* de Bergson qui viennent de paraître raniment le malaise dont je ne puis me défendre quand ce nom reparaît devant moi. Je vois Bergson si soucieux de toujours prendre le vent, d'être du bon côté, de se faire agréer par les gens de bien, de leur plaire, d'obtenir leurs suffrages. Comment oublier qu'en 1912, lorsqu'il préparait sa candidature à l'Académie, et alors que se développait en France, sous la poussée de Millerand et de Poincaré (et avec le concours de l'or russe), l'abominable campagne belliciste que l'on sait, comment oublier que, dans *Le Gaulois* du 15 juin 1912, on pouvait lire de Bergson la déclaration que voici : « *Je crois à une sorte de renaissance morale française* [...] *L'évolution de la jeunesse actuelle m'apparaît comme une sorte de miracle* [...] *Toute notre jeunesse, toutes nos jeunesses, aspirent à cette magnifique unité nationale.* »

L'année suivante, Psichari publie son *Appel des armes*, avec cette scène capitale du « brigadier », ancien socialiste converti, qui brûle maintenant d'embrocher les grévistes (d'où les éloges de Mgr Baudrillart pour ce récit où le « *rôle social* » de l'armée est si bien défini). Avis de Bergson : « *Ou je me trompe beaucoup, ou ce livre contribuera à créer une atmosphère morale nouvelle, celle dont*

246

nous avons besoin » (H. Psichari, *Ernest Psichari, mon frère,* p. 56).

Successeur d'Émile Ollivier à l'Académie, Bergson prononcera, le jour de sa réception, un discours qu'il faut bien avouer scandaleux (l'expression est d'A. Fabre-Luce) : « *un tableau manichéen de l'Europe ou le Bien et le Mal avaient des contours sur la carte* ». Et Massis, dans son hymne à Maurras (II, 187), rappelle « *l'impression si vive que Bainville avait emportée de sa visite académique à Bergson* ». Hélas ! N'eût-il été juif, Bergson, tout porte à penser qu'il se fût montré ravi du régime de Pétain.

Adjonction
Dans son *Enracinement,* souvent admirable, Simone Weil observe, agacée, que les arguments ultimes qu'avança Bergson en faveur du christianisme étaient « *au niveau des réclames pour spécialités pharmaceutiques* » : la foi, dit-il, procure « *un degré prodigieux de vitalité* ».

15 avril 1972. Taizé

Seul à seul avec frère Roger, de 16 h 30 à 17 h 30. J'ai demandé cette entrevue (qu'il m'a tout de suite accordée malgré l'encombrement de ses journées) pour tâcher de savoir ce qu'il entend faire, ou proposer, dans le domaine politique et social. Quelles campagnes ? Menées comment ?
Déception. Ai-je mal compris ses paroles du soir de Pâques ? Aurais-je imaginé des mots que j'aurais juré avoir entendus ? En fait, le prieur a *éludé*. Il a hoché la tête en souriant : que cela « *demande réflexion, maturation* »... Est-ce que je suis parti de travers ? Détrompement, pas loin de l'effondrement. Ou bien frère Roger s'est-il repris, décidant que son rôle (sa « mission » ?) était d'ordre purement spirituel ? Le fait est qu'il a tout de suite changé de sujet, revenant sur ce qu'avait eu de difficile, de compliqué, l'accueil, pour Pâques, de « *beaucoup plus de groupes que prévu* » ; mais tant de bonnes volontés, de dévouements efficaces ! Il insiste encore sur la tristesse qu'il a éprouvée devant l'attitude prise par

Jean-Claude Barreau dans *Témoignage chrétien* : que Taizé se laisse « *récupérer* » par le Vatican. « *C'est si complètement injuste !* » Il me dit que, dans le catholicisme romain, il y a tant d'« *excroissances osseuses* » ; on ne sait plus « *où sont la chair, les entrailles, le cœur* ». J'essaie de revenir, obliquement, à la question pour laquelle j'étais là, en l'interrogeant sur son « *concile des jeunes* ». Mais il se dérobe : « *Nous aurons le temps d'y réfléchir.* » Évidence, donc : frère Roger n'a aucun plan d'action révolutionnaire. Les « Renseignements généraux », à la Préfecture, très « alarmés » (je le sais) dimanche soir, peuvent être tout à fait rassurés. Mais autre évidence, qui reste incontestable : un croyant, le prieur ; « *un prophète* ». Tel quel inutile ? Allons ! Sûrement pas !

Le Monde des 9, 13 et 23 avril 1972 permet de connaître, à l'occasion du référendum-plébiscite organisé par Pompidou – celui qui sut nous débarrasser d'un de G. ultra-suspect socialement et qui mettait hors de lui Raymond Aron – à l'intention des bons Français véritables, les partisans les plus affirmés d'une saine politique. C'est ainsi que nous avons vu se succéder, dans les listes d'approbation chaleureuse, les noms réconfortants de MM. Gabriel Marcel, Claude Lévi-Strauss, Pierre de Boisdeffre, Jean de Fabrègues et du R.P. Bruckberger, et du R.P. Riquet, et même de M. Louis de Funès.

[1972] l'île d'Elbe [1]

Nous sommes allés, J. et moi, quinze ans de suite, au printemps, passer une semaine à l'île d'Elbe. Non pas, certes, à cause du sinistre personnage qui fut, en 1814-1815, le « roi » provisoire de ce petit monde, mais parce que mes amis, aux Instituts français de Florence et de Rome, me répétaient, quand j'allais « discourir »

---

1. Rédigé dans l'été 1972.

chez eux, que l'*isola d'Elba* était un lieu préservé, un petit paradis. Rien de plus vrai. Nous en fûmes convaincus dès notre première visite. Pas de touristes avant l'été. Pas de route carrossable faisant le tour de l'île. Au sommet du mont Capanne – 1 100 mètres –, une petite statue de la Vierge, dans une parfaite solitude. Puis tout se gâta d'année en année. Nous venons de renoncer. Un pullulement, sur les côtes, de « résidences secondaires » ; l'île a pris l'allure d'une colonie allemande. Partout de larges et splendides routes goudronnées, y compris pour gagner la *Madonna del Monte*, hier une merveille de rêve. Et le Capanne, violé par un « monte-pente », grouille, dès le mois de juin, de transistors en éruption continue.

Mais ce n'est pas cette lamentable dégradation qui m'atteint le plus fort ; c'est ce qu'il est advenu de la messe à Poggio, le village à l'entrée duquel se trouvait notre hôtel. Les premières années, elle était vraiment pleine, pleine, la petite église de Poggio. D'hommes autant que de femmes. Deux rangées d'enfants, devant le chœur. Puis nous avons vu, sur les murs de l'église, des placards, dont l'affichage était prescrit par l'évêché, et qui, à chaque consultation électorale, spécifiaient que voter pour le Parti communiste était un péché mortel. La municipalité de Poggio est maintenant entièrement communiste. En conséquence, cette année, à la messe, nous n'avons eu avec nous qu'une douzaine, à peine, de vieilles femmes. Pas une seule jeune femme. Pas un homme, pas un enfant (alors, plus de catéchisme ? Plus de première communion ?). Le curé est le même que nous avons toujours connu. Il habite en bas, sur le littoral, à Marciana, et monte à Poggio, le dimanche, par le car de 9 heures, pour repartir par celui de 11 heures. Il n'a presque pas changé, en quinze ans. Toujours droit et solide, calme, tranquille, le visage neutre. Il lit son prône (durée stricte : dix minutes) d'une voix égale, bien convenable, indifférente, mais irréprochable de sérieux, de dignité. Du même ton que lorsqu'il avait devant lui cent ou deux cents fidèles, alors qu'il s'adresse maintenant au vide. Pas sa faute si la foi est morte, dans l'île. Lui, il aura scrupuleusement accompli son devoir d'état. Le malheur des temps, voilà tout. Il n'y est pour rien.

23 mai 1972. Genève

A l'issue de mon cours à l'université, une vieille dame m'aborde. Son allure n'a rien d'une ruine ; son visage non plus ; la soixantaine franchie, bien probablement, mais rien d'affaissé dans les traits et un beau regard droit. D'après ses vêtements, une condition modeste, très modeste. Elle se nomme. Elle est la fille de ce Birioukov qui vécut, des années, dans l'intimité de Tolstoï – septuagénaire, octogénaire. Elle me demande de venir la voir, la semaine prochaine, dans l'après-midi, si je puis, avant mon cours. Elle voudrait que « *nous causions* » : « *Je voudrais vous dire certaines choses.* » Entendu.

Mlle Birioukov est logée dans une maison de retraite pour gens plus proches du dénuement que de l'aisance. Elle me montre plusieurs photos où le vieux Tolstoï à barbe blanche la tient par la main, toute petite. Ce qu'elle veut m'apprendre est étrange, et le voici : qu'elle est résolue – ses dispositions sont prises, et l'argent nécessaire est là – à partir pour Vancouver, où subsistent des descendants de ces doukhobors expulsés de Russie par le tsar et à qui Tolstoï, grâce à la forte somme que lui rapporta *Résurrection* (ouvrage écrit et publié à leur intention), fournit les moyens de se réfugier au Canada. Et pourquoi va-t-elle trouver ces braves gens ? Parce qu'elle estime que son devoir est de les éclairer. Tolstoï les a induits en erreur avec sa foi en Dieu. Seul l'athéisme, qui est la vérité, leur apportera la liberté de l'esprit et la joie de vivre. Elle dit : « *Mon père et tous les meilleurs amis de Tolstoï, après sa mort, ont rejoint l'athéisme. Tant qu'il était vivant, ils ne voulaient pas le contredire. Il en eût été décontenancé, malheureux, furieux peut-être, car il n'était guère conciliant.* »

Je regardais avec un étonnement mêlé d'admiration cette Slave, cette Russe (adversaire déclarée du tsarisme comme du marxisme) qui entend, par souci d'être utile, consacrer ses dernières forces à « *sauver une seconde fois* » les doukhobors, cette fois en les délivrant d'une « *aberration abrutissante* [sic] ». Je n'avais encore jamais vu un (une) missionnaire de cette obédience. Elle me navre et m'émeut à la fois par sa générosité, son courage, sa détermination.

16 août 1972

Riche d'informations, l'ouvrage que nous donne François Fontvieille-Alquier : *Les Français pendant la drôle de guerre*. On y découvre une très remarquable interview de P. Gaxotte (de l'Académie française), dans le numéro du 20 mars 1940 de *Je suis partout*, l'hebdomadaire lancé par Brasillach. M. Gaxotte ne cache pas qu'il « *envie* » le régime hitlérien, qu'il l'eût beaucoup « *souhaité pour la France* ». « *On nous raconte,* dit-il, *que la victoire de l'Allemagne nous retirerait la liberté de penser, d'écrire. Quelle liberté ? Moi, je pense comme les Allemands...* » Et Laubreaux de conclure, pour sa part : « *Rien ne me paraît possible* » de ce qui pourrait « *ressembler* », de près ou de loin, « *à une participation à cette guerre abjecte* » (Fontvieille-Alquier, p. 60).

28 août 1972

François Perroux, dont la réputation ne cesse, légitimement, de grandir, et qui me témoigne une affection réelle, m'envoie son petit livre *Masse et Classe* ; et je me rappelle sa visite, l'été dernier, à l'improviste, dans notre petite maison de La Cour-des-Bois. Il voulait que nous allions ensemble à Taizé [1].

Thèse de l'ouvrage : depuis Marx, qui analysait la situation sociale telle qu'elle se présentait au milieu du XIXe siècle, la notion de « classe » a évolué. Pour désigner les victimes du système régnant dans le monde occidental (l'« économie de marché »), c'est de « masse » aujourd'hui qu'il faut parler, plutôt que de « classe ».

La classe ouvrière des années antérieures à 1914 s'est maintenant stratifiée ; les quelques avantages qui lui ont été concédés

---

1. Taizé est à 1 500 mètres de chez moi, à vol d'oiseau ; 4 kilomètres par la route.

sous la pression du syndicalisme ont atténué et sa cohésion et sa volonté de combat. Il n'en reste pas moins que rien n'est changé au fonctionnement du système, lequel se définit toujours comme suit : « *L'exercice d'une violence déguisée par une minorité sur la multitude.* »

« *Dans les sociétés occidentales,* constate F. Perroux, *la partie supérieure est solidement structurée comme un monopole collectif de la richesse et de la culture, et dispose de moyens efficaces pour se protéger contre toute réforme qui atteindrait l'essentiel de sa puissance et de ses privilèges.* »

La lucidité même. Gratitude à F. Perroux d'être si librement, si simplement véridique. Une profonde fraternité entre lui et moi.

31 août 1972

Foucault, Michel Foucault, est d'une autre race que Lacan, dont je supporte de plus en plus mal la morgue souveraine, les lourdes farces. Claude Mauriac (que j'aime beaucoup) me parle toujours de Foucault avec la plus grande estime. Mais ceci, que je viens de lire dans *Les Mots et les Choses,* range – hélas ! incontestablement – Michel Foucault parmi ce groupe militant d'aveuglés systématiques, prédicateurs de désespoir, qui veulent, dirait-on, à tout prix, dénier à la personne humaine toute substance, toute identité. Et il écrit bien, malheureusement, Foucault. Quel dommage de voir un tel don employé à pareille besogne !

« *A tous ceux qui veulent encore parler de l'homme, de son règne ou de sa libération, à tous ceux qui posent encore des questions sur l'homme en son essence, on ne peut qu'opposer un rire philosophique, c'est-à-dire, pour une certaine part, silencieux.* »

De quoi navrer non seulement Pascal le catholique, mais Jean-Jacques le chrétien, mais Socrate, mais Marc Aurèle, mais Érasme et Rabelais et Hugo et Jaurès (et, je crois bien, Jean Rostand également).

21 septembre 1972

P.-H. Simon vient de mourir, subitement. On allait l'opérer. Rien de dangereux. Il serait mort – d'après ce que je sais – sur la table d'opération, avant toute intervention du chirurgien. Son cœur n'aurait pas résisté à la narcose. Lamentable histoire, à préciser. Toujours est-il que voici disparu ce vieux camarade, ce bon camarade. Un « gars » bien, à tous égards.

Je me rappelle ce qu'il avait fait, à Berne, invité par l'Association romande, juste avant de quitter la Suisse pour aller vivre à Paris, où *Le Monde* lui avait offert la succession d'Émile Henriot (chemin sûr vers l'Académie). Il avait prononcé une sorte de « discours d'adieu » dans lequel un long paragraphe concernait mes travaux (il n'oubliait pas qu'il me devait – pour une part – sa nomination à Fribourg au lendemain de la guerre). Abusant, par générosité amicale, d'une trouvaille de Saint-John Perse dans son hommage posthume à Claudel : là où ce poète est passé, « *le site n'est plus le même* », P.-H.S. s'aventurait à soutenir qu'après mes travaux sur J.-J. Rousseau, Lamartine, Hugo le regard critique s'est obligatoirement modifié, parce que j'aurais « *établi sur preuves* » que Rousseau fut bien un « *homme traqué* » (par les « encyclopédistes ») ; que Lamartine, en vérité, ne ressemble guère à l'image traditionnelle que nous avions de lui ; que Victor Hugo était loin d'être l'« *imbécile* » que dénonçait Leconte de Lisle, ou le « *sous-primaire* » devant lequel Émile Faguet prenait des airs hautains. P.-H.S. avait tenu également à me féliciter pour ce qu'il nommait mes « *indéniables et tragiques constatations* » sur la guerre franco-allemande de 1870 et le comportement des généraux et des notables horrifiés par la République soudain reparue, le 4 septembre, et se constituant les « *collaborateurs objectifs* » de Bismarck contre la résistance de Gambetta. De la part de P.-H.S., « conservateur » en politique, cet hommage m'avait touché.

Ce qui s'est passé entre nous au sujet de l'Académie mérite, je crois, d'être ici noté. Je savais de longue date (il ne s'en cachait pas) qu'il souhaitait vivement devenir l'un des « Quarante ». Je l'avais souvent blagué sur le goût qu'il avouait pour la « panoplie » des « immortels » ; mais je n'ignorais rien des raisons familiales, infiniment respectables, qu'il avait de désirer, pour le nom qu'il portait, ces honneurs. Le voici élu. Je lui envoie un télégramme de félicitations. Il me répond, par téléphone : « *Tu vas me rejoindre. Je vais te faire la courte échelle.* » Je me vois obligé de lui écrire pour l'arrêter net, ajoutant que l'entreprise n'est pas concevable : il ne réunirait pas dix voix en ma faveur, précisant aussi que je lui demande de ne pas insister. J'apprends que je l'ai froissé. Nous nous rencontrons donc à Paris, et il me dit : « *Tu me méprises ?* » Je l'ai rassuré : « *Voyons, tu sais bien que non !* » Puis je lui explique (« *ça, tu devrais le savoir* ») que nous ne sommes pas, à ce sujet, « *sur la même longueur d'ondes* », que je ne serai jamais (« *pas question* ») le « *Parisien* » qu'il faut être pour une candidature académique, etc. Il n'était plus fâché. Il me regardait, sans mot dire ; puis, tout à coup, narquois : « *Pigé ! Trop verts, hein ? Tu as peur d'une humiliation...* » Nous étions assis, face à face, dans ce grand café. Je lui ai pris le poignet : « *Écoute, vieux. Fais pas l'idiot. Tu m'as parfaitement compris.* » Il a reconnu : « *Je te faisais marcher.* » J'ai repris : « *Enfin, tu me vois, dis, tu me vois, en visite, solliciteur, le dos rond, chez Gaxotte, chez Thierry Maulnier ? Réfléchis un peu !* » Riposte immédiate, déploration affectueuse : « *Incurable ! Je l'ai toujours pensé. Tu es un sectaire incurable !* » Nous étions réconciliés. Entre nous deux, ce ne pouvait être autrement. Dissemblables et fraternels.

Il n'aura pas été longtemps académicien, le pauvre gentil ! Son dernier bouquin s'intitulait : *La Sagesse du soir*. Il m'avait annoncé : « *Ça ne te fera pas plaisir. Je boucle ma boucle. Je viens de la droite ; un moment j'ai dérapé un peu vers la gauche ; je reprends ma vraie place, ancestrale, à droite, là où tu m'as trouvé quand nous sommes entrés ensemble rue d'Ulm en 23...* » Une fois de plus, le thème, trop connu, de l'âge qui vous apaise, de la vieillesse qui nous guérit de nos emportements. Je refuse, ravi d'avoir découvert, dans cet inépuisable gisement que forment les textes posthumes de Hugo, le sarcasme en douze syllabes que voici :

Le devoir des lions est de vieillir toutous.

Je ne suis guère un lion, mais je ne serai jamais un toutou.

Il avait de l'humour, P.-H.S., outre son courage et sa noblesse. Quand l'excision d'un cancer lui avait imposé l'usage définitif d'un anus artificiel, il avait accueilli cette désolante misère avec sérénité, et il m'avait dédié, par écrit, cette sentence : « *Je sais à présent que le tr. du c.* [sic] *fait partie intégrante de la dignité humaine*[1]. »

4 janvier 1973

Deux prêtres candidats à l'Académie française : le R.P. Bruckberger et le cardinal Daniélou. La presse enregistre le fait, sans commentaires. En vérité, c'est une chose non seulement lamentable, mais scandaleuse.

J'entends bien qu'existe une tradition séculaire réservant toujours, à l'Académie, une place, au moins, à un ecclésiastique éminent. Mais cet usage ne suffit pas à rendre la chose acceptable, et normale.

Un des mérites du christianisme (il en a d'autres, et d'une autre importance) est d'établir une distinction fondamentale entre le grandiose et la grandeur. Spectacle sinistre, à vous serrer le cœur : voir deux prêtres se disputer l'avantage, la « gloire », d'être nommé académicien. Pour qui réfléchit une seconde, il y a là de quoi rester béant.

Les vérités les plus claires, lorsqu'elles ont été longtemps oubliées au point d'en devenir indésirables, n'en sont pas moins des vérités. « *Scandale de la vérité* », disait Bernanos. Je dis que c'est trahison, pour un prêtre, que de briguer, que de songer même à briguer, une de ces « *grandeurs d'établissement* » – grandeurs de convention, grandeurs de vanité – dont parlait Pascal, et qui sont

---

1. Il me récita un jour, tout joyeux, et très fier de cette « œuvre libre », un quatrain gaillard composé par lui, durant sa captivité, en l'honneur d'un camarade, officier de cavalerie, périgourdin, et qui tirait gloire de ses innombrables exploits amoureux :

> Après cinq ans de continence,
> Lorsque tu rentreras en France,
> Puisse crier ta belle, admirant ta vaillance :
> « Non, tu n'as pas péri, gourdin ! »

précisément le contraire de la grandeur vraie. Lorsque Napoléon III décerna au curé d'Ars la croix de la Légion d'honneur, il l'insultait (sans même en avoir conscience, je le crains). Le prieur de Taizé, lui aussi, faillit être victime d'un geste analogue. Mais on a la prudence, aujourd'hui, de s'informer d'abord ; on redoute les rebuffades. Le prieur de Taizé se borna à faire entendre qu'il y avait quiproquo, maldonne. Mais le cardinal Daniélou, le R.P. Bruckberger ne sont pas de ces délicats.

7 janvier 1973

Je regrette de n'avoir pas connu, pour mon livre d'il y a sept ans déjà, sur *L'Arrière-pensée de Jaurès*, ces lignes de Laurent Tailhade que nous révèle le dernier *Bulletin de la Société des études jaurésiennes* (n° 46) ; un texte de 1914 ; un dernier hommage à l'assassiné.

Les détails concrets, comme je les aime, y abondent. Jaurès et ses yeux bleus et « *son rire enfantin et charmant* » ; « *on le rencontrait parfois, le matin, au tournant de la rue de l'Assomption, un foulard bleu et rouge autour du cou, et rapportant sous son bras un pain enroulé dans du papier bulle* ». Jaurès avait été le « témoin » de Tailhade à son mariage ; « *j'ai, de sa main, une lettre pour la naissance de ma fille [...] La vie est bonne à vivre, disait-il. C'est un grand bonheur que de la donner* ». Ceci encore : « *Le cabinet de travail de Jaurès eût pu passer pour un grenier. Juché tout en haut de l'étroite villa, tapissé, encombré de livres – des livres en tas, en piles, en colonnes* », il s'éclairait « *d'une grande baie* ». Et ceci : « *Massif, trapu, quand ce petit bonhomme apparaissait debout sur une estrade* » et qu'il se mettait à parler, une espèce de « *force invisible nous portait vers lui* ».

Dans le même article, Tailhade évoque aussi (bravo !) le « *grand et bon Zola* ». Des combattants, tous trois, Jaurès, Zola, Tailhade, de cette longue lutte pour qu'enfin arrive sur la terre « *la Pâque bienheureuse des hommes justes et réconciliés* ».

3 mai 1973

L'âge de la retraite est là ; je vais quitter mon poste de « professeur extraordinaire » (l'équivalent, en France, d'une « maîtrise de conférences » à la faculté des lettres de Genève).

Par curiosité, je mène une petite enquête auprès des étudiants : Thibaudet, dont le buste se trouve, en tant qu'« illustre », dans le hall de l'université, que pensent-ils de lui ? Je constate qu'ils l'ignorent, ce qui est la justice même ; non pas méconnu, mais ignoré. Il a fait longtemps illusion, grâce à la *NRF* qui lui avait procuré un piédestal. (J'aimerais savoir *qui* l'avait choisi et pourquoi.) Or il n'avait rien à dire, et sa culture était mince. Sa piteuse médiocrité devint flagrante dès que Marcel Raymond lui succéda, à Genève. Celui-là, à tous égards, un homme de premier plan.

[Mai 1973][1]

H. de Carbuccia, *Le Massacre de la victoire*. Carbuccia, fondateur de *Gringoire* (premier numéro, 9 novembre 1928). Aimables détails : « *On n'imagine pas la gaieté de* Maxim's *avant la guerre de 14, de minuit à quatre heures du matin* » ; et que cette fête permanente a repris, pour lui, après l'armistice de 1918. Fier d'énumérer les collaborateurs qu'il avait su réunir pour *Gringoire* : Sacha Guitry, Georges Suarez, Abel Bonnard, etc. (Daniel-Rops donnait « *fréquemment* » des articles). Évocation de Chiappe, qui incarnait « *une certaine élégance dans le commandement* », c'est-à-dire une complicité presque cynique à l'égard des étudiants d'extrême droite, au quartier Latin.

Un document très instructif, ce bouquin, sur tout ce qui, à Paris, préluda, de loin, à l'avènement de Pétain grâce au désastre de 1940.

---

1. C'est la date à laquelle parut l'ouvrage en question. J'ai pris ces notes, mais sans les dater, dès que j'eus terminé la lecture du volume.

4 juin 1973

Marc Sangnier aurait eu cent ans, cette année. J'ai tenu à relire la lettre pontificale du 25 avril 1910 portant condamnation du *Sillon*. Sa Sainteté Pie X enseignait : « Le Sillon *fausse les doctrines fondamentales qui règlent les rapports de toute société* » ; Marc Sangnier met en péril la société dont il prétend « *changer les bases naturelles* » ; « *la diversité des classes est le propre de la cité bien constituée* » : « *On ne bâtira pas la cité autrement que Dieu l'a bâtie* » ; « *les véritables amis du peuple ne sont ni révolutionnaires, ni novateurs, mais traditionalistes* ».

Madeleine Barthélemy-Madaule, qui vient de consacrer à « Marc Sangnier » une très remarquable et très pénétrante étude, n'a pas tort d'écrire : « *La lettre de Pie X est parfaitement cohérente. Elle constitue un tout doctrinal qui répond exactement à l'idée qu'un Feuerbach et, en un sens, Marx, se faisaient de la religion.* »

[Printemps 1973]

Publication enfin complète du *Journal* des Goncourt. En fait, pratiquement, le *Journal* d'Edmond, car Jules mourut à quarante ans, en 1870, tandis qu'Edmond persista jusqu'en 1896. Une avalanche d'horreurs ou d'affligeantes niaiseries. D'envieuses bassesses à l'égard de Zola. George Sand, qui déplore le temps (perdu) que Flaubert consacre à son style, et prétend que son style à elle, « *le vent* » s'en charge tout seul en passant sur « *la harpe* [sic] » dont elle dispose naturellement. Renan, qui tient G. Sand pour le plus grand écrivain français, complète la preuve de son discernement en traitant de bien mauvais artiste l'auteur des *Mémoires d'outre-tombe*. Le plus triste de la bande, c'est peut-être Théophile Gautier qu'on entend s'emporter contre ce Jésus envers lequel Renan, le « *lâche* », a été beaucoup trop indulgent, car l'individu est, au vrai, un malfaiteur, un « *destructeur, abîmant l'art, assom-*

mant la pensée ». Une colère désespérée a saisi Gautier quand, le 4 septembre 1870, l'Empire s'est écroulé : « *C'est ma fin ! Mon coup du lapin. Tout fout le camp pour moi avec la République !* [...] *J'allais être nommé à l'Académie ; et, au Sénat, il n'était pas impossible que l'empereur y mît* [après Sainte-Beuve, de nouveau] *un homme de lettres...* »

Edmond de Goncourt nous apprend que le sénateur Sainte-Beuve considérait Victor Hugo comme « *un charlatan et un farceur* ». Sainte-Beuve mourut en 1869. On imagine assez bien l'accueil qu'il eût fait au 4 septembre 1870 et au 18 mars 1871 (la Commune). Le sort nous épargna ces considérations.

Marges

Ces visages qui se ferment d'un coup, durement et totalement, dès qu'on prononce le mot « Dieu ». Un mutisme obstiné et qui signifie : « Changeons de sujet, voulez-vous ? » Il y a toujours là, expliquant cette attitude, des raisons personnelles indestructibles : déceptions, écœurants souvenirs ? Si ce n'était que l'agacement du temps perdu à des propos inconsistants, on ne percevrait pas cette dureté, cette sombre irritation, proche de la fureur.
Je voudrais comprendre.

Le cirque du « Fer à cheval », après Samoëns, au bout de la vallée. Ces cascades qui ont l'air de couler du ciel lorsque le sommet semi-circulaire de la montagne est, comme aujourd'hui, caché par les nuages.

On me communique ce texte – clandestin – de Teilhard : *Le Cœur de la matière*, daté « *Paris, 30 octobre 1950* ». Il y est question « *des insondables puissances spirituelles encore dormantes sous l'attraction mutuelle des sexes* ».
Breton, lui, dit de la sexualité qu'elle est un « *infracassable noyau de nuit* ».

Telle observation souriante de Mme de Sévigné, que de fois je l'ai vue se vérifier ; et, par exemple, dans le regard que dut poser Paul

Claudel sur Mme V. – l'éblouissante Mme V. – lorsqu'à l'escale de la Réunion (automne 1900) il la vit [1], avec son mari et ses enfants, monter sur le paquebot qui le ramenait, jeune consul de France, à son poste de Fou-Tcheou. Lettre du 19 août 1676, sur Arnauld d'Andilly, trépassé deux ans plus tôt, et qui s'était montré si ardemment soucieux de ramener au bien les âmes en péril ; Mme de Sévigné écrit : « *Il avait plus d'envie de sauver une âme qui était dans un beau corps, qu'une autre.* »

Sagan et sa futilité accablante.

D'un authentique salopard – que je ne nommerai pas –, cette excellente remarque : « *Les plaisirs de l'estomac déclenchaient en lui les effusions du cœur.* »

Les *Mémoires* des grands hommes sont toujours des biographies romancées.

Pollution. L'histoire officielle, elle aussi, est partout polluée, dans toutes les nations.

Tactique usuelle de ceux que mes travaux contrarient ; guetter une inexactitude de détail, et s'en saisir bruyamment pour dénoncer comme un mensonge la vérité qui leur déplaît.

. L'histoire littéraire, c'est, avant tout, pour moi, une galerie de témoins, d'échantillons humains particulièrement instructifs.

Banale observation sur « *l'amour de l'amour* ». Je crois me sou-

1. La revit, car il la connaissait déjà, mais à peine, ayant reçu les V. à sa table, en Chine, deux ans plus tôt.

venir d'une maxime de La Rochefoucauld à ce sujet : on n'aime pas telle femme, même quand on se le persuade ; on aime l'état délicieux, physique et moral, que cette femme nous procure. Le général Boulanger se suicide *pour* Marguerite de Bonnemain ? Mais non, pas pour elle. Parce qu'elle est morte et qu'il a perdu la félicité dont il lui était redevable ; sa propre vie ne lui était plus qu'un fardeau. Vrai et faux. Tous nos sentiments sont *nos* sentiments. L'être ne sort pas de soi, ne peut pas sortir de soi. Notre univers, c'est toujours nous. Mais la qualité de nos plaisirs peut comporter des discriminations, des hiérarchies. Est-ce que François d'Assise, est-ce que M. Vincent ne cherchaient pas *leur* joie, comme Sade ou comme Gilles de Rais ? Et il peut se faire que, dans un amour, le bonheur dont nous parlons soit de telle nature que, sans nous disjoindre de nous-même – ce qui est inconcevable –, il intéresse pourtant cette part de notre identité qui dépasse l'égoïsme, et que nous nous mettions à penser à l'autre (au moins par moments) *pour* l'autre, pour le bonheur de l'autre, même si c'est de cette façon-là que *notre* joie sera parfaite.

Une vérité âpre, mais dont il faut savoir prendre conscience : les facilités de l'argent sont précieuses non seulement pour adoucir bien des chagrins, mais pour dissoudre d'éventuels remords. D'où ceci, de Jésus, en Luc, 6, 24 : « *Malheur à vous, riches, car vous avez votre consolation.* »

Les « franchises » de l'Église gallicane à l'égard de Rome n'étaient qu'un degré de plus dans l'asservissement au roi.

Quel entraîneur de foules devait être Moïse ! Comme il devait savoir manier l'éloquence ! Et pas du tout. Il était bègue. Le texte dit qu'il avait « *un empêchement de parole* ». (C'est ce que prétend Sulivan, sans me donner la référence. A vérifier.)

Une des notes, inutilisées, que V. Hugo avait prises en vue de son *Quatre-vingt-treize*, est la suivante : « *miel et fiel, saluant, glissant, chuchotant* », sans désignation de personne. Je connais, pour ma part, au moins deux individus qui ont frôlé ma vie et à qui ces mots iraient à merveille.

Le *Montaigne* de Roger Judrin. Chaque phrase est une sentence. Inscriptions frappées dans du métal. Un livre mince. Méfiez-vous. On croit soulever un léger coffret, et son poids est une surprise. Il est bourré de médailles.

Concarneau. Thomas Boussard, un marin-pêcheur. A la retraite maintenant. Une toute petite pension. Il ne se plaint pas, ne récrimine pas. Des années durant, avant de pouvoir s'acheter un moteur, il allait et revenait, tous les matins (levé à 3 heures), à la voile et à la godille, de Concarneau aux Glénans, et s'arrangeait pour rentrer, juste avant la criée, vendre sa pêche.

Il parle de sa mort « *qui ne peut plus tarder gros* » ; et du curé de Bénodet qui a dit au copain Guillaume, bien malade et l'interrogeant sur l'au-delà : « *Je n'en sais pas plus que toi ; mais il faut avoir confiance.* » Et moi, dit Thomas, « *j'ai confiance. Je suis bien tranquille. J'ai jamais fait de mal à personne. Jamais, c'est vrai, à personne. C'est comme mes parents et mes grands-parents. Des procès ? Pas un ! Pouvez aller voir au palais de justice. Pas trace. Alors, s'il y a un paradis, j'entrerai tout droit, c'est sûr.* » Sa bonne voix calme. Son bon regard limpide.

Psychanalyse. Du danger d'introduire dans la critique littéraire cette « science » si peu sûre et si fluide, à la merci de chaque « spécialiste ».

Il a tout à fait raison, Isorni : « *Une certaine Histoire décide que les images fabriquées seront vraies* » (Isorni, *Ph. Pétain*, 1972, p. 182). Il s'agit seulement de s'entendre sur la nature de ces images. Celle de Pétain « *deux fois sauveur de la France* » est le plus parfait exemple de l'image « *fabriquée* ».

Robert Schuman est mort l'an dernier, 1964. Je ne me suis entretenu que trois fois avec lui, mais une fois assez longuement, à Berne, lorsqu'il avait souhaité voir ma « *petite collection d'autographes* ». Je savais qu'il en avait lui-même de très beaux, et en grand nombre, et lui demandai s'il ne possédait rien, par hasard, de Péguy. « *Eh non, rien !* » Or il avait des articles manuscrits de Péguy signés d'un pseudonyme, datant de 1898 et d'un extrême intérêt. Quand sa collection fut vendue, je m'aperçus qu'il m'avait menti ; et me revint, à son sujet, ce que j'avais lu dans les notes personnelles de J. Chauvel sur ledit Schuman et sa « *franchise tempérée par je ne sais quoi d'ecclésiastique* ».

A ce propos, une autre note de J.Ch., concernant je ne sais plus qui : « *Il était la jovialité même, et du type le plus épanoui, étendant à tout interlocuteur, fût-il occasionnel, le bénéfice de ses confidences les plus secrètes.* »

« *Charcuterie du Sacré-Cœur* », saluée à Rouen, ce 25 février 1966.

Captivant, fascinant, opaque avec de vagues lueurs rouges, Hoffmann. L'homme des *Contes fantastiques* s'exprime sur son propre compte de manière à demeurer indéchiffrable : « *Séparé de moi-même, je suis ce que je semble et ne semble pas ce que je suis.* »

Pézeril révèle, dans *Le Monde* (août 68), la première version (1942) d'un texte que Bernanos n'a publié, amorti, qu'en 1947. Le devoir présent des croyants, écrivait-il en 1942, est de « *faire exploser l'Évangile dans un monde saturé d'idées chrétiennes amoindries, déformées, rajustées à la mesure des médiocres et parfois détournées de leur sens [...] cela ne se peut que par un miracle. Réussirons-nous là où un saint François d'Assise a échoué ?* »

Quel rhéteur n'envierait l'extraordinaire performance – sensationnelle et, si j'ose dire, renversante – que nous fait admirer Mme d'Agoult *(alias* Daniel Stern) dans ses *Esquisses morales (sic)* de 1859 (p. 122). C'est la mise en accusation d'un « *matérialisme grossier* » *(sic)* qui lui lève le cœur :
« *Misère de cet amour prétendu platonique dont votre orgueil se targue ! En donnant votre âme à un amant auquel vous refusez votre corps, vous témoignez ainsi faire infiniment moins de cas de l'un que de l'autre.* »
La comtesse d'Agoult, pour sa part, s'interdisait pareil scandale.

« *Parce que les choses déplaisent, ce n'est pas une raison pour être injuste envers Dieu* », dit Jean Valjean dans *Les Misérables.*

Relu Laforgue, avec curiosité et parfois (seulement parfois) avec plaisir. Je n'avais retenu de lui que son gémissement : « *Ah ! que la vie est quotidienne !* » Mais il y a aussi : les « *volières de la mémoire* », la « *corolle trop compulsée* » d'une dame et ce cornet à piston qui « *risque un appel vers l'idéal* » ; ainsi que : « *la marche d'Aïda fulminée par les cuivres* », et ceci encore : « *la pleine lune vieil or, hallucinante* », et cette femme à « *l'humeur délabrée* », et cette autre qui dit : « *Aime-moi à petit feu, inventorie-moi, massacrilège-moi !* » ; et cet aphorisme sur l'amour : « *Toujours le même rébus fatidique.* »

L'Institution. Le pape crée les cardinaux et il est créé par eux. Méthode simple et sûre pour une continuité tranquille. L'incartade Jean XXIII ? Un accident réparable.

Je lis dans le *Flagrant Délit* de Breton cette observation à laquelle je ne souscris qu'à demi, mais qui mérite d'être méditée. Il s'agit des écrivains qui, pour Breton, comptent au premier rang :
« *Plusieurs,* écrit-il, *se présentent le visage entièrement voilé : Sade,*

266

Lautréamont, ou très partiellement découvert : Rimbaud, Nouveau, Jarry [...] *Leurs tribulations à travers la vie, telles que nous arrivons à nous les retracer, tant bien que mal, sont d'un infime intérêt auprès de leur message et n'apportent à son déchiffrement qu'une contribution dérisoire.*» Du vrai ; mais le mot «*dérisoire*» est, à mon sens, excessif, en particulier pour Rimbaud. Sur Sade, complet désaccord. L'individu – un esclavagiste – est répugnant ; il bavarde, s'ébat dans l'amplification, mais ne révèle pas même le commencement, sous sa plume, d'un art du style. Breton, en revanche, l'écrivain André Breton, quel «*monsieur*» (eût dit Flaubert) !

Sur du papier blanc officiel («*Ambassade de France à Londres*»), vilainement détourné par moi de son emploi normal, cette transcription que j'avais faite, à la résidence de J. Chauvel (et avec son accord), d'un fragment de son *Journal* : «*Je ne suis pas sûr de mon identité, ni de mon existence même, si ce n'est comme faiseur de gestes, qu'il faut bien que quelqu'un fasse, que je fais, mais qui ne sont pas miens. Je ne suis que le lieu-dit où se situent ces gestes complètement impersonnels.*»

«*Les raisons ne sont pas ce qui compte, mais les mobiles. Les premières masquent les seconds*» (J. Chauvel, *Commentaire*, I, 177).

Tonzi m'avait dit : «*L'histoire vraie de l'Église est inracontable, par trop scandaleuse ; de quoi décourager les conversions.*» Ce que l'on entrevoit de Benoît V (1032-1044), par exemple, fait pâlir la geste Borgia.

Judrin nous fait observer que Iossif Djougatchvili, quand il choisit son pseudonyme de combat, inventa un nom *parlant* (alors que, Oulianov, rien ne nous indique la raison – et il en avait une, sûrement – pour laquelle il choisit de s'appeler Lénine) : Staline, ou l'« homme d'acier », c'est-à-dire, tout bonnement, en traduction française : « M. Dacier ».

Miettes des « Mémoires d'outre-tombe »

« *Il se rengorgea, d'un air capable et goguenard.* »

« *J'entendais, au loin, la jubilation des cloches.* »

« *Ragotin, agile, grimacier.* »

« *Un esprit compact et rétréci.* »

« *Il tenait du roquet.* »

« *Elle cachait la disette de ses idées sous l'abondance de ses paroles.* »

« *M. Casimir Perier, un homme d'ordre et de richesse.* »

« *Il roucoulait la romance.* »

« *Crapauds sur lesquels on a cent fois marché et qui vivent, tout aplatis qu'ils sont.* »

(Et ces villages d'Italie, aux maisons « *enduites de chaux* », sur les collines, « *comme des compagnies de pigeons blancs* ».)

Le surréel affleure partout, et le drame de l'humanité est de passer sans le voir. Elle le pressent, cependant, l'humanité, ce grand secret ; elle devine sa palpitation ; elle le cherche éperdument du côté des astres, des voyantes et des exaltations « charismatiques », comme on dit. Et il est tout près, à notre portée. Pour l'atteindre, il n'est que de reconnaître la distance qui sépare notre vrai nous-même des objets usuels de nos convoitises, que de saisir la différence entre le bien-être et le bonheur, que de percevoir le miracle inclus dans l'instant. L'instant, à la fois déjà le passé et déjà le futur, sa nature est de se situer hors du temps. Comme tout se transfigure dès qu'on prend conscience de ce pouvoir qui nous est donné d'accéder, par un imperceptible décalage, au ravissement de ce mystère.

268

« *Frankreich über alles* », disait, en somme, de Gaulle en français.

« *C'est la rareté des élus qui fait le paradis.* »
J'avais déjà peu de goût pour Baudelaire (et je sais bien qu'il cherchait à scandaliser), mais cette fine remarque que je découvre dans ses *Curiosités esthétiques* ajoute encore à ma froideur.

Étiemble. Il a été surpris d'un article que je lui avais consacré, jadis, dans *La Vie intellectuelle*. D'un croyant et dans une revue catholique, il s'attendait à des horreurs. Et je parlais de lui avec amitié. Il m'a écrit, puis nous nous sommes rencontrés, un soir, à Neuchâtel. Promenade au bord du lac. Tout ce qu'il me confiait, me révélait, sur son passé ; et cet élan, à mesure, qui montait en moi vers lui. Une culture immense, authentique et qui n'a rien à voir avec le trompe-l'œil organisé par Malraux.

J'ai, de sa main, des lettres auxquelles je tiens beaucoup. Un homme qui n'est pas heureux et qu'un drame familial a dévasté. Il a su faire face, avec un grand courage. Ses passions l'aident à vivre. Nous pensons très différemment sur des choses capitales, mais il est l'honnêteté même, et son estime m'est une fierté.

Parcours IV

1973-1988

Jours

[Été 1973]

Trois grandes personnalités militaires – des messieurs dont le patronyme atteste qu'il ne s'agit point de petites gens on ne sait comment parvenus à se glisser dans l'Olympe –, l'ingénieur général de L'Estoile, l'amiral de Joybert (particulièrement martial, je veux dire grossier) et le général de Boissieu (le général-gendre-du-Soleil), viennent de rappeler avec force les ecclésiastiques au respect de l'uniforme.

Et cependant, qu'elles sont discrètes, nos autorités religieuses, comparées à cet évêque catholique de Detroit qui s'était associé à l'évêque méthodiste d'Aberdeen (Dakota), ainsi qu'à l'épiscopalien de Philadelphie, pour conseiller, en termes clairs, la désobéissance aux aviateurs américains chargés par le Pentagone de déverser leurs bombes sur les villages du Cambodge.

Où allons-nous si les chrétiens se mettent à croire à ce qu'ils disent et à en tirer les conséquences ?

17 juillet 1973

Tous les vingt-cinq ans, l'Église proclame une « année sainte ». Paul VI a obéi à la tradition (je ne parviens pas à savoir quand ladite tradition a pris naissance). A cette occasion, un inappréciable avantage spirituel est assuré à quiconque se rend à Saint-Pierre-de-Rome dans un esprit de contrition : une « indulgence »

273

exceptionnelle récompense ce bon pèlerin. Je les croyais ensevelies, les trop fameuses « indulgences ». Je me trompais. Sans doute l'Église ne les vend-elle plus, ce qui n'avait pas été pour elle, jadis, sans inconvénients, mais elle les tient toujours en réserve. Elle n'en fait plus commerce : elles les octroie désormais généreusement. Et qu'est-ce donc qu'une « indulgence » ? Rien d'autre qu'un rabais consenti par l'autorité apostolique sur la durée du purgatoire dont sont passibles les pécheurs. Une affaire, comme on voit ! Surtout lorsque l'« indulgence » peut aller jusqu'à devenir « plénière » ; autrement dit, l'exemption totale, et l'accès direct au paradis dès après une mort dans les règles.

On croit rêver. Avec les choses graves le Vatican ne badine jamais. Rien de plus sérieux et de plus garanti. A tout chrétien conscient de ses intérêts surnaturels et de son destin d'outre-tombe, le pèlerinage à Rome s'impose, pour l'« année sainte ». C'est l'évidence.

D'aucuns ricaneront, pleins d'une sombre joie. Je me contente d'un serrement de cœur.

5 septembre 1973

Le numéro de juillet-août des *Écrits de Paris*, où se rassemblent les nostalgiques de Vichy et les dévots du Maréchal, contient un article plein d'intérêt sur Georges Bonnet. L'auteur va jusqu'à soutenir que Bonnet était la loyauté même et que les yeux de ce grand honnête homme « *fixaient* [toujours] *attentivement son interlocuteur* ». Or, dans un fragment inédit – mais qu'il m'avait autorisé à transcrire – de son admirable *Commentaire*, Jean Chauvel consacrait à Bonnet trois lignes limpides : « *J'ai rarement vu, pour ma part, quelqu'un qui donnât à ce point une impression de fausseté. Ses manières étaient mielleuses ; son regard toujours en fuite.* » L'Histoire enregistrera le constant double jeu de Bonnet, de Munich à la guerre, pour s'assurer un alibi au moyen de ses déclarations et dépêches officielles, tandis que son action secrète était soutenue, allait – comme l'a parfaitement dit Churchill – à « *la paix à tout prix* », c'est-à-dire au bénéfice de l'Axe. Pétain avait ses raisons, et les meilleures, pour associer Bonnet à ce « Conseil national » où il avait, fictivement, groupé ceux qui s'étaient montrés utiles à ses desseins. Et dans son *Journal de la France*, publié sous l'occupation, Alfred Fabre-Luce couvrait de fleurs l'ancien ministre. La meilleure preuve de ce que furent, au vrai, ses manœuvres (dont il s'appliquait à ne laisser aucune trace écrite) en faveur d'Hitler et de Mussolini, les collaborateurs des *Écrits de Paris* ne se rendent pas compte qu'ils nous l'apportent aujourd'hui avec cette célébration de leur complice.

31 décembre 1973

Le seul texte substantiel qu'aura vu naître l'« année Péguy », l'année 1973, celle où Péguy aurait eu cent ans, est le complément des *Quatrains* que nous a donné Julie Sabiani.

Rappelons que les *Quatrains* ne furent publiés qu'en 1941, à la fin du volume de la Pléiade où François Porché réunit les *Œuvres poétiques complètes* de Péguy. Ces précieux inédits parurent là, timidement, humblement, en petits caractères, et dans une manière d'annexe, d'enclos craintif. Romain Rolland, dans sa grande étude sur Péguy (1944), eut bien raison de souligner l'importance, l'extrême importance de ce groupe de textes : « *le livre des profondeurs* », disait-il avec exactitude.

Julie Sabiani nous renseigne sur la composition des *Quatrains* et avoue qu'il nous est impossible de connaître, de deviner même, l'ordonnance que Péguy leur eût assignée. J'ai peine à croire que Péguy ait jamais songé à faire paraître, de son vivant, et par respect pour sa femme, l'aveu de sa passion pour une autre, et devant les siens (au mépris de sa propre carrière), d'aussi rudes accusations que celles qu'il se jette là, lui-même, à la face. Un ouvrage posthume, je pense, qu'il écrivait ainsi, dénudant sa tendresse secrète, livrant ses âpres confessions. Je comprends mal l'étonnement dont nous fait part Julie Sabiani, qui se demande pourquoi, « *mystérieusement* », les quatrains qu'elle a retrouvés n'ont pas été retenus par Porché, en 1941, et sont demeurés inédits. Eh non !

275

Nul mystère. Trop faibles, trop médiocres, presque tous, ces textes laissés pour compte. Infiniment probable que Péguy lui-même les eût écartés. Jugez-en : voici ce « *cœur* » qui n'est que « *compote et marmelade* », et voici ces « *torchons souillés de lard* » rimant avec « *sacrés cochons amateurs d'art* »... Ce qui les sauve, ces rebuts, ce qui justifie leur adjonction au long cortège d'inédits dont les idolâtres de Péguy parlent le moins possible, c'est – un instant, juste un instant – l'évocation de la bien-aimée aux « *yeux noirs* » et l'allusion à leurs « *retraites d'amour* » dans les « *bois sombres* ».

Malheureusement, rien, ici, qui prenne place dans ce que Julie Sabiani appelle, en une excellente formule, le « *monologue haletant* » d'un Péguy qui se regarde dans ses comportements d'ambitieux et de « *déserteur* », qui se condamne et se flagelle. Violence inouïe de cette autocritique. La vraie grandeur de Péguy est là.

[Début 1974]

Dans *Le Mystère du Père*, du R.P. Le Guillou : « *La réaffirmation autoritaire de la norme dogmatique et de l'infaillibilité du magistère est sans effet* [...] *Le magistère n'arrive, au mieux, qu'à répéter les formules traditionnelles au milieu de l'incompréhension ambiante* » (je dirais, plus exactement, je crois, au milieu de l'*in-différence* générale).

Et, dans l'admirable (oui, admirable) ouvrage de Gilson sur *Le Philosophe et la Théologie*, ceci, courageusement vrai, trop vrai : « *Cette vérité que ses gardiens ont perdue, ils s'étonnent que d'autres refusent de la voir, mais ils nous montrent autre chose à la place et ils ne savent plus eux-mêmes où elle est.* »

7 février 1974

Il ne vaudrait pas la peine d'ouvrir *Les Fossoyeurs du soir*, d'un M. Lebas (« agrégé de l'Université ») si l'ouvrage n'était préfacé par G. Bidault ; c'est là que la chose devient intéressante, car il n'est pas indifférent de savoir ce que l'ancien président du CNR, et ancien président du Conseil, recommande aujourd'hui à l'attention de ses compatriotes. Le livre est dédié « *aux silencieux de l'Église de France* », et, dès l'« Avertissement », la couleur est clairement annoncée. Sont là foudroyés « *tous ceux qui, dans l'ombre prospère aux crimes* [" *prospère* " étant là, je pense, pour " propice "], *se sont faits les disciples de Satan* ». Il s'agit de régler leur compte aux « *diaboliques de l'Église* », tolérés par « *deux papes utopiques* » ; c'est Jean XXIII et son successeur, l'actuel Paul VI, que M. Lebas désigne ainsi. Honte à Paul VI qui « *pleurniche sur son balcon* » au lieu d'écraser ces « *vipères* » que sont les « *curés rouges* » (ceux de la Mission de France, sans doute). Si vous voulez admirer un de ces monstres en pleine action, vous avez là un jeune « *abbé Bérard* » ; et gloire à cet honnête homme, M. Deshormeaux, « *gros propriétaire terrien* [sic] », qui a lancé un commando contre la messe, l'abominable messe en français, du mauvais prêtre. Il est prêt, Deshormeaux, à lui « *foutre la main sur la gueule* », au Bérard – lequel, d'ailleurs, a déjà été publiquement « *giflé* » par un confrère ; un vrai prêtre, celui-là, un « *chic type* ».

Et voilà très exactement à quoi Georges Bidault accorde aujourd'hui sa bénédiction, dénonçant, en personne, au seuil de ce chef-d'œuvre, la « *charité déréglée* » et l'« *autorité complaisante* ». Georges Bidault, l'ancien disciple de Marc Sangnier !

16 mars 1974

Lettre d'Olga Birioukov : « *Soljenitsyne restitue avec exactitude l'atmosphère qui fut celle de l'URSS avant Staline. Mais il se trompe sur un point. J'étais à Moscou au moment où se situa l'arrestation de Sacha, la fille cadette de Tolstoï. Elle fut, en effet, arrêtée, mais immédiatement relâchée. Elle n'alla pas dans un camp. Je la voyais souvent, rayonnante, plantureuse. Elle recevait, grâce à Lénine et particulièrement à Lounatcharsky, commissaire du peuple à l'Instruction publique, des rations alimentaires exceptionnelles, dites " rations académiques ", comme tous les membres de la famille de Tolstoï et comme ses plus proches amis : mon père, Tchertkov, Boulgakov, etc. L'information de Soljenitsyne est donc fautive à cet égard.* » Dont acte.

10 avril 1974

Jubilation (honteuse) de lire, dans le gros livre de Bernard Gavoty sur *Chopin* (Grasset), l'étude consacrée aux rapports de George Sand et du musicien. Jubilation parce que l'étude en question commence par les mots suivants : « *A l'égard de George Sand* », presque tous ceux qui ont parlé d'elle « *adoptent un ton excessif* », soit à la façon de Maurois, dans l'éloge inconditionnel, soit à la façon de Baudelaire, dans la pire hostilité. Et M. Gavoty d'annoncer : « *Nous allons essayer d'être équitable. Elle mérite qu'on le soit.* » Et savez-vous la conclusion de l'équitable Bernard Gavoty après sa longue analyse minutieuse ? « *George Sand est la femme la moins franche qui soit* » (p. 298) ; « *elle ne craint aucunement le faux en écritures* » (p. 257) ; « *son hypocrisie est écœurante* » (p. 360) ; « *la bonne dame de Nohant est une garce* » (p. 257).

Je ne dois pas être tout à fait (pour avoir dit mon sentiment sur le rôle de G. Sand dans sa liaison avec Musset) l'antiféministe viscéral qu'une personne distinguée dénonçait, curieusement, en moi à propos de Jeanne dite « d'Arc » ; ni non plus l'insulteur, l'odieux insulteur de Lélia réprouvé par Dutourd. Bernard Gavoty n'avait pourtant, que je sache, aucune prévention contre l'auteur immortel de *Spiridion* ou de *Lucrezia Florian*, cette femme inspirée qu'Ernest Renan, en 1863, célébrait comme le plus grand écrivain de son siècle. Enfoncé, Victor Hugo ! Éclipsés, *Les Misérables*.

21 mai 1974

Dans le tome V du *Journal* de Jacques de Bourbon-Busset, ceci qui, de sa main, pèse lourd : « *Le libéralisme, dans le domaine économique, est le faux nez dont s'affuble le capitalisme, et le plus sauvage.* »

Et, dans un autre ordre d'idées, ces lignes, source pour moi d'émotion et de joie : « *L'Église est tirée en arrière par la lourde carriole cléricale qu'elle voudrait repeindre au goût du jour. Saura-t-elle être le lieu de la liberté de l'esprit ?* »

[Août 1974] [1]

Le phénomène de Taizé, dont j'ai déjà parlé dans ces notes, vient de culminer, ces jours-ci, avec le « *concile des jeunes* » audacieusement inventé, en ces termes mêmes, par frère Roger le « prieur ». Ils ont été là près de 40 000, de toutes les nations, ou presque. C'est lui, frère Roger, c'est lui personnellement, c'est sa personne et sa présence qui, seules, expliquent l'inexplicable : comment une communauté si petite au départ et destinée à demeurer minime, discrète, silencieuse, a pu provoquer autour d'elle un tel ébranlement, exercer un tel attrait ? Tout repose sur frère Roger, ce qu'il est dans son authenticité de croyant, sa sérénité, la lumière de son regard, sa voix profonde, virile, les quelques mots qu'il prononce à la fin des « offices ».

Deux détails qui ne me déplaisent pas. Un groupe scandinave s'était annoncé, demandant une tente pour quarante-huit heures ; des filles et des garçons précisant qu'ils poursuivraient à Taizé leurs « amours libres ». Frère Roger n'a pas donné suite à leur requête, mais leur a indiqué, à dix minutes de la colline, une ferme disposant d'une vaste grange où ils seraient sûrement accueillis. De la drogue, au concile, inévitablement. J'ai vu moi-même, sur le sol, deux petites cuillères tordues, coudées, révélatrices ; et j'ai eu la sottise de dire au prieur : « *N'auriez-vous pas dû prévenir la police pour qu'une surveillance soit exercée et les vendeurs arrêtés ?* » Il m'a regardé, souriant mais pardonnant, comme si j'avais proféré une inconvenance qu'il oublierait tout de suite : « *Vous n'y pensez pas ! La police ici, par nous-mêmes introduite ! Bien assez qu'elle eût déjà, sûrement, ses observateurs pour les Renseignements généraux !* »

1. Notes prises chez moi (La Cour-des-Bois) pendant le « concile » et juste après.

[Septembre 1974] [1]

« Charisme ». Le *Robert* propose cette définition, très insuffisante : « *Don particulier conféré par grâce divine.* » Quel « *don* » ? De rayonnement. Le pouvoir, comme surnaturel, de se faire écouter, aimer, suivre. Le mot a été galvaudé. Inacceptable pour Hitler ; là, oui, du magnétisme, aidé par la contagion de la colère et de la haine. Dérisoire, appliqué à Mussolini, lequel avait lu, étudié, Gustave Lebon et savait comment s'y prendre, avec sa facilité de parole, pour « électriser » les foules. « Charisme » chez de Gaulle ? Je ne crois pas. Du prestige seulement ; un prestige mérité, utilement accru par quelques procédés techniques. Les deux seuls êtres que j'ai rencontrés et à propos desquels le mot de « charisme » me vient spontanément aux lèvres, c'est dans une perspective religieuse que je les vois proches : Marc Sangnier et le prieur de Taizé, Roger Schütz.

19 septembre 1974

Casamayor [2] m'envoie son livre : *Question à la justice.*

Constat d'un praticien, résumé par lui-même en deux lignes : devant la justice, « *entre un petit employé et une puissante compagnie* », le rapport est à peu près le même qu'entre « *un univers et un grain de poussière* ». Notre justice, dans ses comportements réels, « *s'aligne* » sur les exigences gouvernementales « *avec une plasticité telle* » qu'il faut vraiment que « *le public* » lui ait accordé un prodigieux crédit de confiance « *pour qu'il lui en reste encore quelque chose* ».

Adjonction de décembre 1987

Après ce à quoi nous venons d'assister dans certaines affaires récentes, je relis ces lignes, mesurant leur véracité avec une satisfaction funèbre.

1. Date incertaine ; sûrement 1974. Très probablement septembre.
2. Casamayor est mort le 30 octobre 1988.

11 octobre 1974

Le catalogue d'une maison spécialisée dans la vente d'autographes propose de bien curieux textes : tout un lot de lettres
adressées à Léon Daudet. On y fait des trouvailles. Apollinaire,
1917 :« *J'ai reçu* L'Hérédo... *c'est un maître livre. Il renouvelle de
fond en comble la science de l'homme* [...] [et] *se classe tout naturellement à côté de La Bruyère.* » Max Jacob, qui, en 1922, écrit du
« *monastère de Saint-Benoît-sur-Loire* » ; on y « *pense bien* », dans
cet enclos de spiritualité ; on y « *dévore* » le *Stupide XIX⁰ Siècle* ;
chaque jour, « *pendant des heures, à voix haute* », lecture de cet
incomparable ouvrage ; quelle « *compréhension philosophique des
hommes, des âmes* » ! Céline, en 1936, gémit sur la méchanceté de
la critique à l'égard de *Mort à crédit*, sollicite de Daudet un article
favorable et déclare qu'on veut lui «*faire payer cher le succès du*
Voyage, *acquis, en grande partie, grâce à vous* ». Et Bernanos, au
moment de sa rupture avec *L'Action française*, qui tente de
conserver, du moins, l'amitié de Daudet, lequel répondra à cette
lettre confiante par un article immonde sur « Le dandy de la man-
geoire ».

Le plus beau de ces documents est, sans doute, la longue épître
rédigée par Marchand (vous savez bien, la colonne Marchand, le
héros de Fachoda). Le héros a connu un légitime avancement, et
considérable ; en 1901, il est chef d'état-major dans le corps expéditionnaire français envoyé en Chine, après l'insurrection des
Boxers, pour rétablir, là-bas, le respect dû aux Occidentaux. Marchand a expédié à Paris onze caisses qu'il a « *pris la liberté* » de
faire adresser chez Daudet, et il précise, à son intention, le 5 juillet
1901, que ces caisses « *renferment des porcelaines, des laques, des
bronzes d'art, des jades, de la soie, des broderies chinoises* ».
Comme c'est émouvant, une telle passion du Beau chez ce militaire ! Et qu'on se rassure ; Marchand a soin d'avertir son correspondant, qui pourrait avoir de vilaines pensées, que tous ces tré-
sors, il les a « *achetés* » – voyons donc ! – « *achetés pièce à pièce* » à
Pékin, à prix d'or, et de ses propres deniers.

8 mai 1975

R. me cite ces mots de Bernanos, qui *y* croyait : « *La morne et féroce puissance de Satan* » et me demande ce que j'en pense. On ne se débarrasse pas du problème de « Satan » par un haussement d'épaules. Non que j'incline au manichéisme, qui me paraît insoutenable. Mais le mal semble parfois l'apanage de Quelqu'un. Attention ! En dépit de Claudel («*Et voici que vous êtes quelqu'un tout à coup*»), Dieu, précisément, n'est pas « Quelqu'un ». Ne jamais oublier les mots, capitaux pour moi, de saint Thomas : « *Cela que l'on appelle Dieu* », et peut-être pourrait-on dire, sans songer, pour autant, à une identité antithétique : « *Cela que l'on appelle Satan.* »

[Mai 1976]

Cette dédicace – qui me touche – d'un jeune professeur genevois, militant socialiste (catholique par surcroît) et dont l'estime m'honore : «*A Henri Guillemin, pour son exemplaire combat d'homme libre, avec ma respectueuse amitié, et ma reconnaissance. Jean Ziegler. 22 mai 1976.* » Il m'envoie son ouvrage sur *Une Suisse au-dessus de tout soupçon.*

[Août 1976] [1]

Du temps de la guerre d'Éthiopie, quand Mussolini apprenait, à coups de canon, à ces arriérés africains, les avantages de la culture latine, nous avions déjà connu un manifeste de grands Français apportant au Duce leurs applaudissements enthousiastes. Leur déclaration collective s'intitulait : « *Pour la défense de l'Occident* », et nous avions pu admirer, rassemblés là derrière Maurras, MM. Henri Massis, Henry Bordeaux, Claude Farrère,

1. Date rétablie approximativement.

René Benjamin, sans oublier le philosophe Gabriel Marcel. Et voici que la même chance vient de nous échoir. Un « *Comité pour une vraie liberté de la culture* » s'est récemment constitué, et nous avons appris, par la presse, sur qui nous pouvions compter, aujourd'hui, chez les écrivains, les universitaires et les artistes, pour – je cite – une « *remise en cause* » des « *contre-valeurs* » contemporaines. Curieux comme ce mot de « *valeurs* », dont les acceptions sont diverses, est cher à ces bons esprits. Je tiens à relever, ici, pour moi-même, la liste de ces soldats de l'ordre établi. A côté des académiciens Wladimir d'Ormesson, René Huyghe, Thierry Maulnier et de notre actuel Molière, M. André Roussin, voici donc et le R.P. Riquet et M. Maurice Schumann, escortés de MM. Pierre de Boisdeffre, Paul Guth, Michel Droit et Michel de Saint-Pierre.

Intéressant – non ? – de constater que le même M. Thierry Maulnier, par exemple, qui aujourd'hui se lève, plein de flamme, pour maudire les abominables « *contre-valeurs* », est bien celui qui, au lendemain de Munich, déclarait avec passion (numéro de novembre 1938 de la revue mensuelle *Combat*) qu'il eût été criminel de faire la guerre à Hitler, en septembre, car la ligne Siegfried n'étant pas encore achevée, notre pays courait le risque d'être vainqueur. Or, écrivait noir sur blanc M. Thierry Maulnier : « *Une victoire de la France eût été considérée à juste titre comme menant droit à la ruine de la civilisation.* » Pourquoi donc ? Parce que la France est une démocratie, c'est-à-dire le Mal, et que l'espoir, le salut, le bon sens, selon Maurras, sont exclusivement du côté de Hitler, de Mussolini, de Franco et de Salazar.

10 septembre 1976

Le voilà donc mort, Mao, le pauvre bonhomme dont je ne comprends pas, absolument pas, qu'il ait consenti à se laisser voir au monde entier, sur les écrans de télévision, dans l'état pitoyable où l'âge l'avait réduit : tremblotant, semi-gâteux, incapable (semblait-il) d'articuler quoi que ce fût d'intelligible. Quels perfides ont voulu cela, obtenu cela de lui, cette exhibition désastreuse ? Sans doute n'avait-il plus la force de s'y opposer. Si ces images consternantes ont été divulguées, c'est que l'épouse abusive, l'« impératrice rouge », comme on dit, Jiang Qing, et ses acolytes ont tenu à ce qu'elles le soient. Pourquoi ?

Mao est loin de m'apparaître clairement dans toutes les étapes de sa trajectoire. Beaucoup de choses, à son sujet, nous demeureront, sans doute, à jamais, impénétrables. Mais, grâce à Philippe [1], conseiller culturel à l'ambassade de France à Pékin de septembre 1964 à avril 1967, et aux multiples informations qu'il s'est employé à réunir, je crois deviner, à peu près, l'aventure – qui tourna si mal – de la « révolution culturelle ». Pour moi, aucun doute quant aux intentions de Mao lorsqu'il donna son coup de rein contre la sclérose du Parti. Coup de rein n'est pas le mot juste. Mao veut créer quelque chose comme un formidable courant d'air. Combien sont-ils, dans le Parti – par bonheur, Chou En-lai est de ce petit nombre –, à avoir gardé l'esprit (le courage, la foi, la générosité) de la « longue marche » et du Yunnan ? On a gagné en 1949, et nous voici en 1966. Quel spectacle ! Des légions d'« assis », comme disait Rimbaud ; un monde de fonctionnaires profiteurs et de dictateurs locaux qui, au lieu d'être au service de la collectivité, se servent d'elle et l'exploitent. Et Mao d'appeler à lui la jeunesse chinoise, ceux qu'il faut protéger, délivrer, sauver. Gigantesque levée de petits « gardes rouges ». Mao les voit, les imagine, comme il fut lui-même adolescent, passionnés, désintéressés ; de quoi faire une Chine toute neuve et servant d'exemple au monde entier (en commençant par la triste URSS). Il dit – il dit en toutes lettres – qu'il s'agit d'« *une nouvelle naissance* ». Mais l'illusion ne durera guère. Les gamins qu'il convoque de tous les coins du pays, et principalement de la côte sud, la plus peuplée, fourmillante, sont ravis de faire, gratis, le voyage à Pékin, et, parce qu'il les a lui-même lancés contre les « états-majors », se croient tout permis, se livrent à d'imbéciles saccages. Mao voulait une transmutation de l'esprit public et il assiste à des sauvageries, des insanités, avec une persécution radicale, imbécile, des intellectuels. Il espérait un élan, un embrasement de solidarité, et, si la masse ouvrière s'agite, ce n'est aucunement dans ce sens, mais

---

1. Mon fils aîné, qui avait trente-deux ans en 1964.

seulement (ce qui était trop prévisible) pour réclamer une augmentation des salaires. A la place d'un bienfait et d'une régénération, la « révolution culturelle » glisse à la catastrophe, et il faudra en venir à de dures interventions répressives où la « nomenklatura » se venge d'avoir été un moment dérangée. Puis se dessine une autre aventure, conduite par Jiang Qing, laquelle a certainement tiré du régime plus d'avantages personnels que n'importe qui. Et c'est le règne de son escouade (les « quatre »), facilité par la présence – égide qui permet tout, couvre tout – du vieux « Timonier », réduit à l'état de vestige et de simulacre, incapable de réagir.

Innombrables, les photographies de Mao. Mais toujours s'impose à moi, quand on le nomme, ce tableau dont je ne sais ni la date ni l'auteur, accueilli et répandu par la propagande du Parti (et qu'une innocente méprise, ou un astucieux canular, introduisit au Vatican où quantité de visiteurs l'admirèrent, des années durant, comme l'image anonyme d'un missionnaire en Chine de la sainte Église) : un portrait en pied de Mao tout jeune, mince, vêtu d'une longue robe, et qui marche, pensif, dans la solitude. Il a certainement existé, ce premier Mao que réinventa le peintre inconnu. Le destin qui fut le sien, commandé par un rêve, était inscrit sur ce visage.

Avril 1977

C'est le dimanche 27 février de cette année 1977 que les intégristes, rassemblés d'abord à la Mutualité, se sont portés ensuite, en cortège, sous la conduite de Mgr Ducaud-Bourget et de l'abbé Coache, à l'église Saint-Nicolas-du-Chardonnet pour s'en emparer et en interdire l'accès, désormais, au curé qui n'est point des leurs. L'évêché pouvait faire appel à la police pour récupérer cet édifice religieux dévolu par la loi, depuis 1905, à la religion catholique romaine. Il ne l'a pas fait, et je l'en félicite. La police au service de la religion ? Une connivence mal avenante. Mais ces gens, les disciples offensifs de Mgr Lefebvre, sont désagréables à l'extrême.

Je crains que Claudel, s'il eût été encore parmi nous, n'ait apporté quelque peu son soutien aux intégristes. Son dernier article du *Figaro*, paru quelques jours avant sa mort, en février 1955, s'intitulait « La messe à l'envers » et condamnait, avec sarcasmes, la prescription faite à l'officiant de ne plus dire la messe en tournant le dos aux fidèles. Décision raisonnable, puisqu'aux premiers siècles la célébration de l'eucharistie devait avoir lieu au cours d'un repas pris en commun. Cependant, Claudel aurait été sans doute retenu dans ses sympathies pour l'intégrisme par le souvenir de l'interprétation qu'avait donnée du *Père humilié* ledit Mgr D.-B. Aux yeux de ce croisé du cléricalisme, Claudel était un franc-maçon masqué ; à preuve, le nom de son héroïne, « *Pensée* » (secrètement : la libre pensée), et celui du héros, « *Orian* » (où se devine le Grand Orient).

20 mai 1977

De Gaulle me tourmente, me tracasse, me turlupine. De l'énigme chez ce personnage. Encore une fois, j'ai rouvert ses *Mémoires de guerre* et je suis tombé sur une phrase qui aurait dû me frapper plus tôt. Rappelons-nous d'abord que, pendant plus d'un an, d'août 1944 à octobre 1945, de Gaulle dirigea la France irrégulièrement, illégalement, sans autre titre à le faire que d'avoir inauguré, puis organisé, la Résistance. Au nom de ce qu'il nommait sa « *légitimité* » fondamentale. Mais il n'avait aucune hâte de transformer cette légitimité morale en légitimité légale. Il avait promis de rétablir la République, mais s'accommodait fort bien – il l'avoue, dans ses *Mémoires*, avec ce demi-sourire ambigu qu'on lui connaît – de l'« *espèce de monarchie* » que, pratiquement, il assumait. Sans doute a-t-il été heureux d'enregistrer les 96 % de OUI qui, au référendum d'octobre 1945, le « *sacraient* », en somme grand patron. En revanche, la présence de 160 communistes à l'Assemblée (dans la Chambre précédente, celle de mai 1936, ils n'étaient que 72) l'agace, l'irrite, d'autant plus que se joignent à eux 142 socialistes. Et de Gaulle écrit carrément (*Mémoires*, III, p. 230) : « *Seule l'armée pouvait me fournir les moyens d'encadrer* [gracieux euphémisme] *le pays en contraignant* [voilà qui est plus clair] *les récalcitrants. Mais cette omnipotence militaire, établie de force en temps de paix, paraîtrait vite injustifiable aux yeux de toutes sortes de gens.* » Quel ton ! « *Toutes sortes de gens* », autrement dit la vaste foule des imbéciles. L'aveu de la tentation dictatoriale est là ; et le « *républicain* » de Gaulle en prend, du coup, un visage inquiétant. Le recours à la force ne le gênerait nullement en soi. S'il l'écarte, c'est seulement qu'il l'estime dangereux. Et plus loin (p. 285), lorsqu'il évoque sa décision de se retirer – on se souvient que, le 20 janvier 1946, de Gaulle annonce à la France qu'il démissionne, déposant tous ses pouvoirs, rentrant dans la vie privée –, le Général écrit encore : les partis ont reparu ; ils vont contrarier mon action ; je m'y refuse ; « *à moins d'établir par la force une dictature dont je ne veux pas et qui, sans doute, tournerait mal...* » Il n'en veut pas, dirait-on, parce qu'il prévoit qu'elle « *tournerait mal* ». Indication à retenir. La tentation subsiste. Simplement, les moyens d'y céder ne lui paraissent pas réunis.

En mai 1968, il feindra – mais feindra seulement – de songer à la force, et à ses légions d'Allemagne, pour rétablir l'ordre en France, comme il a déjà utilisé le chantage aux parachutistes (avec la ferme intention de n'y pas recourir pour de bon), afin de persuader les parlementaires, en mai 1958, de lui restituer le pouvoir. L'année suivante, il jouera le jeu démocratique. Il propose au pays une idée. Le pays la repousse. De Gaulle, immédiatement, s'efface et s'en va. Mais qui l'a désavoué ? La gauche ? Non. La droite, et ce XVIe arrondissement en particulier dont son successeur sera l'enfant chéri. Donc, après tout, rien de trop grave. Des avides, des jaloux, des méprisables, certes, ces opposants ; mais, du moins, des « gens de bien ». Autrement dit, les gens de sa classe, de son milieu.

22 juin 1977

Henri Hartung, qui dirigea l'ISTH [1], me rapporte une conversation qu'il a eue récemment avec le comte de Paris, et au cours de

1. Institut des sciences et techniques humaines.

laquelle ce dernier lui a confié, comme un fait « historique », que de G., au début de l'année 1965, lui avait annoncé sa « décision », s'il était (comme il y comptait bien) réélu, cette année-là, à la présidence de la République, sa « décision » formelle de ne pas aller au bout de ce nouveau septennat et de se retirer en conseillant aux Français de le choisir, lui, le comte de Paris, pour le remplacer à la tête de l'État. H. Hartung, qui a beaucoup d'amitié et d'estime pour cet interlocuteur, ne met pas en doute son récit. Je suis tout prêt à le croire, moi aussi. De G. tenait parfois, avec une sincérité éphémère, des propos sans consistance. Dans son ouvrage *Le Septennat interrompu*, Philippe de Saint-Robert a publié, il y a deux mois, une lettre du Général au comte de Paris (27 décembre 1969 ; de G. a été renversé en avril par les soins de Pompidou, aidé de Giscard et du patronat) : « *Vous, Monseigneur, demeurez intact, clairvoyant et permanent, comme l'est et doit le rester pour la France ce que vous représentez de suprême dans son destin.* »

10 août 1977

Je relis l'ouvrage de Robinson, l'évêque anglican, *Honest to God*, scandaleusement intitulé *Dieu sans Dieu* dans la traduction qu'en a donnée, en 1964, aux Nouvelles Éditions latines, L. Salleron, catholique à la façon des La Varende, hier, des Michel de Saint-Pierre aujourd'hui. Je ne suis pas toujours d'accord avec ce Robinson, trop dépendant de Bultmann, beaucoup trop systématique, à mon sens, dans son refus d'accorder aux Évangiles la moindre valeur historique. Mais ce qui me paraît excellent dans ce livre, c'est son opposition décidée à l'hérésie du *docétisme*, laquelle soutenait que le Christ n'avait jamais eu qu'une trompeuse apparence humaine ; comme les dieux de l'Olympe visitaient les hommes sous des travestissements, ainsi Jésus n'était qu'affublé de la condition humaine et, traversant les galaxies, il a bien voulu « *descendre du plus haut du ciel* » pour atterrir sur notre planète. Un doux tricheur. Un « *tout autre* » compatissant, et qui a consenti, pour notre bien, à se déguiser. Une certaine manière, trop usuelle, de commenter l'« Incarnation » relève du vieux conte populaire, toujours latent au tréfonds d'un certain inconscient collectif : la fable du prince costumé en mendiant.

6 octobre 1977

Sartre, à présent, certains répètent (les « structuralistes » et leurs épigones notamment) qu'il est dépassé, périmé ; un retardataire pour ces négateurs à la mode qui l'accusent de croire encore à l'importance du « phénomène humain ». J'ai repris *La Nausée* dans mon vieil exemplaire de 1938, acheté au Caire. Et moi qui suis de plus en plus attentif, à mesure que ma vie s'écoule et que s'accroît mon expérience, à ces réalités religieuses qui, pour Sartre, ne sont que des irréalités, j'ai été frappé par deux passages de ce livre. Ceci d'abord : « *Dans les églises, à la clarté des cierges, un homme boit du vin devant des femmes à genoux.* » Ainsi Roquentin voit la messe ; c'est tout ce qu'il y aperçoit ; le raccourci est extrême, volontairement extrême ; mais, en somme, pour lui, la messe, c'est bien cela : une gesticulation risible, un prétentieux néant. Le drame, c'est qu'il ne cherche pas, pas une seconde, à comprendre ce que peut bien vouloir signifier, sinon accomplir, cet homme déguisé et qui « *boit du vin* » devant un autel. Comme sa curiosité finit vite à ce sujet ! Comme il est sûr, sûr et certain, radicalement sûr, qu'il n'y a rien là à comprendre et qu'essayer même serait du temps perdu ! L'autre texte figure à la page 189 du volume ; il y est question des « *langues de feu du Vendredi saint* ». Vous avez bien lu : « *du Vendredi saint* ». Sartre, ami Sartre, qui es si savant, renseigne-toi tout de même un peu sur ce que tu connais si mal.

Antoine Roquentin, au fond de son abîme, découvre une issue : quelque chose qui le justifierait peut-être d'exister ; avec sa détresse même et sa douleur, créer un beau livre, quand ce ne serait que pour « *souffrir en mesure* », à la Flaubert (l'attirant Flaubert, le compagnon Flaubert). Mais le Sartre des *Mots* ne croit plus que cela suffise. Les « mots », si beaux soient-ils, ne sont que des mots. L'action est là qui nous requiert avec ses « *tâches innombrables* ». Il l'a dit, en propres termes, à Jacqueline Piatier, dans une interview pour *Le Monde*. Et qui dit « tâche » dit « but » ; car on ne peut « tâcher » qu'en vue de quelque chose que l'on croit meilleur, que l'on sent meilleur, même si l'on est incapable de le définir.

Refermant *La Nausée*, ce livre de colère et de désespoir, de fureur et de mépris et d'insultes, ce livre où s'atteste un homme et non pas un histrion, je me rappelai, dans un saisissement, ces paroles, les dernières, qu'adressa Verlaine à Rimbaud : « *Ta perpétuelle colère contre chaque chose ! Juste au fond, cette colère, bien qu'inconsciente du pourquoi.* »

10 octobre 1977

La *Lettre ouverte* de G. Suffert à ces jeunes gens qu'« *on* » abreuve, dit-il, de mensonges. Je ne cache pas à quel point cela me fait mal d'assister au reniement de cet ancien camarade (nous avons travaillé côte à côte, jadis, pour *Témoignage chrétien*).

Il feint de se demander à présent « *ce que cela peut bien vouloir dire* », ces « *tabous* » sociaux que dénoncent encore quelques mal guéris de 68. S'il consentait à ne plus jouer les imbéciles, il n'aurait, pour comprendre ce qu'il feint de trouver inintelligible, qu'à se ressouvenir de « l'épuration » souillée par bien des laideurs, des horreurs, mais aussi par le scandale des intouchables : non seulement les grands profiteurs de la « collaboration » économique, mais les généraux à la Weygand, mais ces magistrats déshonorés qu'on a vus ramper devant Pétain, participer à la comédie de Riom, puis à l'ignominie des décisions rétroactives et qui, les mêmes, se bousculèrent pour avoir l'honneur de condamner le Maréchal. Mais passons. Suffert, aujourd'hui, salue les jeunes penseurs bien nés qui se glorifient de ranimer la droite, et il conseille aux enseignants d'être (je cite) « *un peu plus sensibles* [...] *à ce qui se passe du côté de l'intelligentsia* » ; c'est, de sa part, ce qu'il a *su faire*, admirablement. On l'ignorait, chez les « honnêtes gens », quand il militait avec Mandouze ; il a trouvé preneur du côté des nantis pour sa bonne volonté si ronde et si joviale. Finie l'obscurité. Oublié, le combat dans les zones vouées au dédain des gens du monde. Il dispose maintenant d'un bureau somptueux dans un hebdomadaire de bonne compagnie. Il a réussi, à plein, son accès aux gras pâturages. Une pitié, quoi !

10 février 1978

Dans *Le Monde*, une première liste, éclairante, révélatrice, des « grands noms » qui commencent à se réunir pour célébrer dignement, le 20 avril prochain, le centenaire de la naissance de Charles Maurras. On y voit, déjà, sous la présidence du duc de Lévis-Mirepoix, MM. Henri Massis, Thierry Maulnier, Marcel Pagnol de l'Académie française, ainsi que MM. Philippe Barrès, Pierre Lyautey et ces éminents de la Résistance, le colonel Rémy, le général de Bénouville.

8 mars 1978

Un ouvrage d'autant plus précieux et instructif qu'il nous vient du dehors. L'avis documenté d'un homme qui n'est pas Français, qui n'était donc pas « dans le coup », plus équitable en conséquence qu'un des nôtres portant témoignage et suspect, forcément, de partialité : *La France de Vichy*, de l'Américain Robert O. Paxton, professeur d'histoire contemporaine à Columbia University. La traduction française vient de paraître au Seuil. Travail qui renverse, qui annule le mythe qu'essaya de lancer, pour la joie des « Vichyssois », Robert Aron avec son livre de 1954 : *Histoire de Vichy* ; à savoir que, du moins, Pétain nous aurait « *préservé du pire* ». Totalement inexact. La démonstration en est faite, à présent.

17 mai 1978

L'Institut français d'Athènes – où j'ai enseigné, passagèrement, deux fois (printemps 1939, printemps 1947) – demande ma participation à un *Hommage* collectif adressé à cette Résistance grecque dont le destin, la guerre finie, fut sinistre, et même mons-

trueux. Mais il est entendu que nos témoignages resteront, sur ce point, silencieux. Seulement la Résistance ; pas la suite. J'ai écrit, de tout cœur, les lignes que voici.

       Penché sur lui, j'essayais de lui expliquer : « Tu vois, ils arrivaient par là... » L'enfant[1] questionnait. Nous étions sur l'Acropole. Mars 1939. C'était une petite leçon d'histoire ancienne, improvisée, à bâtons rompus – mais sur place. Il faisait froid ; le soleil brillait, s'éteignait, revenait, contrarié par de grands nuages. « Des envahisseurs, tu comprends, des ennemis, des pillards. Parce qu'ils trouvaient que la Grèce était un beau pays, et ils voulaient le prendre... » Nous parlions de choses très vieilles. Je ne me doutais pas, non vraiment, je ne me doutais guère que ces choses d'un si lointain passé allaient être aussi du lendemain. O pauvre terre ! O pauvres gens ! Est-ce possible ! Ce vallon secret où j'étais un jour à midi (au bout il y avait une plage étincelante, et nous avions trouvé, sous les buis, un lion de marbre), il a

---

1. Mon fils aîné, alors âgé de sept ans. La photographie a été prise à l'instant même que j'évoque ici.

fallu l'imaginer peuplé de soldats aux lourdes bottes, des soldats verts mâchant leurs syllabes violentes et dressant vers le ciel des canons.

Sounion dans le vent, le promontoire plein de sauterelles, souillé lui aussi ? Et cette route en corniche vers Corinthe, et l'Hymette dans un tel silence radieux, et Delphes avec sa paix surnaturelle, dire qu'ils ont « occupé » tout cela ! Sur la ville, dans chaque village, partout l'affreux emblème au signe griffu, empreinte noire de la Bête, sur fond de sang. Je n'ai vécu qu'un petit mois en Grèce, assez pour m'y sentir à jamais attaché. Chaque matin, de ma fenêtre, je voyais hisser les couleurs dans la cour de ce petit poste. Des evzones avaient dansé devant nous, au son d'une espèce de viole. Encore vingt mois, et ces danseurs enjuponnés, si gais, soldats pour rire, on eût dit, étonneraient le monde par leur héroïsme.

Je m'étais perdu, un soir, dans Athènes ; il était très tard ; je savais deux mots seulement pour demander ma route en indiquant mon but : « Galliki Presvéia. » Je tournais dans les rues désertes, tâchant en vain de m'orienter. Enfin j'ai essayé mon interrogation. C'était un homme en casquette, les mains dans les poches, sans pardessus, et le froid était vif. « Galliki Presvéia ? » J'ai vu que c'était un adolescent. Il m'a dit une phrase qui m'est demeurée incompréhensible. Alors il m'a pris la main ; non pas le bras, ni la manche ; la main ; et il m'a guidé ainsi jusqu'à l'avenue où je n'avais plus qu'à marcher tout droit. Une ou deux fois, en chemin, il avait commencé un petit discours, puis s'était interrompu en riant. Il m'avait offert une cigarette. Je sens encore cette main dure, inconnue, qui a tenu la mienne, près d'un quart d'heure, dans cette nuit glaciale de l'Attique.

Ce jeune homme, dont je n'ai vu le visage qu'à peine, est-il aujourd'hui au nombre des morts ? Morts de la guerre, morts de la famine, morts de la Résistance, quelle immense légion ! Français, Grecs, nous avons passé par les mêmes heures terribles, sous le genou du même ennemi. Lien de plus entre nous, et le plus fort.

[1978] [1]

Étienne Gilson vient de mourir. Je lui portais beaucoup d'estime, et pour plusieurs raisons. En 1951, une campagne politique haineuse se déchaîna contre lui parce qu'il n'entrait pas dans le jeu

---

1. Texte écrit le jour même – je n'ai pas noté la date – où la presse annonça la mort de Gilson.

de certains (je pense, notamment, à la bande réunie dans *Carrefour*) qui décrivaient avec acharnement l'URSS comme prête à une agression.

Gilson n'avait qu'aversion pour Staline ; mais, à son sujet, il vivait dans la certitude – raisonnable, fondée, et que l'Histoire justifia – que Staline n'avait jamais cessé, dans sa politique extérieure, d'être conduit par une idée première et déterminante : épargner la guerre à son pays. Et ce n'était pas au lendemain d'une épreuve terrible qu'il pouvait songer à jeter une Russie pantelante dans un conflit armé avec les États-Unis.

Deuxième raison d'une amitié reconnaissante : le souci qu'il avait de la vérité le contraignit à s'élever contre les assertions de Péguy sur l'« *impérialisme* », selon lui, de la « *sociologie* » à la Sorbonne (la haine furieuse de Péguy à l'égard de la sociologie s'expliquait par la détestation qu'il éprouvait, personnellement, pour deux spécialistes de cette discipline : Simiand et Mauss). Gilson avait cru devoir publiquement remettre les choses au point, et noter, en particulier, que ce lourd accent teutonique aimablement attribué par Péguy à Marcel Mauss, lui-même, Gilson, qui connaissait Mauss de longue date, n'en avait jamais rien perçu. Infailliblement, Gilson s'exposait ainsi à se faire honnir par les thuriféraires inconditionnels des *Cahiers de la quinzaine*.

Enfin, dans son beau livre sur *Héloïse et Abélard*, Gilson a eu cette formule parfaite concernant un certain « *esprit critique* » : « *Dès qu'un événement l'étonne, cet événement perd le droit de s'être produit.* » La grandeur d'un fait, ou d'un être, risque d'échapper à ces esprits peut-être « *forts* », mais courts. Les preuves ne manquent pas ; je pense à Jeanne d'Arc, à Robespierre, à Hugo, à Jaurès vus par tels redoutables commentateurs « *malvoyants* ».

20 novembre 1978

Un ami belge, lié avec une famille où l'on garde avec vénération le souvenir de Bernanos, me communique la copie d'une lettre qu'il vient de recevoir, concernant le pauvre grand homme disparu aujourd'hui depuis trente ans déjà. On y peut lire que Bernanos,était fort sévère à l'égard de son pays ; il ne cessait de répéter que le nombre des « *résistants* » était infime par rapport au chiffre de la population française, et qu'à son avis ses compatriotes, à quatre-vingt-dix pour cent, s'étaient « *vautrés dans la honte* ». Quant aux quelques « *résistants* » autour desquels on menait grand bruit et qui, à l'entendre, s'étaient tous « *grassement placés* » dans le régime gaulliste, il ne supportait pas leurs « *rodomontades* ». Sur ce thème, qui lui était, hélas, familier, « *brûlait dans ses yeux*, me disait mon correspondant, *une espèce de flamme noire* ».

Dans cette lettre, assez lugubre, un récit concernant Claude Bourdet, rentré de Buchenwald « *à l'état de spectre* ». On le persuade d'aller jusqu'à Avallon, où se trouve, pour l'heure, Bernanos, qui ne pourra qu'être profondément remué par cette visite. Tristesse sans nom : pendant « *quatre heures* », racontera Bourdet, Bernanos ne lui a pas posé « *une seule question* » sur les camps et s'est lancé dans une comparaison interminable entre une France « *qui l'écœure* » et ce Brésil « *mystique et paradisiaque* » qu'il a eu, dit-il, bien tort de quitter.

11 décembre 1978

Nos flambants, nos tapageurs, à la Michelet, à la Péguy, nous couvrent de ridicule avec leurs hosannas sur la France témoin, « *martyre* » au besoin, de la « *générosité humaine* ». Admettons que Péguy soit un naïf et Michelet un hâbleur ; mais ils ne sont, ni l'un ni l'autre, des imbéciles et ils savent bien – au moins pour une part, pour une large part – que la vérité historique ne confirme guère leurs dithyrambes. Généreuse, la France vorace de Louis XIV, celle dont pourront se souvenir avec horreur les habitants du Palatinat ? Généreuse, la France de Louis XVI qui ne soutint les insurgés américains que pour se venger de l'Angleterre ? Généreuse, la France des Girondins qui, sous le honteux prétexte de la « *liberté* » à répandre en Europe, se jette, en 1792, pour une opération de pillage, sur la Belgique et la Rhénanie ? Généreuse, la France de Carnot qui ordonne (1794) à nos généraux en action chez les Belges : « *Prenez tout. Il faut vider le pays* » ? Généreuse, avec Bonaparte qui lance ses hommes sur les plaines lombardes en leur promettant des ripailles ; avec le même, qui, empereur, au mépris des pactes qu'il a signés, s'adjuge sans cesse de nouveaux territoires et qui osera, oui, osera, proclamer, en 1810, que « *la guerre est, pour la France, la source de sa richesse* » ? En quoi ? Mais parce que la France, sous ses ordres, est devenue une bête de proie, un vampire, un monstre. (La méthode Napoléon, quelqu'un du nom de Hitler saura la reprendre à son compte, avec un perfectionnement raciste.) Généreuse, la France colonialiste de Jules Ferry et consorts qui s'abat, avec ses canons, sur des peuples sans défense, noirs ou jaunes, pour les dépouiller de leurs biens, en exploiter à mort la main-d'œuvre, en tirer même (du Sénégal principalement) de précieux fantassins, des « effectifs » militaires dont les « pertes » seront sans importance ? Et j'oubliais la conquête de l'Algérie qui s'étirera de Charles X à Napoléon III, et de Bugeaud à Saint-Arnaud, avec son hideux cortège de massacres. Généreuse, la France de 1897 qui sourit au sultan quand il extermine les Crétois ? Généreuse, la France de Millerand et de Poincaré qui souhaite, en 1914, la guerre pour d'évidentes raisons de politique intérieure et qui, victorieuse, provoquera en Allemagne le surgissement du nazisme ? « *C'est généreux, la France !* », s'écriera de Gaulle [1]. Vraiment ? A Damas, quand lui-même, de Gaulle, en 1945, prescrit d'ouvrir le feu ? Quand, en Indochine, il veut, d'abord, la reconquête, tient en mépris Ho Chi Minh et préfère d'Argenlieu à Leclerc ? Sa « décolonisation » ? Bien forcée ! Le Général était un homme d'État trop réaliste pour croire une seconde au contenu véridique de son éclat de voix.

Dès qu'il s'agit d'intérêt national – souvent confondu, hélas, et pas seulement sous Napoléon, avec tels intérêts privés –, tous les gouvernants se valent, sur le globe, dans leurs comportements. La jungle reste l'état de fait, et tous les coups sont bons, tous les crimes, pourvu qu'ils rapportent.

---

1. De Gaulle reconnaît lui-même, dans ses *Mémoires*, que les États, tels quels, sont sans âme, n'ont de loi que leurs avantages et de respect que pour la force.

2 janvier 1979

Le R.P. Bruckberger publie ses *Mémoires*. Il mène, depuis des mois, tout le bruit qu'il peut dans *L'Aurore* (dire que c'est *L'Aurore*, jadis, qui publia le « J'accuse » de Zola !) contre tout ce que j'aime en matière de religion : Teilhard, Taizé, le cardinal Marty... Et il a trouvé cette formule : Madiran est « *le seul de nos écrivains qui maintienne parmi nous la voix grave, nécessaire, obsédante de Péguy* ». Pauvre Péguy ! Rabaissé au niveau d'un minuscule aboyeur intégriste. J'ai fait l'expérience : sur *huit* amis ou connaissances que j'ai interrogés (et pas des prolétaires de la ville ou des champs ; des gens qui lisent), personne, exactement personne, ne savait qui pouvait bien être ce nommé Madiran.

Quand il s'agissait d'épargner, jadis, à son ami Darnand le poteau d'exécution, Bruckberger s'écriait (dans *Nous n'irons plus au bois*, p. 97) : « *La vie de la personne humaine est sacrée* [...] *L'exécution capitale est illégitime et sacrilège.* » Il a changé d'avis, le dominicain ; il s'est converti aux idées saines. A présent, la peine de mort, il est *pour*, et avec quelle véhémence ! Et il déclare : « *Si une société balance entre la protection des innocents et le châtiment des coupables* [...], *c'est qu'elle tombe en pourriture.* »

J'ai retrouvé, dans ces pages, ce qui m'avait été annoncé concernant Mme Bernanos et qui est gênant à lire, à la limite de l'odieux. Dans les derniers mois de sa vie, Bernanos avait carrément dit son fait à ce personnage qui, de mois en mois, révélait davantage l'homme qu'il était. Bernanos ne cachait à personne sa cruelle déception.

Adjonction du 9 juin 1986

Le dernier fils de l'écrivain, Jean-Loup (Bernanos) vient de publier, sur son père, un gros ouvrage (505 pages) riche d'enseignements. On y trouvera la lettre jusqu'ici inédite, ultime et plutôt rude, que Bernanos crut devoir adresser à Bruckberger le 7 mai 1948 (c'est-à-dire moins de deux mois avant sa mort).

22 mars 1979

Pendant sa messe quotidienne du petit jour, l'abbé F., notre « pasteur », a toujours été tout seul. Et voilà que, depuis quelque temps, il a un compagnon ; pas exactement un « fidèle » venu prier et communier ; non, un gentil rat, un « rat fruitier » qui vient s'installer silencieusement sur un des autels latéraux. Il s'assied, ses deux pattes de devant pendantes, et, sans bouger jusqu'à ce que F. regagne sa sacristie (et lui, le rat, son trou secret), regarde devant lui les chaises vides.

2 avril 1979

De moins en moins d'anthropomorphisme dans ce que nous disent de Dieu, chez les anglicans, l'évêque Robinson ; chez les protestants, Bultmann et Bonhöffer ; chez les catholiques, Sulivan (l'abbé Lemarchand) avec son *Dieu au-delà de Dieu*.

Il est bien certain que nous autres, qui nous gaussions des mythologies païennes, nous avions notre mythologie chrétienne, du même ordre, avec Jésus, comme Bouddha, né d'une vierge, avec le Maître qui veut du sang pour pardonner et qui verse « *le sang de son fils* » pour rouvrir aux justes le paradis que leur a fermé la désobéissance d'Adam et d'Ève. Et comment admettre l'image traditionnelle d'un despote assailli de prières, accueillant les unes, écartant les autres, sensible – on l'espère – aux interventions privilégiées. Pour réussir auprès de lui, s'adresser à des habitants du Ciel particulièrement « bien en cour » ; et quoi de plus sûr, pour se faire entendre, que de passer par l'entremise de la Sainte Vierge, la mère de son propre enfant ?

Mais quelqu'un m'écrit : « *Votre Dieu au-delà de Dieu, c'est bien joli, mais que voulez-vous que j'en fasse ? Quels rapports entretenir avec lui ? Une force, la force, le souffle vital, le cœur de la matière, ce n'est pas Quelqu'un, ça. Comment parler à ça ? Lutter contre l'anthropomorphisme dans notre idée de Dieu, d'accord ; mais pour aboutir à de l'inaccessible, à du sans visage, c'est décourageant.* »

Et je me souviens de Lamartine, disjoint de sa foi première :

Où se heurte mon cœur lorsque je veux prier ?

et du gémissement de Hugo : comment aimer « *un Dieu sans contours* » ? N'empêche qu'il priait, Hugo, qu'il priait tous les jours. Sur un de ses carnets intimes : « *Je ne passe pas quatre heures de suite sans prier.* » Et Tolstoï, un rebelle, un maudit, un destructeur, selon le saint-synode, ouvrez son *Journal* : il prie, il ne cesse de prier. La vraie prière, probablement la seule vraie, et qui n'est pas une requête, c'est de nous placer devant Dieu en état d'attente et d'adhésion. Pour moi, après tant de lectures et d'interminables ruminations, « Dieu », c'est ce qui nous constitue en tant que personne humaine. Les « tentations » peuvent nous crever les yeux. Elles existent – et comment ! –, ces tentations. Les pires étant celles de l'égoïsme, du mal fait à autrui. (Gide, pour ses plaisirs personnels, ne faisait-il aucun « mal » aux enfants qu'il utilisait ?) Elles sont porteuses d'aliénation. Pas de meilleure voie pour ce drame-là, ce malheur-là, que de laisser la victoire à ces convoitises dont l'assouvissement finit par occulter en nous la présence divine.

J'en reviens encore, et une fois de plus, à Jaurès, dont la pensée m'aura marqué ; « *L'humanité,* écrivait-il, *n'a de valeur que comme expression de l'infini.* » Ce que nous avons de meilleur, et à la fois de plus authentique : élan, générosité, amour, c'est ça, la présence de Dieu. Vous voyez bien qu'on peut le rejoindre – même s'il n'est pas le barbu blanc de la tradition avec son fils, un barbu blond, assis à sa droite, et tous deux survolés par un pigeon qui bat des ailes [1]. D'après l'Évangile attribué à Jean, le rabbi nazaréen aurait osé dire : « *Qui me voit, voit le Père.* » Nos yeux de chair, notre cœur de chair, ont besoin, pour deviner le Vivant qui nous habite, d'un être pareil à nous, mais, dans la personne de Jésus, si plein de Dieu [2], et si transparent que, en dehors des gens

---

1. C'est ce que j'ai souvent admiré à Berne, en l'église de la Trinité (près de l'ambassade de France), sur la fresque dominant l'autel.
2. Hugo, qui ne parvenait pas à concevoir ce que pouvait signifier la « divinité » du Christ, mais qui portait à ce témoin une authentique vénération, risque (dans *Le Pape*, 1878) cette idée que Jésus a montré « *toute la quantité de Dieu qui peut tenir dans l'homme* ».

du Temple et de leurs complices, nul ne pouvait s'empêcher de l'aimer. Ces hommes et ces femmes de Palestine qui le regardaient et l'écoutaient, submergés de bonheur, grâce à lui leur était révélé ce qu'ils cherchaient sans le savoir, et ils entraient dans cette paix ardente et sans cesse offerte de la connaissance par contact.

... Mais c'est injuste, c'est inadmissible ! Pourquoi dans cette contrée-là ? Et pas en Égypte, ou en Gaule, ou en Chine ? Ou Dieu n'existe pas, ou il ignore les privilèges. Certes. Mais que savons-nous de ce qui a pu se passer depuis l'apparition de l'*Homo sapiens*, en divers points du globe et sans que nous en soit parvenu l'écho ? La chance du christianisme – sa malchance, peut-être, en même temps – est d'avoir eu pour se répandre le véhicule du grec. Je dis « malchance » parce qu'une contamination hellénistique était à craindre, et nous ne sommes nullement assurés qu'elle n'a pas sévi en effet.

Quel qu'ait été, dans son mystère intime, le rabbi Ieschoua, et quelles que soient les incertitudes, les infirmités qui altèrent la transmission de son message, ce que nous en savons garde un pouvoir extraordinaire, à cause de ce quelque chose, là, d'indicible qui s'adresse au « *cœur du cœur* » – comme disait Shakespeare.

3 avril 1979

Remarquable et, à mon sens, qui mérite de ne pas être oublié, l'avis du décès, dans *Le Figaro* du 3 avril 1979, de M. Lemaigre-Dubreuil (des huiles Lesieur), politicien qui, après un certain rôle au mois de février 1934, joua, en Afrique du Nord, les « deuxièmes couteaux » lors du débarquement allié de novembre 1942, puis, semble-t-il, dans la liquidation de Darlan :

« *Au seuil de sa quatre-vingt-septième année de labeur sur la terre des hommes, le Seigneur*[1], *au matin du 31 mars 1979, a rappelé à la Maison du Père son ouvrier, ayant reçu les sacrements de la Sainte Église catholique et romaine, le chevalier*

---

1. La syntaxe est ici cruellement malmenée, car la grammaire imposerait d'infliger au « Seigneur » ce long travail, si méritoire, sur la « terre des hommes ».

Léon Edmond Marie René
L*EMAIGRE DU* B*REUIL*
Grand Officier
de l'Ordre équestre des Chevaliers
du Saint-Sépulcre de Jérusalem
Camérier d'honneur de Sa Sainteté
Hospitalier
de Notre-Dame de Lourdes [etc.]
Médaille d'or
de la Société industrielle de l'Est,
Banquier [etc.]. »

Pour se préserver d'un accès d'humour déplacé, il convient sans doute de ne point se rappeler les circonstances dans lesquelles les moines de Jérusalem, préposés à l'octroi du grade de chevalier dans l'ordre du Saint-Sépulcre, procédèrent, en 1805, à l'égard de Chateaubriand : une cérémonie payante, bouffonne, un peu sordide, mais que Chateaubriand s'arrangea pour rendre, en sa faveur, gratuite.

10 avril 1979

Un mot assez terrible, et décourageant, de Lamartine, dans une lettre à Genoude, 7 juin 1827. Lamartine s'efforce, alors, de rester catholique, à cause de sa mère, surtout, de sa femme aussi (un peu), de sa petite fille Julia (davantage). Il voudrait sauver la foi qui, visiblement, meurt de toutes parts autour de lui – du moins chez les « intellectuels », et il s'applique à cet effort dans ses poèmes, qui ont de l'audience ; mais il glisse à Genoude cet aveu sinistre : ce que je tente là, cela s'appelle « *réchauffer l'irréchauffable* ».

Mai 1979. Luxembourg [1]

Une de plus. Je passe mon temps à rencontrer des créatures de bonne volonté, vraiment ce qu'on peut appeler des « cœurs purs », et qui me racontent toutes la même histoire. (Une manie, chez moi, d'interroger les gens, même quand je les connais à peine, sur leur « *option métaphysique* » – comme on dit pour faire intellectuel –, et qui ne signifie pas autre chose que : « Et Dieu ? Oui ? ou non ? ») Celle-ci – dans les trente ans – est assistante sociale ; quelque chose comme ça. Nous causions dans le jardin près de cet hôtel où, une fois par an, elle s'offre huit jours de confort et de complet repos.

Elle avait treize ans quand sa mère est morte, une « fille mère » (je retarde : une « *mère célibataire* »). Le père ? Évanoui dans la nature. Sa mère avait trente-cinq ans lorsqu'elle succomba à ce que les médecins appelèrent un « *empoisonnement du sang* », après une simple piqûre au doigt.

« *Elle m'avait élevée dans la foi, sa foi, et j'y adhérais avec bonheur. Un univers affectueux. La tendresse, sur nous tous, du bon Dieu. Enfin, vous savez bien... En voyant Maman si malade, j'ai prié, prié, avec plus d'élan et de confiance que jamais, pour qu'elle guérisse. Ce n'était* pas possible *qu'elle meure. Je m'accrochais à la promesse formelle, explicite, absolue, de l'Évangile. C'est Jésus luimême qui parle et qui dit :* " *Tout ce que vous demanderez à mon Père en mon nom, il vous le donnera, soyez-en sûrs.* " *Il ne peut pas avoir menti. Alors, j'ai demandé, avec une confiance de plus en plus tremblante, et une espèce de terreur, que Jésus tienne parole, ne nous ait pas trompés, ne se soit pas moqué de nous. Et, quand Maman est morte, j'ai compris qu'elle et moi, et des millions d'autres, nous avions été la proie d'une légende, les victimes d'une illusion. Ou bien Jésus n'a jamais dit ce que l'Évangile lui fait dire, ou bien il se dupait lui-même. Du jour au lendemain, ma foi s'est écroulée. Destruction totale. En parlant à* " *Dieu* " *comme je l'avais*

---

1. Rédigé, chez moi, à Neuchâtel, à la fin du mois. J'ai reconstitué, le plus exactement possible, à l'aide de mes souvenirs tout récents, les propos de cette jeune femme.

fait, je m'adressais au vide. Rien n'entamera plus cette certitude, cruelle et désespérante, mais chaque jour davantage durcie en moi. Je ne connaissais guère la vie, à treize ans. Avec le métier que je fais, je la connais maintenant, la vie ; de près ; de tout près. Et vous imaginez un Dieu qui assisterait, immobile et muet, à ces entassements, ces pyramides de souffrances et d'horreurs, ces misères physiques et morales, ces détresses à l'infini ? Et injustes, injustes, injustes !»

Sa voix montait et se brisait. Elle eut honte. Le jardin pouvait abriter derrière les buissons des gens que nous n'apercevions pas et qui nous entendaient peut-être. Elle s'enfonça un mouchoir dans la bouche. Je n'ai pas tenté une « défense de Dieu ». J'ai bien mon idée, mais qui n'a rien d'une démonstration. Et, avec cette femme ravagée, déçue à fond, déçue à mort, possédée par sa négation, mon bavardage eût glissé sur elle comme de l'eau sur une pierre. Elle s'est levée, au bord des larmes, et m'a tendu la main. « *Je pars ce soir, me dit-elle, après le dîner. Invitez-moi, voulez-vous ?*» J'ai dit oui, et je l'ai embrassée. A mon âge, je pouvais, sans risquer qu'elle se méprenne. Elle aussi m'a serré un instant dans ses bras. Nous avons dîné ensemble. Elle ne voulait que des choses simples, refusait, en riant, les tentations gastronomiques. Nous avons parlé films, acteurs, actrices. J'ai dit seulement, un peu avant 21 heures : « *Moi, je crois toujours en Dieu. Un pli d'enfance, sans doute... Mais non, autre chose aussi...* » Elle me regardait, sérieuse. J'aurais pu me lancer dans un petit discours, sans espoir. Je ne l'ai pas fait. J'ai sorti je ne sais plus quelle blague pour la faire rire, et elle a ri de bon cœur.

A 21 h 5 (j'ai regardé ma montre), une solide poignée de main, d'adieu. Son taxi pour la gare était là, devant la porte. Devais-je lui écrire pour tenter de l'aider [1] ?

17 juillet 1979

En vue d'un livre que je prépare sous un titre emprunté à Péguy, *L'Affaire Jésus*, je rouvre cette *Profession de foi du vicaire savoyard*

---

1. Je n'ai pas écrit, trop sûr d'échouer. Commode excuse.

que j'ai découverte, à dix-huit ans, en « cagne » à Lyon, et que j'ai relue une seconde fois, à trente-cinq ans, quand j'ai voulu regarder de près les origines de la « traque » qu'organisèrent les « encyclopédistes » contre Jean-Jacques. Le fait est qu'il y avait de quoi, dans ces pages, mettre Voltaire en furie, car J.-J. y défendait, avec sa forte et pénétrante intelligence, « la cause de Dieu ». Je viens – et donc pour la troisième fois, à soixante-seize ans – de reprendre cette lecture qui ne cesse pas de m'instruire.

Sur l'Église et ses dogmes, le vicaire savoyard présente, sans animosité, mais avec la loyauté d'un esprit libre et du ton ferme qu'implique un constat, cette remarque indéniable : quant au contenu de la foi, écrit Jean-Jacques, « *l'Église décide que l'Église a le droit de décider* ». Tel est l'unique fondement de l'autorité qu'elle s'accorde et réclame. Simplification ? Grossissement ? En apparence seulement, car Rousseau va bien, là, au fond des choses. Pure affaire de présentation. La méthode est aisée : si je parle et décide ainsi, dit l'Église, c'est que le Saint-Esprit est avec moi et dicte mes affirmations doctrinales. Quelle preuve ? Aucune. Où la trouverait-on ? Et en quoi pourrait-elle bien consister ? Vous devez me croire sur parole, enseigne l'Église, qui commande. Cependant, pour tout observateur impartial, n'est-il pas évident que le concile de Nicée, en 325, capital dans l'histoire de l'Église, réuni par ordre du prince et dont les séances se déroulèrent dans son propre palais et sous son contrôle, a les plus grandes chances d'avoir été moins inspiré par l'Esprit-Saint que dirigé comme le voulait un prince que l'on voit agir en maître à l'égard de ces chrétiens dont il ne partage pas les croyances (Constantin ne se « convertira » – s'il l'a fait – qu'au seuil de sa mort, en 337), mais qui sont devenus dangereusement nombreux ; il importe de compter avec eux et de leur dicter les options qui conviennent à sa politique.

L'Église trouvera le moyen de raccourcir encore le lien (le « fil direct ») qui l'unit au Dieu trinitaire. On a beau insister et réinsister sur l'équivalence des Personnes, invinciblement s'insinue dans notre pensée une hiérarchie inavouable : premier rôle, le Père ; *puis* vient le Fils ; *puis* arrive, un peu abstrait, le Saint-Esprit. D'où le pas de plus dans l'audace accompli par les manœuvriers dirigeants à ce concile d'Éphèse qui, en 431, cassera les reins à Nestorius, coupable de résister à l'appellation (à ses yeux imprudente) de Marie, « *mère de Dieu* ». La résolution finale est explicite, c'est le Fils en personne qui vient de se prononcer, l'Église n'étant que son porte-voix [1].

Encore a-t-il fallu un coup de pouce (ou d'épaule) à la Trinité, car, si les Pères n'avaient pas pressé le mouvement et tout conclu sans attendre l'arrivée de la délégation « nestorienne », il est peu probable que l'Esprit-Saint (je me trompe : « *Notre-Seigneur Jésus-Christ* ») ait tenu le même langage et prescrit la même consigne. Jean-Jacques, avec sa formule condensée, ne triche pas, n'exagère pas. Il dit vrai.

Par deux fois, en 1762 et en 1764, publiquement et à voix haute, il se déclarera « *chrétien* » (ce qui confirmera la condamnation sans appel déjà portée contre lui par le groupe « encyclopédique »). Et son « *vicaire savoyard* », en dépit de plusieurs observations critiques, ne songe pas à quitter l'Église ; il est même, au contraire, parfaitement résolu à demeurer le prêtre qu'il est, accomplissant au mieux sa tâche pastorale.

Ajouterai-je (pour me faire honnir d'un côté comme de l'autre) que je le comprends très bien, ce vicaire ; que je l'approuve et le félicite.

27 août 1979. Près de Cluny

En quelques minutes – il était environ 18 heures –, les ténèbres, ou presque. Partout un entassement d'énormes nuages noirs, à chaque instant coupés d'éclairs muets, verticaux. Seulement, au ras de l'horizon, une bande livide. Un silence paralysé ; puis, soudain, des rafales, avec des paquets de feuilles arrachées à la chevelure tordue des arbres. Un paysan que je croise regarde le ciel, et dit : « *Si c'est la grêle, vindieu !...* » Dans les prés, le bétail se groupe, flanc à flanc, et s'immobilise. Les hirondelles ont disparu.

---

1. Texte officiel : « *Notre-Seigneur Jésus-Christ a décidé, par cette sainte et présente assemblée* [etc.]. » Déjà – on le notera –, le triomphalisme ecclésiastique et, par l'Église elle-même, l'autoproclamation de sa « sainteté ».

Plus d'oiseaux. Si ! Un seul, très haut, moins gros qu'un aigle, plus gros qu'une buse. Il va vers le nord. En dépit du vent (mais, à l'altitude où il est, peut-être que la tempête n'existe pas, qu'elle n'est qu'à ras de terre), il avance d'un vol régulier, sûr de lui, comme un qui a quelque chose à faire en tel lieu qu'il sait.

Pathétique, dans l'apeurement des hommes et des bêtes, la solennité de ce voyageur aérien.

[Été 1979] [1]

Francis Jeanson avait été, à Bordeaux, en 1940-1942, l'un de mes étudiants les plus doués. Sa santé n'était pas brillante. Un garçon tenace et courageux. L'ouvrage qu'il a intitulé *La Foi d'un incroyant* est la noblesse même. Les « moines » de Taizé lui demandèrent de s'exprimer sur ce sujet dans leur grande église de la « Réconciliation ». Conférence ouverte. Foule. Simplicité. Noblesse. Quand Sartre l'associa au comité de direction des *Temps modernes*, Francis me proposa d'écrire, en toute liberté, dans cette revue où je me trouverais – était-ce pour moi un obstacle ? – le seul collaborateur « croyant ». Sartre tenait à ma présence dans son équipe en raison de mon *Coup du 2 décembre*, qui l'avait, disait-il, « vivement intéressé ». Et c'est ainsi que j'ai donné à *Temps modernes* toute une série d'articles littéraires et historiques. Comme j'y avais parlé de Péguy avec un grand souci de vérité, le R.P. Duployé publia, dans *Esprit* (ni Mounier ni Béguin ne le lui auraient permis), sous le titre de « Saint Guillemin », un article dont la vilenie m'est toujours restée inexplicable.

On sait tous les risques qu'assuma F.J. au service de l'indépendance algérienne et ce qu'il lui en coûta. Puis il fut chargé, plus tard, de prévoir et de préparer à Chalon-sur-Saône, les assises d'une « Maison de la culture ». Un politicien local mit tout en œuvre pour lui casser les reins. Un soir de 1971, pour le centenaire de la Commune, j'ai parlé de Vallès à Chalon, « sous ses auspices ». Quand je suis sorti de scène, il m'a embrassé.

---

1. Note originale, telle quelle. Date conjecturale, mais assez probable, je crois.

Rien – je dis *rien* – n'existe de plus pénétrant sur « *la pensée morale de Sartre* » que l'ouvrage de Francis Jeanson portant ce titre, surtout dans sa réédition de 1965, augmentée d'une très importante postface.

2 mars 1980

Si j'ai écrit mon *Napoléon tel quel*, pamphlet rapide, et mes livres minutieux, longs à bâtir et qui m'on demandé des années, sur *Benjamin Constant muscadin* (1795-1800), sur 1848, sur le 2 Décembre et, principalement, sur l'imposture du gouvernement des Jules, en 1870-1871, et l'affreuse comédie de la défense de Paris, c'est pour lutter, selon mes moyens, contre la pollution, démesurée, de l'Histoire sous sa forme officielle. Tout y est à revoir, dans un parti pris intraitable de substituer la vérité à la légende. Comme écrivait le vieil Hugo : on pourra, sans doute, « *me monter sur le dos* » (les militaires, ceux qui ont les chars, et les grands maîtres de l'Argent), mais on ne parviendra pas à « *me monter sur la cervelle* ».

Se guérir de l'« intox », s'en défendre sans cesse (une « intox », au surplus, en action jour après jour), rude entreprise, peut-être folle. Il me semble pourtant que, très lentement, à tout petits pas, quelque chose de ce genre est en cours.

11 mars 1980 [1]

« *Cette possession de la joie en tant qu'absente qui suscite le désir.* » De Claudel. Sa façon inégalable de présenter une idée qui n'est pas neuve et qu'il rend saisissante. C'est ici, au fond, la vieille observation platonicienne : que le désir est « *fils de Poros et de Pénia* ». *Poros*, l'abondance, la plénitude ; *pénia*, d'où nous avons tiré « pénurie ». Pour désirer, il *faut* avoir une préconnaissance (plus qu'un pressentiment) et comme une prépossession, mais incomplète, cruellement insuffisante, de ce que nous voulons

---

1. Note pour ce qui sera, en 1982, mon *Affaire Jésus*.

étreindre ou savourer. On ne peut être « *en manque* » de quoi que ce soit si l'on n'y a pas goûté. L'idée même de Lamartine dans ce vers d'*Utopie* (1838), publié en 1839 dans ses *Recueillements* :

Cette aspiration qui prouve une atmosphère[1].

Erreur de Feuerbach, de Marx, de Freud, quand ils parlent de « *névrose* » ou d'« *illusion* », quand ils disent que nous transférons dans l'imaginaire ce dont nous rêvons[2]. Mais non. Dieu n'est ni *là-bas* ni *là-haut* ; c'est *au-dedans de nous* que s'ouvre un accès à la réalité divine. Incomplète, restrictive, la formule trop connue : que notre esprit *débouche* (numériquement) sur l'*infini*. Ce qui nous arrive, c'est que nous nous trouvons être *abouchés à l'infini*. Ce qui constitue notre identité humaine, ce n'est pas autre chose que la présence en nous de l'Absolu vivant. Et la fameuse « *aliénation* » (l'homme qui cesse de s'appartenir s'il admet l'existence de Dieu), elle s'évanouit dans ce contact révélateur : l'homme, alors, loin de se dissoudre, se saisit de sa substance.

[Printemps 1980]

La première fois que je suis allé rue Jacob, au Seuil, où M. Chodkiewicz voulait me voir (pour mon *Péguy*), j'ai rencontré François-Régis Bastide, que l'on m'a présenté – car je suis largement son aîné. Je n'avais pas oublié l'article, assez cruel, qu'il avait publié dans la revue *Preuves* (si mes souvenirs sont exacts) contre mon étude sur *Benjamin Constant muscadin*. L'article s'intitulait, je crois, « Passez muscade ». Je l'ai rappelé, en riant, à l'auteur, lequel, tout à fait cordial, et d'une évidente sincérité, m'a dit, en me serrant la main : « *Mais oui, je me rappelle ! Et c'est vous qui aviez raison, pour Benjamin Constant ; tout à fait raison. Je le sais maintenant.* »

1. Qui « *prouve* ». Il a raison. L'existence des poumons chez l'homme prouve qu'existe une atmosphère respirable. De même pour l'autre « atmosphère », spirituelle, dont nous n'aurions même pas l'idée si nous n'en connaissions déjà la saveur irrésistible. « *Si le bœuf a faim, c'est que l'herbe existe* », écrit, dans *Joie errante*, un Sulivan laconique et pertinent.
2. Thème repris par Proust dans *Albertine disparue* (II, 87) : « *C'est le désir qui engendre la croyance.* »

20 mars 1980

Si le destin m'en accorde encore le temps et les moyens – mais je viens d'entrer, hier même, dans ma soixante-dix-huitième année –, je voudrais bien tenter d'écrire une histoire vraie de la Révolution, c'est-à-dire qui soit exempte à la fois des dithyrambes, plus ou moins truqués, de Michelet et de Quinet, et des mensonges haineux de Taine et de Gaxotte. Et j'insisterais sur cette réalité capitale : dès le début, dès la prise de la Bastille, les nantis sont en proie à une grande peur diffuse ; on en veut à leurs biens ; la sécurité des fortunes est en péril. C'est ce qu'avouera sans détour la richissime Germaine Necker (les millions de son père l'ont faite baronne de Staël) dans ses *Considérations* de 1816 : « *Les gens de la classe ouvrière s'imaginèrent* [alors] *que le joug de la disparité des fortunes allait cesser de peser sur eux.* » (Et, pour elle, le seul secret de la paix sociale est la « *résignation* » des démunis ; les procédés, pour l'obtenir, sont divers.) Elle ne cache nullement la raison pour laquelle le jeune député Robespierre lui est odieux (avec ses traits « *ignobles* » et ses veines « *d'une couleur verdâtre* ») : il touche à l'Arche ; il vise à un scandaleux changement dans la répartition des biens. Une plèbe armée, et donc en possession des moyens de contrainte, c'est un état de fait inadmissible. D'où le soin apporté par la Constituante à écarter les pauvres, déjà privés du droit de vote, de la garde nationale. Robespierre a vu, et compris, la manœuvre, et il va dire (ou écrire – texte à retrouver, et sa date) : « *Vous voulez diviser la nation en deux classes dont l'une ne sera armée que pour contenir l'autre.* » C'est bien ce qui se passe exactement. (En 1848 – j'ai étudié ces événements-là, il y a trente ans, du plus près possible –, l'intolérable, pour la bourgeoisie possédante, sera, de nouveau, ces gens de rien, dans les rues de Paris, qui ont des fusils à la main. Les journées de Juin auront pour objet premier de leur enlever ces dangereux outils.)

Bien marquer aussi, dans mon travail (s'il m'est donné de l'entreprendre, et de l'achever) que la sainte Propriété n'avait rien à craindre des « Lumières ». Voltaire a fait savoir, dans son *Essai sur les mœurs*, comment il concevait, quant à lui, un pays raisonnablement organisé : c'est celui où « *le petit nombre fait travailler le grand nombre, est nourri par lui* [sic] *et le gouverne* ». D'où sa remarque bien connue : « *Il est nécessaire* », pour l'alimentation même du « *petit nombre* », qu'il y ait « *des gueux ignorants* ». Et Diderot, l'encyclopédiste par excellence, enseignera personnellement (voir son article « Représentants ») que, pour « représenter » la nation dans une assemblée d'où sortiront les lois, ne sauraient être admis que les propriétaires et eux seuls.

Le retour à l'ordre, après la fâcheuse année 89, s'effectuera en deux temps. Le 9 Thermidor va permettre aux notables qui forment les trois quarts de la Convention et que le 10 Août a effarés, de s'orienter vers l'exclusion civique des pauvres : et la Convention – mais oui, la Convention ! – acclamera Boissy d'Anglas précisant à la tribune que seuls, effectivement, ont leur mot à dire dans la gestion des affaires nationales ceux qui disposent de capitaux. Le 9 Thermidor délivre les « honnêtes gens » de ce Robespierre qui, lorsqu'on discuta de la Constitution nouvelle, en avril 1793, osa suggérer des limites au droit de propriété. Puis le 18 Brumaire reprit et compléta le 9 Thermidor. Interprétée comme il convient et dans sa vérité même, l'opération de Bonaparte (et du petit clan des financiers qui préparaient le coup fumant, le coup génial, de la *Banque* dite *de France*), provoquera l'enthousiasme de Necker, qui, tout frémissant de joie, écrira à sa fille : « *Il y aura un simulacre de République, et l'autorité sera toute entre les mains du général* », lequel « *donnera beaucoup aux propriétaires, en droits et en force* ». Bravo !

11 avril 1980

Heureux croyants d'autrefois qui vivaient dans la certitude d'un au-delà de retrouvailles, d'embrassements... Mais reste en moi l'espérance acharnée que la substance de nous-même ne disparaît pas, ne s'évanouit pas, comme une fumée dont, un instant après, plus rien ne subsiste. Cette créature que vous aimiez, cet enfant, cette femme ou cet homme, pensez-y bien, c'était son regard, son regard avant tout, qui vous la faisait chérir. L'œil n'est pas le regard. Le regard est d'un autre ordre que le corps. C'est là que transparaît la réalité d'un être. Et cette réalité, je crois qu'elle est substantiellement incapable de s'abolir. Oui, immortalité de l'âme. D'une manière inimaginable, mais je le crois, il y aura rencontre et étreinte de ce qui est nous, pour de bon, et de ce qu'était, pour de bon, l'être disparu, absent en apparence, présent hors de l'espace et du temps.

16 avril 1980

Sartre est mort. Respect et reconnaissance.

Respect : il n'a pas cédé – comme le faisait Camus, hélas ! – à l'attrait des honneurs. Il aura toujours fui les salons, et, s'il a gagné, grâce à son théâtre surtout, beaucoup d'argent, il a immensément donné, s'engageant sans cesse, et parfois, je crois, de travers, sous l'effet de cette passion qui le dévorait d'agir, d'être utile. Sa noblesse aura été de ne jamais appartenir à l'espèce « mondaine », c'est-à-dire vénale.

Reconnaissance : son retournement final, pour l'extrême amertume, la colère, la rage (pénible spectacle) de S. de B. Emmanuel Todd est allé jusqu'à parler d'« *escroquerie* » à propos de l'interview accordée à Benny Lévy. Je sais, avec précision, ce qui s'est passé dans le bureau de Jean Daniel quand ce dernier a consulté Sartre, par téléphone, au sujet de cette publication imminente dans *Le Nouvel Observateur*. Un témoin m'a rapporté les paroles, explicites, de Sartre. Non seulement il était d'accord pour que son texte parût tel que Benny Lévy l'avait recueilli, mais il *exigeait* que n'y soit apportée aucune modification, et surtout pas la moindre atténuation. Or il s'agissait d'un changement radical de sa pensée sur la personne humaine, qu'il voyait désormais requise par une réclamation intime et permanente : « *dimension d'obligation* », « *contrainte intérieure* », « *convocation* », « *mandat* ». De longue date, Francis Jeanson avait pressenti chez Sartre cette secrète ouverture, cette conception neuve de notre liberté : l'adhésion à un dépassement. Salut à sa loyauté transfigurante. Je n'avais pas vu sans émoi un Raymond Aron feindre – avec suffisance – que Sartre le rejoignait parce qu'il demandait avec lui protection pour les évadés du Vietnam et de la dictature. Mais leur jonction n'était qu'occasionnelle et apparente, les deux hommes demeurant radicalement antithétiques.

Adjonction d'avril 1981
Alain Finkielkraut vient d'avoir le courage d'écrire que, décidément, le destin de Sartre aura été de mourir inentendu, « *inécouté* ».

8 juillet 1980

En vue du livre que j'intitulerai *L'Affaire Jésus.*

Consternants, exaspérants, les propos ecclésiastiques, ou simplement dévots, sur l'amour de Dieu, l'amour que le Père, qui est au Ciel, porte à nous tous, ses enfants, et à chacun de nous en particulier ; ce Dieu qui « *a tant aimé les hommes qu'il leur a envoyé son fils unique* » afin qu'ils le tuent et que cet assassinat, réparant la désobéissance primitive, rouvre à la race humaine l'accès du paradis. Pour mesurer la fidèle et douce attention du créateur à ses créatures, il n'est que d'ouvrir les yeux sur les insoutenables images d'enfants qui meurent de faim, par millions, chaque jour, dans tels ou tels coins du monde. Ces mères, elles-mêmes mourantes, hébétées, hagardes dans l'effarement du désespoir, allez donc leur affirmer qu'il y a un « *dans le ciel* » un bon Papa, un Grand-Papa, qui les chérit et les protège. Ils ne doivent plus, les missionnaires – s'il en est qui s'aventurent dans ces contrées d'horreur –, oser reprendre leur antienne : « *Croyez-nous, bonnes gens ; écoutez-nous ; nous sommes de la maison ; le bon Dieu est là, invisible, mais si proche et si prévenant* », etc.

Les guerres et leur cortège d'atrocités, c'est notre faute. Dieu n'y est pour rien. Mais la sécheresse et la famine, les inondations, les séismes, la faute à qui ? Et la souffrance des innocents dans ces tragédies biologiques où l'on ne peut même pas s'en prendre à l'hérédité ? Où est la bonté du Maître ? Où est sa toute-puissance ? Prérogatives inajustables. D'où la tentation, si normale, de conclure au congédiement de la fiction. « *Une croix sur le Christ* », comme écrit, inventif, offensif, un jeune esprit fort (qui, en d'autres domaines, a su faire preuve d'une amusante sagacité). Restent encore, à l'usage des théologiens acrobates, les développements à la mode (devant lesquels se fussent voilé la face Bossuet, aussi bien que Saint-Cyran, et le pape autant que Calvin), les exploits contorsionnistes sur l'insigne et volontaire « *faiblesse de Dieu* », la pauvreté délibérée de ses moyens, l'étendue sans limites de la liberté qu'il nous laisse. Je dois avouer que ces artifices me navrent. S'il ne s'agissait pas d'un sujet grave, j'inclinerais moins, devant ces performances élastiques, à l'indignation qu'au sarcasme. Théologiens en caoutchouc, négateurs en ciment armé, vous n'aurez mon adhésion ni les uns ni les autres. Que « Dieu » – « *cela qu'on appelle Dieu* », a écrit saint Thomas – ait quelque chose à voir avec l'amour, une preuve en existe, je dis bien une preuve et que je tiens pour majeure, pour décisive. Au fond de chacun de nous (et Sartre en personne l'a explicitement reconnu) vit une option profonde, instinctive, pour le Bien sous quelque forme que ce soit.

Rien n'est plus sûrement promis à l'évanouissement, à la dispersion dans le vide, qu'un « Dieu » constitué de représentations copiées sur notre espèce. Dieu est amour ou n'est pas. Or il est. Le drame où nous sommes pris, c'est l'impossibilité, dans les faits, d'accorder cette connaissance intuitive et irrécusable avec les monstrueuses réalités terrestres.

Mais je devrais me ressouvenir de Teilhard et de ce que m'ont appris – d'immense – ses lettres révélées en 1968. Mon éducation, ma formation catéchistique continuent à m'imposer une représentation de Dieu sourdement anthropomorphique. Dans la perspective de Teilhard, le problème du Mal ne se pose plus du tout dans les termes habituels. Le cher père Dubarle, ce savant (et mon complice, en 1937, pour la publication de *Par notre faute*), n'a pas été autorisé à développer ce qu'il entendait par son admonestation dont j'ai oublié la date : « *Que le christianisme sorte enfin de son âge infantile !* »

16 juillet 1980

Je rouvre, sans trop savoir pourquoi, l'affreux *Solstice de juin* publié par Montherlant sous l'occupation, avec ce cri de joie : « *Tu es vaincu, Galiléen* », et cette phrase de Goethe recopiée avec bonheur : « *C'est la gloire des hommes de la Germanie d'avoir haï le christianisme jusqu'au jour où nos braves Saxons succombèrent sous l'épée fatale de Charles.* »

20 août 1980

Au début, je crois, du concile, j'avais entendu le cardinal Marty – quel brave type ! Comment ne pas l'aimer, cet homme de bonne volonté, qui a si fort l'accent paysan de son Rouergue, qui dit « *le Ke-rist* » pour « le Christ » – se livrer à cette déclaration inouïe, libératrice : « *L'Église se convertit*[1]. » Un « merci ! », en moi, qui m'étranglait presque de joie, d'espérance.

Le pauvre Paul VI faisait de son mieux. Toujours en larmes, me disait-on. Fâcheux, ça, pour un pape. Je devinais bien ses problèmes. Nous n'avancions plus ; du moins s'efforçait-il, ce gémissant, d'empêcher une régression. Le jour où soudain « tomba » cette formidable nouvelle que, pour la première fois depuis tant de siècles, l'Italie allait cesser d'accaparer le pontificat, et que l'élu du conclave était un Polonais, de nouveau une explosion d'espoir. Enfin ! Enfin ! De quoi, sans doute, balayer, au Vatican, l'asphyxie des miasmes. Quelle naïveté de ma part ! D'abord, et très vite, des renseignements me parvinrent, m'apprenant que le grand opérateur de cette élection, celui qui avait tout conduit, dans l'ombre, c'était cet Italien même dont je voyais venir, avec effroi, l'accès, trop possible, au « trône ». C'est à lui que Jean-Paul II doit d'avoir été choisi, finalement, par les cardinaux. Et j'avais bien remarqué – avec surprise, en raison de mon ignorance – la chaleur avec

---

1. Propos qui lui valaient les insultes, les menaces de bastonnade proférées, à son égard, par le R.P. Bruckberger.

laquelle on avait pu voir, sur le petit écran, Wojtyla étreindre le bonhomme et l'embrasser. Puis j'ai fini par comprendre qu'un Polonais, au Vatican, c'est pire qu'un Italien.

Quand je remonte, en esprit, à Jean XXIII, je constate qu'après tout son pontificat n'aura guère eu, en fait de nouveauté, qu'une attitude plus souple, plus accueillante – en apparence du moins – à l'égard des théologiens, au lieu de la traditionnelle allure d'orgueilleuse et cassante souveraineté. Mais, pratiquement, à quoi avonsnous abouti ? A si peu de chose ! A la reconnaissance, oui – enfin ! enfin ! – de la « *liberté de conscience* », dont le refus, sous Pie IX, était proclamé. Mais à quoi d'autre, substantiellement ?

Les crédules (de mon espèce) n'avaient pas su prendre garde à l'avertissement, cependant limpide, donné par Jean XXIII luimême aux membres du concile dans son discours d'ouverture. Il y réclamait une « *adhésion, dans sa plénitude, à la doctrine transmise avec cette précision de termes et de concepts* [sic] *qui fait la gloire* [sic] *du concile de Trente et du premier concile du Vatican* [sic]. »

Comment ai-je pu ne pas entendre cet impérieux commandement d'immobilisme doctrinal, alors que sont à modifier, d'urgence, des assertions inadmissibles ? Et qu'on ne nous dise pas que l'Église ne saurait changer rien à ses lois. Elle l'a bien fait, et plusieurs fois, au cours de son histoire.

22 août 1980

Cependant, l'Église bouge, un peu, par bonheur, mais prenant soin de ne jamais avouer qu'elle le fait, puisqu'elle ne saurait (c'est bien connu) « *ni errer ni faillir* ». Dans le domaine de l'exégèse, d'appréciables progrès ont été accomplis. La *Revue biblique* ellemême peut aujourd'hui impunément laisser entendre qu'attribuer le Pentateuque à Moïse ne va pas sans difficultés ; qu'on ne saurait avec certitude tenir Salomon pour l'auteur du Cantique des Cantiques ; que le texte d'Isaïe est formé de trois parties largement distantes, dans le temps ; que le Livre de Job est relativement tardif, postérieur à l'exil ; et que la réalité historique de Job lui-même fait question. Toutes affirmations (ou suggestions) qui, jadis, vous auraient conduit droit au bûcher.

Réjouissons-nous. Mais que ces retards pèsent lourd sur la crédibilité de la foi ! Effacerons-nous jamais, nous les croyants, dans l'esprit de nos contemporains, ce long refus de la vérité ? Le calamiteux acharnement de l'Église à combattre l'avancement de la connaissance scientifique – avec Galilée bâillonné et l'évolution considérée comme une thèse diabolique – persistait en 1951 avec l'encyclique insensée de Pie XII, *Humani generis*, érigeant en dogme la « *monogenèse* », autrement dit, à l'origine de notre espèce, un seul couple humain, et semblable, en tous points, à ce que sont l'homme et la femme d'aujourd'hui. Alors que... Inutile de poursuivre.

Pour se faire prendre au sérieux, les chercheurs et savants chrétiens doivent se débarrasser d'abord – mais comment le faire sans scandale ? – de compromissions écrasantes.

8 septembre 1980

Je prends conscience, ce matin seulement, d'un de mes réflexes, d'un geste que j'accomplis chaque jour – sauf le dimanche – avec une régularité automatique : lorsque *Le Monde* m'arrive par la poste, je fais sauter la bande, le déplie, et vais directement à la dernière page consulter le sommaire pour voir si la rubrique « Religion » y figure. C'est vrai, c'est donc vrai, rien ne m'intéresse davantage, même si la « politique » me tient à cœur, et profondément.

1er octobre 1980

L'extraordinaire interview de Sartre, dans le *NO* du 10 mars, qui a fait tant de bruit, s'éclaire pour moi tout à coup : brassant de vieux papiers, je tombe sur un texte de Sartre, en « ronéo », tiré des *Lettres françaises* ; titre : « La République du silence » ; sans date, mais qui est postérieur de très peu à la Libération, et où je lis ces mots annonçant, à quarante ans (ou presque) de distance, l'essentiel de ce que dira J.-P.S. au seuil de sa mort :« *Cette situation déchirée et insoutenable qu'on appelle la condition humaine.* »

3 décembre 1980

Gary s'est suicidé. Il a laissé une déclaration disant qu'il n'y a pas de lien entre son suicide et la mort de Jean Seberg. Philippe, très lié avec lui, croit savoir que la disparition soudaine, et tout à fait prématurée, chez Gary, de la vitalité sexuelle, avait été pour lui un coup très dur, quelque chose comme une catastrophe. Il achève son adieu public à nous tous par un essai de rire, disant qu'il s'est « *bien amusé* » avec son invention Ajar et ce prix Goncourt enlevé deux fois par lui, la seconde fois sous un faux nom. Jolie performance, faut dire ; mensonge innocent qui ne faisait tort à personne.

Quelqu'un d'étrange, le camarade, et, en fin de compte, d'assez mystérieux. Je ne l'avais jamais revu depuis 1952 et son départ de Berne. Deux, trois lettres de lui, très brèves et très cordiales ; c'est tout [1]. Mais restait présente en moi la chaleur de cette amitié qui avait été spontanément la sienne à mon égard ; je me suis toujours demandé pourquoi, car, en apparence tout au moins, nous ne nous ressemblions guère. Il avait, pour de Gaulle, une vraie passion, que je ne partageais pas (le RPF m'avait écœuré) et dont il tenait à faire parade ; aux manifestations gaullistes, il revêtait son vieux blouson d'aviateur, et on le voyait raidi, cambré, toutes décorations étalées comme un maréchal russe. Quelle part de simulation ? De provocation ? Je ne sais pas. Un gaillard tellement complexe !...

Couvert d'or (ses livres, le cinéma) en Californie et fastueux consul général de France, il apparaissait à Hollywood comme le « *Français type* », lui qui s'appelait Kacew et qui était, je crois, un Juif lituanien naturalisé français en 1935 seulement. C'est à cause de cela même que, au Quai d'Orsay, Couve de Murville

---

1. Des États-Unis, un *11 août* de je ne sais quelle année, Gary m'écrivait : « *Cher Henri* [...] *Vous me manquez beaucoup.* »

– composé, agaçant, suffisant –, se targuait d'être implacablement résolu à ne jamais laisser ce métèque accéder au rang d'ambassadeur.

Sa mort m'atteint, me peine, plus que je n'aurais cru.

6 mars 1981

Parce que je mets en lumière certains traits, incontestables, de Péguy, J.-M. Paupert m'appelle le « *grand équarrisseur* », et Jacques Julliard, dans *Le Nouvel Observateur*, me traite de « *Jivaro* ».

Péguy, décidément, fait partie des « tabous ».

15 mai 1981

Michel Le Bris, dans son *Paradis perdu*, a d'excellentes remarques sur les sectateurs des « Lumières » : « *Tout retour de la spiritualité*, écrit-il, *dans l'espace qu'ils croyaient avoir libéré, leur apparaîtra comme un scandale.* » La tolérance qu'ils réclament pour eux-mêmes, ils la refusent à l'adversaire : Voltaire, au besoin, « *falsifie des citations* » et, « *avec Diderot, d'Alembert et d'Holbach, il en appelle à ses relations pour faire censurer, interdire, jeter en prison ses plus gênants contradicteurs* » (il fait mieux, Le Bris l'oublie ; il est vrai que l'incident a été, le plus possible, oblitéré, obnubilé par la « *secte* [1] » : Voltaire a parfaitement essayé de faire exécuter Rousseau par les autorités genevoises).

Le Bris est décidément un esprit libre authentique, car il parle comme il convient de ces étranges chrétiens pour qui « *la profession de foi* » semble « *importer plus que la foi* », et d'une institution, « *moyen d'accès à la transcendance* », qui « *tend à se poser comme fin en soi* ».

---

1. Comme a dit Robespierre, le 18 floréal, an II.

2 août 1981

Par désœuvrement – entre deux besognes –, je rouvre du Voltaire, du Voltaire-de-combat. C'est le seul lisible. Toujours avec lui, sur lui-même, des indications instructives. Ainsi, dans *Le Dîner du comte de Boulainvilliers* (1767), ces propos attribués par Voltaire à un « *Fréret* » qui est visiblement son porte-parole : « *Les fondements de la religion chrétienne* » ne sont qu'« *un tissu des plus plates impostures faites par la plus vile canaille, laquelle seule embrassa le christianisme pendant cent années* ». Intéressant. Le christianisme est une religion faite pour la méprisable tourbe, et inventée à son profit. Texte à rapprocher de ceci, dans une lettre de Voltaire à d'Argental, 27 avril 1765 : insoutenable « *insolence* » de ces prêtres « *qui vous disent : je veux que vous pensiez comme votre tailleur ou votre blanchisseuse* ». On relèvera, dans le même *Dîner*, cette observation complémentaire : Voltaire ne souhaite aucunement que la religion soit abolie ; bien au contraire : elle est utile pour maintenir dans l'asservissement cette vaste canaille composée par ceux « *qui n'ont que leurs bras pour vivre*[1] » et dont le rôle est d'assurer à l'élite sociale la subsistance et le confort. La sagesse est donc de « *rendre la religion absolument dépendante du souverain et des magistrats* », à condition, bien entendu, que « *le souverain et les magistrats soient éclairés* » – autrement dit, amis des « Lumières » ; autrement dit encore, sachant à quoi s'en tenir sur « *l'imposture* » chrétienne. Plus loin, toujours dans ce *Dîner* : « *La canaille créa la superstition. Les honnêtes gens la détruisent* », mais à leur usage exclusif ; l'affranchissement spirituel est réservé aux nantis, ainsi qu'à leurs puissants protecteurs.

---

1. A Damilaville, 1er avril 1766. Voltaire aura soin de rappeler à l'évêque Biort que son père était maçon ; au jésuite Nonotte, que son père était « *fendeur de bois* » ; à Jean-Baptiste Rousseau, que son père faisait des souliers pour maître Arouet.

20 décembre 1981

Honteuse partialité, chez moi. Le style commande mes acquiescements ou mes refus. Et je me rends bien compte que c'est injuste. Tenez, pour Balzac ! Je ne parviens pas, je ne suis jamais parvenu (sauf une fois, de force, en 1941, pour *Le Lys dans la vallée* ; une promesse de préface, inconsidérément donnée, mais qu'il fallait tenir), jamais, à le lire d'un bout à l'autre. Et j'ai sûrement tort. Que de gens intelligents me l'ont répété ! Rien à faire. Ses livres me tombent des mains. Parce que Balzac raconte, raconte (il *décrit* aussi beaucoup, hélas ! énormément) n'importe comment ; jamais un mot qui vous accroche, ou une réussite d'harmonie. Style zéro. Du nougat collant qu'il nous donne à mâcher ; alors je fuis. Un peu pareil pour Stendhal. Mais il est moins incomestible. Ce n'est pas vrai qu'il écrive mal, mais il écrit terne. Son style n'est ni un atout, ni non plus un obstacle.

La séduction de l'écriture est démesurément puissante sur moi ; et trop déterminantes, en sens inverse, l'absence de style ou (pires) les contorsions désastreuses. Un écrivain qui devrait me retenir parce que sa pensée rencontre parfois – je dis bien parfois – la mienne, Léon Bloy, pas moyen de poursuivre (j'ai tenté ça, plusieurs fois) la lecture d'aucun de ses ouvrages : phrases surchauffées, propos en ébullition. Et Renan ! Il est loin d'être sans intérêt, Renan. Il a des choses à nous dire ; pas en politique, où il est carrément odieux, mais « en matière de religion » ; par malheur, il travaille dans le gluant et m'est impraticable.

Cette façon que j'ai de m'attacher tellement à la façon de dire, plus même qu'à ce qui est dit, m'explique à moi-même pourquoi j'ai toujours envie de relire du Paul Morand, alors que l'individu– et à juste titre – m'écœure. Mais souvent, chez lui, des trouvailles, des combinaisons de mots inattendues, et belles. Voltaire, en politique et en religion, c'est mon ennemi ; vraiment mon ennemi. Seulement voilà : il sait s'y prendre pour se faire lire ; un talent fou, et une extraordinaire économie de moyens, sans rien de ce perpétuel maniérisme qui rend les Goncourt, par exemple, infréquentables. Chez Voltaire, des mots simples, des phrases simples, mais une merveille de limpidité, vibrante et nerveuse. Je ne parle évidemment ni de sa *Henriade* ni de son théâtre, où il est illisible ; et c'est même drôle que l'homme de *Zaïre* puisse être également l'homme des *Contes* et des pamphlets. Et Louis Veuillot ! Je le vomis rédacteur de *L'Univers*, réactionnaire-ultra ; mais l'écrivain, quelle classe ! Du moins quand il se bat et se déchaîne.des choses bonnes, et très bonnes, dans les *Odeurs de Paris* ; à vomir, son *Parfum de Rome*. Autant les « papiers » de Maurras, dans *L'Action française*, m'ennuyaient par leur grisaille, autant cet animal de Léon Daudet me plaisait, fréquemment, par ses vacheries, ses tours de phrase bien venus. Jamais pu supporter Alain, ce cuistre pédagogue, si satisfait de lui-même ; la fade coulée de ses propos, leur insipidité. (L'homme, cependant, je crois, méritait toute estime.) Et George Sand, quelle catastrophe ! Comme je comprends Baudelaire et sa répulsion devant le fameux « *style coulant* » de la dame, cette mélasse. Au-dessous de tout, George Sand écrivain. Vigny, je crois bien que j'aurais éprouvé un peu moins d'éloignement à son égard s'il avait eu, en poésie, un peu plus de discernement. Mais que c'est mauvais – et ridicule –, les trois quarts, les quatre cinquièmes de ses produits en vers ! Et soudain – rarement ; mais ils sont là, incontestables –, des mots miracles, comme les deux derniers vers de *La Maison du berger* et, ailleurs, trois ou quatre petites merveilles (pas trop plus).

Montherlant ! A son égard, c'est le dégoût qui domine en moi, surtout depuis que Sipriot nous a davantage éclairés sur lui ; et sinistrement. Mais il a écrit, dans sa *Reine morte*, ceci qui se met à résonner, à retentir en moi de temps à autre, avec un bonheur inlassable : « *Elle pousse toujours le même cri, comme l'oiseau malurus, à la tombée du soir, sur la tristesse des étangs.* » Le salaud ! C'est de lui, c'est bien de lui, on ne peut pas la lui enlever, cette vague et poignante cantilène. Et même cet affreux bouquin pronazi, écrit sous l'occupation, *Le Solstice de juin* : même là, par endroits, tout à coup, des dièses qui nous prennent le cœur. Ai-je besoin de dire que Claudel m'a souvent consterné ? Trop facile à comprendre. Mais quel prodigieux artiste, quel technicien sublime ! Alors je lui passe tout ; j'oublie, j'efface, l'*Ode au Maré-*

PARCOURS IV (1973-1988)

chal, l'hymne à Franco, et le reste... C'est comme pour Céline, un personnage indéfendable. On dirait presque qu'il fait exprès, dans ses écrits, de se rendre haïssable. Mais il me tient – et j'en rougis – il me ravit, il me comble, plus souvent qu'à son tour, par ses mots à lui, ses rythmes, sa science des échos. Vous vous souvenez de ceci (on ne le cite jamais, et pourtant c'est dans le *Voyage*), sur l'âge « *où l'on n'a plus assez de musique en soi pour faire encore danser la vie* » ?

La *Correspondance* de Bernanos contient une lettre où il parle de l'épouvante qui l'a saisi en découvrant, dans le manuscrit de son *Soleil de Satan*, le pullulement des points de suspension : « *C'est enfantin, dit-il, Je ne veux plus les voir. J'ai l'air, chaque fois, de pousser le coude du lecteur pour l'inviter à s'émouvoir. Quelle bêtise !* » Péguy, si je ne me trompe, proscrivait impitoyablement ces signes graphiques, de même que, je crois bien, les points d'exclamation. Ce paquet de nerfs, ce garçon qui dépendait plus que personne, dans ce qu'il énonçait, de ce qui venait de lui arriver, de ses réflexes et de ses rages dans sa fiévreuse quête du succès, il voulait absolument donner l'impression de la rigueur et du pur constat. Céline, en revanche, ses points de suspension, si l'on s'amusait à les extraire de ses livres et à les réunir pour en faire une série ininterrompue, on ajouterait ainsi un volume de plus à ses œuvres complètes. Mais, chez lui, c'est autre chose que ce « *coup de coude* » dont parle Bernanos. Un procédé de brisure. Pour un style cassé, haletant.

L'ignorance totale de la poésie, chez Gide, cela finit par faire de lui une pièce de musée. Peut-être s'est-il imaginé être « poétique » dans *Les Nourritures terrestres*. Il y est seulement grotesque – rhétorique, enflure, emphase, lyrisme en simili. C'est raté ; à peu près autant que les *Paroles d'un croyant* de Lamennais – exécrable pastiche de Mickiewicz et de la Bible.

Il y a aussi l'excès du « bon style », de la « bonne langue ». Ceux qui en font trop dans la recherche de la perfection : Gracq, Caillois. Ils me tuent. Deux pages et je n'en peux plus. Exténuant, mortel. Quel rafraîchissement, pour reprendre vie, de se jeter, aussitôt, dans Céline !

7 août 1982

Alain Jacob nous apporte, avec son *Balcon à Pékin*, de grandes lumières sur ce qui s'est passé en Chine ces derniers temps. Un travail lucide et salubre, qui nous repose – quel changement d'air ! – des produits méphitiques et empestés de haine dont nous ont accablés les Simon Leys et autres. Tout ce qui concerne la Chine me passionne. Ce qu'Alain Jacob nous apprend d'abord, c'est que Mao vieillissant, dépassé, fini, aura été sans cesse aidé, soutenu, préservé par l'admirable Zhou Enlai ; Zhou, c'était la force du chêne alliée à la souplesse du roseau. Zhou savait très bien ce que Deng (Deng Xiaoping, le nabot caustique et rusé) pensait tout bas de Mao, qu'il trouvait délirant. Si Deng ricane, il n'en a pas moins des qualités de praticien et peut se montrer techniquement utilisable. Secrétaire général du Parti, il a perdu son poste en 1966. La pénitence paraît suffisante, sept ans plus tard, à Zhou Enlai, lequel réintroduit Deng, en 1973, dans l'équipe dirigeante ; mais Mao veille à lui adjoindre le Shangaien Wang (un des trois qui, avec Jiang Qing, l'épouse du « Timonier », vont former le « groupe des quatre » : les deux autres étant Zhang et Yao). En 1975, Deng devient vice-Premier ministre ; mais Mao, récidiviste, confie aussitôt à Zhang l'honneur de partager avec Zhou le rapport politique présenté aux membres de l'Assemblée du peuple. Zhou expire en janvier 1976. Deng se persuade qu'il va lui succéder. Pas du tout : Mao, à l'improviste, désigne Hua pour l'intérim. Manœuvres de Deng, et c'est l'affaire du 5 avril, dont Alain Jacob, qui se trouvait là même, a toutes raisons de mettre en doute la spontanéité ; témoin direct, il ramène les choses à leurs justes proportions, alors que les ennemis de Mao ont mené – mènent encore – un tapage énorme sur cet incident.

Au vrai, s'il y eut, un moment, beaucoup de monde à Tien'an men, le nombre des badauds y était considérable ; quant au prétendu déchaînement sauvage de la milice, vers 22 heures, contre les partisans de Deng, il se réduisit, en fait, pour disperser les petits groupes encore agglutinés au centre de la place, à l'équivalent, trop connu chez nous, d'une « charge de CRS ». Et Deng avait alors si bien raté son coup que Mao, le surlendemain, 7 avril, ne se borna pas à titulariser Hua, mais, sans pour autant chasser Deng du Parti, lui retira net toutes ses fonctions. Et il fallut attendre la mort du « Vieux » (9 septembre 1976) pour opérer, dans la nuit du 5 au 6 octobre, le coup de force policier qui conduisit les « quatre » en prison.

Les vainqueurs – et Deng à leur tête – prirent leur temps pour avouer au public ce qu'ils pensaient de l'ex-« guide génial » et prescrire l'attitude désormais requise à l'égard de sa mémoire. Lorsque Alain Jacob acheva son ouvrage, il n'avait pas encore connaissance d'un document capital, la « résolution » adoptée par le comité central en date du 27 juin 1981 : certes, l'ancien président a rendu au pays d'incomparables services, mais « *la révolution culturelle, qui a fait subir au Parti, à l'État et au peuple les revers et les pertes les plus graves, fut déclenchée et dirigée par le camarade Mao Zedong* » ; ledit camarade s'obstina à soutenir que « *la tâche principale du Parti était la lutte de classe* », véritable « *aberration* » de sa part, car il ne saurait y avoir de classe dans le Parti ; il faut donc reconnaître, avec tristesse, que, de cette « *lourde erreur gauchiste* », Mao porte la responsabilité, et qu'il protégea jusqu'au bout les fameux « quatre », ultra-gauchistes et même authentiques « *trotskistes* ». Heureusement que le pouvoir – c'est-à-dire avant tout Deng Xiaoping – sut procéder au « *rétablissement du cours normal des choses* » et à l'organisation d'un régime « *conforme aux lois de l'économie et de la nature* ».

Traduction : finies, les extravagances. L'heure est au réalisme. L'armée redevient semblable à toutes les armées du monde (quand on pense que Mao avait voulu contraindre tous les officiers à passer chaque année un mois dans le rang, comme simples soldats !). Les intellectuels ne sont plus importunés par ces stages à la campagne ou en usine que Mao avait crus nécessaires pour les guérir de toute arrogance, de tout mépris envers les ouvriers et les paysans. Le recrutement des universités ne favorise plus les enfants des pauvres. Abolies, les naïvetés industrielles et les essais d'autogestion ! Vive, à la russe, la politique des « *stimulants matériels* »! Non seulement les cadres victimes de la révolution culturelle sont réintégrés, mais on leur verse l'arriéré des traitements auxquels ils auraient eu droit, et l'on se gardera d'oublier les « *anciens capitalistes* » : en janvier 1979, ils se voient restituer leurs dépôts bancaires que la révolution culturelle avait confisqués en 1967, augmentés des intérêts accumulés depuis douze ans. Et ces largesses sont octroyées au moment même où des milliers d'infirmes, de très vieilles gens et de loqueteux se sont rassemblés à Pékin pour demander des secours. On sait le sort qui sera réservé à ces mauvais esprits à la Wei Jingsheng (ancien garde rouge recyclé, ouvrier électricien) qui s'imaginent pouvoir impunément évoquer « *les droits de l'homme* », ce « *slogan bourgeois* » : quinze ans de prison à Wei. Et les autorités interdisent désormais tout *dazibao* (affiche contestataire manuscrite), attendu que la liberté de parole et de réunion est la voie ouverte au renouvellement d'une « catastrophe » du genre de celle qu'inaugura Mao en 1966. Deng s'offrira même le luxe d'une agression militaire : en février 1979, il lance des troupes sur les Vietnamiens – « leçon » promise et annoncée par lui au cours de son voyage triomphal en Amérique du Nord ; et le même Deng s'amusera, le 16 mars, de ce ridicule Vietnam, « *Cuba de l'Orient* », qui, par ses soins, a « *pris une raclée et pleuré Papa-Maman* » !

Dépolitisation des masses, dans la Chine d'aujourd'hui. Et l'on comprend le désenchantement d'une jeunesse qui voit de ses yeux (comme l'écrit excellemment Alain Jacob) « *la restauration progressive d'un système qu'elle avait été conviée à ébranler* ». Le « système » chinois ressemble de plus en plus au système soviétique, avec une « nomenklatura » dotée d'argent, de grosses voitures et de villas luxueuses ; et chacun sait, en haut lieu, que Deng Xiaoping, fin bridgeur, envoie les avions de l'État chercher en province puis ramener chez eux ses partenaires préférés.

Échec, complet échec, dans son intention fondamentale, la révolution culturelle. Oui, assurément, des bavures, des drames, des horreurs même, en 1966 et 1967. Mais que l'on sache bien, que l'on consente à savoir ce dont Mao avait rêvé. Nul n'en mieux a rendu compte que K.S. Karol, dans sa *Deuxième République chinoise*, en 1971 : Mao refusait « *l'appétit occidental pour les biens de consommation* ». La Chine telle qu'il aurait voulu la bâtir eût été, dans le monde, « *le seul pays où le but ne serait pas d'arriver à la prospérité telle que nous l'entendons* ». D'où la saga du docteur Béthune et du soldat Lei-Teng, ces héros de la hauteur d'âme et de la solidarité humaine. Mais « l'appareil » a été le plus fort. Quel odieux gêneur, ce Mao ! Quel trouble-fête ! Quel empêcheur de profiter en rond !

5 septembre 1982

Je rouvre (perversion ? goût de l'infamie ?) le monstrueux bouquin pronazi de Montherlant, publié sous l'occupation *(Le Solstice de juin)* et j'y découvre cette splendeur dont je ne me souvenais pas (p. 305) : c'est Constantin qui « *apporta le Juif* » à l'Occident. Quel « *Juif* » ? Mais Jésus-Christ, parbleu !

2 octobre 1982. Taizé

Tristesse. Je viens de retrouver et de relire ce que j'écrivais sur le frère Roger il y a onze ans, en septembre 1971. Depuis cette date, quelle déviation ! Déjà, il y a deux ans, j'avais vu le prieur peiné, réellement peiné, par des observations critiques dont je lui avais fait part à l'égard du Vatican. Qu'il ait beaucoup aimé Jean XXIII, très bien. Mais je constate, avec une surprise et une gêne croissantes, que frère Roger devient « romain » à n'y pas croire. Je me rappelle ce qu'il me confiait jadis : que, s'il lui arrivait de se rendre à Rome (de « *devoir s'y rendre* »), sa première pensée, là-bas, était de s'enfuir. Et maintenant le voici qui tourne à un papisme absolu. Alors, que devient ce que j'avais pris pour la haute signification de Taizé : un christianisme fraternellement vécu entre catholiques et protestants ? Si Taizé tourne – plus ou moins ouvertement – à un relais du Vatican, sa valeur première, à mes yeux, disparaît. Lumière qui s'éteint. Bonheur qui s'en va.

9 décembre 1982

Il s'appelait Néraud, comme son père. Mais sans doute le mariage de sa mère lui apparaissait-il sous l'aspect d'une mésalliance. Il avait la chance de porter un nom obscur, certes, mais sans tache, ce qui n'était pas le cas de son grand-père maternel, dont le patronyme ne devait son illustration qu'au rôle, odieux, joué par ce général dans l'affaire Dreyfus. Et ce fils irrité, probablement séduit par la particule (insignifiante), fit auprès du Conseil d'État toutes les démarches nécessaires pour ne plus s'appeler Néraud, mais « de Boisdeffre ». La première fois que je le vis, c'était en 1945. Je venais de prendre mes fonctions d'attaché culturel, à Berne. Protocolairement, à l'ambassade, mon rang était le dernier, loin derrière les attachés militaires, financiers, commerciaux. Je ne sais plus ce que venait me demander ce jeune homme, qui multipliait les courbettes et s'obstinait à m'appeler « monsieur l'Attaché » – terme inusuel, comique, et que je l'avais prié tout de suite, mais en vain, d'abandonner. Longtemps plus tard, je retrouvai ce personnage, un jour, à Paris, passé au nombre des Importants, et marquant sa grandeur (relative) par un comportement explicite. Je ne lui veux, bien entendu, aucun mal, mais il a contribué, par sa métamorphose – et c'est la raison pour laquelle je lui fais accueil dans ces notes – à mon apprentissage du « monde » comme il va. Il doit être aujourd'hui ambassadeur dans quelque contrée lointaine et secondaire, et serait obsédé, me dit-on, ravagé même, par une convoitise dévorante en direction de l'Académie française, noble compagnie qui semble – pourquoi diable ? – le tenir pour inacceptable.

6 juin 1983

L'explication traditionnelle, et invariable, des péguystes forcenés quant aux horreurs vomies sur Jaurès par le malheureux garçon que l'on sait, c'est que la passion patriotique le portait à des excès de langage, déplorables, peut-être, mais compréhensibles à l'égard d'un homme qu'il tenait pour un danger public, un maniaque de l'Anti-France, un traître. Comment n'ai-je pas, dans mon essai d'il y a deux ans sur Péguy, fait observer que Barrès, dont le patriotisme était au moins égal à celui de Péguy et aussi véhément, parle, quant à lui, de Jaurès, dans ses *Cahiers* (ses notes intimes) d'un tout autre ton. Chaque fois que Barrès, là, nomme Jaurès, c'est avec des mots non seulement d'estime, mais de respect, non seulement de respect, mais d'admiration et presque de tendresse, tant l'homme Jaurès, qu'il connaît bien et avec lequel il aime s'entretenir, lui apparaît plein de noblesse, hors du commun, ouvert aux plus hautes questions.

10 juin 1983

Oui, quel problème assez terrible, celui que pose à la pensée chrétienne la durée « *humainement énorme* » de la préhistoire. Le R.P. Martelet, dans le *Cahier* (n° 9) de l'Institut catholique de Lyon, consacré au colloque du 8 au 10 janvier 1982, sur *L'Émergence de l'homme*, n'hésite pas à parler d'« *angoisse* ». Et il faut lui être reconnaissant d'avoir l'honnêteté, le courage, d'écrire que ledit problème « *doit nous conduire à une christologie notablement renouvelée des origines* ».

C'est le moins que l'on puisse dire, en effet.

9 janvier 1984

« Drolatique » est un mot dont l'emploi ne va pas indistinctement pour tout ce qui fait rire ou sourire. Je ne me souviens pas de l'avoir jamais appliqué à qui que ce soit, quoi que ce soit. Et voici qu'il s'impose à moi, de lui-même, sans l'ombre d'une âcreté, d'ailleurs, à l'occasion de ce livre qu'une publicité obsédante m'avait décidé à ouvrir bien que des amis, autrement instruits que moi et biologistes qualifiés, m'aient averti : lecture difficile ; beaucoup de connaissances ; peu de style. N'est pas Jacques Monod qui veut (et Monod, lui, s'interdisait tout emportement polémique). Il est certain que *L'Homme neuronal* de J.-P. Changeux cherchait visiblement à remuer l'opinion comme avait fait naguère *Le Hasard et la Nécessité*. Mais, entre les Jean Rostand, les Jacques Monod, les François Jacob, d'un côté, et M. Changeux, de l'autre, s'ouvre le profond creux d'un décalage. Passage d'un certain « ordre » à un autre ordre, subalterne. Par rapport à ces trois grands, Changeux fait triste figure. Et vous souvenez-vous de cette photographie publicitaire surabondamment répandue pour le lancement du livre : l'émouvante image de ce monsieur – l'auteur – qui tenait une joue dans sa main comme pour dissimuler une fluxion pénible, et qui ne nous en destinait pas moins un bon sourire courageux ? Pourquoi drolatique ? Parce que, finalement, la minutie de ce chercheur, qui est, en même temps, un théoricien, m'a fait penser à l'application inlassable que pourrait apporter un facteur (le terme est ancien, mais obligé, mais classique), un facteur de piano à nous décrire par le menu l'instrument qui le passionne et qui se persuaderait de nous avoir, en même temps, rendu compte non seulement du son, des notes qui sortent d'un appareil aussi délicatement combiné, mais de leur arrangement et de leur rythme, œuvre exclusive de musicien. En somme, M. Changeux oublie tout bonnement le pianiste. Il situe, comme personne, les logis cérébraux de nos émotions, mais sans doute prend-il la pensée pour une sécrétion de notre « matière grise », le piano, en somme, sécrétant le pianiste.

Dans son ouvrage *La Foi qui reste*, Jean-Claude Barreau nous propose, à ce sujet, une bien jolie trouvaille, quand il évoque ces spécialistes obnubilés par leur affaire (comme Changeux par ses neurones) et munis, à leur insu, de telles œillères qu'ils seraient capables de croiser dans un corridor, sans même s'en apercevoir, un éléphant.

Adjonction du 25 septembre 1987
Dans le très remarquable ouvrage de Francis Jeanson, *La Psychiatrie au tournant*, une note (p. 137) me réjouit sur les « *tenta-*

tives de réduction de l'humain au biologique», dont J.-P. Changeux et Jacques Ruffié nous ont récemment donné la démonstration avec un *«triomphalisme»* touchant et ce que F.J. appelle, plus loin (p. 152), un *«scientisme»* naïf.

8 avril 1984

C'est en 1955 ou 1956, je ne sais plus, que j'ai eu, avec François Mitterrand, une première et longue conversation, dans le train, entre La Chaux-de-Fonds et Genève (changement à Neuchâtel). F.M. avait été invité par le «Club 44» de La Chaux-de-Fonds, où ne dédaignaient pas de venir s'exprimer de hautes personnalités politiques françaises, de toutes tendances. J'étais alors conseiller culturel à Berne, et l'ambassadeur m'avait désigné pour le représenter à cette soirée, auprès d'un invité français «de marque» : F.M. avait été déjà plusieurs fois ministre. J'avais donc, très officiellement, «présenté» l'orateur à son auditoire suisse ; speech très formaliste et convenablement élogieux. Le «ministre» devait gagner Genève dès après son exposé, et j'avais à m'y rendre moi-même. Le tête-à-tête ne pouvait manquer d'être, pour moi, instructif. Je n'en fus pas ravi ; l'homme qui me parlait – volubile et plein d'amabilité – devait avoir quelque quarante ans. On lui en donnait trente ; l'intelligence était grande ; la séduction aussi. Mais j'avais l'impression, avant tout, ·d'être en présence d'un «carriériste». Je lui avais demandé : «*Vous vous sentez futur président du Conseil ?*» Réponse souriante et sans hésitation : «*Naturellement. C'est un manège, vous savez ; un carrousel tournant. J'occuperai cette place un jour ou l'autre, pour un petit moment.*» Pas de quoi susciter en moi l'enthousiasme.

Passent des années ; beaucoup d'années. Nous voici en 1975, avril 1975. Mitterrand venait de publier son livre *La Paille et le Grain*, et la radio romande m'avait choisi pour causer avec lui, au micro, de son ouvrage. F.M. avait lu plusieurs de mes bouquins et il m'avait fait demander, par Radio-Genève, de le rejoindre, si possible, une heure avant l'entretien public, pour «*une conversation privée*». Étonnement. Devant moi, soudain, quelqu'un en qui je ne retrouvais presque rien de l'image – déjà assez ancienne, il est vrai – que j'avais gardée de lui. A peine vieilli ; mais, de toute évidence, intérieurement modifié. Disparu, tout à fait, le sentiment de légèreté et presque d'insubstance qui s'était imposé à moi, jadis. Une conversation, à présent, d'homme à homme, et sur des sujets sérieux : la fuite des jours, la vie, l'emploi de la vie, « *la face cachée des choses* » (à quoi son livre faisait une allusion discrète). Quelque temps après, F.M. se rend à Mâcon pour soutenir (je ne sais plus trop à quelle occasion) un candidat de gauche. Grand discours. Foule ; brillant succès. Tout en parlant, F.M. m'avait reconnu. J'étais dans l'auditoire, au bord du deuxième rang. A la fin de son discours, en descendant de la tribune, il me fait signe de le rejoindre ; il me dit qu'il est à Cluny, dans la famille de sa femme ; il sait que ma maison de campagne est proche de Cluny ; il s'invite amicalement chez moi (« *ça pourrait aller ?* ») pour l'apéritif, le lendemain. « *Venez déjeuner ! – Non. Pas moyen. Je devrai être à Cluny vers 13 heures ; mais nous pouvons venir chez vous vers midi, ma femme et moi.* » Très bien. Un beau souvenir, celui de ces trois quarts d'heure. Conversation facile ; mieux que cordiale, confiante, chaleureuse. Il me dit en riant que mon *Coup du 2 décembre* l'embarrasse extrêmement : il a promis à Gallimard un *2 Décembre*, dans la série des *Trente Journées qui ont fait la France*, et il ne sait pas trop (mais « *j'ai tout de même une idée* », dit-il) comment présenter les faits sous un éclairage inédit. Puis je lui parle de Tolstoï vu par Jaurès ; je venais de découvrir l'allocution prononcée par Jaurès, en janvier 1911, devant la section toulousaine de la Ligue des droits de l'homme, en l'honneur du grand homme mort en décembre. Un texte magnifique. Mitterrand ne le connaît pas ; je vais le chercher, à sa demande, dans mon bureau, et lui en lis, à voix haute, les dernières lignes – qu'il me prie de lui relire lentement, une seconde fois. Il s'agit de ce que l'humanité doit à Tolstoï, qui nous invite à lever les yeux vers « *la clarté supérieure* », les constellations, l'infini [1]. Joie, profonde joie,

1. La pensée de Tolstoï, disait Jaurès, est « *quelque chose auprès de quoi le socialisme révolutionnaire lui-même semble parfois timide et routinier* » ; « *oui, nous devons une singulière gratitude à cet homme qui nous a rappelé à tous [...] le sens et la portée de la vie ; tous, tant que nous sommes, dans nos professions, nos activités, nous sommes tellement exposés à oublier le mystère de l'existence !* » ; « *que de fois j'ai remarqué, dans Paris, qu'il est presque impossible d'apercevoir*

de cette entrevue trop courte, où prit naissance, en moi, un attachement qui n'a pas cessé de grandir. En février 1982, une embolie pulmonaire menaça ma vie. Mais je m'en remettais quand l'ami Manceron, qui avait mal compris un téléphone de Claire Etchérelli, crut devoir signaler au président de la République que Guillemin était mourant. Et je reçus, le 19 février, un télégramme ainsi conçu :

APPRENDS VOTRE ÉTAT DE SANTÉ. FORME DES VŒUX POUR VOUS. VOUS ASSURE DE MON FIDÈLE SOUVENIR. VOUS REMERCIE POUR L'ŒUVRE QUE LA FRANCE VOUS DOIT. FRANÇOIS MITTERRAND.

Un vague aspect d'hommage posthume, non ? J'ai rassuré et remercié aussitôt le président. Paraît que Claude M. s'est fait (affectueusement) eng. pour sa précipitation excessive [1].

16 décembre 1984

L'Église, l'institution. Qu'une structure soit indispensable, d'accord. Mais la pétrification hiératique du judaïsme irrita le Naza-

---

les étoiles tant l'éblouissement brutal des lumières d'en bas voile la clarté supérieure » ; « *le patron* [etc.] *l'ouvrier* [etc.] » et « *nous autres politiciens, perdus dans la bataille et noyés dans l'intrigue quotidienne, nous sommes en péril aussi, à chaque instant en péril, d'oublier qu'avant tout nous vivons notre condition d'homme* ». « *Tolstoï nous rappelle qui nous sommes ; il nous aide à lever les yeux vers ce ciel peuplé de constellations et à retrouver le sens de la vie profonde et mystérieuse.* »

1. Dans une intention, sans doute (comment dirais-je ?) réparatrice, François Mitterrand me promut, quelques mois plus tard, « *officier* » de la Légion d'honneur.

J'avais été nommé « *chevalier* » en 1947, par les soins de mon supérieur direct, à Berne, l'ambassadeur, qui ne m'avait soufflé mot de ses démarches en ma faveur et supposait que je serais touché de cette marque d'estime. Je me trouvais alors, pour un mois, détaché à Athènes, et c'est là que je reçus le télégramme de M. Hoppenot : « *Vous êtes nommé chevalier de la Légion d'honneur. Accolade.* »

Je n'aime pas les décorations. Aussi n'ai-je porté mon « *ruban rouge* » que lorsqu'il le fallait absolument, de par mes fonctions. Quant à la « *rosette* » – dont j'ai remercié, comme je le devais, avec déférence, le président de la République –, je n'ai même pas acheté ce bidule. Mon éloignement naturel à l'égard de ces gadgets avait été fortement accru par la présence, déjà fort ancienne, dans la liste des bénéficiaires, d'individus impossibles. Songez qu'un Amaury (de *Carrefour* et du *Parisien libéré* – entre autres choses) fut nommé « *commandeur* » par les gens du MRP.

réen. Et tout à recommencé avec le christianisme, qui non seulement a imité le juridisme hébraïque, mais a trouvé moyen d'y
ajouter une catastrophe (célébrée par Péguy comme une merveille
providentielle) : devenu religion protégée, puis religion d'État, le
christianisme s'inséra dans le moule tout prêt du paganisme, le
pontifex maximus prédécesseur direct du « souverain pontife »,
les évêques successeurs des « préfets », la Rome « chrétienne »,
prenant la suite de la Rome civile et militaire, devenant la Ville
sainte à la place de Jérusalem, et les papes, peu à peu, prétendant
jouer aux empereurs et commander à tous les princes.

Quand on rappelle le sort de Jean Huss, brûlé vif en 1415, de
Savonarole, brûlé vif en 1498, de Giordano Bruno, brûlé vif en
1600, et de ces troupeaux de Juifs brûlés vifs par l'Église en
Espagne et ailleurs, aussitôt les Michel de Saint-Pierre et autres
hallebardiers bien pensants éclatent de ce gros rire qui leur est spé-
cifique : quelles rengaines ! Un conseil : dépoussiérez vos
méthodes ! Vos redites nous exténuent, et vous devenez assom-
mants avec vos éternelles histoires d'Inquisition ! etc. Malheureusement, tout cela, tous ces horribles faits d'histoire sont
authentiques et, au bout du compte, mortels pour les coupables. Je
ne puis, songeant au passé de l'Église, assister sans un lourd
malaise, une gêne accablée, aux déclamations et gesticulations du
pape Jean-Paul II en faveur de ces « droits de l'homme » dont il se
pose en champion. Si seulement il commençait par reconnaître les
crimes de l'Église à ce sujet, on pourrait l'écouter mieux. Sans
cette précaution première, cet aveu préalable, ce *mea culpa* publiquement articulé, l'exaltation des droits de l'homme par le chef de
l'Église revêt l'allure d'une galéjade amère, pour ne pas dire d'une
plaisanterie sinistre.

7 février 1985

Jean-Paul II, dans ses voyages, tient des propos très fermes et
très nobles sur l'injustice sociale. Mais tout cela est entièrement
dénué d'importance, et les organisateurs responsables des iniqui-
tés qu'il dénonce sourient avec une bienveillance tranquille. Ils

savent qu'ils n'ont rien à craindre de ce discoureur chaleureux mais qui interdit formellement aux exploités de se défendre ; et ceux qui le font, avec naïveté, la hiérarchie locale les rappelle durement à l'ordre.

Je n'aime pas beaucoup ces façons verbales de se valoriser, de faire le « chrétien », étant bien entendu que ce qu'on déclare ne doit surtout pas s'inscrire dans les faits. C'était déjà le procédé de Léon XIII dans *Rerum novarum*, avec, incluse dans le texte même de l'encyclique, une condamnation expresse et radicale du « socialisme ».

Topique, le dessin que voici, publié par *Le Monde* du 5 février.

[Août 1985] [1]

Au château de Cormatin, ce soir, un « impromptu » lamartinien composé par Roger Gouze, le frère de Danielle Mitterrand. Le

1. Écrit le soir même de la représentation, mais j'ai omis d'inscrire la date. Paresse de la rechercher. Mais il s'agit bien d'un jour d'août 1985.

Président sera là. Il a envoyé Gouze chez moi : il souhaite que j'assiste à cette représentation « *à côté de lui* ». Je me suis donc trouvé assis entre François et Danielle Mitterrand, cible des photographes de presse que j'entendais distinctement s'interroger : « *Qui c'est, ce type-là ?* » Après le spectacle, nous dûmes franchir la grande cour du château dans une obscurité totale. Je suis très affaibli et c'est visible. F.M. me prend par la main pour la descente des premiers escaliers, la traversée du terre-plein, la montée des marches, en face. Puis, dans l'autre aile de cette vaste demeure, nous parlons un moment seul à seul. Il s'inquiète de ma santé, de mes recherches qui, dit-il, l'« *intéressent beaucoup* », sur Robespierre et sa pensée religieuse ; il m'affirme – mais hum ! – qu'il va emporter ces jours-ci, à Latché, mon essai sur de Gaulle qu'il n'a pas encore lu, et il me raconte deux détails, du plus vif intérêt, sur ses rapports avec le Général en 1943, à Alger, en France ensuite. Il se réserve de les publier « *peut-être, le moment venu* ». Je souhaite qu'il le fasse. Il serait bien dommage que ces choses-là restent cachées.

6 septembre 1985

Je découvre, tardivement, l'oraison funèbre, pour Victor Hugo, d'Anatole France, lequel a quarante et un ans quand Victor Hugo disparaît, en 1885. Il en aura quarante-trois quand il saluera comme suit, dans *Le Temps* du 28 avril 1887, la publication par Zola de son roman *La Terre* : « *Personne avant lui,* écrira Thibault-France, *n'avait élevé un si haut tas d'immondices* », et les honnêtes gens pouvaient savourer cette sentence : M. Zola « *est un de ces malheureux dont on peut dire qu'il vaudrait mieux qu'ils ne fussent pas nés* ».

Impardonnable, aux yeux d'Anatole France, rétrograde, cagot, pour tout dire, le chapitre des *Misérables* intitulé « Parenthèse », dans lequel Victor Hugo allait au fond de sa pensée religieuse ; odieux aussi, ce poème de *L'Ane*, publié en 1881, et qui prenait position contre le matérialisme déterministe, façon Taine. D'où ces gentillesses d'Anatole France : que le vieux bavard, enfin dis-

335

paru, aura remué « *plus de mots que d'idées* », que sa philosophie n'est qu'un « *amas de rêveries banales et incohérentes* », que le bonhomme n'aura cessé d'être, en secret, honteusement, une manière d'« *enfant de chœur* » incurable. Et quel scandale, disait encore le pénétrant critique, de ne rencontrer dans son œuvre, au milieu de tant de monstres, pas une seule figure humaine. Parce que Jean Valjean, voyez-vous, Anatole ne sait pas qui c'est.

16 juillet 1986

L'Imposture socialiste dans l'œuvre de Charles Péguy, d'un nommé Henri Clavel. J'ai cru d'abord, naïf, que l'ouvrage rejoignait, en les exagérant, les conclusions de ma longue enquête sur Péguy, quant à l'obstination fallacieuse qu'il apportait à se réclamer toujours du « socialisme » tout en couvrant d'insultes Jaurès et ses compagnons. Mais j'ai rapidement compris mon erreur, et, feuilletant le volume, je suis tombé sur la gentillesse, à mon égard, que voici : ce Guillemin, « *expert incontesté d'ignominies en tous genres* ».

L'auteur salue avec joie la phrase (désastreuse) de Péguy à propos des colonies où la France conquérante a su faire régner « *la paix à coups de sabre, la seule qui tienne, la seule qui dure, la seule enfin qui soit digne* ». (Et donc bravo aux Prussiens pour leur conquête, « *à coups de sabre* », de l'Alsace-Lorraine !) Mais notre Clavel (hors série) est ravi parce que la formule de Péguy « *choquera les belles âmes, si attentives aux droits de l'homme* ». Il a lu comme il faut, ce Clavel nouveau venu, *Notre jeunesse*, et il a vu et enregistré toutes les avances que Péguy prodigue, là, à ses anciens adversaires, les antisémites ; il leur donne, dans l'affaire Dreyfus, le rôle, noble, d'avoir défendu, avec « *la raison d'État* », la « *continuité* » de la France, de la « *race* » *(sic)*.

M. Clavel constate, tout heureux (« *il est manifeste* », écrit-il avec justesse), que, dans *Notre jeunesse*, « *ce n'est pas à eux* [les antisémites, les camelots du roi] *que Péguy réserve ses mots les plus féroces et sa plus violente diatribe* » ; il ne dédaigne même pas un sourire de biais qui plaira au Drumont de *La France juive*, quand il a soin de souligner que la communauté juive de Paris ne soutint guère Bernard Lazare. Elle « *le méprisait,* écrit Péguy carrément, *parce qu'il n'était pas riche* ».

Autre chose qui suscite l'approbation enthousiaste de Clavel (Henri) : pour Péguy, dit-il, « *l'opposition profonde* [socialement] *n'est pas celle du patronat et du prolétariat, mais celle du monde des producteurs et de celui des fonctionnaires* » ; « *là est la grande, la vraie séparation du peuple de France* ».

J'aurais dû flairer tout de suite mon contresens initial. Le premier paragraphe de l'avant-propos nous éclaire, sans la moindre ambiguïté, sur l'intention, le but même, de l'écrivain : dénoncer, « *sous les discours et l'action socialistes, la permanence de l'imposture* ». Et je n'avais pas pris garde à l'officine d'où sort ce produit : les Nouvelles Éditions latines, qui s'honorent d'avoir publié non pas seulement une, mais deux apologies du Brasillach de *Je suis partout*. (Et n'oublions pas, sous la plume de M. Henri Clavel, cette évocation vengeresse du grand Maurras, « *l'homme sans doute le plus calomnié de France* ».)

Malheureux Péguy qui donne tant de prises aux ennemis de la République. Il avait lui-même reconnu que « *la souffrance endommage l'homme* ». Les trop réelles souffrances d'une carrière manquée l'ont, en effet, beaucoup « *endommagé* » moralement ; beaucoup.

28 août 1986

J'apprends la mort, à soixante-dix-huit ans, de Raymond Abellio – de son vrai nom, Georges Soulès. Collaborateur de Déat sous l'occupation, il a pu s'abriter en Suisse juste avant l'évacuation de la France par les troupes allemandes et fut choisi par Jardin (nommé par Laval « conseiller » auprès de Paul Morand, ambassadeur à Berne, pendant les dernières semaines du gouvernement de Vichy) pour servir de précepteur à son fils Pascal.

Non pas seulement un suspect, mais bien un adversaire, habile, redoutable, souvent oblique ou même masqué lorsque la prudence l'y induisait, sachant toujours très bien où il allait, c'est-à-dire contre tout ce que je crois juste et vrai, Abellio avait été, très légitimement, condamné, par contumace, en 1945, à dix ans de travaux forcés. Mais Bénouville s'employa à faire annuler ce jugement, et il y parvint en 1952. Il donnait son active sympathie à la « nouvelle droite » d'Alain de Benoist.

[Été 1986] [1]

Rectification.

A peine avais-je publié, en avril 1984, mon essai sur de Gaulle intitulé *Le Général clair-obscur* qu'une lettre me parvenait du général Dulac, lettre infiniment courtoise et qui ne contenait aucune objection quant aux deux pages (86-87) de mon ouvrage où Dulac lui-même apparaît lors de sa visite à Colombey, le 28 mai 1958. Mais le général Dulac m'apprenait que j'avais positivement inventé ce *« général Lécu »* qui, selon moi, l'aurait accompagné chez de Gaulle et auquel j'attribuais même des propos qu'il aurait tenus, à Antenne 2, le 10 novembre 1977 [2].

Je ne sais ce qui s'est passé, mais je le devine à peu près. Le 10 novembre 1977, devant mon poste de télévision, j'avais pris des notes, hâtives. Six ans après, j'ai exhumé de mes tiroirs ce gribouillage, et je m'y suis empêtré, croyant déchiffrer là le nom d'un *« général Lécu »* qui n'exista jamais.

J'avais promis au général Dulac d'effacer cette ridicule erreur si mon livre était réédité. Il ne le fut point, et c'est pourquoi j'inscris ici cet aveu public. En 1973, à la page ultime de mon recueil *Précisions*, chez Gallimard, j'avais déjà énuméré, sous la rubrique « Sottisier H.G. », cinq erreurs très fâcheuses qui figuraient dans mes précédents ouvrages. Une de plus, et particulièrement ridicule.

1. Ces lignes sont de l'été 1986, sans que je puisse préciser mieux leur date.
2. Ce jour-là, dans l'émission de J.-M. Cavada, se trouvaient réunis sur le plateau d'Antenne 2 : Guichard, témoin principal, le général Dulac, Viansson-Ponté, Sanguinetti et Savary.

27 octobre 1986

Un courageux anonyme – pourquoi tant de prudence ? – m'envoie copie de deux pages, me concernant, dans les *Essais* d'Emmanuel Berl, parus l'an dernier chez Julliard et dont j'ignorais tout. Ces deux pages sont venimeuses. Berl ne se contente pas de dénoncer mon « *manichéisme simplet* », mais m'inclut aimablement dans « *la famille des inquisiteurs* ». Je comprends mieux maintenant que ce curieux personnage, lors du Front populaire, se soit efforcé, avec *Marianne*, de nuire à *Vendredi* autant qu'il le pouvait ; et surtout qu'il ait accueilli d'abord avec chaleur, en 40, le gouvernement de Vichy, au point de rédiger, lui, juif, plusieurs des premiers discours prononcés par le Maréchal.

31 décembre 1986

Dans l'ordre religieux, deux événements capitaux se sont produits cette année. Ils me réconcilient, pour une part, avec ce Jean-Paul II si navrant par ailleurs : sa mariolâtrie sans limites, et ce catholicisme polonais auquel il voudrait, semble-t-il, convertir le monde – sans parler de ses propos aveugles sur la sexualité. A son actif, deux actes que je n'attendais guère de lui et qui sont d'une grande portée.

Il a eu le courage, et la noblesse, après toutes les horreurs dont l'Église s'est souillée à l'égard des Juifs, de se rendre en personne à la synagogue de Rome. Et, donc, c'est lui qui s'est déplacé ; c'est lui, au nom d'une Église coupable, qui est allé trouver le grand rabbin et qui n'a pas hésité à dire : – enfin ! enfin ! –, et publiquement, aux Juifs : « *Vous êtes nos pères dans la foi. Vous êtes nos frères aînés.* » Délivrance.

Et il a réuni, à Assise, des représentants de toutes – *toutes* – les religions. Reconnaissance à eux d'avoir accepté l'invitation et d'être venus. Et ils ont prié *ensemble*, eux et lui. Pas de préséance ; nulle prééminence réclamée. Une égalité fraternelle de croyants.

Du nouveau, cela. Joie aussi. Mais parallèlement, pour l'unification si nécessaire, et si urgente, des chrétiens, la position romaine demeure (tacitement, mais irréductiblement) immuable : récupération pure et simple des protestants qui doivent renoncer à toute objection et à toutes critiques, rallier Rome et reconnaître le pape comme le Père – le Saint-Père – de tous les chrétiens.

1ᵉʳ janvier 1987

Ch. Perrot, cet exégète qui, avec son beau livre *Jésus et l'Histoire*, a fait la démonstration de ce que doit (et peut) être, sur un sujet plein de périls, le rigoureux accord de la connaissance et de l'honnêteté, consacre soixante-dix pages, dans un « Cahier » spécial, aux récits de la naissance et de l'enfance de Jésus, c'est-à-dire aux développements qui ouvrent deux sur trois des synoptiques – Marc étant resté (si j'ose dire) en dehors du coup. J'ai indiqué, de façon rudimentaire, dans mon *Affaire Jésus*, toutes les difficultés internes de ces récits, en eux-mêmes si visiblement et si lourdement mythologiques. Ch. Perrot a-t-il obéi à une injonction, ou à un scrupule ? Il se dépense en vain (et fait peine à voir) pour tenter l'impossible : nous faire prendre au sérieux ces adjonctions à la Bonne Nouvelle. L'auteur a sans doute raison d'observer que, dans le milieu païen de la côte asiatique, ce « merveilleux » surajouté peut servir le prestige de Jésus et contribuer à l'expansion du christianisme. Mais il est certain, en revanche, que ces fables font aujourd'hui obstacle, et gravement, aux chances d'accueil qui lui restent.

La preuve du caractère factice, ajouté, surajouté, dans l'Évangile de Luc, des textes concernant la naissance miraculeuse de Jésus, la preuve – me semble-t-il – irréfutable, elle se trouve, et répétée, dans le même document, en 2, 33, puis en 2, 50. Premier détail (2, 33) : « *Le père et la mère* » de Jésus sont dans « *l'étonnement* » – le verbe grec est *thaumazein*, dont « s'étonner » est le sens précis – quand ils entendent, au Temple, devant le nouveau-né qu'ils viennent, selon le rite, « *présenter au Seigneur* », le saint vieillard Syméon remercier passionnément le ciel d'avoir pu, avant de mourir, contempler, sous les traits de ce nourrisson, celui que le Maître a « *préparé* » pour être la « *lumière des nations* » et la « *gloire d'Israël* ». Pourquoi Marie s'étonne-t-elle ? A-t-elle donc si peu de mémoire ? Et l'Ange ne l'a-t-il pas expressément avertie que l'enfant déposé par Dieu dans son sein occuperait « *le trône de David son père* » et « *régnerait sur la maison de Jacob à jamais* » ?

Et voici, à peine plus loin (en 2, 50), Jésus, âgé de douze ans, qui, à l'insu de ses « *parents* » (venus avec lui de Nazareth à Jérusalem « *pour la fête de Pâques* »), s'est attardé au Temple, « *écoutant et interrogeant les docteurs* ». Émotion. On le retrouve. Doux reproches : « *Pourquoi nous as-tu fait cela ?* », dit sa mère. Et lui : « *Ne saviez-vous pas que je me dois aux affaires de mon Père ?* » « *Mais ils ne comprirent pas* », ni l'un ni l'autre (et Marie pas plus que Joseph), ce que « *venait de leur dire* » l'enfant dont l'Ange avait cependant, en toute clarté, spécifié à Marie, qu'il naissait d'elle de par la volonté et « *la puissance du Très-Haut* » et serait « *appelé Fils de Dieu* ».

Comment Luc aurait-il commis la sottise de démentir, dès son deuxième chapitre, le contenu du premier ? Pareilles incohérences conduisent invinciblement à conclure que Luc n'est pas l'auteur des adjonctions liminaires cousues à son texte à une date et par des opérateurs inconnus ; vers la fin, sans doute, du Ier siècle ; car Paul, dont les Épîtres s'échelonnent au cours des années 50, ignore tout, encore, d'une intervention de l'Esprit-Saint dans la conception du Sauveur.

Et que les anges, en ce temps-là, étaient donc gentils et prévenants ! L'un d'eux vient annoncer à Marie son prodigieux destin (Luc, 1, 26) ; un autre apparaît aux bergers près de Bethléem, pour leur apprendre la naissance du Messie (Luc, 2, 9) et, au désert, dans ses quarante jours d'isolement, de méditation, de tentation, Notre-Seigneur n'est pas délaissé du ciel, car « *les anges le servaient* », disent Marc et Matthieu (1, 13 et 4, 11).

Comme ces heureux contacts facilitaient les choses ! Quel éclairement et quel soutien ! Qu'avons-nous fait à Dieu pour qu'il se ravise à ce point et nous prive totalement de ces précieux émissaires ? Parce que nous lui avons tué son « *fils unique* » ? Mais n'était-ce pas là son plan même, conçu pour notre Rédemption ? Alors quoi ? Une grève du personnel ?

2 janvier 1987

Françoise Dolto chez Pivot. Stupeur d'apprendre qu'elle a soixante-dix-huit ans. Ce regard plein de jeunesse, et de calme, et de bonté ; un « savoir » que je suis incapable de mesurer, car le domaine m'est étranger où cette femme travaille et, me dit-on, s'impose par sa pénétration, ses dons intuitifs.

Le ténébreux Lacan dont on pouvait, de moins en moins, contempler sans agacement les comédies burlesques, et qui – j'ai des raisons de le croire – se plaisait à faire avaler n'importe quoi et, même, très consciemment, les pires facéties à un public où la dévotion, à son égard, était de règle, Lacan, qui affectait de tenir toute pensée religieuse pour absurdité et niaiserie, Lacan respectait Dolto la « croyante ». Je crois même pouvoir dire que, sincèrement, il l'aimait bien ; mieux : l'admirait. C'est qu'au fond et en vérité Lacan était d'une autre valeur intellectuelle et morale que ses épigones.

20 février 1987

Lecture de *La Statue intérieure* de François Jacob où rayonnent ces mots si vrais, concernant Jacques Monod (p. 323) : « *Cet athée cachait un croyant.* » Entendons-nous bien ; rien de plus que ceci qui m'avait frappé quand j'avais lu *Le Hasard et la Nécessité* : l'incohérence radicale, l'ajustement impraticable du dernier chapitre par rapport à tout ce qui précède. Tout le « discours » du livre enseigne « *l'insignifiance* » de l'homme et, très particulièrement, le caractère illusoire et entièrement fictif, de toute loi morale. Or le dernier chapitre de l'ouvrage frémit d'un engagement passionné en faveur de la justice sociale. Je retrouvais là cette option involontaire, irrésistible, vitale, de tout être noble en direction d'un « *bien* » rationnellement, scientifiquement inexplicable. C'est ce dont parlaient Zola, dans ce testament spirituel attribué par lui au docteur Pascal (son « double », en littérature) : « *Vivre pour la pierre apportée à l'œuvre lointaine et mystérieuse* » ; et Freud, dans sa lettre, si curieuse, de 1915, à Putnam ; et Sartre, dans son ultime entretien avec Benny Lévy [1].

2 mars 1987

Hier, 1er mars, s'est déroulée dans Paris la grande fête intégriste organisée par les disciples de Mgr Lefebvre pour commémorer le coup de force d'il y a dix ans qui leur assura la capture d'une église parisienne, Saint-Nicolas-du-Chardonnet, « *nouveau phare de la chrétienté* ».

Tous les plus vigoureux esprits de la pensée « nationale » se trouvaient rassemblés, de Pierre Pujo *(Aspects de la France)* et François Brigneau *(Minute)*, jusqu'à ce Jean Madiran *(Présent)*, célébré par le R.P. Bruckberger, en passant par ce colonel Argoud que son rôle à l'OAS propulsa dans la gloire.

Après une grand-messe en grand style, les amis de Dieu et de l'Ordre banquetèrent à la Mutualité, où ils applaudirent les fortes paroles de F. Brigneau : « *Au milieu de la chienlit et de la décadence de la patrie, l'occupation de Saint-Nicolas-du-Chardonnet a été une victoire catholique, donc une victoire de la France.* » D'autres orateurs « musclés » firent huer par l'assistance les « *prélats vénéneux* » (comme l'avait été au premier rang, selon Bruckberger, l'exécrable cardinal Marty), le CCFD, autrement dit le Comité catholique contre la faim, cible du *Figaro-Magazine* et peuplé de « *crypto-marxistes* », et ce Vatican devenu, hélas,

1. Un leurre (assez courant) qui figure, p. 115, dans l'ouvrage de F. Jacob, sous la date, d'ailleurs inexacte, de 1935, alors qu'il fallait dire 1936 : « *On pouvait l'arrêter net, l'Adolf* [Hitler]. *L'occupation de la Rhénanie, c'était du poker, du bluff. Un mot suffisait : " Non. " Et le fauve rentrait à la niche. On n'en parlait plus.* » Certes, il eût été facile d'obliger Hitler, sous la menace d'une action militaire immédiate, à retirer les quelques escouades symboliques déléguées par lui (au mépris des traités librement signés naguère) sur la rive gauche du Rhin, domaine incontesté du Reich. Mais quel énorme appoint fourni du coup à sa propagande ! Cette humiliation infamante, on devine sans peine le parti qu'il en eût tiré. Le meilleur moyen de faire flamber davantage encore le « national-socialisme » déjà en pleine expansion dans les foules allemandes.

« *l'empire du mal* » ; n'a-t-on pas vu – trahison ! – le pape en personne réunir à Assise « *toutes les fausses religions du monde* » ? On nous avait annoncé la présence de l'académicien Jean Dutourd. Je ne sais pour quelle raison, il fut absent de cette fête. En revanche était bien là son compère en « *immortalité* » pour rire, M. Michel Droit, dont il n'est pas inutile de rappeler qu'il est un membre éminent de la CNCL, autrement dit de la Commission nationale de la communication et des libertés *(sic)* mise en place par le gouvernement Chirac.

11 mars 1987

Ce Benoît XV, qui fut pape de 1914 à 1922, si j'étais moins vieux, j'entreprendrais d'étudier son pontificat. Je crois le personnage assez intéressant. Il succédait à Pie X, de triste mémoire, précurseur de nos « intégristes », et je savais qu'il avait, très peu de temps après son élection, fait connaître à Marc Sangnier, condamné en 1910 par Pie X, que lui, Benoît XV, lui faisait confiance[1]. Mais j'apprends maintenant, par l'ouvrage d'André Picciola, *Missionnaires en Afrique*, que Benoît XV s'efforça, comme il put – et avec, d'abord, un faible succès –, de mettre fin au scandale de ces prêtres qui, soit ouvertement, soit clandestinement (comme Foucauld), se constituaient les auxiliaires de l'armée conquérante ou d'occupation. Benoît XV rappelle que leur mission est d'ordre spirituel, et non pas national. « *Oublie ton peuple et la maison de ton père* », disait l'encyclique *Maximum illud*, avec une énergie précise.

30 avril 1987

Dans *Le Nouvel Observateur* du 17-23 avril, Jean Daniel rappelle que, « *dans les semaines qui ont suivi Mai 68* », il avait pris, contre Sartre et sa « *truculence* » quelque peu « *outrancière* », la

---

1. Cf. le *Journal* de Claudel, Rome, mai 1915 : « *Le pape m'a parlé sympathiquement de Marc Sangnier* » (I, 325).

défense de Raymond Aron, et qu'il avait même, à ce sujet, appelé Aron au téléphone ; mais il n'avait trouvé, au bout du fil, qu'un Aron « *ulcéré, éructant, méprisant* ».

Il conviendrait d'apporter quelques retouches à l'image usuelle de ce Sage sans cesse exemplaire dans sa calme et noble lucidité. Maintenir intacte cette légende, c'est effacer le souvenir de l'état d'exaspération, proche de la frénésie, qu'on lui a vu, et très publiquement, audit Aron, en cette année 1968 où les intentions économiques et sociales du Général (cette « participation » à laquelle il s'entêtait) le jetèrent dans ce qu'il faut bien appeler une fureur. Nous allons connaître, écrivait-il excédé, une « *participation obligatoire des Français à tout, sauf aux commandements du prince* », c'est-à-dire d'« *un homme tout-puissant et incompétent* ». De Gaulle, à ses yeux, prépare « *la ruine de l'industrie privée* » ; et, le 20 octobre 1968, il déclare à Tournoux, toute aménité proscrite : « *De Gaulle n'existe plus ; il est le seul à ne pas le savoir.* » Il verra avec bonheur Pompidou s'offrir comme sauveteur et entreprendre, avec le concours de Giscard et du patronat, la manœuvre qui délivrera les gens de bien du Général.

Tout au fond de lui-même, Aron était, et avant tout, un grand bourgeois conservateur, en alerte, et facilement crispé. Se souvenant des tristes années qui précédèrent 1789, il n'hésite pas à écrire : « *Une classe dirigeante incertaine d'elle-même se condamne à mort* » ; il ne supporte pas les « *belles âmes* » de gauche, et dénonce « *le jargon à la mode* » où il est question de « *réformes de structures* ». Il réclame, contre les ennemis de l'ordre, les Mitterrand et les Mendès, « *une croisade de la raison* ». Rappelons-nous aussi un éloquent détail qui date de 1947. Lorsque de Gaulle, cette année-là, lança son RPF où se rassembla, immédiatement, une droite frémissante, on vit Raymond Aron s'inscrire (avec Claudel) au premier rang de ce nouveau parti des « honnêtes gens ».

25 mai 1987

Dans *La Foi qui reste* de J.-Cl. Barreau – ce prêtre qui, grâce à Paul VI (les choses n'eussent pas été aussi simples avec Jean-

Paul II) a pu renoncer à l'état ecclésiastique et fonder un foyer, d'accord avec l'Église qui ne vit pas d'obstacle à bénir son mariage –, je relève une juste observation sur Pascal. Si, pour J.-Cl.B., l'homme des *Pensées* est « *elliptique et fulgurant* », l'homme des *Provinciales* va beaucoup trop vite à l'égard de la « *casuistique* », où il ne voit que honteuses complaisances. Pour quelques textes dérisoires et scandaleux, mais isolés, Pascal ne semble pas comprendre à quel point s'impose, à tout confesseur, le devoir, le devoir humain, de « *comprendre le chemin par lequel la faute a passé* ». Ces mots-là sont de Hugo ; son évêque Myriel, des *Misérables*, savait que tout « *péché* » est un « *cas d'espèce* » ; la « *casuistique* » ne signifie pas autre chose.

10 juin 1987

Un ami suisse s'étonne, à me voir si sévère, parfois, pour l'Institution romaine, que je ne le rejoigne pas dans son protestantisme. Je lui ai donné mes raisons.

1. C'est tout de même à l'Église romaine, si pitoyable qu'elle ait été, qu'elle soit encore, que je dois, pour ma part, d'avoir connu l'Évangile. Dette sacrée.

2. On ne quitte pas le bateau – comme font les rats, paraît-il – quand il coule. On s'évertue à le réparer, le transformer, le rendre capable de tenir la mer.

3. Les appellations (catholique, protestant) ne m'intéressent pas. Peu importe. Tous des chrétiens, s'ils croient à ce qu'ils disent. Jadis, frère Roger, le prieur de Taizé, pensait ainsi et je l'approuvais à fond. Il spécifiait expressément qu'il tenait à ce que ses compagnons protestants comme lui ne se renient point. Mais voici qui s'est fait catholique et reproche carrément aux protestants (j'ai relevé ses déclarations d'avril dernier, à FR 3-Bourgogne) de choisir, parmi les dogmes, ceux qu'ils conservent et ceux qu'ils récusent. « *Nous* », dit-il (et si seulement c'était là un « pluriel de majesté » ! Mais, bien entendu, avec lui, pas question ; c'est sa communauté qu'il engage). « *Nous disons oui à tout, en bloc* » ; et il croit bon d'ajouter même : « *Comme la Vierge Marie.* » Un

journaliste lui demande : « *L'œcuménisme n'est-il pas quelque peu en panne ?* » Réponse du prieur : « *Hélas ! Du côté du protestantisme allemand, que de difficultés !* » Pas un mot, bien entendu, sur les exigences romaines, qu'il connaît parfaitement, mais auxquelles, pratiquement, il s'est soumis, sans peine aucune. Alors, je ne marche plus. Et, si je déplore de voir frère Roger quitter le protestantisme, ce n'est pas pour me faire protestant à sa place. Que c'était bien, dans les premières années de Taizé, quand nous étions les uns et les autres différents et fraternels, prouvant par nos dissemblances mêmes qu'elles comptent peu au regard de l'essentiel.

Détail complémentaire ; il y a douze ou quinze ans, le frère Roger, alors que nous étions seuls tous trois, ma femme, moi-même et lui, dans sa cellule, nous avait fait cette confidence : « *Nous ne le crions pas sur les toits, mais, politiquement, dans la communauté, nous sommes de gauche.* » Je n'ai pas le sentiment qu'il s'exprimerait ainsi aujourd'hui ; la politique ne l'intéresse plus. (Puissé-je me tromper !)

11 juin 1987

Hier soir, à Antenne 2, Alain Decaux a traité de Brasillach et de son exécution en 1945, de Gaulle ayant refusé de le gracier. Je l'ai trouvé bien indulgent, Decaux. Et il a eu grand tort de plaider en faveur de Brasillach parce que cet écrivain avait du talent. Le talent ne faisait qu'aggraver son cas en raison de l'audience accrue qu'il procurait à ses atroces campagnes.

Tout récemment, Pivot, pour sa part, avait donné lecture d'une lettre *admirable*, et encore inédite, de Camus répondant à Marcel Aymé, lequel (par sympathie politique, hélas !) collectait le plus grand nombre possible de signatures en faveur d'une commutation de peine pour le condamné. Camus signait, oui, parce qu'il souhaitait l'abolition de la peine de mort, mais sans rien cacher à Marcel Aymé de l'horreur et du dégoût que lui inspiraient la conduite de Brasillach au profit de l'occupant et les dénonciations criminelles qu'avait prodiguées son hebdomadaire.

28 juin 1987

Les « intégristes (qui sont, en même temps, des amis déclarés de l'extrême droite) se sont emparés, pour en tirer gloire, du pèlerinage, fort tombé en désuétude, qu'inaugura jadis Péguy : Paris-Chartres, à pied, religieusement. Nul ne devrait s'en étonner, Péguy n'a-t-il pas été une des références officielles de « Vichy » ? Ne s'était-il pas constitué l'ennemi irréconciliable du socialisme à la Jaurès ? Ne vomissait-il pas, avec fureur, « *la démocratie* » ? Et, en matière de religion, son pamphlet intitulé *Un nouveau théologien* constituait la dénonciation inquisitoriale d'un nommé Laudet dont l'orthodoxie était contestée par Péguy, avec une accumulation de preuves. Procès d'autant plus surprenant qu'il était intenté par un Péguy délibérément éloigné de la messe et des sacrements, et qui, devant Mme Favre, fort ennemie de l'Église, déclarait qu'il n'acceptait pas qu'on le prît pour un catholique. Mais on avait déjà entendu le Brasillach de *Je suis partout* (dont la ferveur religieuse n'était pas évidente) se vanter d'avoir agressivement, et peu avant la guerre, avec un groupe d'amis politiques, imité Péguy sur la route de Chartres. Brasillach a d'ailleurs proclamé, en 1941, qu'il voyait en Péguy un bon précurseur du « fascisme ».

15 septembre 1987

Casamayor. J'ai lu tous ses livres, je crois bien. Je n'ai vu le gars que deux fois : une fois, un instant, à la gare du Nord, avec Sulivan ; une fois chez moi, à Neuchâtel, où il ne faisait que passer en éclair. Dommage. Un courageux. Un indispensable, ce magistrat, cet homme du métier qui dit ce qu'il ne faut pas dire. Joie de lui serrer la main ; entre nous deux, une fraternité solide.

Dans son *Art de trahir*, que je rouvre, au hasard, ceci me tombe sous les yeux : « *Une fois proclamée l'abolition des privilèges, les bouches se sont refermées ; le peuple est rentré dans le rang. Et*

JOURS

cependant les privilèges abolis étaient les moins graves ; ils étaient visibles ; le privilégié se voyait de loin » ; en revanche, aujourd'hui, *« vous êtes totalement désarmé devant un homme à l'apparence identique à la vôtre »*, mais qui a de l'argent, des relations et tous les moyens de *« tourner la loi »* – une loi qui a été rédigée de telle sorte que lui et ses semblables puissent *« en tirer parti »*. La règle de base, dans une société bien agencée, est que *« les citoyens n'aient pas conscience de l'emprise qu'ils subissent »*, que le sujet *« ne se doute pas qu'il est manipulé »*, le triomphe étant que la *« victime »* devienne *« complice »* de qui l'exploite. (Présentement, la droite gouvernementale.) Le sort de la nation dépend de *« quelques particuliers »*, dont on retrouve obstinément les noms dans les plus grandes affaires d'industrie, d'assurance, de banque, chacun de ces messieurs *« occupant une quantité de places dont chacune pourrait faire vivre* [et largement] *une famille »*.

D'une vérité aiguë, l'observation suivante : *« A-t-on jamais vu un fonctionnaire de grade élevé recevoir par écrit des instructions importantes ? »* Les opérations délicates s'effectuent par téléphone. L'inférieur, du reste, est ravi. Il est flatté de voir le supérieur s'adresser à lui personnellement, comme s'il nouait avec lui *« une sorte de connivence »* qui comporte *« des espoirs chatoyants de faveurs »*. Le supérieur se constitue ainsi un écran, une protection, un abri, si d'aventure les choses tournent mal ; *« non pas un coupable – car un chef qui tolérerait un coupable près de lui serait déconsidéré – mais seulement des responsables distraits, étourdis, et qui n'ont pas compris les ordres »*.

20 septembre 1987

Un peu grosse, un peu lourde, la ruse déployée par le gouvernement – et notamment par M. Balladur – pour faire croire aux petites gens que les « privatisations » ont pour objectif réel, et même principal, de les associer aux « affaires », de ne plus réserver à quelques privilégiés le soin et l'honneur de gérer les grandes entreprises financières : « Même vous, mon ami, si peu riche que vous soyez, vous aurez votre mot à dire ; on tiendra compte de votre avis. » Est-il nécessaire d'ajouter que l'éparpillement de cette poussière d'or n'aura pas la moindre importance, pas le plus léger poids, dans la gestion de Suez ou de Paribas. Mais cette poudre aux yeux fait des dupes, et même, semble-t-il, en grand nombre. Ce qui compte, ce sont ces « noyaux durs » où les actions de l'entreprise, par dizaines, ou centaines, de milliers, restent aux mains de quelques opérateurs véritables. Permanence de l'oligarchie qu'un Mauriac, sagace, discernait, désignait, décrivait : le petit groupe de possédants, en fait, qui contrôlent l'État et dont M. Balladur, aux façons grandioses, est l'utile serviteur.

27 septembre 1987

A la suite de mon exposé sur « Vichy », à M 6 (dans la série « Henri Guillemin raconte »), Claude Mauriac, avec un petit mot chaleureux, me communique, en photocopie, deux pages du *Journal d'un journaliste* publié, en 1975, par Robert de Saint-Jean et dont j'avais eu bien tort de ne pas prendre connaissance. Ces deux pages confirment – et même assez terriblement – ce que j'ai dit de Pétain, dans *Nationalistes et Nationaux* (d'aucuns me l'ont reproché comme une invention perfide, une « calomnie »), sur ses projets longuement mûris pour renverser la République, par des moyens rudes, au besoin, l'« *invasion* » comprise.

Le texte de R. de Saint-Jean est daté du 22 octobre 1935. La maison Plon l'a chargé d'obtenir de Pétain, si possible, un ouvrage ; et Saint-Jean a été reçu par le Maréchal dans son bureau des Invalides, car il est toujours « *en activité* » et non point, note-t-il, « *en retraite* », comme Weygand. Pétain se dérobe pour le livre sollicité, mais se montre, en revanche, loquace et cynique sur son jeu de politicien. Il raconte à son visiteur que, s'il a, en effet, « *accepté d'entrer dans le cabinet Bouisson* » – renversé dès sa présentation à la Chambre –, c'est parce que Bouisson se proposait de « *démolir la franc-maçonnerie en cinq sec* ». Puis ceci, tout net : « *On ne commencera à faire du bon travail que lorsqu'on se sera battu dans la rue, lorsqu'il y aura eu une cassure avec l'état de choses actuel* » ; il reconnaît que « *la guerre civile amènerait l'invasion* ». Tant pis ! « *Il faut voir les choses en face : le danger intérieur est plus grand que le danger extérieur* », répète-t-il.

Un document qui compte, non ?

Dimanche 18 octobre 1987

Ainsi, pratiquement, et sous le voile de formules concertées (décent habillage pour l'inavouable), pratiquement, Mgr Lefebvre va gagner sa partie. Il aura eu beau parler du « Sida » romain, tenir Jean-Paul II pour un « traître », un « hérétique », un « renégat » (sa scandaleuse visite au grand rabbin ; sa honteuse prière en commun, chez François d'Assise, avec des hindous, des bouddhistes, des musulmans !), n'y pensons plus ; ces espiègleries sont effacées. Le révolté d'Écône, qui reste, tel quel, sur ses positions, n'en redeviendra pas moins, aux yeux du Vatican, un fils bien-aimé de la sainte Église, et les prêtres qu'il a « ordonnés » malgré l'interdiction formelle qui lui en avait été signifiée, allons, on va s'arranger, semble-t-il : on intégrera ces intégristes au nombre (si décroissant !) des bons pasteurs.

Que Rome autorise tels maniaques à dire la messe en latin, pourquoi pas ? Mais nul n'ignore que Lefebvre et ses disciples ont aussi – et capitalement – des options politiques très précises : ils haïssent la liberté civique, la démocratie, la République ; et le petit « curé » sécessionnaire qui règne à Saint-Nicolas-du-Chardonnet (l'église conquise de vive force par la secte) a, tout dernièrement, fait savoir, sur les écrans de télévision, l'amitié qu'il porte à M. Le Pen et à son programme.

Beau travail, après les faveurs officielles accordées à l'Opus Dei, ces complaisances envers Écône et ses séminaires et ses écoles ; tout le mérite en revient, semble-t-il, au nommé Ratzinger, qui – comme on dit, en haut lieu – « *a l'oreille* » du souverain pontife (sans que je veuille, certes, évoquer en rien, avec cette formule, la tauromachie et l'une de ses récompenses). Quand il s'agissait de théologiens « progressistes », concernant, par exemple, la défense des exploités en Amérique latine, les bienveillances, à Rome, n'étaient pas de mise ; mais, pour les doctrinaires du *Syllabus* – un « grand pape », Pie IX ! –, le sourire, en fin de compte, va de soi. « *Hélas ! Hélas ! Hélas !* », disait l'autre, pour autre chose. Oui, vraiment, dans cette lugubre aventure, un triple « *hélas !* » n'est pas de trop.

Adjonction du 1er août 1988

Eh non ! Finalement, Lefebvre a choisi le schisme. Et pourtant, jusqu'où n'était-on pas allé, à Rome, en vue d'un arrangement ! Jusqu'à promettre par écrit, à Lefebvre, le 5 mai dernier, que, le 15 août, le pape nommerait sans bruit un nouvel évêque choisi sur une liste présentée par Lefebvre en personne.

Il semble que Jean-Paul II soit prêt à reconnaître comme valides toutes les ordinations de prêtres auxquelles Lefebvre a procédé.

Décembre 1987

M'arrive, du Seuil, un gros ouvrage intitulé *La Faiblesse de croire*. Recueil d'articles dus à Michel de Certeau, mort l'an dernier, articles publiés par lui dans des revues savantes réservées à des spécialistes. Excellente idée, cette exhumation, car il y a là – tout lecteur le constatera – des textes de première importance.

Michel de Certeau était un prêtre, et même un jésuite que l'on eût difficilement fait passer pour un « intégriste ». Et, si j'osais, moi l'amateur (et si peu « philosophe »), lui adresser un reproche, ce serait de s'être laissé impressionner par les mines péremptoires de cette bande – insupportable – des « structuralistes » acharnés à soutenir que le langage n'a pas de contenu et que l'homme, totalement insubstantiel, n'est rien d'autre qu'un carrefour éphémère de réflexes et de reflets. (Si l'on veut bien y réfléchir un seconde, ces messieurs se retirent ainsi toute crédibilité. Ils sont des hommes comme nous, et *donc*, en application de leur doctrine elle-même, nous devons conclure que ce qu'ils disent est sans valeur. Ils coupent la branche sur laquelle ils se sont posés et du haut de laquelle ils nous infligent leur ramage.) Je déplore qu'un Certeau, si visiblement soucieux de vérité, pousse l'adaptation jusqu'à emprunter parfois l'idiome de ces prédateurs, et parle, après eux, de « *réduction hénologique* », de « *déploiement diachronique* » et de « *logique de la copule* ». On dirait du Derrida. Par bonheur, ce sabir n'est, chez lui, qu'accidentel. Dommage seulement qu'il fasse accueil à l'une des manies de l'école en question, quand il raille, avec ces « *entendus* » (comme eût dit Pascal), « *l'universalisme de légende qui invente des chrétiens implicites* ». Car il est tout à fait vrai qu'existent (et j'en connais) des agnostiques, des athées même (qui refusent un Dieu truqué et inacceptable), plus « chrétiens » de cœur et de comportement que certains « croyants » affirmés, affichés, qui sont peut-être « catholiques » mais malheureusement pas « chrétiens ». Michel de Certeau, toutefois, n'est pas dupe de l'actuelle déviance des « sciences » dites « humaines » ; « *leur objet,* écrit-il, *est finalement le langage et non l'homme* », et il voudrait que l'on s'attachât à une « *anthropologie* » authentique, une « *science de l'homme* » posant les vraies questions : « *Qui est l'homme ? Quelle est sa vérité, son histoire, son risque ?* »

Ce jésuite, ce prêtre, considérant l'Institution, voit les choses en face et ne dissimule pas sa pensée. Il constate « *l'hémorragie qui vide des structures intactes mais exsangues* » ; il note, avec un amer courage, « *la multiplication des chrétiens qui cessent d'être pratiquants précisément parce qu'ils sont croyants et parce que les gestes d'appartenance n'ont plus de rapport avec ce qu'exprime leur foi en Dieu* ». Il enregistre « *l'effacement progressif du christianisme dans la vie sociale* » et ces procédés ecclésiastiques qui « *tendent à compenser par un surcroît de théorie le déficit de la praxis* » ; il avoue sa consternation devant un « *christianisme de consommation qui associe la foi aux tranquillisants, au bonheur de la relaxation ou des cures d'amaigrissement* ».

Mais rien ne lui est plus étranger, en même temps, qu'« *une société technocratique combinant la compétence et la réussite, rejetant les convictions dans le privé, écartant tout impératif éthique, se limitant à la tâche d'organiser rationnellement le mieux-être* » et qui a soin d'« *éliminer, comme des fantasmes d'époques révolues, tout ce qui pourrait subsister de souvenirs révolutionnaires ou religieux* ». Pour lui, « *il n'y a pas de foi sans praxis* », c'est-à-dire sans les œuvres, c'est-à-dire sans un risque effectif, sans un engagement réel. Certeau a vécu des années au Brésil, et il y a vu avec épouvante s'établir l'asphyxie d'un régime militaire qui débuta, le 19 mars 1964, à São Paulo, par la manifestation de masse de ces « *dames catholiques, un chapelet à la main* ». Consolation de voir, dressés contre la censure, ces quelques hardis jeunes gens de la JOC acharnés à « *conscientiser* » les travailleurs, à leur « *apprendre leur histoire* » et la possibilité de renverser leur destin.

Dans le livre, également, un hommage rendu à ces deux prêtres des États-Unis, ces frères Berrigan (persécutés par le cardinal Spellman et son « *archi-patriotisme* ») qui obtinrent un « Appel » commun des Églises catholique et protestantes contre l'abomination de la guerre au Vietnam. Ce sont eux qui révélèrent, en 1971, que les avions américains avaient octroyé aux villages d'Indochine « *plus de deux fois et demie le tonnage de bombes déversées sur l'Europe pendant toute la Seconde Guerre mondiale* ». Mais contre eux, poursuivis, traqués, toute la puissance du slogan « *Law and Order* » brandi successivement par McCarthy dans sa « chasse aux sorcières » et par Nixon dans sa campagne électorale ; Nixon, qui, président et usant là d'un « fait du prince », amnistia et fit sortir de prison ce lieutenant Calley, « *criminel de guerre* » indéniable, l'ordonnateur du carnage de My-Lai. Les « *théologiens de la libération* », en Amérique latine, comme les frères Berrigan, en Amérique du Nord, sont des chrétiens pour de bon qui veulent substituer le « *faire la justice* » au « *faire la charité* ».

Grandeur de Certeau qui restitue à Descartes le sens vrai de son *Discours de la méthode* : une reconstruction de l'univers « *à partir de la perception de l'infini dans le moi* » ; et ce n'est plus chez Descartes mais chez ce croyant d'aujourd'hui qu'apparaît la substance d'un Dieu « *qui révèle sa vérité dans la vérité de l'homme* », « *l'homme découvrant en lui-même ce qui le transcende et le fonde* ». Je souscris totalement à cette formule proposée : « *Le progrès spirituel* » n'est pas autre chose que « *l'itinéraire du sujet vers son centre* ».

Et comment ne me découvrirais-je pas fraternel avec un croyant dont Luce Giard, la préfacière, qui l'a bien connu, nous dit qu'en politique ses références privilégiées allaient de Gandhi à Jaurès – tandis que Péguy « *l'agaçait* ». (Ce que je comprends trop bien.)

20 janvier 1988

Claude Mauriac m'envoie (pour dédicace, ce seul mot : « *Fraternellement* ») le tome X et *dernier* de son *Temps immobile*. Quel monument, au total, ces dix volumes ! Quel trésor, quel gisement d'informations sur la vie littéraire, et la vie de la France, pendant plus d'un demi-siècle ! Profondément remué par une certaine page. Claude, une fois de plus invité à l'Élysée (Mitterrand l'aime beaucoup) trouve le président bouleversé. C'est la veille que s'est produit, en Espagne, le terrible accident de la route où son fils et deux de ses petites-filles ont frôlé la mort ; de graves blessures, mais aucune vie n'est en danger. S'adressant à Claude, dont il connaît l'incrédulité « *indéracinable* », l'agnosticisme irréductible, affirmé, proclamé, Mitterrand n'atténue pas sa pensée pour autant, et dit à Claude, pour conclure : devant un pareil événement, pas d'autre attitude possible pour moi que de remercier, de « *rendre grâce* ».

10 février 1988

Sans pitié (ou même diabolique ?), l'ordonnateur de cette grande émission TV sur le destin du Général, où l'on vit apparaître sur l'écran un Massu qu'on entend débiter, une fois de plus, sa version du coup de Baden-Baden, 29 mai 1968, où il aurait sauvé de Gaulle du désespoir. Dommage que l'*on* n'ait pu (pour cause de décès prématuré) interviewer Pompidou. Il y aurait eu « de quoi se marrer », comme disent les irrespectueux.

29 février 1988

Vient de paraître le dernier tome des *Lettres, Notes et Carnets* du Général, révélés par son fils. Comme chaque fois, de précieux documents inédits. Mais j'ai été frappé d'une véritable stupeur en découvrant là une lettre du Général à P. de Boisdeffre. Vous vous souvenez ? Le 24 mai 1968, s'adressant aux étudiants de nouveau descendus dans la rue, de Gaulle fait une déclaration révolutionnaire ; il dit qu'il partage leurs vœux, que l'Université est visiblement « *impuissante à s'adapter* » aux exigences du présent, mais qu'elle n'est pas la seule à devoir être réformée ; c'est tout le système économique qui est à revoir, à refondre... Et que lisons-nous dans la lettre à Boisdeffre écrite l'année suivante ? Que toute cette agitation de la jeunesse intellectuelle n'était qu'absurdité, un pur et simple « *appel du néant* [sic] ». Allons bon ! Ainsi, de Gaulle *mentait*, le 24 mai 1968 ? Il se jouait de ces malheureux garçons ? Il leur tendait un piège ? Il méditait déjà son coup du 30 mai, sa volte-face, sa convocation pathétique des « honnêtes gens » en vue d'une manifestation colossale, écrasante, sur les Champs-Élysées, de toutes les forces conservatrices, le SAC y compris ?

Quel cynisme dans l'aveu ! Comment respecter encore un tel praticien de la tromperie ? Mais il faut tenir compte du destinataire. De Gaulle excelle, dans sa correspondance, à paraître entrer dans les vues de qui lui fait confiance. Écrire à Boisdeffre ce qu'il lui écrit, sûr moyen de lui plaire. Mais n'oublions pas cette « *participation* » qu'il garde derrière la tête, dans l'été 68, une idée dans laquelle il s'obstine et qui va mettre hors d'eux (effroi, colère, fureur) un Pompidou, un Chalandon, un Raymond Aron, lequel ira même jusqu'à s'étouffer d'« *indignation* ». Alors, son discours du 30 mai, un piège aussi, pour d'autres ?

Des souterrains, chez de Gaulle. Cet ennemi des « partis » est un politicien chevronné. Plus on avance, à son sujet, dans l'investigation, plus le personnage se révèle multiple.

7 mars 1988. Jean-Paul II

Pourquoi faut-il que le pape croie devoir employer toujours, dans les documents qu'il signe, un idiome invraisemblable, assez pareil, dans son genre, à la trop fameuse « langue de bois » soviétique ? Traduit dans un langage accessible, c'est intéressant, très intéressant, ce qu'il raconte, monsieur de Rome, dans sa dernière « encyclique ». *Sollicitudo rei socialis* ; en français : « Souci de la question sociale ».

Le voilà qui dénonce les « *mécanismes économiques et financiers* » qui « *rendent plus rigide encore la situation de richesse chez les uns, de pauvreté chez les autres* », qui parle d'« *impérialisme* » et de « *néo-colonialisme* », qui rappelle (Seigneur ! Le Saint-Père glisse au communisme !) que « *les biens de ce monde sont, à l'origine, destinés à tous* ». Il ne craint même pas de signaler, « *dans des pays peu développés, des étalages de richesses aussi déconcertants que scandaleux* ». (Compris, Mobutu ?)

L'ennui, c'est que l'application concrète de ces excellentes remarques n'est certainement pas pour demain. Il cause, il cause, le souverain pontife, et tout le monde s'en fout, et ses propos restent abstraits et ne tirent pas à conséquence. Je ne suis pas trop sûr qu'il n'en soit pas, lui-même, parfaitement conscient. Une certitude : ces vigoureuses déclarations n'entament en rien l'enthousiasme des « *traditionalistes* », chers au *Figaro-Magazine*, qui viennent, hier même, à Versailles, dans un ardent congrès, de prodiguer leurs ovations à ce grand pape, si fidèle à son Ratzinger, si bienveillant pour l'Opus Dei.

10 mars 1988

Je n'ai plus les (quelques) naïvetés de mon adolescence.

Dans le tumulte verbal que suscite « la présidentielle », une chose, au moins, est d'une parfaite clarté. Les deux grands candidats de droite représentent, presque ouvertement, les intérêts des possédants installés. En face (en dépit de tout : timidités, compromissions parfois), autre chose.

Se laisser « avoir » par les Grands Intérêts, ce n'est pas être à leur service. Et voilà, en toute vérité, le fond de la question.

19 mars 1988

S'achève, aujourd'hui, ma quatre-vingt-cinquième année. Signe incontestable d'affaiblissement intellectuel : de plus en plus, j'oublie, complètement, des choses récentes, et beaucoup de noms propres, jadis familiers, me causent des problèmes tant ils me deviennent introuvables. La sagesse me conseille donc d'arrêter ici ces observations diverses (couvrant près de trois quarts de siècle) et dont quelques-unes – de septembre 1939 à l'été 1942 ; puis en mai-juin 1954 – mériteront peut-être de subsister, un temps.

Marges

Les *Cahiers* de Paul Valéry, que nous donne à présent la
« Pléiade » dans leur intégralité, ne cessent d'apporter des justifications nouvelles à l'invincible éloignement que le personnage
m'a toujours inspiré. Valéry avait pour usage de se faire décisif et
souverain sur des sujets dont il ignorait tout. De la manière la plus
évidente, il ne sait pas de quoi il parle lorsqu'il décrète que Spi-
noza est d'une « *pauvreté confondante* », que Kant est un
« *étourdi* » et que Nietzsche, dépourvu de toute « *profondeur* », a
multiplié les « *sottises* ».

Jean Chauvel m'avait plusieurs fois parlé, à Londres, des pages
« *étonnantes* », disait-il, que Massignon, vers la fin de sa vie, avait
consacrées à Marie-Antoinette. Rien ne semblait prédestiner cet
arabisant, passionné de recherches islamiques, à s'occuper de
cette femme au destin si contrasté. J'ai fini par découvrir, dans un
recueil d'« essais », le texte de Louis Massignon sur la reine guillo-
tinée. Tout de suite, sa marque ordinaire : refus de ces précautions
que recommandent les convenances, et la cour de Versailles
décrite dans sa vérité malpropre : « *Un ramassis de voleurs et de
prostituées* » ; et Massignon voit la charmante gamine autri-
chienne, dès son arrivée à Versailles, remise entre les mains de
« *lesbiennes préposées à la vicier en la frôlant* ». Mais, très vite, il
tourne court et se laisse fasciner par l'action, le rôle des « *sociétés
secrètes* ». Déclenché par un début auquel la suite répondait mal,
et comme la Révolution, à cause du « bicentenaire » redevient

d'actualité, j'ai voulu réunir tout ce que l'on peut savoir aujourd'hui d'un peu consistant sur l'authentique façon de vivre qui fut celle, tant qu'elle fut libre, de cette dauphine et reine dont la vie brillante puis tragique ne peut que nous serrer le cœur.

Une tradition s'est établie, concernant Marie-Antoinette. Le drame de son destin conseille, impose, aux commentateurs bien nés de faire assaut en sa faveur de courtoisie respectueuse et de défendre la mémoire de cette malheureuse contre les « ragots » immondes qui s'efforcèrent de la souiller. J'ai relu, sur elle, l'ouvrage de Stefan Zweig (1933). Cet écrivain de bonne compagnie s'en voudrait de ne point agir en galant homme, et on le voit gêné, rougissant et (presque) demandant pardon de ne plus pouvoir – hélas non, plus moyen ! – considérer comme « *platonique* » la tendre amitié qui, des années durant, unit la reine de France au « *beau Fersen* ». Du moins Zweig s'obstine-t-il à nous convaincre que cette liaison coupable ne prit naissance qu'en 1785, c'est-à-dire à partir de la date où Louis XVI décida que trois enfants – deux fils, une fille – lui suffisaient et où les époux royaux firent, dorénavant, « *chambre à part* ». Mais non ; impraticable, cette atténuation de l'adultère. La correspondance de Fersen et de sa sœur prouve que, dès 1783, et plus tôt, même, Fersen et Marie-Antoinette furent amants.

J'ai toujours été indocile aux exigences de l'Histoire enrubannée. Péguy, qui, si souvent, me consterne, parle juste quand il réclame de l'Histoire qu'elle soit, tout bonnement mais réellement, « *historique* », c'est-à-dire conforme à la vérité, si déplaisante que, dans tels cas, cette vérité puisse nous apparaître. Appliquons-nous donc à nous faire, au sujet de Marie-Antoinette, les disciples de « *l'histoire historique* », dans toute la mesure du possible.

Première observation. Aucune des précédentes épouses royales, ni la femme de Louis XV ni la première épouse de Louis XIV, ne fut l'objet de rumeurs, de libelles, de chansons incriminant son honneur et ses mœurs. Très rapidement, par contre, Marie-Antoinette connut cet inconvénient. « *On me prête le goût des femmes et des amants* », écrit Marie-Antoinette à sa mère, l'impératrice Marie-Thérèse, qui mourut en 1780, sa fille ayant alors vingt-cinq ans. Ces insanités qui la visent, Marie-Antoinette, reine de France depuis 1774, n'en ignore rien et a soin de les évoquer elle-même, prenant les devants, comme on le voit, auprès de sa mère pour les balayer dans un rire de mépris : *Pas de fumée sans feu ?* J'écarte cet adage simpliste. Mais voici quelques faits, assurément incontestables.

Louis XV est un homme de soixante ans lorsque son petit-fils le dauphin est marié – à seize ans et bien malgré lui – avec la plus jeune fille de Marie-Thérèse. Il n'a toujours rien perdu de sa permanente fringale de jeunes corps féminins. Et sa nouvelle petite-fille lui paraît extrêmement savoureuse, au point que Mme du Barry s'en inquiète et parle sans amitié de la «*petite rousse*» arrivant de Vienne à Versailles. Or la jeune Marie-Antoinette, nantie d'un mari déterminé à s'abstenir – ce qui l'humilie et l'irrite – subit la poussée plus ou moins discrète mais soutenue de sa tante (par alliance) Adélaïde (trente-huit ans) dont tout le monde sait, à la cour, qu'elle n'a rien refusé, jadis, aux sollicitations de son père, qui souhaita connaître avec elle les délices, encore inédites pour lui, de l'inceste. Et l'on peut supposer que ladite Adélaïde eût trouvé «amusant», agréable, de se procurer, en la personne de Marie-Antoinette (quinze ans), une compagne, une complice, associée à sa réputation un peu spéciale. Marie-Antoinette résiste. Elle sait très bien les convoitises de Louis XV à son égard, mais n'a nulle envie, pour autant, de coucher avec son grand-père et s'arrange, autant qu'elle le peut, pour ne point se trouver seule avec lui. L'ambassadeur d'Autriche, Mercy-Argenteau, s'était grandement réjoui d'un mariage qui, dans son esprit, servirait les intérêts de Vienne. Il déchante. Marie-Antoinette est indifférente aux affaires de l'État ; une «*tête à vents*», disait d'elle son frère Joseph ; une évaporée, une écervelée. Sans aller, certes, jusqu'au vœu secret de «Madame Adélaïde», Mercy-Argenteau déplore, dans les lettres qu'il adresse à sa souveraine, de voir la dauphine résolue à ne profiter en rien de l'«*ascendant*» – c'est le mot qu'il emploie –, le visible et précieux «*ascendant*» qu'elle exerce sur le roi de France. Sur ce point, donc, pas l'ombre d'une ambiguïté : il n'est pas question, pour Marie-Antoinette, d'entrer dans ce lit d'où Louis XV lui tend les bras.

Mais voici la grande affaire dont l'Histoire ne me paraît pas tenir compte suffisamment. On sait de longue date que le dauphin, futur Louis XVI, dans sa « nuit de noces » du mois de mai 1770, ne « *consomma* » point son mariage, comme on dit en langue d'Église. Ce que l'on sait moins, c'est que cette passivité de l'époux, inaugurée en mai 1770, se prolongera (pour des raisons aujourd'hui connues) jusqu'au mois d'août 1778, autrement dit pendant huit ans ; autrement dit encore : cette jeune femme belle, et d'une vitalité débordante, qui veut des enfants (elle est là pour ça) et qui, à bout de nerfs, écrit à sa mère : « *La nonchalance, croyez-moi, n'est pas de mon côté* », passera son temps, de « *sa quinzième à sa vingt-troisième année* », dans la couche dite conjugale, à des incitations persuasives, et toujours vaines, destinées à l'individu (gentil, généreux, brave homme, mais exaspérant d'inertie sexuelle) qui se trouve être officiellement son mari, et dont elle n'obtient jamais, en dépit de toutes ses initiatives caressantes, qu'il lui fasse l'amour pour de bon. On peut donc, me semble-t-il, imaginer sans imprudence que cette frustrée s'estime en droit de chercher ailleurs des compensations.

L'atmosphère dans laquelle elle respire, à Versailles – la cour étant ce qu'elle est –, lui offre toutes les occasions souhaitables de goûter, enfin, à la volupté. Quelqu'un, particulièrement, l'entoure de propositions les plus limpides, le second de ses deux beaux-frères, Artois, de deux ans plus jeune qu'elle (elle a vingt ans en 1775, et lui dix-huit). C'est le futur Charles X ; mais, quand il accédera au trône, à soixante-sept ans, vieil homme ultra-dévot et qui se prétend honoré d'apparitions de la Sainte Vierge, il ne ressemblera plus guère à l'adolescent qu'a beaucoup fréquenté Marie-Antoinette. Couvert de femmes, et d'un érotisme incandescent, il collectionne (comme, d'ailleurs, sa tante Adélaïde, qui l'y a peut-être invité) les petits livres « licencieux » dotés d'audacieuses gravures. Lorsque je préparais ma thèse de doctorat sur Lamartine, j'ai voulu – c'était en 1932 – voir par moi-même ce qu'étaient ces ouvrages clandestins, d'un prix très élevé, par conséquent réservés à l'opulence, au moins occasionnelle, et que le jeune Lamartine avait certainement lus lors de ses séjours parisiens. J'ai pu ainsi feuilleter, dans « *l'Enfer* », heureusement disparu, de la Bibliothèque nationale, et *Le Portier des chartreux* – je crois – et *Le Diable au corps* – j'en suis sûr. Les illustrations, finement gravées, multiplient les images, d'un minutieux réalisme, où apparaissent au premier plan des sexes masculins, en état de marche spectaculaire ou, mieux, en pleine action éruptive.

Or Marie-Antoinette, à l'insu de son mari impossible, s'était constitué, elle aussi, toute une bibliothèque secrète de ces indécences coûteuses dont elle se repaissait quand le goût l'en prenait et qu'elle n'ouvrait qu'à des intimes. Mercy-Argenteau s'inquiétait du penchant qu'affichait Marie-Antoinette à se plaire en la compagnie du jeune Artois. Une lettre existe de cet ambassadeur conseillant vivement à la jeune reine de ne point se compromettre comme elle le fait avec un proche parent d'une inconduite excessive.

Governor Morris, l'Américain, qui n'éprouve aucune malveillance à l'égard de Marie-Antoinette, note dans son *Journal*, non comme un bruit qui court, mais comme un fait établi : « *Le duc de Coigny est un de ses amants.* » Mais qu'en sait-il au juste, après tout ? Pour Fersen, il est au courant, et ne porte que peu d'estime à cet intrigant suédois qui, avant de séduire la reine, avait envisagé d'épouser, en la personne de Germaine, les millions Necker et qui, plus tard, nanti de sa grande position, cherchera (sans y parvenir) à faire rappeler à Stockholm le baron de Staël pour prendre sa place d'ambassadeur à Paris.

Que Marie-Antoinette ait eu des relations saphiques avec la Polignac et la Lamballe, rien ne le prouve, pas même les sommes colossales qu'elle soutire, en leur faveur, au Trésor. Et, du reste, quel intérêt, quelle importance ? Beaucoup plus grave et beaucoup plus fâcheux pour la réputation de la reine, la passion qu'elle manifesta – un temps, mais plusieurs années – pour ce « bal de l'Opéra » où n'importe qui peut se rendre, y compris les pires faisans. Elle met un masque, mais ses beaux cheveux roux la trahissent, et il lui arrive de danser là jusqu'à des 6 et 7 heures du matin. Puis, trop fatiguée pour regagner Versailles, ou préférant un autre asile, elle se fait conduire aux Tuileries dans un petit mais très luxueux pied-à-terre, aménagé par ses soins et où il lui est loisible de recevoir qui elle veut. « *Elle va de dissipations en dissipa-*

tions », commentait alors, navré, son frère Joseph, chargé, par leur mère, d'une enquête confidentielle. Et ce n'est certes pas « la religion » qui retiendrait Marie-Antoinette dans le choix de ses divertissements. Toute piété lui est étrangère. Et c'est ainsi qu'elle poussera aux Finances ce Loménie de Brienne, archevêque de Toulouse, incrédule, esprit fort, avec ostentation – comme l'évêque d'Autun, Talleyrand, comme le cardinal de Rohan, grand aumônier du royaume, « *parfaits exemplaires,* écrit Massignon, *de la tranquille infamie où se vautrait alors, assez généralement, le haut clergé français* ». Louis XVI n'avait qu'aversion pour cet « *évêque athée* » ; mais Marie-Antoinette n'en imposa pas moins son protégé. Au printemps de 1778, quand Voltaire se prépare au voyage de Paris, où l'attend un accueil triomphal, Marie-Antoinette prétend exiger du roi qu'il fasse réserver à l'Impie glorieux une loge adjacente à la loge royale. Mais, cette fois, Louis XVI ne cède pas.

Comment se taire, à propos de Marie-Antoinette, sur ses dilapidations ? Son mari la comble de présents. Tous les bijoux qu'elle désire, il les lui remet aussitôt. Un bracelet de 300 000 livres ? Mais bien sûr ! Un collier de 800 000 livres ? Mais comment donc ! Elle a reçu Trianon, dont les perfectionnements, selon sa fantaisie, ont coûté une fortune, mais elle demande en plus Saint-Cloud, parc et château. D'accord, bien que le prix soit de 6 millions. Un « *pillage* », de sa part, « *frénétique des deniers de l'État* », constatera, véridique et non polémique, Gérard Walter. Et ce quand les finances du royaume sont en détresse, quand le prix du pain ne cesse de monter depuis 1750, quand, sur 600 000 ou 700 000 Parisiens, plus de 100 000 sont des indigents, quand l'ouvrier gagne tout au plus 20 sols par jour, lorsqu'il travaille, ce qui lui est interdit le dimanche et les jours (nombreux) de fêtes chômées, mais il lui faut bien nourrir sa famille, ces jours-là aussi ; et, en juillet 1789, la miche de pain est à 14 sous.

Un bon point pour cette insensée : elle élèvera bien ses enfants, avec le plus intelligent dosage d'autorité intelligente et de tendresse. Émouvantes et nobles, ces instructions qu'elle donne, par écrit, à Mme de Tourzel, la « gouvernante » : « *N'oubliez pas qu'un Oui et un Non de ma part sont irrévocables. Et quand j'ai dit Non, j'explique toujours pourquoi à mes enfants, avec des raisons qu'ils peuvent comprendre.* » J'ai rarement vu souligner que Marie-Antoinette, dans un profond déchirement, vit mourir, en *juin 1789*, son premier-né, un pauvre petit de complexion débile à qui la vie semblait se refuser et qui s'éteignit avant d'avoir atteint ses huit ans. Cette souffrance, cet arrachement, notons-en la date : alors que se sont déjà réunis ces états généraux qui inspirent à Marie-Antoinette les plus grandes craintes, entre la « *gifle* » que fut pour elle l'accueil des représentants, le 5 mai 1789, et l'horreur du 6 octobre, lorsqu'un torrent de mégères se rue, à Versailles, dans les appartements royaux, hurlant à la mort contre la reine : « *A bas la garce ! A mort la putain !* »

Un document terrible est constitué par une dépêche du ministre de Prusse en France, deux ans avant la Révolution : « *La reine est unanimement détestée dans Paris.* »

Julien Green et Jacques Maritain, tous deux effarés de ce qui s'est passé au concile Vatican II. Un « *lâchez tout* », dit Maritain ; une « *menace sur l'essentiel* », déclare Julien Green.

Hugo écrivain. Dans une simple lettre rapide adressée à un dénommé Spoll, journaliste, après quelques conseils pratiques, cette charmante trouvaille (il s'agit du *Rappel* où Hugo redit à son correspondant qu'il « *n'est rien* », que le *Rappel* est, à son égard, d'une totale indépendance – ce qui n'est pas strictement exact) : « *Je vous bourdonne cela en ma qualité de mouche du coche.* »

De quel « grand homme » – de quel homme tout court – ne peut-on pas dire ce que disait de Gambetta ce journaliste, excellent écrivain méconnu, Hector Pessard, dans *Mes petits papiers* (1871-1878) : « *Il y avait en lui des parties d'ombre où il ne laissait pas volontiers se promener les passants.* »

Nos « intégristes » qui prodiguent les sourires à ces racistes véhéments auxquels tout « moricaud » est odieux, puis-je leur rappeler que le nommé Ieschoua (que nous appelons Jésus, autrement dit Jésus-Christ), juif de Palestine, était très certainement au nombre de ces basanés qu'ils ne supportent pas.

Daniélou. Je l'avais entendu, à Neuchâtel, quelques mois après la guerre, dans la grande salle de la Bibliothèque des pasteurs (il avait été fraternellement invité par eux), présenter, sur saint Paul, une intéressante remarque : tant d'irrécusable misogynie chez cet apôtre que, en dépit des précisions évangéliques sur les apparitions du Ressuscité, Paul a soin d'en exclure toute femme. Longtemps Daniélou passa pour un théologien « *progressiste* ». Puis vint son élévation au cardinalat, et sa métamorphose en gendarme.

Une vie humaine comptée en jours, ça ne fait pas lourd ; cinquante ans, dix-huit mille ; soixante-dix ans, vingt-cinq mille. Personne n'arrive à cinquante mille.

Le regard des chiens, comme de quelqu'un qui sait des choses intransmissibles.

Rougemont. (Je me souviens de sa colère, lors d'un déjeuner à Genève, au sujet du « réarmement moral » quand je me suis étonné de le voir impatient d'un réarmement non point seulement moral, mais guerrier de l'Allemagne.) Rougemont, qui s'occupe des « Centres européens de culture », éclate, dans le *Bulletin* de son organisme (13ᵉ année, n° 5), contre ces « *énervés de Nanterre* [qui] *voulaient détruire un système dont certains de leurs aînés leur ont parlé* [...] *et qui pousse la perversité jusqu'à ne pas exister comme système, car nul ne l'a jamais défini* ».
Considération fautive. Car Voltaire l'a « *défini* », ce « *système* », avec une parfaite précision. Il l'a fait dans son *Essai sur les*

mœurs, en des termes que je ne me lasserai pas de reproduire et qu'il convient d'avoir toujours présents à l'esprit quand on parle de ce personnage ; à ses yeux, un pays bien organisé est celui où « *le petit nombre fait travailler le grand nombre, est nourri par lui, et le gouverne* ».

J'ignorais. Mais pourquoi pas ? La maîtresse de Gambetta, Marie Meermans, cette personne à qui il osait écrire : « *Je t'aime plus que la France* », passa du lit de Gambetta à celui de Mistral.

La « Rédemption », selon la théologie classique, Jules Guesde, grossier et méchant, la résumait ainsi : « *Dieu fait mourir Dieu pour apaiser Dieu.* » Mais, ma foi, *grosso modo*...

A Lyon, Mgr Balduino, évêque brésilien, a dit, excellemment (mars 1983) :« *L'Église est accusée de* faire de la politique *seulement quand elle s'occupe des exploités.* »

Apologétique inutilisable ; les deux preuves que l'on me donnait, au « catéchisme de persévérance » (Mâcon, église Saint-Pierre, 1916-1917), de la vérité catholique : son caractère universel (« catholique » et « universel », même mot ; le premier calqué sur le grec) et sa prodigieuse persistance ; presque deux mille ans ; un championnat de longévité.

Or cette religion est si peu « universelle » que les deux tiers de l'humanité l'ignorent ou la rejettent (au surplus, l'hindouisme et le bouddhisme lui sont fort antérieurs). Et que sont vingt siècles au regard du temps immense qui s'est écoulé depuis que la créature « humaine » s'est mise, lentement, à penser ?

Le cœur durci des vieillards. L'insensibilité les gagne avec l'âge. Ils se replient sur eux-mêmes. J'en ai eu sous les yeux les exemples

les plus probants. Pas sûr que V.H. ait tellement souffert quand, à soixante et onze ans, il a vu mourir son fils François-Victor (quarante-cinq ans). Flaubert le trouve « *bien brisé, mais stoïque* ». Je crains qu'il n'ait fait le « *brisé* » et que son « *stoïcisme* » lui ait peu coûté.

Bien saisir que, chez Pascal, la « *connaissance du cœur* » n'est pas d'ordre affectif. Pascal déclare que « *le cœur* », pour lui, c'est ce qui, en nous, connaît les « *premiers principes* » des mathématiques. Autant dire la nature même de notre esprit, lequel admet comme des évidences ce qu'il n'a pas besoin de démontrer et n'est d'ailleurs pas démontrable. Il a raison ; nous sommes ainsi faits. Prétendre que la connaissance de Dieu est du même ordre ne se peut soutenir qu'après quelques observations prudentes sur le contenu du phonème « Dieu ».

Che Guevara disait : « *Si l'on ne vise pas à changer l'homme, alors la Révolution ne m'intéresse pas.* » C'était exactement la pensée de Robespierre, et de Mao – et de Jaurès. Absolument pas, par malheur, celle de Lénine et du « Parti ».

J'aimerais savoir qui – et quand ? –, quels « sages », quels délégués opérant selon quels critères ont fait tenir pour fondamentaux par la communauté hébraïque les textes disparates et dont la naissance s'échelonne, semble-t-il, sur quelque mille ans, qui constituent cette « Bible » que l'on appelle l'« Ancien Testament ».
L'assemblage est parfois déconcertant. L'Ecclésiaste n'est pas fait pour engendrer la ferveur. L'interprétation symbolique et purement spirituelle du Cantique des Cantiques, tout frémissant de sensualité, me paraît une plaisanterie. L'énorme problème du mal – je veux dire de la souffrance injuste –, le Livre de Job le traite avec une légèreté insolente. Devant Job, qui a quelque raison de trouver l'épreuve lourde (il ne voit pas en quoi il a démérité, et il voudrait tant pouvoir justifier le Maître), le Seigneur-

Dieu répond, cassant : « *C'est comme ça parce que c'est comme ça... De quoi te mêles-tu ? Est-ce toi qui as fait le ciel et la terre ?* [etc.].» Plutôt saumâtre, et mal édifiant.

Bravo Benda ! « *La vie ne serait qu'une horrible mer Morte s'il n'y avait au monde que des conciliateurs bénins et des impartiaux châtrés* » *(Dialogue d'Éleuthère).*

Léon XIII a hissé saint Thomas au pinacle et l'a déclaré insurpassable. C'est la même imprudence que commettra J.-P. Sartre, au siècle suivant, en gratifiant Marx d'une autorité suprême. Étourderie de tenir pour définitive une théologie où les abîmes de l'univers ne sont même pas encore soupçonnés, où la Terre est toujours un disque plat encerclé par le Soleil et où les étoiles ne sont que des luminaires décoratifs.

J'apprends, de plus, ces jours-ci, que saint Thomas n'a connu Aristote que très imparfaitement ; ignorant le grec, Thomas n'a lu Aristote que dans la traduction latine, ce qui – paraît-il – serait tout à fait dommageable à son intellection.

Irremplaçable, le marxisme, pour discerner, sous la plupart des événements historiques, les réalités financières déterminantes. Mais le même marxisme devient désastreux dès qu'il prétend que tout se joue dans l'économique. Ce fut l'erreur cuisante, de Marx et de ses disciples, y compris de Lénine et des bolcheviks. Une erreur dont avaient su se préserver un J.-J. Rousseau, un Robespierre, un Jaurès. Pour eux, la seule chance sérieuse d'une cité meilleure et plus juste dépend du regard jeté par les hommes sur la vie et ses vraies valeurs.

Un homme politique, aujourd'hui, qui s'aventurerait dans cette direction et se préoccuperait, par-delà les problèmes de production et de consommation, de rendre l'être humain présent à lui-même et capable de rejoindre son identité profonde, contre ce délirant, ce fou mystique, s'élèverait aussitôt un chœur de sarcasmes et de vociférations dénonçant l'attentat aux Lumières et la Raison trahie.

Le christianisme avait besoin de miracle, pour sa diffusion. Question de concurrence (ou, pour employer le séduisant idiome contemporain, de « *compétitivité* »), tant le paganisme abondait en thaumaturges ; la lecture de Lucien suffit à le prouver. Simone Weil, dans *L'Enracinement*, rappelle à juste titre que « *les histoires de marche sur les eaux et de résurrection des morts sont fréquentes en Inde* ». Elle ajoute qu'à son avis « *le Christ devait posséder certains pouvoirs particuliers* ». « *Comment en douterions-nous, puisque nous pouvons vérifier que les saints hindous et tibétains en possèdent ?* » Et il semble que, si Jésus se prêtait à ces « *signes* » qui fixaient sur lui les regards, il s'en soit impatienté, irrité, comme si ce qu'il disait et ce qu'il était ne suffisait pas pour créer l'attention et ouvrir les yeux.

Saint Augustin affirme que, « *sans les miracles, il ne croirait pas* ». Hors de doute qu'aujourd'hui, loin d'être un chemin vers la foi, les miracles constituent, pour beaucoup, un obstacle. Je n'y attache guère d'importance mais m'interdis de les nier, me souvenant de cette bonne remarque d'Étienne Gilson sur les rationalistes obtus : que ce qui étonne ces simplistes perd pour eux le droit d'exister.

On ne mesure pas assez, d'ordinaire, l'allure de provocation caractérisée qu'avait adoptée le Nazaréen à l'égard des autorités religieuses de son temps. Rappelons-nous son apologue du blessé gisant au bord de la route, entre Jérusalem et Jéricho. Il faudra que ce soit un Samaritain (autrement dit un infréquentable, un dissident, un hérétique) qui daigne s'arrêter auprès de ce malheureux, après le passage, scandaleusement indifférent, d'un « prêtre » d'abord, d'un « lévite » ensuite. Le rabbi n'a pas choisi pour rien dans le personnel même du Temple ces personnages qui l'écœurent. Il fait preuve, si l'on peut dire, d'un anticléricalisme offensif. Et son attitude au sujet du rituel ! Il ne se contente pas de bousculer le sabbat ; il salue d'une approbation explicite le geste, très exactement sacrilège, de David, qui, parce que ses compagnons et lui-même « *avaient faim* », entra « *dans la maison de Dieu* » et mangea les « *pains de proposition* » réservés « *aux prêtres seuls* » (Matth., 12, 26). Il aura décidément tout fait, l'homme de Nazareth, pour induire le clergé de Jérusalem à souhaiter la mort d'un irrégulier à ce point intolérable.

Sur les puissantes délices qui nous détournent d'une foi cruelle à nos penchants, moi qui ai tant « pratiqué » Chateaubriand, je n'avais pas encore su lire, de sa main, cet aveu, admirablement formulé : « *Mais les mensonges de la jeunesse m'ôtaient le goût de la vérité.* »

Raconté par le très vieux M.L., grand officier de la Légion d'honneur : « *Il y a quelques années, à Bruxelles, une prostituée m'a dit :* " Veux-tu profiter sur moi, mon petit cochon ? " »

Dans *Le Jeu des possibles* de François Jacob (1981), beaucoup de choses à retenir, parmi lesquelles celle-ci : « *La connaissance scientifique est faite d'îlots séparés.* » La tentation, le danger – d'un côté comme de l'autre (croyants, incroyants) –, est de conclure trop vite à une explication globale. Cela s'appelle les « *extrapolations* ».

Ceci, également, si bien vu : « *Le XVIIe siècle a eu la sagesse de considérer la raison comme un outil nécessaire [...] Les* " Lumières " *eurent la folie de penser qu'elle est suffisante.* »

Parfois, souvent peut-être, l'athée nie, légitimement, un Dieu méconnaissable et trahi. Mais il n'y a nul malentendu chez Diderot, Voltaire et les encyclopédistes. C'est bien le Dieu vivant, le Dieu de Jésus-Christ dont ils veulent la mort.

Taine juge de Jean-Jacques. Rousseau est le responsable d'« *une sorte de virus antisocial* » qui produisit « *des ravages monstrueux dans les cerveaux vides ou détraqués, dans les amours-propres déréglés et souffrants, dans les consciences véreuses* ». Favorisant « *les plus pernicieux instincts, il justifie les pires actes* » [nous y voilà : Rousseau et la Révolution française], *le vol, le meurtre et le brigandage en grand pratiqués sous le prétexte du salut public* » (préface à la *Correspondance de Mallet du Pan avec la cour de Vienne*, 1889). Ce M. Taine, que Victor Hugo supportait mal (euphémisme ; il l'avait en horreur) et qui est assez décoloré, décomposé, aujourd'hui, ne déplaisait pas au Renan de *La Réforme intellectuelle et morale* (1871). L'actuelle « jeune droite » cherche à lui rendre consistance. Il ne serait pas inutile, sans doute, de réunir, à l'intention des esprits libres, les textes de Taine les plus éloquents sur sa pensée politique.

Deux gars qui m'ont ravi, et *aidé*, oui, par leur intelligence, leurs connaissances et, surtout, leur ouverture d'esprit.

Il y a quatre ou cinq ans, à la télévision romande (Genève), au dîner qui réunissait, après le travail, les participants à un débat devant la caméra, je me suis trouvé exactement en face d'Edgar Morin. J'avais beaucoup aimé son exposé et lu la plupart de ses ouvrages, toujours, pour moi, enrichissants ; et il voulait bien s'intéresser à mes recherches. Nous avons devisé calmement, tranquillement, une bonne heure. Et j'éprouvais un authentique sentiment de fraternité à l'égard de cet homme pas « *gonflé* », pas « *faiseur* » pour un sou, et qui me parlait de son rationalisme attentif à un certain « *irrationnel* » qu'il est très loin de mépriser, qu'il devine chargé de sens. Un interlocuteur pareil, ça vous console de certains souvenirs amers ou exaspérants : telle soirée de 1946, par exemple, chez Baillou, avec un Merleau-Ponty hargneux, ou tel déjeuner de 1960 avec un Lévi-Strauss bien pénible.

L'autre gaillard hors série, c'est Hubert Reeves. Oublions cette évidence, innocente au fond : qu'il cultive son propre pittoresque, ce chauve à cheveux longs portant une barbe efflorescente. Et quel crâne bizarre ! Sans rien de bombé, pareil à un large désert lisse, parfaitement plat. Le prodige, avec Reeves, c'est l'aisance, la volubilité, la clarté avec laquelle ce savant patenté rend intelligible, à un semi-analphabète comme moi, son langage d'astrophysicien. Il a un bon regard loyal, de l'humour et, de la même façon qu'Edgar Morin, l'accueil à ce qui ne permet plus l'usage ordinaire de la « *raison raisonnante* ».

Appris par lui que l'idée, aujourd'hui presque universellement admise du « *big bang* », son succès est relativement récent : vers 1964 seulement ; mais Reeves insiste avec force sur le fait que ce n'est pas là autre chose que le « *point zéro* » de notre connaissance. Reste posée l'énorme question du « *quoi, avant ?* » *Ex nihilo*, le big bang ? Littéralement de l'im-pensable. On ne « *pense* » pas le « *néant* », ou l'on parle, à ce sujet, pour ne rien dire. Sur les raisons qui conduisent à compter, à rebours, quelque quinze milliards d'années pour rejoindre l'explosion initiale (mais l'explosion de *quoi ?*), comme pour « *la lumière fossile* », Reeves est d'une limpidité parfaite. L'écoutant, je me rappelais ce fragment des *Pensées* où Pascal n'estime pas, quant à lui, que la contemplation de l'univers et de ses merveilles soit une méthode convaincante pour établir l'existence de Dieu. Un avis que je partage de plus en plus. La seule route sûre est intérieure.

La nature de la pensée fait question. Une grosse question, à quoi je ne sais pas répondre. Je sais seulement que la réponse « scientiste » (ou « positiviste », comme on voudra) : la pensée sécrétion du cerveau, est inacceptable.

Une bonne phrase, une juste observation de géographie politique : « *Ce périmètre sacré ; Passy-Neuilly-Auteuil où vivent les deux tiers de la France considérable* » (Gilbert Comte, *Le Monde*, 4 et 5 mars 1979).

« *La démagogie, c'est la vente à bon marché des espérances humaines* » (François Mitterrand).

Paradis. Un rassasiement sans satiété.

Henri Hartung [1] – quelqu'un dont le destin (on en jugera à l'instant même) n'a rien de banal. Fils d'un général, gendre d'un ministre des Finances qui arrivait tout droit de la Banque de France, fondateur et directeur d'un établissement privé d'enseignement pour fils de famille, bien vu du *Figaro* et particulièrement d'André Siegfried, devenu une personnalité parisienne et disposant, grâce à son beau-père, d'un appartement-bijou dont les fenêtres s'ouvraient sur le Palais-Royal (une merveille de paix en plein tumulte urbain), à quarante ans, arrivé, important, Henri Hartung, tout à coup, d'un seul coup, change de vie, rompt avec son milieu – qu'il stupéfie, consterne, scandalise – et va vivre, avec les siens, dans une maison sans luxe, héritage de sa mère, au bord de la frontière, côté suisse. Tout cela parce que faire de l'argent ne lui paraissait pas une suffisante raison de vivre, et aussi parce qu'il a vu de près, de trop près, trop de choses qui le gênent ou le navrent chez ceux que le Système, par eux-mêmes créé, favorise et enrichit.

Il faut savoir aussi que c'est un courageux, Henri Hartung. Il a pris, jadis, dans la Résistance, les risques suprêmes, puis il s'est engagé dans la 2e DB, et son char a explosé sous un obus allemand ; il en est réchappé par miracle. Protestant, il croit, comme sa femme, à des réalités où l'âme est primordiale, et il a fait, en Inde, auprès d'un sage, un séjour décisif pour sa vie intérieure. Il anime maintenant, sans bruit, mais dans un rayonnement qui va croissant, un centre de réflexions sur l'identité humaine et le sens de la vie.

Il avait vingt-deux ans quand je l'ai connu, en 1942. Plus de quarante ans, entre lui et moi, d'une amitié vraie. Un de ces quelques-uns que j'aurai eu la chance de rencontrer et qui vous donnent confiance en l'homme.

De Léon-Paul Fargue : « *A Noël, le meilleur de l'être réclame un peu de place.* »

1. Henri Hartung est mort brusquement le 26 juillet 1988.

Dans la revue catholique *Panorama* (numéro de septembre 1987), ce témoignage d'un chrétien lucide : « *Il fut un temps* » où les catholiques se considéraient, à l'égard de « *l'Esprit-Saint* », comme des « *propriétaires* » ; mais voici que, pour son bien sûrement, « *l'Église se retrouve comme une pauvresse au milieu du champ de ruines de ses arrogances* ».

Un « grand soldat ». Dans *Le Monde* du 28 avril 1987, je lis la rapide analyse, par Jean Planchais, d'un ouvrage qui vient de paraître sur l'illustre Mangin, le général Mangin ; Planchais intitule, avec justesse, son article « Un fauve intelligent ».

Quand Mangin décidait une offensive, pendant la guerre de 14-18, il y apportait une « *furieuse détermination* » et l'ampleur des « *pertes* » ne l'effrayait pas. D'autant moins qu'il aura été (je cite) « *l'inventeur et le champion de la Force noire, comme il l'a lui-même baptisée, formée de " volontaires ", désignés d'office, en Afrique* ».

Rendant ainsi d'inappréciables services à la métropole, le général Mangin fit une grande consommation, au feu, de ce que l'on appelait alors les « nègres ».

« *Dieu est en réparation.* »
Telle est l'épigraphe qu'avait choisie Céline pour son (atroce) *École des cadavres*. Après tout, la traduction insolite, insolente, ricanante, d'une vérité contemporaine.

Ce garçon – que je sais – qui, depuis trois ans (il ne s'agit donc pas d'un engouement éphémère), vit au Tibet, dans un monastère bouddhiste, sort d'un milieu athée ancestralement et viscéralement hostile, sans concession, à l'Église. Pourquoi ne s'est-il pas fait moine, en France ? Jésus vaut bien Bouddha. Mais je devine ses raisons ; du moins, il me semble. Pour beaucoup d'esprits, si loin qu'ils soient du sectarisme, le catholicisme est trop endommagé par sa propre histoire ; et même son récent passé. (Le *Sylla-*

bus de 1864 n'a jamais été révoqué.) Et il y a aussi la théologie officielle, les « dogmes » (la naissance miraculeuse de Jésus ; sa rédemption-rachat, l'infaillibilité pontificale). Rejoindre la religion romaine eût paru, à ce jeune homme tel qu'il est, trahir les siens. Le choix qu'il a fait me paraît être sa façon à lui d'affirmer sa foi en une transcendance, son adhésion à cette Réalité vivante, que Robespierre, en son siècle, n'osait qu'à peine nommer « Dieu », préférant dire, avec Jean-Jacques, l'« *Être suprême* ».

Petite anthologie hugolienne

« *Les faits sont malaisés à déconcerter et s'obstinent.* »

« *Ce désir de rapprochement qu'a le jaguar pour le mouton.* »

Différence entre « *un homme fini et un homme achevé* ».

« *M.B. était officiellement éloquent.* »

« *Le grand piaillement vespéral des marais.* »

« *Ces longs éclats de rire pleins d'imprudence et d'oubli.* »

« *Ce que l'amour commence ne peut être achevé que par Dieu.* »

« *Je sers dans les irréguliers.* »

« *Encore une métaphore qui fait le trottoir depuis longtemps.* »

« *Il y a une gymnastique du faux. Le sophiste est un faussaire,* [un de ceux qui] *excellent à meurtrir la vérité dans les ténèbres.* »

« *Quoi ! La mouche, autrefois loyale et résignée,*
Manque au respect qu'on doit aux toiles d'araignée ! »

« *Je ne veux savoir où vous êtes*
Qu'afin de me trouver ailleurs. »

« *Ne me racontez pas un opprobre notoire*
Comme on raconterait n'importe quelle histoire. »

« *Il ne suffit pas de faire une œuvre, il faut en faire la preuve.*
L'œuvre est faite par l'écrivain, la preuve est faite par l'homme. »

Veillons à ne pas « *éclipser la raison par la foi, la foi par la raison* ».

« *L'homme écrit son destin jour à jour, mot à mot, avec la grosse encre noire de la vie ; et, en même temps, Dieu écrit dans les interlignes avec une encre invisible.* »

« *Le monde est sous les mots comme un champ sous les mouches.* »

« *Une grimace dégoûtée sied à la convoitise.* »

« *L'athéisme est un malentendu.* »

« *Elle le regarda, fatale, avec ses yeux d'Aldebaran.* »

« *Les* chagrins éternels, *ça passe très vite.* »

Dossiers

Il m'a paru raisonnable, à la fois, et propre à conjurer l'ennui possible du lecteur, plutôt que d'éparpiller au long de mes chapitres « Jours » les notes concernant François Mauriac et Paul Claudel, de grouper en « Dossiers » distincts ce que j'avais à dire de personnel sur ces deux hommes que j'ai eu la chance d'assez bien connaître – disons, plus prudemment, de connaître au moins un peu.

J'ai fait de même pour un troisième personnage, qui paraîtra sans doute surprenant à côté des deux premiers : Maurice Chevalier ; quelqu'un qui m'était cher et dont je tiens à honorer, si je puis, la mémoire.

Voici d'abord – pour une raison de chronologie – le « Dossier Mauriac ».

François Mauriac

Comme je l'ai raconté à propos de Pontigny, c'est là que, dans les premiers jours de septembre 1925, je rencontrai François Mauriac. Il avait quarante ans juste ; j'en avais vingt-deux. Un soir, à la nuit tombante, il s'était approché de moi, sous les arbres, m'interrogeant sur mes études, mes projets. Il me savait – par Desjardins, je suppose – un « disciple » de Marc Sangnier et il tenait à me dire que je lui rappelais sa « *propre adolescence* » ; qu'il s'était, jadis (mais plus jeune alors que je n'étais à présent) enthousiasmé pour *Le Sillon* et qu'il avait même personnellement organisé une conférence pour « *Marc* » (il disait « *Marc* ») à Langon. « *J'en ai parlé, me disait-il, dans un livre que je ne vous conseille pas de lire, mon premier roman, qui ne vaut rien, d'ailleurs... Je ne vous le donnerai pas quand vous viendrez me voir cet automne, à Paris.* » Car il voulait ma promesse de venir le voir, rue de la Pompe, en novembre, à la reprise des cours. Il ne me cachait pas qu'il était loin, « *très loin* », désormais, d'approuver Marc Sangnier, dont la politique lui semblait « *complètement déraisonnable et même absurde* ». Mais il semblait souhaiter vraiment me revoir, et j'en fus, à la fois, très touché et très fier.

Un détail ici, un peu ridicule, mais que, cependant, je n'écarte pas, car il me paraît avoir sa valeur « sociale ». Lorsque je quittai Pontigny, j'accompagnai François Mauriac à la gare, d'où il regagnerait Paris, d'où je regagnerais, un peu plus tard, Mâcon. Il se penche au guichet et dit : « *Paris, première.* » La chose lui était naturelle ; un homme de son rang, et personne non plus de sa famille, n'avait sans doute jamais voyagé autrement. Il n'eut aucune conscience du choc, du vrai choc, que j'avais reçu. Ce n'était pas qu'il se fût grandi, à mes yeux, ni diminué ; j'éprouvais seulement une espèce de stupeur. De ma vie – près d'un quart de siècle tout de même – je n'étais entré dans un compartiment de première classe. Y avaient accès des gens d'un autre monde. Et de cet « autre monde » je comprenais, soudain, que F.M. faisait partie.

D'une puérilité impardonnable, n'est-ce pas ? ma « stupeur », à vingt-deux ans. Mais, à vingt-deux ans, j'étais encore ce garçon-là, ce petit garçon, ce fils de pauvres, déconcerté.

Première lettre que j'ai reçue de François Mauriac. Il me l'adressa, de Malagar, à Mâcon, le 9 septembre 1925.

« *Mon cher ami,*

« *Pourquoi craignez-vous de m'importuner ? Je ne saurais vous répondre aussi longuement que vous avez la gentillesse de m'écrire, mais je vous supplie de ne point douter du prix que j'attache à votre affection. J'ai besoin, devant Dieu, de quelques répondants de votre race et je suis visité par trop de démons pour ne pas ouvrir avec joie ma porte aux anges* [1]. *Ce que vous me dites de vos lectures prouve seulement à quel point un lecteur de votre âge est un collaborateur pour l'écrivain. Vous ajoutez, vous transfigurez ; ainsi la jeunesse fait resplendir tout ce qu'elle veut bien aimer ; la moindre parole éveille dans un cœur comme le vôtre des échos bien plus beaux qu'elle-même.*

« *Sur le modernisme, Sangnier vous en a dit ce que je vous en dirais moi-même. Entre nous, le fameux " tu ne me chercherais pas... " du* Mystère de Jésus *est une absurdité sublime. Ceux qui*

---

1. Ai-je besoin de dire que la tentation fut grande, pour moi, de supprimer, au moins, ces deux derniers mots, si gênants à mon âge. Tant pis ! Je *devais*, me semble-t-il, reproduire intégralement, et sans la moindre coupure, ces lignes importantes pour notre connaissance de F.M. tel qu'il fut.

ont trouvé n'ont plus à chercher, du moins sur le plan de la foi. Ils ont à progresser dans la connaissance, dans la possession, non dans la croyance. L'inquiétude moderne est le fait d'âmes qui cherchent en gémissant. Vous qui avez bu et mangé avec le Christ ressuscité, ce ne saurait être que par un effort étranger à votre nature que vous pourriez vous intéresser aux interpolations de versets qui passionnaient un Loisy. Loisy part de la négation du surnaturel ou, en tout cas, du miracle, et nie qu'il y ait rien dans l'Écriture qui ne puisse s'expliquer selon les lois naturelles. Comment vous intéresseriez-vous à une recherche dont le point de départ révolte votre être entier ? Quant à l'apologétique de l'immanence, l'expérience religieuse de chacun de nous est à peu près incommunicable et c'est dans l'expression qu'on en donne qu'on s'expose le plus à errer. Vous avez le Christ en vous ; vous le savez ; ceux qui vous aiment le savent. Ne vous inquiétez pas. Au fond, la foi nous délivre de ces recherches métaphysiques tellement vaines, en dehors d'elle, et elle nous laisse le champ libre pour acquérir des connaissances précises sur tout le reste. C'est l'immense bénéfice du catholique qu'il n'épuise pas sa vie à chercher ce que la seule Raison n'a jamais pu nous donner. Le catholicisme libère la pensée, voilà le vrai. Profitez donc de votre liberté, mon cher enfant de Dieu.

« Et écrivez-moi tout ce que le cœur vous en dit. Je rentre fin octobre. Mais écrivez-moi toujours 189, rue de la Pompe, Paris ; on fera suivre.

De tout cœur votre
F. Mauriac

« J'ai beaucoup, beaucoup aimé votre lettre. »

Au cours de mon année scolaire 1925-1926 – ma troisième année normalienne –, François Mauriac établit, à ma grande joie, l'usage de m'inviter chez lui, à dîner, une fois par mois. Ou bien nous restions rue de la Pompe, dans son cabinet de travail, tout petit, où l'on grimpait par un escalier intérieur assez raide (une table ; derrière le fauteuil du « maître », une bibliothèque vitrée, deux chaises, un divan), ou bien il m'emmenait au cinéma, presque toujours au Gaumont-Palace, place Clichy, où le fracas d'un orgue l'amusait. Une fois, une seule fois, il me conduisit au music-hall de l'Empire ; préférant ne pas prendre place, il resta dans le promenoir, d'où, accoudés sur la balustrade qui nous séparait du public assis, nous avons regardé le spectacle : les numéros d'acrobatie, ou d'athlétisme, l'intéressaient plus que les danses.

Un souvenir reparaît en moi, tout à coup, rattaché à ces années lointaines : il s'agit d'une modification que Mme François Mauriac (vive, charmante, intimidante, malgré tout) avait inventée (ou empruntée) pour l'emploi d'un terme, aujourd'hui banal, mais qui commençait seulement, alors, à devenir usuel. Jeanne Mauriac conservait les trois lettres, mais, laissant la seconde à la place centrale, elle faisait permuter la première et la troisième ; ce qui donne, élégamment : « *C'est un noc.* » La première fois que je l'entendis employer ce néologisme, ce fut à propos d'un académicien que son mari entourait d'égards. Elle comprenait bien, approuvait même, tactiquement ; mais gardait son avis, sans indulgence, sur le personnage en question.

Je garde quelque deux cent trente lettres (ou billets) de F.M. [1]. Je viens de relire (été 1987), un par un, tous ces textes, et voici un petit lot d'extraits particulièrement instructifs, je crois. J'exclus tout ce qui n'a d'intérêt que pour moi et les miens – la plus vaste partie de cette correspondance. Je ne retiens guère pour ce « Dossier » que ce qui concerne la politique ou la religion.

Sans date. Été 1926. (Nous devions nous retrouver là même où nous avions fait connaissance, l'année précédente.) « *Nous serons bien heureux tous les deux, à Pontigny. Et le Christ, présent en nous depuis le matin, siégera au milieu de ces docteurs de néant.* »

---

1. Caroline Mauriac – belle-fille de F.M. –, épouse de son fils Jean, a publié en 1981, dans son livre *François Mauriac. Lettres d'une vie,* huit lettres à moi adressées ; Jean Lacouture, l'année précédente, avait déjà donné, dans sa grande étude sur François Mauriac, quelques fragments de certaines lettres que j'ai reçues de l'écrivain.

F.M. était alors « de droite », énergiquement. Il me pardonnait de plus en plus mal mon attachement à la *Jeune République* de Marc Sangnier. Une lettre de lui, du 9 janvier 1927 (qui contenait ces mots amers : vient un âge où l'« *on ne sait plus faire de phrases que pour les vendre* »), se terminait comme suit, à propos de mon mariage : « *Il serait piquant que je fusse votre témoin avec Marc* [F.M. avait entouré ce nom de petits rayons ; ironique splendeur]. *Ainsi apparaîtra aux yeux du monde le gentil éclectisme de votre cœur.* » Même année 1927 ; 23 février : « *Je suis de plus en plus certain que vos idées sont criminelles, et la dernière manifestation de Sangnier aux côtés de Vaillant-Couturier m'oblige à vous dire que je vomis* [mot souligné] *ces idées* [...] *Ne m'en veuillez pas. Je vous aime de tout mon cœur, tout petit Chinois que vous êtes.* »

Un Mauriac plus calme, du 8 août, Malagar : « *Je m'attelle à mon* Racine, *dans une solitude assez terrible, au milieu de vignes ravagées par la maladie, et en proie, moi-même, à cent mille mouches.* » Du 10 décembre : « *Les étudiants d'*Action française *m'ont demandé de présider leur réunion, salle Bullier. J'ai refusé – par lâcheté.* » Il veut dire prudence. Le pape, en 1926, a expressément condamné les thèses de Maurras, et F.M., qui pense beaucoup à l'Académie, n'a pas intérêt à scandaliser les catholiques (officiels), nombreux sous la Coupole. Freiné dans ses gestes publics, il n'en est pas moins durement ennemi des catholiques de gauche (de centre gauche) groupés autour de Francisque Gay, et, dans cette lettre même du 10 décembre, il m'écrit : « *Lisez* L'Imposture, *de Bernanos. Vous y verrez tous les rédacteurs de* La Vie catholique *en commerce suivi avec le Démon.* »

Événements que j'ignore, à l'automne 1928, dans sa vie intérieure. Du 27 novembre 1928 : « *C'est bien simple, je suis converti* [ce mot trois fois souligné], *comblé de silence et de paix* » ; plus loin, même lettre : « *Mon petit Henri, c'est quelque chose d'être copains pour l'éternité* » ; et « *Maintenant, sale gosse, triomphez ; je me suis désabonné de l'*AF [par obéissance à Rome]. *Pauvre AF ! J'en suis mystiquement et c'est auprès de Jésus-Christ qu'il faut maintenant la servir.* » Retenons ceci, d'un an plus tard (26 octobre 1929) : avec « *le désaccord profond de nos sensibilités politiques notre amitié est une gageure. Elle n'en est que plus précieuse, plus digne d'être conservée, préservée, défendue* ».

Au début de l'été 1929, Mauriac a vu mourir sa mère, et il m'écrivait, le 25 juillet :

« Cher ami,

« J'ai pensé que vous me pardonneriez mon silence. Il a fallu écrire à beaucoup de gens, remercier, etc. Et maintenant je vis avec le souvenir de ma mère dans ce Malagar qu'elle a tant aimé. Sa mort fut si douce, si paisible, que je me réjouis de ce qu'elle ait passé dans une telle sérénité ce seuil redoutable. Et moi je suis paisible aussi, d'une paix qui est au-delà d'un certain désespoir humain, fait, en partie, d'un goût âcre du néant de ce que j'ai le plus désiré ici-bas. J'ai de durs moments, mais toujours Dieu demeure et me soutient. »

Retour à la politique, avec deux lignes, un peu consternantes, du 8 mai 1930 : « *Nous avons enfin, avec Tardieu, un Poincaré de rechange et qui me paraît même supérieur.* » Il n'est pas gai en ce printemps de 1930 ! « *Je commence à sentir le poids de l'âge ; sensation très nouvelle, qui n'a rien à voir avec les malaises de la jeunesse [...] A bientôt, je pense à vous. Priez pour moi et croyez-moi vôtre.* » Sans méchanceté et presque avec une nuance de tristesse, ce paragraphe du 21 août 1931 : « *J'ai déjeuné avec un jeune Allemand, qui fait sa thèse sur moi. Comme il me disait qu'il passait tous ses week-ends à Bierville* [où avait eu lieu, en 1926, le grand congrès franco-allemand de " réconciliation " organisé par Marc Sangnier ; près d'Étampes, autour du château qu'il avait acquis là et dont il fera plus tard une " auberge de la jeunesse "], *je lui ai demandé s'il était pacifiste. J'aurais voulu que le pauvre Sangnier entendît son affreux éclat de rire : " Douze francs par jour, tout compris ! Mes amis et moi, nous serions bien bêtes de ne pas en profiter ! " C'était assez horrible. Il met dans le même sac Sangnier et Forster* [un Allemand favorable au séparatisme de la rive gauche du Rhin]. *Et dire que le pauvre S. se ruine pour ces Walkyries mâles !* »

Et voici, dans une lettre du 13 novembre 1931, une réflexion de F.M. que je reverrai chez lui plusieurs fois, trahissant une défiance qui ne le quitte pas à l'égard de l'expression littéraire : « *A votre âge, j'avais le goût des lettres, et j'en noircissais des quantités. Et maintenant – est-ce d'en avoir fait mon métier depuis tant d'années ? – l'écriture me paraît toujours menteuse, la parole écrite concertée, apprêtée, fausse.* » Le métier qu'il fait, d'écrivain, qui lui apporte argent et gloire, il le tient pour fondamentalement insincère et assez semblable à une permanente duperie. Sa chance, à lui, est de savoir tirer parti d'une comédie dont il a conscience mais que sauve de la bassesse une musique poignante dont le secret n'appartient qu'aux très grands artistes, et il *sait* qu'il appartient à ce petit nombre d'élus.

Mars 1932. Mauriac, atteint d'un cancer des cordes vocales, est opéré de toute urgence. Le 31 mars, il m'écrira : « *On m'a ouvert le larynx en deux, on m'a fait la trachéotomie (sans m'endormir !). Pendant des jours et des jours, j'ai eu 39° et 40°. Après un mois, ma plaie est encore ouverte [...] Enfin je remonte la pente, mais dans quel état ! [...] Après les martyres qu'étaient les repas, je commence à avoir une faim !* » Il va retrouver assez vite une parfaite santé. Si sa voix est très affaiblie, et sans portée désormais, elle demeure cependant tout à fait audible, et il s'accommode très vite – son entourage aussi – d'un inconvénient qui ne compte guère quand on a frôlé la mort. Le chirurgien l'a assuré qu'il pourrait se considérer comme entièrement « tiré d'affaire » si le cancer ne reparaissait pas dans sa gorge au cours des cinq années à venir. Et il ne reparut point. Un « *bénéfice de l'incident* », me conta Mauriac, un jour de l'été 1933, fut son élection à l'Académie si facile et si brillante ; pas même de concurrent. La majorité des Quarante (selon l'intéressé) se persuadait que leur nouveau collègue n'occuperait pas longtemps, laisserait libre en peu de mois, le fauteuil qu'on lui accordait.

La politique le passionne toujours. Il a beau se tenir à l'écart de *L'Action française*, il reste un « réactionnaire » décidé, belliqueux, et nos rapports, bien malgré moi, sont tendus. A preuve ces mots, crispés, qu'il m'adresse le 20 avril 1932 : « *Si, le 1ᵉʳ mai, vous atteignez à ce demi-succès : l'élection d'un socialiste révolutionnaire, chanterez-vous le* Te Deum *ou le* Magnificat, *ou les deux à la fois ? [...] Vous dites que vous êtes venu à moi, oui, mais sans renoncer à un iota de ce que votre véritable et unique maître* [c'est Marc San-

FRANÇOIS MAURIAC

gnier qu'il veut dire] *vous avait inculqué. Nous nous expliquerons de vive voix. Ce sera moins périlleux pour notre amitié qu'avec l'aide de Dieu nous sauverons de cette crise qui, de mon côté, est violente, je vous en avertis loyalement.* » Du 7 mai : « *Réjouissez-vous en paix de ce que vos amis serrent de près leurs adversaires, qui sont, comme par hasard, des catholiques, et réjouissez-vous encore plus de la Chambre qui s'annonce. Vous n'avez pas le sentiment de ce qui est en jeu* » ; 8 juin : « *Confrontez-vous votre système aux faits ? Que pensez-vous de l'école unique sur laquelle, au moment où j'écris, Herriot met l'accent ? Savez-vous ce qu'en pensent les Loges et ce qu'elles cherchent ?* » ; 12 juin : « *Vous vous dites, en politique, le disciple d'un homme dont la sottise met d'accord nationaux, socialistes, radicaux et maurrassiens [...] Le nommé von Papen, aristocrate de culture française, a beaucoup d'amis ici, dans le Faubourg. Il disait à d'Ormesson, qui me l'a répété : il faut que l'armée française reste forte, parce que l'Allemagne aura besoin d'elle, un jour prochain, contre les bolcheviks.* »

La revue *Esprit* naît à l'automne 1932. Le 24 décembre, Mauriac explose, à son sujet : « *Le christianisme et le bolchevisme s'y embrassent sous les mains bénissantes de Maritain. Mounier et les autres y écrivent un patois métaphysique et émettent autour d'eux un brouillard fuligineux* » ; 31 janvier 1933 : « *Ce que vous haïssez, c'est l'ordre, c'est la grandeur, c'est la supériorité [...] Ce dont je vous en veux le plus, c'est de la tempête que vous soulevez en moi en mêlant le Christ Jésus à cet obscur soulèvement des passions les plus basses. Quel mal vous me faites !* » ; 3 février : « *L'épouvantable équivoque qui donne aux traditions les plus vénérables le visage de Moloch et de Mammon, et qui enrôle le Christ dans l'armée de la révolution n'aura pas d'adversaire plus déterminé que moi. Dès que je serai sorti de cette aventure académique, je suis décidé à mettre tout mon talent au service de ce que vous haïssez [...] Si vous croyez que l'amitié peut résister à cette division sur l'essentiel, libre à vous ! Moi, je veux bien.* »

Algarade, le 7 juin 1933. J'ai scandalisé, indigné F.M. en parlant sans respect de « *M. Weygand* », au lieu de lui donner son grade éminent (ledit W., qui jurera, plus tard, n'avoir « *jamais fait de politique* », prenait alors, publiquement, des positions politiques très précises) ; et j'ai droit à une remontrance : « *De toutes mes visites académiques, le seul grand* [mot souligné] *souvenir est justement l'heure que j'ai passée avec cet homme extraordinaire, ce chrétien à l'âme transparente* [...] *Avec quelle angoisse il m'a interrogé sur les tendances de la jeunesse !* » Et François Mauriac me fait honte de m'associer à la « *campagne systématique contre lui* [Weygand] *dans toute la presse maçonnique, à tous les mensonges qui se répandent grâce à des êtres tels que vous* » ; du même jour, cet avertissement : « *Il me serait facile de vous prouver qu'au point de vue religieux, c'est vous qui êtes hérétique* » ; et F.M. de se référer à un texte récent et définitif du R.P. Gillet sur la véritable « *doctrine de saint Thomas et de l'Église* ». Fin de la lettre : « *Je vous serre la main affectueusement, en vous dispensant de me répondre sur tous ces sujets où nous ne nous rejoindrons jamais.* » (Ces derniers mots, bien les retenir.)

Philippe Henriot l'enthousiasme. Du 30 janvier 1934 : « *Cette fois, c'est l'opinion qui marche à fond. Henriot est l'homme du jour. Il a contre lui la maçonnerie aux abois qui va faire front, la Sûreté générale et les gens qui sont prêts à tout pour garder leur place* [...] *Aux Ambassadeurs, l'autre jour, il a soulevé la foule. On s'écrasait aux portes.* » Du 3 février (après des réserves de ma part sur ce personnage) : « *Je vois que vous ne savez rien de l'affaire de l'Aéropostale dont le démon était P.-L. Weiller.* » Henriot va « *à l'essentiel, qui est le divorce entre le Parlement et le pays* ».

Et voici le drame du 6 février. Je ne retrouve aucune lettre de F.M. où il soit question de la tragédie sanglante du pont de la Concorde ; sans doute en avons-nous parlé de vive voix. Un mouvement semble se dessiner dans la lettre que l'écrivain m'adressa le 24 février : « *Tout en éprouvant un mépris sans borne pour les états-majors de la droite* » (pourquoi ? Il s'agit de Maurras d'un côté, de La Rocque de l'autre), Mauriac tient à m'éclairer sur un fait dont il ne doute pas et qui lui paraît effrayant : « *Cet immense troupeau qui agite le drapeau tricolore est aux mains de Moscou. Le Front commun* [bientôt Front populaire] *est l'œuvre de Moscou.* » Et, du 3 juillet : « *Peut-être, en effet, cher Iroquois, ne sommes-nous pas si éloignés l'un de l'autre, puisque j'ai renoncé à ma collaboration à* L'Écho de Paris [le quotidien lui avait refusé un article]. *Au fond, je suis plus révolutionnaire que vous, qui êtes le type du conservateur français de gauche.* » (?) Toutefois, ses réflexes sont encore – un moment – significatifs. Du 11 novembre 1934, cet avis qui sera, après Munich, celui-là même de Thierry Maulnier, dans un texte devenu célèbre (mais, en 1938, F.M. aura considérablement changé d'optique) : « *Une défaite de l'Italie et de l'Allemagne* [l'Allemagne de Hitler] *serait un triomphe maçonnique, de conséquence incalculable. Je hais le racisme d'Hitler, mais la politique soviétique de la gauche, c'est la guerre ; il n'y a pas de doute.* » Pareillement, du 27 mars 1935 : Moscou « *nous amène peu à peu à une alliance d'où la guerre sortira à coup sûr* [ces trois derniers mots soulignés], *car rien n'empêchera le règlement de comptes entre Hitler et les Soviets* ». Pour les élections législatives de mai 1936, mon beau-père, Jacques Rödel, qui avait été, à Bordeaux, le camarade de classe (à l'école libre) de F.M., avait décidé de se présenter contre Ph. Henriot, essayant de réunir sur son nom les voix des catholiques opposés au fascisme (il sera, naturellement, battu), et Mauriac s'obstinait à souhaiter la victoire du candidat des « honnêtes gens ». Le 22 avril 1936, il m'écrivait : « *Votre indignation contre Henriot est stupéfiante. Je crains que vous ne persuadiez personne en dehors de Mgr Feltin* » (archevêque de Bordeaux et qui trouvait Ph. Henriot à la fois excessif dans sa politique et mal rassurant dans son ambition). Puis, sur le père de ma jeune femme, ces sarcasmes : « *Il faut de l'héroïsme pour accepter d'avoir l'air d'un instrument du ministère Sarraut et pour accepter d'être jugé ainsi par presque tous ses concitoyens.* »

C'est en novembre (ou décembre) 1936 que F.M. publia sa *Vie de Jésus*. Il était très mal satisfait de ce livre et m'écrivait sur une lettre, pour une fois, sans date : « [ce manuscrit,] *je regrette de ne pas l'avoir gardé un mois de plus. Je vois d'autres chapitres à écrire. La hâte me perd ; les éditeurs, le besoin d'argent, voilà les pires ennemis. Je vous admire d'avoir mis sept ans à écrire un volume* [ma thèse de doctorat sur *Jocelyn*]. *Moi, je finirai bien par ne plus mettre que sept jours, mon seul point commun avec Dieu.* »

Jean Lacouture, mieux que personne, a su rendre intelligible l'itinéraire – le retournement – de F.M. en 1936, à cause, avant tout, des affaires d'Espagne. Le coup de force de Franco est du 18 juillet 1936, et, le 25, dans *Le Figaro*, Mauriac se dresse, menaçant, contre un Léon Blum, président du Conseil, soupçonné de vouloir prêter un appui militaire au gouvernement espagnol, gouvernement républicain porté légitimement au pouvoir par les élections de février ; mais c'est le gouvernement du *Frente popular*, aussitôt baptisé « *Frente crapular* » par le général de Castelnau, grand chef du catholicisme politique français. Cependant, Mauriac va changer d'avis assez vite, et chacun sait aujourd'hui qu'il fut du nombre, du très petit nombre, de ses coreligionnaires en France qui, en dépit des applaudissements donnés par Claudel et par Henry Bordeaux, avec l'épiscopat espagnol, à la « croisade » franquiste (et à ces massacres d'innocents qui firent de Bernanos, à Majorque, un révolté irréconciliable), ouvrirent les yeux sur une abomination où se compromettait, tragiquement, toute l'Église – le Vatican s'étant empressé de « reconnaître » Franco, à la suite de l'Allemagne et de l'Italie.

J'avais quitté la France pour l'Égypte en octobre 1936, et la première lettre de F.M. que je retrouve dans mes archives (après celle du 22 avril 1936) est datée du 10 août 1937 ; elle contient ces mots : « *Je suppose que vous devez être content de moi, cette année. Contrairement à ce qu'on croit, je cède moins à mon cœur qu'aux exigences de ma foi.* » L'hebdomadaire des dominicains de la Tour-Maubourg, *Sept*, est contraint de se saborder sur l'ordre du Vatican ; le 31 août, F.M. m'écrit : « *Une lettre reçue hier du père M.* [Maydieu] *respire cette résignation sublime et exaspérante des moines* [...] *Leur adieu, que vous avez dû lire entre les lignes, ne laisse aucun doute sur les vrais responsables de ce malheur* » (il veut dire : les autorités romaines, sous la pression des évêques espagnols) ; puis : « *Mon avis serait de créer, entre laïcs, un* Bulletin *des amis de* Sept. »

Ceux des dominicains de Paris qui « pensent mal » et avaient lancé *Sept* prennent le risque de faire paraître, dans leur *Vie intellectuelle*, en septembre 1937, un article que je leur avais soumis, intitulé « Par notre faute », sur la responsabilité des catholiques dans les progrès de l'incroyance. De F.M., 28 septembre 1937 : « *Votre article de* La Vie intellectuelle *est bien imprudent dans les circonstances actuelles, mais très beau* [ces deux mots soulignés], *et vous avez terriblement raison* [...] *Avouez que j'ai quelque mérite à entrer dans cette bagarre. Qu'est-ce que je vais prendre ! Mais il le faut, et votre article n'a pas peu contribué à me décider.*» Même sujet, 29 novembre : « *On ne peut rien vous reprocher et vous n'avez rien à vous reprocher* [...] *Il semble que tous les rapports* [entre catholiques] *soient empoisonnés par cette autorité* [romaine] *multiforme et sournoise, dont chacun se méfie.*» L'époque de Pie X est, par bonheur, révolue. Mauriac « *remercie Dieu de vivre dans un temps où ses prêtres n'ont d'autre pouvoir que ceux que lui-même leur a conférés* » ; ils ne sont plus, comme ils furent, hélas (dans l'ensemble), durant des siècles, les auxiliaires des puissances sociales.

Pour assurer son élection à l'Académie, Maurras, le vieux chef royaliste, se réconcilie avec l'Église, devient un parfait catholique. Personne n'est dupe, et Mauriac moins que quiconque. Du 22 juillet 1938 : « *Le document signé par* L'Action française *est une reconnaissance de toutes les erreurs qu'ils ont toujours nié avoir professées* [...] *Ils ont cédé sur toute la ligne. Mais, au fond, nous savons bien qu'ils n'ont pas changé, et l'Église le sait bien aussi. Là comme ailleurs, tout le monde triche. Eh bien, nous, ne trichons pas.*» Dans une lettre du 8 novembre, ceci, dont je ne sais plus la raison d'être : « *Nous mourons tous inconnus et heureusement* [ce mot est souligné] ; *mais il vaudrait mieux disparaître sans laisser de traces, comme la plupart des hommes, que de laisser des images fausses de nous-même.*»

Comment oublierais-je cette rencontre que j'eus avec F.M. fin janvier 1939, à Paris, dans un grand café proche de la Madeleine ? Il m'avait donné rendez-vous à 11 heures. Je l'ai vu arriver avec un visage que je ne lui avais jamais vu, fiévreux, plus que sombre et comme ravagé. Il me dit, tout de suite : « *L'Espagne ! Vous avez vu ? Barcelone est tombée... Madrid va tenir encore un peu. Mais à quoi bon ?*» Puis : « *C'est fini, vous savez ! C'est bien fini...* » Et, tout à coup, sa main serrant mon bras par-dessus la table : « *On part ? On y va ensemble, à Madrid ?*» Il ne plaisante qu'à demi.

FRANÇOIS MAURIAC

Une idée tentatrice et folle, qu'il transforme aussitôt en une galéjade funèbre : « *Vous me voyez là-bas, dans les tranchées, avec mon épée d'académicien ?* »

Il ne peut parler d'autre chose que de cette tragédie de l'Espagne, de son horreur – physiologique, forcenée – du franquisme, de l'écœurement que lui inspirent la hiérarchie catholique et le Vatican. L'affaire espagnole lui aura tenu à cœur violemment, presque à l'égal d'une aventure personnelle douloureuse, déchirante.

La guerre, maintenant. Le 2 septembre 1939, c'est fait. Halée par l'Angleterre, la France – morne, résignée, sans élan – entre en lice, et, le jour même, Mauriac m'écrit : « *Cet océan de douleurs !* [...] *Jusqu'à la fin, je n'y ai pas cru. J'espère encore en une guerre larvée.* » Chez cet homme si vivement antihitlérien et antifasciste, aucun enthousiasme martial, on le voit. Mais n'oublions pas que la guerre a, pour lui, une incidence terrible et directe : son fils Claude sera parmi les combattants.

Le 26 octobre, je déjeune à Malagar et prends au retour les notes que voici :

Mauriac m'a remis en mémoire le comportement assez hideux de Beck [1] (ce « *charognard* », me dit-il) lorsque, au printemps de cette même année 1939 où nous sommes, la Pologne profita du dépeçage de la Tchécoslovaquie par Hitler pour annexer, au nord-est de ce malheureux État démembré, un petit territoire qu'elle n'avait cessé de convoiter. F.M. observe aussi, avec un amusement amer, l'attitude du *Temps*, organe (comme chacun sait) du Comité des forges et qui s'impatiente devant cette guerre pour rire, pas sérieuse, où l'on ne consomme pas de matériel et qui ne comporte point, en conséquence, ces vastes commandes que l'on escomptait, au Comité. Mais *Le Temps*, « *pour l'opinion innocente* », comme dit Mauriac, reste ainsi dans sa ligne invariable et irréprochable : le modèle même du patriotisme.

1. Le chef du gouvernement polonais, encore plus ennemi des Russes que des Allemands.

F.M. s'est demandé, à voix haute, pour quelle raison, finalement, nous avons déclaré la guerre. Une certitude, au moins, à ce sujet : ce ne fut certainement pas pour porter secours à la Pologne, car nous n'avons pas même fait l'esquisse d'un geste en ce sens. Alors ? « *Pour la défense de la liberté* » ? comme Giraudoux le répète. Mais notre liberté civique reste entière. Pas tout à fait, cependant : la censure agit et les communistes sont pourchassés. Ce moment-là de notre entretien, F.M. y mit fin par une pirouette : « *Mieux vaut ne pas approfondir.* » Je l'ai trouvé très sombre, las, écœuré, se déclarant sûr que « *rien ne sera changé* » dans les grandes questions économiques et sociales si, « *comme il faut l'espérer, nous finissons par l'emporter sur Hitler, grâce aux Américains* », qui, selon lui, « *interviendront sûrement* ». On recommencera le traité de Versailles, et « *vous verrez les Américains reprendre leur politique de 1924 et participer, contre l'URSS, à la renaissance industrielle et militaire de l'Allemagne* ».

Il fulmine contre Duhamel qui, paraît-il, joue les Barrès et donne dans le chauvinisme incandescent. Il est très sévère contre le roi des Belges qui, se retirant de l'alliance franco-anglaise et redevenant « neutre » – comme si la neutralité de la Belgique l'avait protégée de l'invasion allemande en 1914 –, nous interdisait, du même coup, le mouvement de salut qui nous aurait permis, dès le 4 septembre, de déborder la ligne Siegfried par le nord et de la prendre à revers. Et qu'a-t-il fait, dès le 3 septembre au soir ? Il a massé plusieurs régiments à la frontière, face à nous, « *avec ordre de nous tirer dessus* » si nous faisions mine d'essayer, en amis, un crochet par la Belgique. « *Je sais bien que notre gouvernement n'y songeait pas, et Léopold le savait aussi, mais c'était une prévenance qu'il offrait à Hitler, à toutes fins utiles.* »

François Mauriac demandant pardon, publiquement, à Marc Sangnier (mais combien sommes-nous, aujourd'hui, à connaître son roman de 1912 et à savoir que Jérôme Servet était l'homme du *Sillon* ?), telle est la signification secrète de cet article que Mauriac publia le 12 avril 1940, à propos de la mort accidentelle du « petit Paul », « Paul fils de Marc » ; on y pouvait lire :

« *Adolescent, j'ai, durant quelques mois, appartenu au* Sillon *de Bordeaux. Je m'y prêtais, je ne m'y donnais pas. Trop barrésien, trop occupé de moi-même, j'observais Marc Sangnier d'un œil critique et me croyais bien défendu contre lui. Il m'a fallu beaucoup de temps pour découvrir ce que je lui devais. Il a éveillé, dans le garçon bourgeois que j'étais, une mauvaise conscience qui ne s'est plus rendormie. Depuis une certaine nuit de ma dix-huitième année, où, brisé, rompu, après une lutte exténuante contre une salle démontée, il marcha près de moi sur une route de campagne vers la maison des miens, je n'ai plus jamais été un privilégié tranquille.*

« *J'y songeais, il y a trois ou quatre ans, un jour, à Notre-Dame. C'était la fête du Christ-Roi, et des milliers de jocistes et de jécistes emplissaient la nef. Non loin de moi, je reconnus Marc Sangnier et l'observai avec une émotion profonde. Cet homme vieillissant avait été une des sources du grand fleuve juvénile qui, autour de nous, battait les piliers, et dont le* Credo *grondait sous les voûtes. Devant cette moisson d'épis, le semeur solitaire se souvenait-il du temps où il les avait semés ?* »

Fin mai 1940, le désastre n'est pas encore total, mais prévisible, et F.M. ne se montre pas accablé. Du 29 mai : « *Oui, c'est dur. Il reste qu'une France émondée, taillée, réduite, fera peut-être ce dont était incapable la France impériale. Elle reverdira. Enfin il faut tenir compte de la volonté de quelques hommes, de notre côté et – faiblesse inaperçue de l'adversaire – de ce que peut donner (ce qui ne s'est jamais vu encore) le léopard anglais traqué dans son île.* »
Nouvelle visite à Malagar, le 6 juin 1940. Mes notes de ce soir, telles quelles : Dans la petite pièce en contrebas – on descend deux marches – dont Mauriac a fait son « repaire », je le trouve tapi, blotti, resserré sur lui-même comme un oiseau qui aurait froid. Et il fait tellement beau, cependant ! Par la fenêtre ouverte, je vois au bout du pré, là-bas, cette ligne de peupliers déjà grands qu'il a fait planter lui-même en 1927.
Incapable d'échapper à la hantise du cauchemar national, il s'acharne à retrouver de l'espoir. Il me dit, plusieurs fois, d'une

pauvre voix dont l'accent, forcé, fait mal : « *J'ai confiance ! J'ai repris confiance !* » Il avoue n'être pas ébloui par les mérites de Weygand. Je me rappelle qu'en 1933 il me le décrivait avec componction, comme un grand chrétien, émouvant ; il s'agit maintenant d'autre chose : « *Ce n'est pas une lumière,* me dit-il. *Un médiocre.* » Pour se réconforter lui-même, sans doute, il évoque son *Journal de guerre,* de 1914-1918, qu'il est bien résolu à garder secret : « *Je n'ai pas cessé de m'attendre au pire. Et vous avez vu cette conclusion ! Une énorme image d'Épinal. La réalisation littérale de l'invraisemblable bourrage de crâne que nous avions subi. Alors, pourquoi pas aujourd'hui, un retournement, tout à coup, triomphal ? Nous avons Pétain au gouvernement. Pétain, tout de même, vous vous rendez compte ! Cet octogénaire miraculeux, toujours égal à lui-même. Et il est là ! Son seul nom ! Quelle charge de souvenirs et de promesses ! Non, non, tout n'est pas perdu, vous verrez !* »

Claude, vingt-cinq ans, a quitté Chantilly, où il était « *peinard* ». « *Sa dernière lettre ne nous dit pas sur quelle position on l'a envoyé ; tout ce que je sais, c'est qu'il est maintenant exposé, exposé à fond* » ; et F.M. ajoute, courageux, pour l'exemple, je pense, parce que je suis là : « *A son tour ! Comme les autres ! Rien à dire !* » Il a voulu me la lire, cette dernière lettre, et il n'a pas tenu le coup. Il a d'abord avalé sa salive et a commencé la lecture d'une voix sourde. Claude écrivait qu'il « *comprenait tout à coup ce que signifiait le mot patrie* » et qu'il « *tâcherait de n'être pas un lâche* ». Puis F.M. s'est interrompu. Portant la main à son cou, il enlève ses lunettes, pose la lettre sur ses genoux et me regarde sans plus articuler rien.

J'ai voulu parler de son travail. Il m'a répondu qu'il ne travaillait plus, qu'il ne savait que devenir : « *Je suis désemparé.* » Il lit du Shakespeare, du Montaigne et s'ennuie. L'odeur des foins coupés envahit Malagar. Devant la maison, de grands massifs de roses. Il me dit : « *C'est affreux, hein ? que tout soit si beau et qu'il y ait cette guerre. Quand on se réveille, on retrouve ce cauchemar.* »

Comme j'allais partir, il revint sur les opérations militaires : « *Nos généraux, quels ânes ! Vous les avez entendus, le 10 mai, quand Hitler s'est lancé ; leurs cris de joie ! Ça y est ! Ce que nous attendions ! Ce que nous souhaitions de lui ! Tête baissée dans le piège ! Le piège ? C'est sur nous qu'il s'est refermé !* » Il a ajouté un mot sur Daniel-Rops. Parlant devant lui de Marx (du « Service des œuvres »), que Mauriac a plusieurs fois rencontré et admiré, Rops a dit, comme on cracherait : « *Ce Juif.* » Mauriac raconte : « *Je n'ai pas pipé, mais je l'ai regardé droit, avec insistance, plusieurs secondes. Rops a tourné la tête et a changé de sujet.* » De nouveau à Malagar, le 5 juillet 1940. Choc, à l'arrivée. Des soldats allemands sont couchés sur les pelouses. Ils ont dressé une tente au milieu de la prairie. Deux camions radio sont là. Donc, une équipe de transmissions. L'officier responsable muni du « billet de réquisition » a dû être logé dans la maison. Il s'efforce d'être discret, le plus possible. Un détail seulement. Dans la chambre qu'on lui avait donnée, un crucifix était accroché au mur, au-dessus du lit. On a retrouvé le lendemain matin, dans le couloir, à côté de sa porte, cet objet importun, dérangeant, méphitique.

Mauriac est « *écœuré* » par la tranquille indifférence des gens, autour de lui et à Langon, à l'égard des événements : « *Je ne croyais tout de même pas la France aussi pourrie. La défaite militaire, l'imbécillité des généraux, c'est dans l'ordre. Mais la débandade ! Quelle révélation morale sur ce que nous sommes devenus ! Ces officiers qui foutaient le camp par centaines ! A Langon, un " bal international " a eu lieu sur la place, c'est-à-dire avec les soldats allemands. D'après les journaux, la meilleure entente ; la plus franche cordialité. Dignité ? Un mot de l'autre monde !* » Il me dit encore que le régime économique où les trusts sont tout-puissants nous conduisait à l'incivisme, et que les dirigeants s'employaient, avant tout, pour assurer leur réélection, à procurer à leur clientèle des places de fonctionnaires. Ainsi se vident les campagnes. Les gens de *Gringoire, Je suis partout, L'Action française*, le mal qu'ils ont fait ! Et le pape qui reste muet ! Quelle pitié, cette démission ! « *Il est vrai que l'Église n'intéresse plus personne.* » Il me montre un cahier qu'il intitule : *Lettre à un désespéré* ; il a écrit ça l'hiver dernier, pendant la « drôle de guerre ». Il me dit qu'il y a recopié plusieurs textes de Nietzsche qu'il ne connaissait pas, « *sur la religion* », et qui lui ont paru « *prodigieux* ». « *Pas sûr que j'en fasse quelque chose, de ce projet-là.* »

Je lui rapporte ce que sont, d'après Marquet (et Laval, sans doute) les intentions de Hitler : nous reprendre l'Alsace-Lorraine « *et des compléments* » ; annexer, en compensation, la Wallonie à la France et créer, avec la Belgique du Nord et les Pays-Bas, un État flamand sous son protectorat. Il s'emparera de notre Afrique noire et du Congo belge. L'Algérie serait partagée entre Franco et Mussolini, lequel aura, en outre, la Tunisie et Djibouti. Pour le reste de l'Afrique, tout dépendra. « *On verra quand l'Angleterre sera à genoux ; ce qui ne saurait tarder.* » Il ne partageait pas, jusqu'ici, l'anglophobie ambiante, mais le coup de Mers el-Kébir l'a horrifié, révolté.

Il m'apprend qu'il a commencé un roman. « *Je ne sais ni le titre, ni même le sujet, mais je me suis lancé. Ce sera mon travail de l'hiver prochain. Il faut bien vivre.* »

Le 10 juillet 1940, à Vichy, c'est l'avènement de Pétain. On sait que Mauriac a commencé par remercier la Providence d'avoir offert à notre malheur cette chance insigne : le Maréchal à la tête de l'État. Je crois, réellement, qu'il n'a jamais rien perçu, ni deviné, des manœuvres souterraines de Pétain, depuis 1936, pour se débarrasser de la République. Deux remarques à noter ; 5 juillet 1940 : « *La plus mirobolante constitution ne m'intéresse guère si elle est appliquée à une nation asservie et sous le contrôle de la nation qui la domine* » ; et, 28 juillet : « *Quelque chose se mijote à Paris* [autour de Doriot ?]. *Nous pouvons nous attendre* [là] *à un gouvernement hitlérien pur.* »

Le 25 août, à Malagar, Mauriac me lit les soixante-dix premières pages de sa *Pharisienne*, sur « *les tartufes inconscients* ». Il dit : « *Quelquefois, en écrivant tel de mes romans, je me demandais si je ne faisais pas trop noir. J'ai maintenant l'impression que la vie me copie, ou plutôt que je suis resté très en dessous du vrai.* »

Il dit aussi que l'antisémitisme est à la mode ; que le patronat, bien entendu, conserve tous ses privilèges mais élimine ses Juifs pour s'arranger encore mieux avec l'occupant. Un mot, à peine, sur de Gaulle, qu'il ne prend pas au sérieux : « *Purement symbolique, son refus. Très beau, mais inopérant.* »

La confiance que F.M. accorde au Maréchal va loin, car, le 9 décembre (toujours en 1940, quelques semaines après Montoire), il s'« *affirme tout à fait persuadé qu'il n'y a pas, pour la France, d'autre politique possible que la collaboration* » ; « *conviction*, dit-il ; *fondée sur les meilleures raisons : même si l'Angleterre l'emportait, la France doit avoir une politique continentale* ». Lettre du 11 janvier 1941 : « *Nous nous enfonçons dans les ténèbres* [...] *Recevant aujourd'hui tous les pauvres travailleurs de Malagar venant me souhaiter " la bonne année ", je ne sentais plus de barrière entre eux et moi. Une fraternité vraie renaissait.* » Il regagne la capitale et m'envoie, le 31, trois lignes pleines d'affection ; il est « *perclus de froid et de découragement dans ce sombre Paris* ». Son roman *La Pharisienne* va paraître en juin (1941) ; mais qu'a-t-il donc fait, ou plus probablement dit, pour expliquer la lettre que voici, du 11 juin ?

« *Je fais aujourd'hui mon service de presse au milieu d'attaques furibondes. Avez-vous lu* Je suis partout ? *C'en est comique. Et, sur tous les murs du métro, on peut lire l'annonce d'une conférence aux Ambassadeurs : " Un agent de désagrégation : F. Mauriac "* [par un certain Demeure][1]. *Ce qui était plus grave, c'était un ordre des Allemands de limiter le tirage de mon roman à 5 000. Heureusement, c'est arrangé et je dois causer cet après-midi avec un de ces messieurs* [Heller]. *Premier résultat : avant même la parution, 10 000 bouquins sont vendus ferme et les demandes affluent* [...] *Je suis assez fier d'être le seul attaqué ainsi par* Je suis partout. *Ils vont me rendre ivrogne, car je vais prendre souvent l'apéritif dans les cafés de la rive gauche depuis qu'ils me l'ont interdit. Je suis accompagné, il faut dire, par le plus vigoureux de mes amis, le cher Jean Blanzat (romancier et instituteur). [...] Tout craque sous nous [...] Je pense rentrer à Malagar à la fin du mois.*

De tout cœur votre
F.

« *P.S. Reçu une lettre du P. Doncœur, qui me rend responsable de*

---

1. Le 26, Mauriac complétera sur ce point mon information : « *La conférence contre moi a été un triomphe pour moi. Chaque fois que mon nom était prononcé, les applaudissements éclataient. Le conférencier a parlé deux heures, interrompu sans cesse par les injures, les moqueries.* »

FRANÇOIS MAURIAC

la défaite, de la démoralisation de la jeunesse, et me cite au tribunal de Dieu ! Dieu n'est pas jésuite, heureusement. »

Désormais, Mauriac a choisi son camp, qui n'est pas celui de Pétain. Le 26 juin 1941, d'après les nouvelles claironnées par le Reich comme par Vichy, et qui annoncent les succès foudroyants de Hitler contre l'URSS, intéressante, la réaction de F.M. : « *L'armée russe paraît s'effondrer ; ça ne va pas fort pour le petit père Staline. Pleurons d'un œil* » ; puis, après un « *n'importe !* », voici Verlaine annexé par la Résistance : « *L'espoir luit comme un brin de paille dans l'étable.* »

L'article que je vais reproduire, j'en ai fait passer le texte à travers la ligne de démarcation grâce à un ami (le père d'une de mes étudiantes), dont j'ai parlé dans une note du 30 juillet 1941, et qui a mis l'enveloppe pour la Suisse à la poste de Monpont. Ces lignes ont paru dans *Le Journal de Genève*, le 1er décembre 1941.

AUTOMNE A MALAGAR

Une fois de plus, en cet automne 1941, j'ai revu François Mauriac à Malagar. Malagar, ce point dans l'espace que regardent par la portière et que se montrent l'un à l'autre les voyageurs passant par Langon. Tout en haut de la colline, au-delà du fleuve, ce toit d'ardoise, ce bouquet d'arbres.

Sur l'herbe où nous marchions, entre les charmilles, je retrouvais mes pas anciens, et l'étudiant que j'étais, le normalien de 1925, intimidé, le cœur battant, lorsque, pour la première fois m'accueillant dans cette demeure privilégiée, François Mauriac, déjà l'homme de *Génitrix* et du *Désert de l'amour*, me conduisait si gentiment, son bras passé sous le mien, jusqu'au rebord du belvédère d'où se découvre tout l'horizon.

Ainsi nous étions là de nouveau, après tant d'années ! Pas une qui ait fui sans qu'une fois au moins je me retrouve, tel jour d'été ou d'automne, au rendez-vous de la terrasse. Ce coin où sont le banc, les deux chaises de fer, dans l'angle abrité, face à l'ouest ; le portique, dans la prairie près du verger, où le petit garçon Claude se suspendait aux anneaux ; les petites filles qui se poursuivaient en riant dans les allées... Le petit garçon Claude (est-ce possible !) est maintenant « un ancien combattant ».

402

Je regardais, hier, devant moi, cet homme de cinquante-six ans, incroyablement pareil à lui-même, avec ses yeux couleur de buis, et cette paupière gauche abaissée d'une ligne plus que l'autre.

Nous nous faisons des âges de la vie une image qui nous trompe à mesure et dont l'illusion reconnue ne nous guérit pas de nous tromper encore : à vingt ans, l'homme de quarante nous semble un être inconnu, d'un autre monde, et pour qui les objets de nos pensées et de nos désirs apparaissent sans doute dans une lumière si différente de la nôtre que nous ne devons point sûrement parler la même langue, désigner avec les mêmes mots les mêmes réalités. D'où cette gêne en nous, cette réserve, cet effort, incessant et vain, de transposition. Nous nous attendons à beaucoup changer ; nous sommes dociles à cet inévitable, et curieux d'assister à cette métamorphose. Puis les quarante ans sont là, ou tout proches ; et la révélation nous vient comme une évidence inouïe, désolante peut-être ou adorable, que rien n'a changé, rien de ce qui compte, que le visage a pu se ternir et les rides se marquer, mais que le secret de nous-mêmes, l'âme cachée, le creux du cœur, l'enfant blotti, tout cela qui est notre être, notre personne devant Dieu, subsiste invinciblement. Nous le masquons seulement aux yeux des autres, de notre mieux, comme si nous éprouvions une honte à laisser deviner à quel point, sous cette enveloppe vieillissante, persiste celui qui fait semblant de n'être plus. [...]

Nous allions, à Malagar, entre les vignes où se courbaient les vendangeurs. La casquette sur les yeux, la tête un peu en avant, plus grand que moi, mince dans son costume de laine beige, François Mauriac marchait dans les « règes [1] » de son pas élastique, le talon n'effleurant le sol qu'à peine. Nous mangions une grappe de-ci, de-là, tenant dans nos doigts un par un, avant de les porter à nos lèvres, ces beaux grains transparents, froids et purs. Le ciel était sombre. Des grives, à notre approche, s'envolaient brusquement, avec leur violent bruit d'ailes. Et je songeais que ce poète, à côté de moi, debout sur sa terre, et qui laissait aller son regard sur ces pays couverts de brume, avait, il y a seize ans, l'âge qui est le mien aujourd'hui, lorsqu'en cet automne si loin derrière nous il me montrait ainsi déjà, tout semblablement, avec les mêmes mots, le même geste aigu de la main, l'horizon des Landes et de grand moutonnement confus qui va vers la mer. Ah ! finie, maintenant, la réticence ! Délié ce nœud de crainte ! Plus de langage à inventer, plus d'effort, si péniblement, pour tenter toujours de traduire. Certitude d'être entendu. Quelqu'un à qui l'on peut tout dire...

Jadis, à pareille date, il portait en lui, encore incertains, le visage,

---

1. Ce mot, purement bordelais, désigne les intervalles, dans les vignes, entre les rangées de ceps.

l'appel de Thérèse Desqueyroux. Elle habite maintenant parmi nous, à jamais, cette créature inventée. Elle participe à notre drame. Redoutable pouvoir, presque effrayant, qu'ont reçu ces poètes ; ils introduisent dans notre univers des compagnons qu'ils ont suscités ; ces êtres de songe qu'ils tirent de leur âme, ils nous les imposent ; impossible de les écarter, encore moins de les abolir ; ombres irrécusables, plus vivantes que bien des vivants. Ainsi Flaubert avec sa Bovary, Hugo avec son Jean Valjean, Claudel avec sa Prouhèze ou son Ysé.

Paris verra, dans peu de mois, une seconde pièce de Mauriac : Les Mal-aimés, les mal-aimés qui s'entr'appellent « bien-aimés » ; la tragique méprise éternelle sur l'amour qui n'est pas l'amour, le bonheur qui n'est pas le bonheur. Une grande, grande chose, haute, dure, puissante ; ténèbre avec l'aube pressentie derrière, déchirante ; et cette souffrance qui est déjà un témoignage. Durus amor...

Il me dit qu'il n'aime plus que lire, que le travail lui coûte. Tout ce qu'il a fait cependant, depuis deux ans, dans le silence ! La Pharisienne n'est qu'un affleurement ; le poème d'Atys n'est pas un adieu ; la Vie de Jésus ici-bas, dans l'histoire du monde, ne s'achève pas à l'Ascension. Aux Mal-aimés déjà succède la forme vague d'une troisième œuvre pour le théâtre.

Dans le couloir de la vieille maison retentissent maintenant, avant le jour, des pas qui font trembler les planches, des pas de vainqueur, « les semelles de plomb du destin ». « Entre eux et nous, me disait-il, Il y a au moins en commun le mal que nous nous sommes fait... Il s'agit d'oublier ce qui ne s'oublie pas, de pardonner ce qui ne se pardonne pas... »

Sur la petite place de Verdelais, encombrée de voitures allemandes, nous nous serrions la main devant l'autobus brimbalant qui me ramènerait à Bordeaux. « Au revoir, mon vieux... » Je l'ai vu, par la vitre arrière ; il repartait par l'étroit sentier qui monte au Calvaire ; de là, il n'aurait plus qu'à suivre la crête du coteau, jusqu'à Malagar. La torture de la vieillesse, c'est la solitude... Mais ceux qu'il a choisis nommément pour ses messagers, Dieu les dispense de cette épreuve. Un François Mauriac, jamais il ne sera seul. Ce froid mortel du délaissement, qui pénètre et glace d'avance tant de pauvres hommes aux étapes dernières de la vie, il n'en connaîtra point, quand l'heure ordinaire en viendra, l'âcre et terrible morsure. Car nous ne sommes pas un petit nombre à le chérir, de toute la force de notre cœur, à cause de ce qu'il nous a donné.

Henri Guillemin

Mauriac, le 4 décembre, me remercia de ce qu'il voulait bien appeler mon « *admirable article* » : « *Ce témoignage, merci de me l'avoir donné maintenant* [il a souligné ce dernier mot]. *Il fait noir et très froid ; mais vous m'avez fait chaud au cœur.* » Plus loin, dans la même lettre : « *Je voudrais être, pour vous et deux ou trois autres, celui qui comprend tout, à qui l'on dit tout, parce qu'il a tout connu, tout souffert.* »

D'une lettre en date du 27 mai 1942, ceci : « *Il y a eu mardi huit jours, à 8 heures du matin, j'ai reçu la visite de ces messieurs* [de la Gestapo]. *Ils ont fouillé partout. J'avais été dénoncé, m'ont-ils dit, comme faisant des tracts. Tout s'est correctement passé, et je n'ai plus entendu parler de rien. Mais ce n'est pas confortable.* »

Au début de juin 1942 parut mon étude sur l'aventure britannique de J.-J. Rousseau avec David Hume (« *Cette affaire infernale* »). Mauriac, qui s'intéressait amicalement à mes recherches d'histoire littéraire – c'était lui, spontanément, qui s'était offert à préfacer, en 1939, mon premier ouvrage sur *Flaubert* –, m'interrogeait toujours, lorsque nous nous rencontrions, sur cette *réalité*, que je découvrais, de la haine vigilante et persécutrice dirigée, dès 1752 environ, contre J.-J. par la « *secte* » (comme dira Robespierre) dite des « *Lumières* » ; et, le 8 juin 1942, il crut bon de m'avertir, en riant : « *Guéhenno, qui fait un Rousseau* [de son côté], *est horripilé par votre livre qu'il estime un tissu d'erreurs.* » Et il m'écrira, le 22 juin : une « *vérité évidente, éclatante, c'est que Rousseau a été vraiment calomnié et persécuté par nous tous* [ces deux derniers mots soulignés] ». Il est exact que J.-J. a été exécré aussi bien par l'archevêque de Paris et par le Parlement puis par les Veuillot, les Brunetière et les Gaxotte que par les encyclopédistes et par Taine ; « *on ne lit plus les grands hommes ; on se sert d'eux pour les besoins de la polémique* ».

Le 1ᵉʳ juillet 1942, F.M. vint passer quarante-huit heures dans la maison louée à La Tresne, en 1939, par mon beau-père et où j'habitais, depuis cette date, avec les miens. Je ne sais pourquoi, à cette occasion, Mauriac évoqua les mois sinistres qu'il avait passés à Gallipoli, en 1915, pendant l'opération des Dardanelles, dans le service de santé du corps expéditionnaire. Il blaguait son engagement, disant : « *Je croyais à la prise de Constantinople, et voulais disposer du harem.* » Rapidement, le « *dégoût* » l'avait « *écrasé, sur cette presqu'île qui sentait le cadavre* » ; il y avait là de bons côtés, pourtant : « *Où qu'on creusât, on trouvait des monnaies antiques, des poteries, des fragments de statues, parfois d'énormes amphores contenant deux squelettes face à face.* » De temps à autre, « *trop rarement* », pour remédier à « *l'énorme ennui* », l'apparition d'un bateau de guerre qui venait tirer, avec ses grosses pièces, sur tels objectifs prescrits : en particulier, un petit minaret que les obus s'obstinaient à manquer. Quand un de ces croiseurs survenait, tout le monde sortait des tranchées pour assister au spectacle, les Turcs aussi, « *à quelque cinquante mètres de nous* ». Armistice provisoire mais automatique. « *Les Turcs se contentaient de regarder. Nous autres, les " alliés ", nous agitions les bras, nous poussions des cris de joie à l'adresse de nos marins, surtout pour les remercier de nous divertir un moment.* »

Mon évasion – juste à temps – hors de la zone occupée, puis mon refuge trouvé en Suisse, puis, le 12 novembre 1942, la disparition de la zone dite « libre » avec l'occupation totale du territoire français par les forces allemandes, interrompirent pendant de longs mois mes rapports avec Mauriac, qui reprirent avec bonheur – je crois –, pour l'un et l'autre, en janvier 1945, lors de mon premier retour à Paris après la Libération.

Nommé attaché culturel à Berne, j'organisai aussitôt deux conférences, en Suisse, du grand écrivain, dont la notoriété s'était encore accrue par son appui donné à la Résistance. Sa voix « *blessée* » (c'est le mot qu'il avait choisi et prescrit) ne lui permettait pas de garder la parole plus de trente à trente-cinq minutes, et il m'avait demandé de prévoir, avant ses exposés, et pour faire patienter le public, une introduction-présentation assez substantielle.

De ce petit discours (que je prononçai deux fois, sans texte sous les yeux, mais assez « imprégné » de ce que j'avais rédigé pour en transmettre à l'auditoire l'enchaînement des thèmes, quelques mots forts et la péroraison[1]), F.M. fut si content qu'invité à

1. Une « péroraison » que j'ai, hélas, totalement oubliée. Je me souviens seulement d'en avoir banni tout artifice oratoire, m'efforçant de substituer au grandiose usuel et toujours risible une ressemblance au moins de la grandeur.

FRANÇOIS MAURIAC

Bruxelles, à l'automne de cette même année 1945, par les
« Grandes Conférences catholiques », il me demanda instamment
de l'y accompagner et de répéter, devant une foule qui s'annonçait
considérable (la salle et ses galeries, avec ses deux mille place, fut
entièrement louée un mois d'avance), ce que j'avais dit à Bâle et à
Berne. « *Je vous supplie d'accepter* », m'écrivait Mauriac, qui
adressa même une requête au ministère de l'Information pour
obtenir de ce département qu'il intervînt auprès de celui des
Affaires étrangères (dont je dépendais alors), afin qu'une autorisation d'absence, en sa faveur, me fût accordée du 12 au
14 novembre. Je ne pouvais pas refuser – et j'étais ravi (on s'en
doute) de voir F.M. si chaleureux à mon égard. D'où ce billet de
lui, du 24 septembre : « *Merci d'accepter la tuile de Bruxelles. Il
n'y avait que vous* [ces six mots soulignés]. *Je vous embrasse.* » Du
15 octobre, à propos de Bruxelles, justement : « *C'est embêtant
d'avoir été invité par les Catholiques. Naturellement, avec leur sens
de la gaffe, ils emboîtent le pas au roi et tournent le dos au peuple* [1]
[...] *Je verrai le plus de mécréants possible.* » Tout se passa au
mieux.

A Paris, Mauriac était la proie – glorieuse – du nouveau parti,
prétendument « gaulliste » avant tout, ce MRP dont j'ai défini,
ailleurs, la composition et les calculs. Mais le cas de F.M., dans
cette adhésion, avait ceci de particulier qui me comblait de joie :
Marc Sangnier avait été, sous les apparences d'une ovation unanime d'anciens disciples, happé, capturé, encadré, statufié, à des
fins savamment électorales, par les politiciens en chef du mouvement, au premier rang desquels s'ébattait Maurice Schumann ; et
Mauriac, acceptant d'apparaître à tous les yeux comme un fidèle
ami de ces « *sillonnistes* » ressuscités, faisait ainsi réparation à
« Marc » avec plus d'éclat que dans ses lignes (que nous avons
vues) du 12 avril 1940.

Le 3 décembre 1946, F.M. me questionne sur la « *tristesse* »
que, s'il faut en croire Jean Sangnier (le fils aîné de Marc), son père

1. Le roi Léopold avait contre lui une opposition véhémente où toute la
gauche s'unissait. On lui reprochait d'avoir passé très confortablement tout le
temps de guerre dans son château de Laeken, d'être allé voir (sans y être
aucunement contraint) Hitler à Berchtesgaden, et de s'être remarié alors que tant
de prisonniers étaient séparés de leur famille.

éprouverait en constatant que je ne viens plus le voir quand je me rends de Berne à Paris. Et c'est vrai que je déplore, et amèrement, que Marc laisse le MRP, dont la politique me révolte (et, plus que tout, l'accueil de *Carrefour* à tels complices de Vichy), usurper, exploiter, profaner au service de ses intérêts le nom de celui qui fonda *Le Sillon* puis la *Jeune République* ; Bidault l'avait promu « commandeur » de la Légion d'honneur, et je crains bien que le pauvre cher vieux Marc n'en ait été flatté. Mauriac avait assisté à la petite cérémonie de la « cravate » officiellement remise au nouveau titulaire et prononcé même une allocution. « *J'ai été frappé, l'autre jour, de la manière dont vous avez esquivé ce sujet* [...] *Cher Henri, j'ai besoin de savoir, sur tout ceci, le fond de votre pensée.* » Je le lui expliquai en toute franchise et limpidité. Il me trouva « *intolérant* » mais ne m'en tint pas rigueur.

Toutes les fois que je vais à Paris pour mes obligations professionnelles, nous causons un moment, cœur à cœur, F.M. et moi. Plus besoin de nous écrire comme nous faisions, à l'époque – immémoriale – où nous nous « disputions ». Le présent de notre amitié est si différent de cet autrefois tumultueux que F.M. semblait, à cet égard, frappé d'amnésie, et c'est sans le moindre demi-sourire, en toute bonne foi et cécité rétrospective, qu'il m'écrira, le 6 janvier 1953 : « *Je sais bien que nous avons toujours été profondément d'accord* [sic]. »

Visite rue Théophile-Gautier (printemps 1947). F.M. est dans sa petite chambre-cellule, surchauffée par un poêle à pétrole. Il est étendu sur son divan, un plaid sur les jambes, les bras croisés derrière la nuque. Il me dit : « *Nous n'avons le choix qu'entre la domination américaine et la domination russe. Je choisis la première parce que, au moins, les Américains ne me fusilleront pas. Ce n'est pas plus compliqué que ça.* »
En 1947, pour se faire catapulter au pouvoir, de Gaulle, avec

son RPF, séduit fort peu Mauriac. Défiant d'abord, il devient résolument hostile quand se confirme, de toutes parts, la ruée d'anciens « vichystes » dans cette formation militante ; chez lui, le 13 novembre 1948, il me déclare, littéral : « *Ça sent tout de même terriblement le fascisme. Si de Gaulle prend le pouvoir par un coup de force, je recommence à écrire dans la presse clandestine.* » Il a assisté, à Bordeaux, au discours du Général : « *Vous auriez été épouvanté. L'auditoire, frémissant, était exactement le même que celui des meetings de Philippe Henriot en 1936.* » Par bonheur, le RPF ne tardera pas à se déliter, et de Gaulle verra se défaire sous ses mains l'instrument dans lequel il avait mis trop vite son espoir de recommencement.

(Date perdue.) Ce soir, chez François Mauriac, avec ses deux filles et ses deux gendres ; puis seul avec moi. Sur son gendre Wiazemski, ce mot : c'est un « *lévrier* [1] » (je lui ai vu surtout d'énormes oreilles, comme celles d'un éléphant africain). Sur Bernanos : « *Ses fureurs contre les catholiques de gauche ? Un accident tertiaire. On ne traverse jamais impunément* L'Action française. *Il y a des séquelles incurables.* » Il dit qu'il ne veut « *pour rien au monde* » polémiquer avec Bernanos, « *mais il ne faudrait tout de même pas qu'il y aille par trop fort à mon égard...* » Se déclare ravi de l'élection probable d'Herriot à l'Académie : « *Ça coulera Vaudoyer.* » Selon lui, c'est Vaudoyer qui a « *envoyé à tout le monde* » la photocopie de sa dédicace (de *La Pharisienne*) au lieutenant allemand chargé de surveiller les écrivains : « *Avec ma gratitude.* » « *Je n'avais pas à en rougir ; il nous protégeait réellement, ce type, nous les écrivains.* » Que Claudel accepte de patronner Daniel-Rops pour l'Académie le renverse. Il lève les bras au ciel : « *Rops !* »

Il est assis sur un petit poêle et passe son temps à se brûler les fesses, à bondir et à se rasseoir.

1. Les comparaisons zoologiques étaient fréquentes chez lui. Il voyait du « *blaireau* » chez Staline et du « *marcassin* » chez J.-J.S.-S. La comtesse de Noailles, « *toute en front* », lui faisait l'effet d'un « *têtard sublime* ».

Le 12 mars 1948, je le trouve étendu, un peu grippé. Il a vu, récemment, Claudel, qui l'a « *ébloui* » par sa « *jeunesse* » – à quatre-vingts ans –, sa prodigieuse « *vitalité* » : « *Quelle santé ! Une force de la nature, cet homme-là !* » Claudel a confié à Mauriac qu'il n'a « *jamais été aussi ravi d'écrire* », que les mots, les phrases lui viennent, la plume à la main, « *avec une facilité surnaturelle* » : « *Plus besoin de ratures, ça coule tout seul, et, comme je n'ai plus du tout de sens critique, je trouve tout ce que je fais admirable ; c'est merveilleux !* »

Maritain a, ces jours-ci, dans une lettre confidentielle, gémi sur « *l'horrible milieu du Vatican* », où « *le pape est comme une colombe dans la tempête* » ; Mauriac lui a répondu que, « *malheureusement, il n'y a rien de moins utile qu'une colombe dans la tempête* ».

Été 1950, Malagar. F.M. parle, avec consternation, des versions nouvelles que Claudel donne de son théâtre : « *Il est,* me dit-il, *le propre termite de ses œuvres.* »

Ils ont échangé des « *lettres dures* » après son livre à lui, F.M., sur *Jésus*, jadis. « *Claudel m'accusait de faire du Christ un galapiat et de la Vierge une fille de cuisine. Je lui ai répondu : " Ça prouve que, si vous aviez vécu du temps de Jésus, vous ne l'auriez pas reconnu comme le Messie. "* »

Claude, qui est là, dit que Gide, en dépit de l'argent que lui a rapporté le prix Nobel, se lamente sur ses difficultés financières. Néanmoins, Claude reste attaché à Gide, et, comme nous parlions de Claudel, il lance : « *Gide entrera sûrement avant Claudel au paradis* », et F.M. enchaîne, avec une jovialité féroce : « *Ou en enfer, au choix.* »

Billet du 3 janvier 1952 : « *J'achevais un article où je parlais de vous quand j'ai reçu votre lettre* [1]. *Oui, ce cri a touché beaucoup de*

---

1. Au sujet du *Bacchus* de Cocteau et de la *Lettre ouverte* que lui avait adressée Mauriac.

*cœurs. Je suis un peu honteux – moi qui sais qui je suis – de prendre
la défense de la Vérité. Mais il n'y a plus personne dans les Lettres.
Nous en avons trop fait. L'ignoble y a chassé Dieu.*
« *Qu'il vous garde et vous bénisse à jamais. Je vous embrasse
bien tendrement. F.M.*

Fragment d'une lettre du 17 novembre 1952 (au sujet du prix
Nobel) : « *Entre nous, le cher Claudel n'a pas caché qu'il n'était pas
content* [1] *; d'autant plus que j'avais eu la maladresse de ne pas prononcer son nom ; mais c'était naturellement par déférence et parce
que je le mettais bien au-dessus des personnages que je citais.* » Sur
les drames du Maroc, 5 janvier 1953 : « *Inutile de vous dire que,
pour avoir annoncé ces malheurs, aux yeux de beaucoup c'est moi
qui en suis responsable.* »

F.M. m'envoie [2] le double d'un texte que lui a demandé le
comité d'organisation des « Grandes Conférences catholiques »
de Bruxelles, là où il a pris la parole pour la première fois, après la
guerre ; les dites « Grandes Conférences » fêtent le vingt-cin-
quième anniversaire de leur création. Un *beau* texte, dont F.M.
sait bien qu'il me plaira – plus peut-être qu'à « *ces messieurs* » du
comité. (Il me fait ce cadeau en « *souvenir affectueux* », me dit-il,
de ce qu'il appelle « *notre complicité* », à Bruxelles, en novembre
1945.) Il y constate « *la dislocation d'un monde qui a lié, cri-
minellement, l'annonce de l'Évangile à la satisfaction de sa volonté
de puissance, et qui, dans trop de pays catholiques, a entretenu
l'équivoque d'une politique de classe confondue avec le combat spirituel en vue du Royaume de Dieu* ».

Conversation à Genève, le 10 septembre 1953. François Mau-

---

1. Euphémisme. H. Hoppenot m'a parlé – s'interdisant de me la laisser lire –
d'une « *lettre terrible* » qu'il reçut de Claudel et où ce dernier lui faisait part, à
chaud, de sa réaction lorsqu'il apprit l'attribution du Nobel à Mauriac.
2. Date omise, malheureusement.

411

FRANÇOIS MAURIAC

riac est de plus en plus passionné, en politique. Je l'entends dire :
« *les réactionnaires* », un mot qui l'agaçait chez moi, jadis (autour
de 1930). Il me parle d'un article qu'il avait écrit sur Juin – contre
Juin –, « La rumeur », dénonçant les arrière-pensées « fran-
quistes » qu'il devine, discerne, chez ce « *militaire dangereux* » ; il
le soupçonne de méditer un coup d'État. Brisson lui a refusé ce
« papier », sous prétexte que c'était « *donner consistance* » à des
bruits vagues et valoir aussitôt à Juin « *cinq cent mille partisans* ».
Et cependant, me dit-il, « *je savais avec certitude que Martinaud-
Deplat avait pris contact avec plusieurs préfets régionaux pour les
tâter en vue d'un coup de force* ». Il regrette d'avoir cédé à Brisson.
Il s'est borné à lui demander « *un mois de congé* », ce qui « *fera
baisser le tirage du* Figaro ».

Il me dit qu'à son avis l'extrême gravité de cette affaire maro-
caine consiste en ceci : que l'on s'achemine vers une inexistence
du pouvoir, « *un affaiblissement, un affaissement de l'État* ».
L'opération réalisée contre le sultan par le couple Guillaume-Juin
était, en fait, dirigée contre Auriol et le Quai d'Orsay ; une « *entreprise de sécession* » au profit de certains intérêts financiers ; et
l'État s'est « *aplati honteusement ; abominable démission* ». Les
Français du Maroc « *haïssent la France républicaine* » ; tous, au
fond, d'anciens « *pétainistes* » ; et cela parce qu'ils ont édifié des
« *fortunes colossales* » sur l'exploitation d'une main-d'œuvre indi-
gène « *non syndiquée* » et qu'ils « *tiennent à leur merci* »[1]. Mauriac est soulevé d'indignation contre les MRP : « *Et dire que
j'avais cru en eux en 1945* [et au-delà] ! *Du propre !* » Ce « *lamentable Bidault qui a laissé faire* » ; et Maurice Schumann : « *Une
loque !* »

Sa femme, sa fille Claire, son gendre Wiazemski sont là. Au sou-
per, après sa conférence, dans l'intimité, m'entourant d'un bras les
épaules, s'adressant aux siens *(à partir d'ici, je cesse de transcrire
mon texte de 1953)*, il a dit, sur mon compte, des mots pleins d'affection mais tellement excessifs, tellement immérités, que je ne
saurais les rapporter sans un profond malaise.

1. Assez saisissant de découvrir, prononcés en 1953 et concernant les Français
du Maroc, ces mots si prophétiques quant à l'attitude des « pieds-noirs » algériens, quelques années plus tard.

412

FRANÇOIS MAURIAC

Dans *Le Figaro littéraire* du 19 septembre 1953, un long compte rendu enthousiaste de la conférence prononcée par Mauriac, à Genève, le 10, dans la grande salle dite « de la Réformation ». François Mauriac était l'invité des « Rencontres internationales ». Thème de cette année : « L'angoisse du temps présent » ; Mauriac avait intitulé son discours « La victoire sur l'angoisse ». Dernier paragraphe : « *L'ovation des deux mille personnes, debout. Derrière le rideau, François Mauriac assailli, las et bon* [...] *et qui, apercevant soudain Henri Guillemin venu de Berne, l'embrasse d'un élan :* " *Cher Henri !* " »

Je ne parviens pas à reconstituer les choses précises que j'avais sues et que j'avais aussitôt communiquées à F.M. Je sais seulement qu'il s'agissait de cet Opus Dei dont certaines informations sérieuses parvenues à l'ambassade éclairaient les milieux financiers où cette entreprise était née et sa sourde action politique. Mauriac avait pris feu, et je reçus de lui, à Berne, ces lignes incandescentes datées du 24 octobre 1959 : « *C'est incroyable et répugnant. Et quels imbéciles ! Ils ne contrôlent que des organisations de néant, et l'énorme torrent de la vie roule au-dessus de leurs sapes de taupes. Et le Christ est attaché par eux non pas à un gibet mais à un vieux carrosse brinquebalant de cardinaux octogénaires ; et c'est une bien autre horreur que la croix*[...] *Si l'Opus Dei existe, je le saurai bien, en mettant les deux pieds dans le plat. Vous verrez. Et nous fonderons une société rivale : les* Enfants de Dieu, *dont la mission sera de dénoncer les manœuvres occultes des tartufes d'Académie et de Sorbonne* [1]. »

Du 13 décembre 1961, sur l'Algérie, l'OAS et les manœuvres cachées et furieuses qui s'opposaient aux intentions du Général :

1. Inutile d'inscrire ici des noms propres, que je connais. Quant à l'Opus Dei, Mauriac ne prévoyait guère la bienveillance d'un pape (polonais) dotant d'un statut officiel, dans l'Église, cet organisme politiquement très coloré.

« *Votre lettre* [...] *recoupe exactement tout ce que je sais sur l'état d'esprit*[1] *de l'entourage en ce moment* [...] *La meilleure preuve de cette forme de trahison dont vous me parlez, c'est cette annonce par le gouvernement d'une action sérieuse et sévère contre l'OAS ; ce qui prouve surabondamment que, jusqu'à maintenant, on l'avait ménagée ; et, très évidemment, on continue.* » Bribes ultimes, après mon livre sur *L'Énigme Esterhazy*, 18 décembre 1962 : « *Tous les grands premiers rôles de l'affaire Dreyfus savaient dès le premier jour qu'il était innocent.* » Sur Pompidou, 6 avril 1966 : « *Je vous accorde que son côté Rothschild...* », et F.M. suspendait là sa phrase. Sur Weygand enfin (rappelons-nous l'incident de juin 1933), 6 novembre 1967 : « *j'ai eu la même dispute – si l'on peut dire – à son sujet, avec de Gaulle. Il est comme vous et ne pouvait le voir en peinture.* »

Compléments

1935. Je ne sais plus la date exacte. Je sais seulement que Paul Bourget venait de mourir. Il m'avait fallu, obligatoirement, pour la « soutenance » de ma thèse, qui aurait lieu dans peu de mois, faire visite à mon « directeur » (Daniel Mornet), et j'en avais profité pour aller causer un instant avec F.M. Il me parle immédiatement de Bourget et me raconte que, l'année précédente, Bourget lui avait dit, en toute simplicité (« *entre académiciens, entre hommes* ») : « *A mon âge, la grande affaire, c'est de voir si l'on peut encore, ou si l'on ne peut plus.* » Ainsi parlait ce grand catholique. J'eus la stupidité de laisser paraître mon hésitation à comprendre ; je bredouillai : « *Pouvoir quoi ?* » Et F.M., franchement amusé, m'éclaira d'un mot limpide : « *Baiser, quoi !* » « *Notez,* ajoutait Mauriac, *que Bourget avait alors quatre-vingt-deux ans, et la question n'était pas réglée pour lui ! Du genre Hugo, en somme.* »
J'avais trente-deux ans, mais, au fond, sur beaucoup de points,

---

1. De cet état d'esprit et de ces activités sournoises, j'avais sans cesse sous les yeux, dans mon poste bernois, les preuves flagrantes.

j'étais encore naïf plus que de raison. Je n'en revenais pas. Quelle distance entre ce qu'un homme affecte d'être et ce qu'il est ! La comédie du « décorum », du bon exemple, de la haute moralité qui convient à un écrivain bien-pensant. Quelqu'un avait déjà voulu me faire croire que le très honorable Henry Bordeaux, romancier édifiant, se montrait souvent un peu trop empressé, un peu trop insistant auprès des femmes belles. C'était un « malpensant » qui m'avait servi ce « ragot », que j'avais immédiatement tenu pour calomnieux. Mais, à présent, François Mauriac, au sujet de Paul Bourget, témoin direct, insoupçonnable... Malmenées, mes idées reçues.

Du moins, me disais-je, Verlaine, lui, n'essayait pas de tromper son monde. Pécheur avec ostentation, ce croyant. La vie m'a appris – joie pour moi, une joie grave et forte – qu'existent chez les « gens de lettres » des hommes « *qui ne mentent pas à leur œuvre* ». Bernanos, par exemple. Et Zola.

Mauriac désapprouvait sincèrement la publication des documents (révélations à la police) que j'ai trouvés, par hasard et par chance, et qui éclairent d'un jour inattendu la physionomie morale d'un Benjamin Constant et d'un Alfred de Vigny. « *Ce sont là,* me dira-t-il de vive voix et avec conviction, *des choses qu'on ne fait pas.* » Les grands hommes ont droit au respect de la postérité ; et il m'écrivait, le 7 mars 1955, ces mots affligeants, si peu dignes de lui et parfaitement « à côté » : « *Ce malheureux Vigny, on dirait qu'il vous a causé quelque tort personnel un siècle avant votre naissance.* » Meilleure de sa part, cette observation du 29 mai 1963 : « *La liste des auteurs que vous avez défendus montre assez qu'il s'agit d'esprit d'un certain bord.* » Eh oui ! Mais comment F.M., qui me connaissait bien, pouvait-il trouver révélateur que j'aie défendu la mémoire du Lamartine de 1848, de J.-J. Rousseau, de Hugo, de Zola, de Jaurès ? Et il poursuit : « *C'est assez touchant de penser qu'on se fait autant d'ennemis en attaquant des morts qu'en attaquant des vivants.* » Il s'agit cette fois de l'autre « bord », celui de Benjamin Constant et d'Alfred de Vigny, et F.M. était au courant des colères dont je restais la cible pour certaines gens qui ne l'aimaient guère lui-même. Mais j'aurais dû relever à sa date (il en est encore temps) le discret plaidoyer prononcé par F.M. à mon intention personnelle et pour atténuer au moins un peu mes partis pris lorsque j'avais publié mon *Histoire des catholiques français au XIXᵉ siècle* : « *Vous jugez les bourgeois de ce temps-là sans vous remettre dans l'atmosphère qu'ils respiraient. J'en ai connu dans leur vieillesse. Ils croyaient vivre dans un monde où chacun pouvait faire ce qu'ils avaient fait eux-mêmes (je pense à mes deux grands-pères) : s'élever et s'enrichir à force de travail.* [Peut-être bien aussi du travail de leurs serviteurs, non ?] *Mon arrière-grand-père répétait sans cesse, comme une règle d'or : ordre, travail, économies.* »

Décembre 1961. Dans son « Bloc-notes » du *Figaro* (littéraire) du 22 décembre 1961, ceci, de F.M. sur « l'ordination forcée » de Lamennais, « *condamné* », de la sorte, « *à jouer un personnage qu'il n'était pas, c'est l'évidence* ». F.M. voit Lamennais comme « *un tartufe innocent* [...] *fourbe à contrecœur, condamné à cette fourberie* ».

Des mots tranchants, auxquels je n'oserais souscrire. Et Mauriac de poursuivre : « *Il ne cédait pas à des motifs bas.* » Là non plus, je ne suis pas sûr que F.M. ait entièrement raison. Les mobiles financiers, il faut le savoir, ont toujours beaucoup compté (avec le goût d'attirer sur lui les regards) dans les activités littéraires de L. ; pour mieux dire, dans ses perpétuelles opérations de librairie.

Tellement vrai ! Mais il faut être François Mauriac pour oser le dire sans risques. « Bloc-notes » du 22 janvier 1968, sur la *Correspondance Gide-Martin du Gard* et leur « *numéro de duettistes* » ! Ces deux « *penseurs* » qui se prennent si terriblement au sérieux et qui, écrit F.M., « *eussent été à mille lieues de se croire comiques* », alors qu'il le sont, et à un point tel que je les crois inégalables.

Dans mes paperasses accumulées, brusquement sous mes yeux, ces lignes de F.M. dont j'ai eu la sottise de ne pas relever la date.

Encore une de ces choses à ne pas dire et qu'il n'hésitait pas à dire, pour sa part, à voix haute : « *Même Hitler fait piètre figure auprès des conquistadors espagnols et portugais, qui ont détruit des races entières et qui l'emportent sur lui car ils l'ont fait la croix à la main et au nom du Christ, ce qui est le crime des crimes.* »

Au chapitre – inépuisable – des « rosseries » que prodiguait Mauriac, ces deux souvenirs qui me reviennent : sur Charles Du Bos : « *Saint Trissotin* » ; sur Stanislas Fumet : « *Démenti vivant à l'axiome " Pas de fumée sans feu ".* »

Je n'ai jamais pu m'habituer à la poignée de main de Mauriac, si brève, comme viscéralement méfiante ; cette main qui se retire de la vôtre, comme en toute hâte.

La question Lamartine, à laquelle F.M. refuse de s'intéresser, il l'a réglée une fois pour toutes lorsqu'il m'a déclaré, je ne sais plus quand : « *Votre Lamartine, il manque de labyrinthe.* »
Vue de convention, très sommaire, et très inexacte, mais que F.M. n'a nulle envie de vérifier, et, encore moins, de rectifier.

J'entends tout à coup, en moi, avec une netteté extraordinaire, la voix de Mauriac, sa voix où, si « *blessée* » qu'elle fût, l'accent bordelais demeurait obstinément intact. M. parlait de son chien, à Malagar, fidèle, si « brave », il disait : « *Mitou, Mitou le povre* » – avec un *o* bref, comme dans orient, oblat, obole.

Un correspondant occasionnel me fait cadeau de la photocopie que voici : une dédicace de F.M. exprimant le jugement qu'il porte aujourd'hui (1965) sur son premier roman, dont cet amateur éclairé avait trouvé un exemplaire chez un bouquiniste (je supprime le nom, inutile, du destinataire).

Ce premier roman exécrable et débile !

L'Enfant chargé de chaînes

François Mauriac

« Bloc-notes » du vendredi 23 septembre 1966 : « *Ce que de Gaulle n'a pas fait* [...] *c'est obliger à lâcher prise ces quelques mains, oui, ce petit nombre de mains qui tiennent les commandes secrètes* [...] *et qui font de chacun de nous (et même de nous, écrivains, qui nous croyons libres) les têtes d'un troupeau exploitable, exploité.* »

Bonheur, profond bonheur, de constater l'entier accord de mes réflexes avec ce que F.M. écrit tout net dans son « Bloc-notes » du 24 juillet 1967, sur « Cette lie qui se croit l'élite ». « *Il y a ceux,*

FRANÇOIS MAURIAC

dit-il, *pour qui l'argent importe plus que tout, et ceux pour qui l'argent ne compte pas* [...] *Les gens du monde, eux, même les plus libres d'allure, même les plus anarchisants* [et je sais très bien à qui il pense ; ce que des malveillants appellent " *la gauche vison, la gauche caviar* "] *ne perdent jamais le nord dès qu'il s'agit de mariage. Ils vont toujours du côté des milliards. " Dans tout homme, ce n'est pas un cochon qui sommeille, c'est un maquereau. " Cette gentillesse est de Cesbron. Elle définit très exactement la politique des mariages, du côté de Guermantes.* »

Et, plus loin : « *C'est l'honneur d'une certaine gauche que de pratiquer cette forme de sainteté : l'indifférence à Mammon. Ces esprits-là* – *je pense à Sartre* [Bravo, Mauriac, pour avoir osé, dans son milieu, citer publiquement ce nom propre, ce nom qui est propre] – *n'ont pas préféré Mammon à Dieu. Ils ont rejeté les deux ensemble, comme s'ils étaient complémentaires.* »

F.M. a jugé bon de démentir, publiquement et par écrit – et comme une basse inconvenance dont il s'étonne que l'on ait pu le croire capable –, la « bonne histoire » (devenue fameuse) du « *doux Jésus* » murmuré par lui en promenant une main déférente sur le manteau de vison de Mme Daniel-Rops. Dont acte. Ce qui suit, que j'ai entendu mais sans le répandre, il n'aura pas eu à s'en innocenter bruyamment. C'était je ne sais plus quand, place de la Concorde. Nous voyons passer D.-R. dans sa voiture (Mme D.-R. au volant), une *belle* voiture, une Cadillac peut-être. Et F.M. :« *Z'avez vu ? C'est déjà bien, non ? Parce qu'il y a quatre Évangiles ; s'il y en avait cinq, ce serait une Rolls* » (littéralité garantie).

P.-H. Simon m'a raconté que, dans une conversation-débat entre croyants et incroyants (on y plaisantait plus qu'on y discutait sérieusement), il avait entendu Mauriac soutenir, du ton dogmatique qu'il chérissait lorsqu'il proférait une énormité, que « *rien n'était plus déraisonnable que de se détourner de Jésus-Christ sous prétexte qu'il a fait la fortune de Daniel-Rops* ».

Jean Lacouture, dans son ouvrage capital sur *François Mauriac* (1980), rapporte ce détail concernant la suppression (la fin violente et sournoise) de *Sept* par le Vatican, en août 1937. Mauriac était indigné, exaspéré et parlait d'un *Bulletin* à créer, entre laïcs, pour reprendre les idées de *Sept*. Le 31 août a lieu une réunion des « *amis et collaborateurs de l'hebdomadaire assassiné* ». « *Le plus éloquent* » des partisans de l'obéissance absolue à l'ordre venu de Rome fut Daniel-Rops, qui déclara : « *Quand le Saint-Siège s'est prononcé, un catholique s'incline.* » Alors, poursuit Lacouture (p. 332), on entendit Mauriac glisser à son voisin : « *On est toujours treize.* » Le plus curieux, dans cet épisode, est que Daniel-Rops, qui passait, à cette date, pour un catholique exemplaire et bénéficiait, comme tel, d'un appui efficace du clergé pour le succès de ses ouvrages, était agnostique. Je l'appris – ébahi – de Mme D.-R. elle-même. Comme, un samedi de 1940, à Bordeaux, je donnais rendez-vous à Daniel-Rops, le lendemain à la messe, sa femme me répondit à sa place : « *Vous savez bien qu'Henri* [Henri Petiot, nom véritable de Daniel-Rops] *n'est pas croyant.* » Eh non ! Je n'en savais rien ; je ne pouvais même pas l'imaginer.

Le bruit a discrètement couru (après la guerre) que Daniel-Rops avait rejoint, vers 1944, « *le sein de l'Église* ». Est-ce une vilenie – peut-être, aussi me garderai-je du ton affirmatif – de supposer que la « conversion » de Daniel-Rops, comme celle de Maurras, ne fut pas sans rapport avec sa candidature à l'Académie ?

L'insincérité littéraire – qu'il connaît et dont il a plusieurs fois parlé –, F.M. la dénonce, s'engageant lui-même avec une audace (un courage) véritablement inouïe. Soixante-dix-sept ans ; *Ce que je crois* (p. 167) : « *Ne suis-je pas, en ce moment même, et à mesure que je trace ces lignes, un simulateur ? Cette image de moi que je dessine, je doute qu'elle offre beaucoup de points communs avec l'être que je suis réellement.* » Chez l'écrivain, dit-il encore, « *tout cède, irrésistiblement, au désir de briller et de dominer.* » Ce livre dont Dieu « *est le sujet, je serai payé pour l'avoir écrit* ». Et, dans le même ouvrage, ce dur aveu loyal : « *J'ai été celui qui ne donne rien, qui ne renonce à rien* [...] *J'ai été cet adolescent gâté et jouisseur* [...] *J'ai tout fait tourner à ma satisfaction et à mon confort* [...] *J'aurai tout disposé pour gagner sur les tableaux de l'éternité et du temps.* »

Je ne connais aucun écrivain – je dis bien : aucun – qui se soit publiquement jugé avec autant d'objectivité cruelle et véridique. Oui, le Péguy de quelques « quatrains » ; mais Péguy ne songeait pas à laisser paraître, de son vivant, cette âpre confession ; un texte, dans sa pensée, posthume. Tandis que Mauriac s'est dit son fait sans tricher, sans atténuation, sans la moindre ébauche de plaidoyer, devant ses contemporains eux-mêmes.

Paul Claudel

La première fois que je rencontrai Claudel, ce fut à Genève, le 2 février 1940. J'avais été envoyé en Suisse pour huit jours par le « Service des œuvres françaises à l'étranger » et, dès mon arrivée à Genève, m'étais annoncé – comme je le devais – à notre consul général. Ce dernier, fort aimablement, m'invita à me joindre au dîner qu'il organisait en l'honneur d'un personnage officiel chargé d'une mission d'achats par la Défense nationale et, en même temps, de Paul Claudel, qui prononcerait une conférence en fin d'après-midi.

Au café, je m'enhardis à poser à Claudel une question sur *Tête d'or*, qui m'était, alors, très énigmatique. Réponse du poète : « *C'est le cri du petit corbeau dans son arbre.* » Ce sera lui aussi, P.C., ambassadeur au Japon, le corbeau (l'« oiseau noir ») dans l'empire du Soleil-Levant.

1er août 1941

Béguin me rapporte avec tristesse ce que Claudel vient de lui écrire, en date du 25 juillet, pour refuser de s'associer à un hommage à Bergson, lequel, vu par P.C., « *a été surtout, comme les gens de sa race, un destructeur* ». Il veut bien ajouter toutefois que « *ses destructions ont été bienfaisantes* ». Mais que Claudel, sous le règne de Pétain, et après l'odieux « statut des Juifs » imposé par le Maréchal depuis octobre 1940, ne craigne pas d'écrire « *les gens de sa race* », j'en suis troublé.

[Septembre 1942] Brangues [1]

La zone non occupée existait encore lorsque Gérard Bauër, qui signait « Guermantes » dans *Le Figaro* et avec lequel j'étais lié, suggéra à Louis Gillet, replié à Lyon et qui y organisait de « grandes conférences littéraires », de m'y faire venir pour un exposé sur Rimbaud.

Je m'en tirai bien, et Gérard B. me rapporta, en bon camarade, l'avis de Louis Gillet sur mon compte : « *Il est étonnant ce garçon !* » Ce *satisfecit* emphatique ne me donna point le vertige ; G.B. et moi connaissions le penchant de Gillet pour les outrances de langage. Mais L.G. avait eu l'idée de prévoir pour moi, pendant l'hiver 1942-1943, trois conférences à Lyon sur Claudel ; et, rapide, pratique, il avait aussitôt demandé à Claudel, établi dans son château de Brangues (Isère), s'il consentait à m'y recevoir, « *disons pour quarante-huit heures* », afin de nourrir mes conférences de propos inédits et de détails biographiques bien choisis.

C'est ainsi que je fus reçu à Brangues le 2 septembre 1942. J'avais pris, à Lyon, un car mal rassurant, d'une allure exténuée, mais qui tenait courageusement son emploi. A l'arrêt à Brangues, un domestique en veste blanche m'attendait pour porter ma valise. Le château était à deux pas. J'entrai dans la propriété par une petite porte donnant sur la place, longeai, sous les arbres, une vaste pelouse – un pré, plutôt – et vis, de loin, sur les marches qui conduisaient au salon, un Claudel plus bedonnant (me sembla-t-il) qu'il n'était, à Genève, quand je l'avais rencontré pour la première fois, deux ans plus tôt. A 17 heures – environ –, il était vêtu d'un pyjama de soie noire (peut-être sortait-il d'un bain). « *Monsieur l'ambassadeur* » – il tenait à cette formule – n'affectait nulle majesté, d'aucune espèce ; nulle familiarité non plus. Cordial, paisible, questionneur, sans prudence, m'offrant – à peine étais-je là depuis dix minutes – cette charade : « *Mon premier ment ; mon second ment ; mon tout est un salopard. Mon premier est " lave ", parce que " lave-ment ". Mon second est " al ", parce que " al-*

---

1. Texte du 5 septembre 1942.

ment ". Mon tout, n'est-ce pas ? nous le connaissons. » Il est assez sérieusement sourd. A table, Mme Claudel s'est un peu impatientée, car il ne comprenait pas je ne sais plus quel mot (je ne crois pas qu'il s'agissait d'un nom propre) qu'elle répétait en vain, et de plus en plus fort. Il secouait la tête et riait de travers. Quand il eut enfin compris, son épouse ne retint pas un : « *Ah ! tout de même !* »

Après le repas, nous avons passé deux heures, assis sur des chaises blanches, sous un grand marronnier, à quelque dix mètres devant le château. « *On n'a pas vu ça depuis cinquante ans, un été pareil, une sécheresse pareille ! Tout est brûlé !* » Avant de s'asseoir, Claudel avait interrogé le couchant ; cette brume violette, là-bas, ne lui disait rien de bon, ni non plus ce petit vent du crépuscule, à peine frais : « *Ça ne changera pas. C'est bien accroché.* » La pluie, tant souhaitée, si nécessaire, ne sera pas encore pour demain.

La nuit venait. Nous guettions les étoiles filantes. Mme Claudel se leva pour « *éteindre* » au salon, où s'était ruée une chauve-souris folle. A notre droite s'étendait une vaste prairie rectangulaire, parc à tanks, il y a deux ans, sous l'occupation ennemie (assez brève). Devant nous, entre cette lisière de peupliers et la barre, au loin, des collines dont la crête devenait lentement moins distincte, le Rhône invisible. Des reflets d'éclairs tremblaient dans le ciel du côté de la Savoie.

Parce que le château avait appartenu aux Virieu, naguère, nous parlions de Lamartine. « *Je l'ai longtemps ignoré. Il y a quatre ou cinq ans, quand j'ai été malade, plusieurs mois, et incapable de travailler, j'ai lu, par hasard,* La Vigne et la Maison, *et j'ai trouvé ça très beau. Et ici même, par désœuvrement, j'ai feuilleté les* Harmonies. *Du remplissage. Mais, quand il s'y met, c'est vraiment un poète, un grand poète. Totalement oublié aujourd'hui, non ?* » Et, parce que la commune s'appelle Brangues, nous parlons aussi de Stendhal, qu'il a en horreur : « *Il a tout de même une bonne phrase, rien qu'une, pour l'exécution de Sorel : " Tout se passa convenablement " ; ce n'est pas beaucoup, mais c'est trouvé.* » Et de Barrès, et de Hugo, et de Flaubert, et de Vigny ; et Claudel imitait Jammes, lequel affirmait que, pour saisir exactement le ton de la fameuse « *strophe du silence* » dans le « Mont des oliviers », il fallait prononcer les vers en pinçant les lèvres, d'une petite voix pointue, acide et vexée : « *Le zuste / opposera le dédain / à l'absence* [etc.]. » Et de Jean-Jacques : « *Allons ! Il était tout de même un peu fou, vous ne croyez pas ?* » Et des vivants, et des morts, d'Aragon, qu'il admire, à Montaigne : « *J'aime pas c't'homme-là.* » L'ombre était devenue épaisse. Je ne voyais plus cet interlocuteur dont la voix sans hâte, aux syllabes puissantes, m'arrivait de tout près, et, tandis qu'il disait « *Caucase* », « *Kalmouks* », « *Elbrouz* », je songeais que j'avais devant moi, dans cette nuit d'été 1942, le visionnaire de *Tête d'or*, qui, il y a plus d'un demi-siècle, guidait son héros fatal, son prodigieux chef de guerre, jusqu'à cette cime du Caucase où son effort se brisa.

Le lendemain matin, à mon réveil, je vis P.C. par ma fenêtre, qui parlait à des ouvriers occupés à réparer un mur. Sans veston, les mains sur les reins, tête nue sous le soleil, debout dans l'herbe roussie, il avait l'air d'un entrepreneur campagnard qui connaît son affaire. Il m'avait dit un mot, hier soir, de son travail actuel. L'« entrepreneur » édifiait une autre bâtisse : « *un porche pour l'Apocalypse* ». Il m'avait également fait visiter son bureau, où nous aurions à « *travailler* ». Une longue pièce spacieuse dite « *salle de Judith* » et qui daterait du XIIIᵉ siècle. Sur la table, à portée de main, un lourd in-folio tant feuilleté que les pages s'effrangent, se détachent ; c'est l'outil de chaque jour, la mine, le trésor, pour Claudel : le *Dictionnaire des concordances dans l'Écriture sainte*. Deux bronzes, l'un sur la cheminée, l'autre sur la bibliothèque ; deux bronzes de Camille Claudel, sœur du poète. « *Le génie est terrible à porter pour une femme* », me dit-il. C'est bien le génie qui créa *La Valse*, ce tourbillon vertigineux ; mais c'est l'autre bronze que Claudel a placé en face de lui : une tête de petite fille, à demi souriante, comme étonnée, qui lève sur le monde un regard croyant, qui n'a pas peur, qui dit merci.

Quand nous nous sommes mis au « travail » – vers 8 h 30 –, je pris la précaution de m'installer, à sa gauche, beaucoup plus près de lui que ne l'eussent voulu les convenances, mais il m'y avait lui-même invité : « *Approchez-vous.* » J'avais à ma disposition, préparé, tout un stock de feuilles blanches, et P.C. s'appliquait à parler lentement, tandis que j'écrivais, en abrégé, le plus vite possible. Il se racontait (à sa manière), tantôt adossé, bras étendus, les mains à plat devant lui ; tantôt penché (voûté), une main posée sur le dos de l'autre ; et parfois se tournant vers moi, amical : « *Ça va ? Vous suivez ?*» Nous avons ainsi passé deux heures et demie, le matin ; trois heures, l'après-midi ; encore deux heures, le lendemain matin. Seul incident ; il évoquait la mort soudaine, en février 1938, de son petit-fils (le petit garçon de sa fille Reine, mariée à Jacques Paris, diplomate en poste à Berne) : « *J'avais eu le bonheur de ne jamais perdre un enfant. Nous avions seulement été inquiets, quelques années, pour mon fils Henri, qui dut faire une cure à Berck. La mort de ce petit m'a chaviré. Un télégramme de ma fille m'a demandé de venir. Je devinais bien que c'était trop tard... Cet enfant était si gentil, si gentil ! Quand on le grondait, il baissait la tête, et joignait toujours ses petites mains, sur son cœur. Quand je l'ai revu, sur ce lit, ses petites mains...* » Et Claudel s'est étranglé, a simulé une toux, s'est levé, est sorti de la pièce. Le dur bonhomme de la légende, le caïman, le grand buffle, le rhinocéros, le provocateur, qui prétend, cynique : « *Thomas Pollock Nageoire, c'est moi ; Turelure, c'est moi* », son masque venait de glisser. Et il n'en était pas fier. (Plus tard, il m'a laissé lire la totalité de son *Journal* intime ; il n'en avait pas prélevé telles lettres de ses enfants débordantes de tendresse.) Vulnérable, et plus que personne, le P.C. fanfaron. En réalité, un hypersensible [1].

---

1. Mes conférences lyonnaises n'eurent jamais lieu. Je pus gagner la Suisse le 15 septembre 1942, et, le 12 novembre, les Allemands envahirent la zone dite « libre ». Dès lors, la frontière française m'était hermétiquement fermée.
  On lit curieusement dans le *Journal* de P.C. deux notes concernant mon passage à Brangues (t. II, p. 412) : « *3 septembre. Visite et longue conversation avec M. Henri Guillemin, professeur à l'université de Bordeaux, maintenant Neuchâtel* [ces trois derniers mots ajoutés plus tard, car, au début de septembre 1942, j'ignorais encore absolument que je m'établirais à Neuchâtel], *qui, sur la demande de Louis Gillet, prépare, pour la prochaine saison, une série de trois ou quatre conférences sur moi, à Lyon. Je lui raconte ma vie.* » Puis (p. 416) : « *j'ai fait à M. Guillemin [...] un long récit de ma vie, ce qui ne m'était jamais arrivé auparavant avec un homme de lettres. Espérons que ce professeur, qui ne m'a pas fait une mauvaise impression, en fera bon usage.* »
  Les notes que j'ai rapportées de Brangues, j'en ai publié le contenu, peu à peu, et dans de nombreux articles et, principalement, dans mon livre de 1968 : *Le « converti » Paul Claudel.*

PAUL CLAUDEL

Lettre du 5 novembre 1942

J'avais exposé à Claudel comment je voyais ses idées sur l'amour à travers son théâtre. L'essentiel de sa réponse – en date du 5 novembre 1942 – prit place dans ma conférence de la salle Gaveau (22 novembre 1946), dont je lui avais préalablement soumis le texte. En voici l'intégralité.

« Vous me permettrez de réfléchir quelque peu avant de répondre à la question très profonde, très complexe, que vous me posez et touchant en moi des choses troubles et amères que je n'aime pas beaucoup réveiller. Tout ce que je peux dire aujourd'hui est que votre interprétation me paraît parfaitement juste dans ses grandes lignes. Mais vous ne parlez pas du côté " purgatif " de la passion (la Passion !) C'est le même feu qui brûle en enfer et au purgatoire et, qui sait ? au paradis. " Tu nous as fait passer par le feu et l'eau ", dit le Psaume. Et ailleurs : " Torrentem pertransivit anima nostra " (le même radical dans torrent et torride). Cette possession pire que l'absence, puisqu'elle n'est pas autre chose que la constatation, que la possession, d'une absence ! J'ignore absolument où est prise cette citation de Lacordaire que j'ai piquée je ne sais où : " Il n'y a pas deux amours. " Mais ce n'est pas seulement Lacordaire, c'est toute la Bible qui insiste sur cette analogie des deux amours. Le côté passionnel de notre religion : " Je te tirerai dans les liens d'Adam ", dit le prophète Osée, le même à qui le Seigneur ordonne d'épouser une prostituée. Tout péché est un adultère. La messe de mariage n'est faite que de la similitude du lien qui unit les époux et de celui qui unit le Christ et son Église. Et cependant quelle profonde différence entre l'éros et l'agapè. A propos du mariage, vous avez tort de parler de l'indulgence méprisante de saint Paul. C'est lui qui appelle le mariage le Grand Sacrement, le sacrement par excellence [...] Le consentement absolu, souvent amer et dans la patience, corps, âme, intelligence et volonté, va peut-être plus loin que cette émotion brutale, aveugle, et la plupart du temps momentanée, qu'on appelle la passion.

428

« *En somme, sous une forme décousue, je m'aperçois que vous avez là tous les éléments d'une réponse – approximative.*
« *Je vous serre affectueusement la main.*

P.C.

« *P.S. Vous connaissez ces vers de Pétrarque, d'ailleurs plats, mais qui répondent assez bien à mon état d'esprit actuel :*

> Pectore nunc gelido calidos miseremur amantes
> Et arsisse pudet. Veteres tranquilla tumultus
> Mens horret relegensque alium putat esse locutum.

(Traduction maladroite : « *D'un cœur maintenant glacé nous prenons en pitié les feux des amants, et avoir brûlé nous fait honte. Notre esprit apaisé a horreur des anciens tumultes et, relisant* [ce qu'il écrivait jadis], *estime qu'un autre parlait là.* »)

Première partie de la lettre précédente

(Sur le Lamartine des dernières années. La souscription qu'il eut l'imprudence d'autoriser, en sa faveur, et ses circulaires pour demander de l'aide au grand public.) « *Cet aristocrate désespéré aboutissant aux attitudes les plus humiliantes ! Ce grand seigneur (à peine noble, d'ailleurs) tendant le chapeau à genoux pour qu'on lui permette de garder une situation de millionnaire ! Cette exploitation éhontée – et, à mon avis, honteuse – de ses facultés les plus nobles, de dons de Dieu qui ne lui appartenaient pas, au profit d'une espèce de raison sociale, pas beaucoup plus intéressante, somme toute, que celle d'un marchand de vin ! Ce cygne qui se plume lui-même pour fournir à ses créanciers un potage illusoire ! Tout ce qu'il y a en moi de Badilon et de Turelure, tout mon sang de fonctionnaire, de curé de campagne et d'artiste consciencieux reste ébahi, incertain et incompréhensif devant un pareil spectacle.* » Il comprend parfaitement les réactions (d'ailleurs cruelles) de Louis Veuillot. Et plus loin : « *L'apostasie honteuse et larvée qui a ravagé peu à peu l'âme de ce grand poète ! En rompant avec le Dieu des commandements, il a rompu avec tout ce qui passe sous le nom, justifié, de bon sens.* »

429

PAUL CLAUDEL

11 avril 1943

« *Au retour de Paris et d'une visite bien émouvante à mon vieux camarade Romain Rolland, actuellement mourant à Vézelay, je trouve votre lettre du 21 mars. Je serais bien ingrat si je ne remerciais pas la Providence qui m'a réservé, auprès du public suisse, un introducteur tel que vous.* » Et ceci : « *Oui mon réveil artistique coïncide entièrement avec mon éveil religieux. Avant 1886, il n'y a rien, sauf une pièce de vers vaguement religieuse inspirée par R*[imbaud] [1]*.* »

22 décembre 1943

(Sur *Le Soulier de satin.*) « *La Comédie-Française a vraiment réalisé quelque chose d'étonnant ! Et le succès a répondu. Qu'une pièce dont le sujet est le caractère sacré et indissoluble du mariage* [2] *puisse avoir, devant un public parisien, le succès de* Cyrano de Bergerac, *cela prouve vraiment que rien n'est impossible à Dieu ! La NRF prépare l'édition de scène de la pièce, avec les indications scéniques de Barrault.*

« *[...] Croyez à ma grande et reconnaissante affection. Bon Noël ! Bonne année 1944 !* »

9 juin 1944

(Sur les obsèques de Victor Hugo.) « *Son enterrement, c'était exactement un cortège de mi-carême, un défilé interminable de*

1. Il s'agit de *Pour la messe des hommes*, qui date de l'été 1886, antérieure, donc, à l'émotion de Noël et dont P.C. a dit loyalement à Amrouche, au micro, que c'est bien un texte « *déjà, en somme, catholique* » (cf. *Mémoires improvisés*, p. 38).
2. Audacieuse définition du *Soulier de satin*. Lorsque Prouhèze perd son vieux mari, Rodrigue ne songe pas une seconde (pour le salut même de leur amour) à l'épouser. De même, dans le *Partage de midi*, Mésa et Ysé, après la disparition de Ciz, pourraient se marier. Mais il n'en est pas question. De même, dans l'*Annonce*, Violaine disant à Jacques Hury : « *Nous nous aimions trop [...] pour qu'il nous fût bon d'être l'un à l'autre.* » Les héros claudéliens fuient le mariage comme la peste.

430

PAUL CLAUDEL

*toutes les forces de la libre pensée. Quelque chose, avec l'ex-
travagance dans le pittoresque en moins, comme les processions qui
saluent le nouveau président des États-Unis. J'y ai assisté d'un bout
à l'autre, avec une impression d'écœurement. Quelque temps auparavant, les funérailles de Gambetta avaient été infiniment plus
émouvantes ; et je me rappelle aussi le corbillard cahotant qui
emportait la dépouille du pauvre Banville. »* (Sur V.H. lui-même.) *« C'était certainement un visionnaire, un
hanté, comme le sont parfois les enfants adultérins (Wagner, par
exemple). Vous savez qu'il y a des raisons sérieuses de penser que
V.H. était réellement le fils du général Lahorie (le second du général Mallet), dont le descendant a été mon attaché militaire à Rio
[...]. C'est comme hanté que V.H. m'a intéressé. A aucun moment je
n'ai aimé sa poésie ; mais, enfant, ses romans m'ont énormément
impressionné, surtout* Quatre-vingt-treize, *et* L'Homme qui rit *[...]
Les poèmes de* La Légende des siècles *sont pleins de beaux vers,
mais vraiment quelles anecdotes imbéciles ! »*

[1943-1944]

P.C. avait accepté – avec une vertueuse patience et une grande
générosité – que je lui adresse, de temps à autre, des question-
naires. Mes lettres, comportant des questions successives, sépa-
rées par des espaces blancs, me revenaient avec les indications sol-
licitées. Je vivais à Neuchâtel depuis le 15 septembre 1942.
L'ancienne zone dite « libre » ayant disparu depuis le
12 novembre de la même année, cette correspondance subissait
donc, à la frontière, un contrôle allemand. Les enveloppes portaient, sur une bande adhésive, la mention « *geöffnet* ».
Au total, entre le printemps 1943 et le printemps 1944, quatre
échanges épistolaires de cette nature.

Voici un relevé global de ces « questions et réponses » :
– Votre voyage de juillet 1889 à l'île de Wight ?
– *Avec ma sœur Camille, chez des amis anglais.*
– L'article-reportage, payé d'avance ?
– *Pas payé du tout !*

431

– Votre « thèse » pour l'entrée aux Affaires étrangères, était-ce l'étude sur « L'impôt sur le thé en Angleterre » publiée dans les *Annales de Sciences Po*, en 1889 ?

– *Oui, ainsi qu'une autre sur la législation des chemins de fer anglais.*

– Débuts de votre carrière ?

– *A la Direction des affaires commerciales, j'ai travaillé sous les ordres de Georges Louis (frère de Pierre Louÿs), plus tard ambassadeur à Saint-Pétersbourg ; homme éminent, dont j'ai gardé le meilleur souvenir.*

– Pas bougé de Chine, de 1895 à 1900 ?

– *Si. Voyage au Japon, un mois : juin 1898. En Indochine aussi, quinze jours. Puis long voyage en automne 1921 : un mois et demi. Partout. Angkor. Long rapport au ministère. Le bouddhisme de Chine et du Japon m'est aussi sympathique que me l'est peu celui de Ceylan.*

– Solesmes, Ligugé, quand ? Rencontré qui ?

– *Solesmes, mai et fin octobre 1900. Ligugé : juin et septembre 1900. Huysmans, Le Cardonnel.*

– Qui est Henrion ?

– *Charles Henrion, très lié avec le neveu de Barrès, plus tard avec Ève Lavallière. Actuellement ermite près de Kairouan (Tunisie).*

– Avez-vous jamais été interne dans un collège ?

– *Non.*

– Vos échecs au baccalauréat ?

– *Juillet, puis octobre 1883. Reçu (première partie) en juillet 1884 ; deuxième partie, juillet 1885.*

– Avez-vous réellement envoyé *L'Endormie* à l'Odéon ? Quand ?

– *Oui, 1884 ? 1885 ? Une idiotie sans nom.*

– Qui vous a introduit chez Mallarmé ?

– *Personne ; un poème (mauvais), envoyé et accueilli avec bienveillance.*

– Qui vous rappelez-vous avoir vu chez Mallarmé ?

– *Henri de Régnier*[1], *presque chaque fois ; Villiers de L'Isle-*

---

1. Le 3 mai, Claudel, chez son fils Pierre, à Paris, me donna ce détail complémentaire : « *Régnier, dont le père était dans les douanes, était particulièrement choyé par Mallarmé, qui espérait que Régnier épouserait sa fille.* »

– Itinéraire de votre voyage en Terre sainte, décembre 1899 ?
– *Suez. Quarantaine aux Fontaines de Moïse, en raison de mon passage à Bombay. Puis Beyrouth, Damas, Caïffa, Nazareth. A cheval jusqu'à Jérusalem, Bethléem, Jéricho et le Jourdain. Puis Alexandrie.*
– N'y aurait-il pas eu, dans votre vie, en 1905, une visite importante à Fourvière ?
– *Non. Faux.*
– La carmélite du *Yarra* ?
– *Elle me parla beaucoup de sainte Thérèse de L. morte à trente-sept ans et convertie le même jour que moi, Noël 1886 ; je crois au même moment.*
– Combien de temps en Terre sainte, fin 1899 ?
– *Deux mois en Syrie, et en Palestine. Retour en France en janvier.*
– Brangues, acheté quand ? A qui ?
– *En 1927, au marquis de Virieu.*
– Est-il exact que l'académie Goncourt ait songé à vous ?
– *Oui, sur la proposition d'Élémir Bourges. J'ai eu deux voix.*
– Date de votre retraite ?
– *Mai 1935.*
– Vos résidences à Paris ?
– *D'abord, chez mes parents, boulevard Montparnasse ; puis rue N.-D.-des-Champs ; puis 31, boulevard de Port-Royal. Ensuite, seul, quai Bourbon, d'où départ pour l'Amérique.*
– Première confession (manquée), à qui ?
– *L'abbé Jouin, royaliste enragé.*
– Deuxième confession (réussie) ?
– *L'abbé Ménard, un saint homme, mort récemment. A toujours voulu rester vicaire à Saint-Médard. Mais presque aussitôt, l'abbé Villaume m'a pris en main.*
– Pourquoi la fureur de *L'Action française* contre vous ?
– *A mon retour du Brésil (1919), j'ai écrit à Bloud ce que je pensais de l'immonde* Action *(anti-) française. Bloud a publié ma lettre.* Inde irae.
– Avez-vous lu la Kabbale ?
– *Tous mes rapports avec la Kabbale tiennent à l'idée du retrait*

(zimzoun). *C'est il y a quelques jours seulement que j'ai su que cette idée se trouvait également dans le* Zohar, *que je n'ai jamais lu.*
   – Les idéogrammes ?
   – *L'accord entre la chose et son expression vocale ou graphique est un* a priori *qui s'impose à tout écrivain. Peu importe comment on le justifie philosophiquement.*
   – Le spiritisme ?
   – *J'ai toujours eu horreur et mépris de l'occultisme.*
   – Nietzsche ?
   – *Malgré plusieurs tentatives, je n'ai jamais pu lire plus de deux ou trois pages des livres de ce misérable fou. Le livre s'arrachait lui-même de mes mains. Ce qui m'en détournait : le ton délirant, l'absence complète de toute logique et de toute définition, comme, en général, chez les Allemands.* I loath that man. *Imagination déréglée, sentimentalité morbide, orgueil vésanique. « Soyons durs » ? Parole de ramolli.*

J'avais recopié à l'intention de P.C., dans *L'Épée et le Miroir* (p. 80), la phrase qui se termine ainsi : « [...] *après avoir pris congé d'une Véronique, hélas aussi connue de moi que du portier de mon ambassade* » ; et j'ajoutais :
   – Si vous avez fait imprimer ce texte, c'est bien pour nous dire quelque chose ?
   – *Il n'y a aucun sens caché à chercher.*

Je signalais également, dans *Un poète regarde la croix* (p. 264), l'allusion à un texte intitulé *Pension de famille*, et je demandai à P.C. s'il s'agissait de quelque apologue de sa main qu'il allait publier.
   – *Longue lettre inédite à Duhamel.*
   – « *Jules, l'homme aux deux cravates* », dans *L'Oiseau noir.* Pourquoi ces « *cravates* » ?
   – *Ceci se rapporte à mes idéogrammes. Les deux cravates de Jules, des régates, sont le J et le L. Ce sont aussi les fameuses oreilles que l'on pince au régiment. Jules, tout oreilles, est donc ici le nom de mon confident intérieur. (Sans parler de cet U béant.)*

Noël 1945. Berne

L'ambassadeur a invité à déjeuner Claudel et sa femme, qui sont de passage en Suisse. Les Hoppenot – souvenir du Brésil – appellent encore P.C. « *le cacique* », et c'est en son honneur que leur fille est prénommée Violaine. Mme Hoppenot m'a récemment montré une photo, prise par elle-même, à Rio, le 11 novembre 1918, le jour de l'armistice, une photo où Claudel (quarante-neuf ans) danse une espèce de gigue. (Également une splendide photo de Claudel, torse nu.)

Le « vieux » P.C. de soixante-dix-sept ans est de très bonne humeur. Il vient de quitter une France où le ravitaillement pose encore des problèmes, et l'abondance, en Suisse, des victuailles le réjouit. Je le regardais piquant avec allégresse, dans son assiette, du bout de son couteau, un beau carré de gruyère et le portant, ainsi, à sa mâchoire – sa mâchoire en prothèses qui cliquetaient par moment. Il se préparait à une récidive quand, le couteau garni et déjà en route, il s'arrêta court sur une petite toux et un regard courroucé de sa femme. Au dessert, il s'exclame, devant les flammes du pudding : « *Quel rhum !* » ; l'hôtesse (Mme H.H.), souriante : « *Vous en aurez un petit verre tout à l'heure...* » ; et lui : « *Pourquoi un petit ?* » Quand nous quittons la table, Mme H.H. fait apporter par un domestique un litre de rhum à Claudel. Il s'en saisit. Il refuse qu'on place dans l'antichambre, près de son pardessus, ce cadeau royal. Il l'a serré sur sa poitrine et l'a installé, au salon, contre sa hanche, dans son fauteuil.

S'adressant à moi : « *Sur qui travaillez-vous maintenant ?* » Je réponds : « *Hugo.* » D'où ce cri douloureux, et horrifié : « *Tomber de Claudel à Hugo, quelle chute !* » Il parle avec horreur de ces cinq années de « *complète solitude* » à Brangues, depuis l'été 40 : « *Mes seuls compagnons étaient d'énormes canards qui se baladaient devant la maison. Pour nous venger, nous en mangions un, de temps à autre.* »

Il peut se montrer surprenant, décevant, si peu tel que l'on se figure un « chrétien ». Après une description enthousiaste du

grand hôtel de Zurich, où il vient de passer quarante-huit heures
(« *un hôtel comme on en voit plus, la perfection même* »), il passe
au « *scandale* » qu'il a éprouvé, sur le bateau qui le ramenait de
Chine en Europe au mois de décembre 1899 : à Saigon, des religieuses sont montées à bord, et elles étaient « *en troisième classe !
A-t-on idée ! Mêlées à des indigènes, à des prostituées !* ». La pensée
ne lui vient pas que c'était sans doute leur vraie place. Quant à lui,
bien entendu, il voyageait en « *première* ». Mais il est intervenu ; il
a agi (à cette époque – lointaine –, un consul de France en Chine
était un personnage considérable) : « *J'ai insisté. Je suis parvenu à
les faire monter, gratuitement, en deuxième classe.* »
    Il a un gros rire, pénible (et Mme H., qui l'aime bien, ne rit pas, le
regarde avec tristesse), pour raconter ce qu'il a vu – je ne sais plus
où – et qui lui a paru d'un comique achevé : un « *nègre* » qui portait en équilibre sur sa tête un tout petit cercueil où il y avait un
enfant mort (« *un nouveau-né, sans doute* »). « *Ce type était tout
seul, et, en marchant ainsi avec sa boîte sur les cheveux, il jouait de
la guitare ; oui, oui, de la guitare, et il chantonnait.* » Dans un
complet silence, auquel il ne semblait pas prendre garde, P.C. se
complaisait à ce souvenir qui le mettait en joie.
    Je compte ses rides. Il en a treize, petites, de côté, au-dessus des
tempes, et une grande, profonde, rectiligne qui lui barre le front
quand il lève les sourcils. Son crâne est assez extraordinaire. Pour
ainsi dire pas de front. Un crâne de la préhistoire.
    Dans l'après-midi, l'ambassadeur me donnera quelques détails
sur Claudel au Brésil, jadis : qu'il était presque sans cesse d'un
incroyable entrain, d'une gaieté explosive. « *Il nous entraînait
dans des expéditions en montagne qui duraient jusqu'à trois jours,
tuantes, alors qu'il ne montrait aucun signe de fatigue. Quand un
torrent lui plaisait, il s'y jetait tout nu. Une seule fois, ma femme et
moi, nous l'avons vu hors de lui. Il nous avait vraiment, je crois, pris
en amitié : il était à notre égard plus que cordial, affectueux, parfois
même presque paternel ; et soudain, parce qu'il avait été question
de l'enfer et qu'Hélène avait dit : " Mais voyons, c'est impensable !
C'est une imagination monstrueuse !", il avait sursauté, et, le
visage tendu, il avait jeté à Hélène : " Vous n'y croyez pas ? Atten-
dez seulement, et vous verrez ; vous ferez connaissance. Parce que*

vous irez là, vous, parfaitement, vous, vous-même. " Et, après un instant : " J'aimerais assez, personnellement, y ajouter du combustible, à l'enfer. " Puis jamais plus d'incident pareil ; jamais plus. » Il était très épris de la femme d'un de ses collègues, diplomate du premier rang, Mrs. Audrey Parr. Épris, oui. Amoureux ? « *Ils n'ont jamais été amants, j'en jurerais* », me dit H.H. Il l'appelait « *Margotine* ». Elle a illustré, pour lui faire plaisir, cet ouvrage de lui, introuvable et qui n'existe qu'en édition de luxe : *Le Vieillard sur le mont Omi*. Autre souvenir, d'une autre importance : H.H. se rappelle, parfaitement, la commotion que P.C. a subie lorsque, à l'improviste, la « valise [1] » lui apporta une lettre personnelle qui le bouleversa visiblement. Ouvrant l'enveloppe parisienne devant ses collaborateurs, il y avait découvert une petite lettre à lui personnellement adressée ; et sans doute en avait-il tout de suite reconnu l'écriture. Il fourra ce papier-là dans sa poche, prit connaissance, hâtivement, des documents officiels et quitta l'ambassade. « *Nous le vîmes, Darius Milhaud et moi, marcher dans la grande avenue qui aboutit à la mer. Il lisait et relisait la lettre, s'arrêtait, repartait...* »

3 janvier 1946. Berne

A la fin de leur petit voyage en Suisse, commencé le 23 décembre, les Claudel sont revenus à l'ambassade, pour un dîner, cette fois, le 3 janvier. A une question de H.H., P.C. a répondu qu'il était allé voir Verlaine, « *dans je ne sais plus quel hôpital* », pour le remercier d'un « *mot gentil* » que Verlaine lui aurait adressé au sujet de *Tête d'or*, dont il lui avait envoyé un

---

1. La « valise » (diplomatique) est, en fait, un ensemble de papiers et d'objets, adressé, chaque semaine, en principe, par le Quai d'Orsay aux « chefs de poste » à l'étranger. Outre la grosse enveloppe qui contient les instructions du Département, la « valise » peut comporter des lettres personnelles pour le chef de poste lui-même ou tels de ses collaborateurs.
Il s'agit ici de la première lettre que recevait Claudel de celle qu'il avait appelée Ysé dans le *Partage de midi*. Elle ne lui avait jamais écrit « *depuis treize ans* » (cf. le *Journal* de Claudel, I, 383). D'où, dans *Le Soulier de satin*, la fameuse lettre de Prouhèze qui mettra « *dix ans* » à atteindre Rodrigue de l'autre côté de l'Océan.

PAUL CLAUDEL

exemplaire. Et Verlaine lui aurait dit : « *C'est très bien, votre drame. Il faut toujours qu'il y ait du sang dans un drame, même si ce n'est que du sang menstruel.* » Il ajoute que Verlaine lui avait confié une lettre pour la poste ; « *mais j'ai dû acheter le timbre* ». Il répète, en des termes un peu plus accentués, ce qu'il m'avait dit, chez lui, en 1942, de Mallarmé, toujours « *si courtois* » et qui « *une fois, une seule fois, a été très rude à mon égard, parce que j'avais parlé sans respect de Victor Hugo. Mallarmé m'avait alors demandé, presque violemment, si j'étais malade, ou quoi ?* » Sur l'enterrement de Victor Hugo : « *Une chienlit.* » Il raconte, en riant très fort, l'histoire « *authentique* », dit-il, d'un jeune Américain qui, par désespoir, s'est enfermé dans le caveau où l'on venait de placer le corps de sa femme. Il voulait y mourir de faim. Mais il a dévoré les cierges : « *Dix cierges, et il a tout bouffé !* » Quand on l'a délivré, il n'avait passé là qu'à peine vingt-quatre heures.

Comme on parlait de « *Syro-Chaldéens* » et de « *Syro-Libanais* », P.C. intervient : « *Et n'oubliez pas le sirop de groseille*[1] *!* » Il prétend avoir composé lui-même l'hymne officiel du Luxembourg, lorsqu'il était ambassadeur à Bruxelles : « *Vive la joie ! Vive l'amour ! Nous sommes du Luxembourg ! Vive l'amour ! Vive la joie ! Nous sommes les Luxembourgeois !* » Mme Hoppenot lui demanda : « *Êtes-vous sorti, aujourd'hui ? – Je suis allé, cet après-midi, en clopinant, à l'église de la Sainte-Trinité.* » Il nous annonce que, ces jours-ci, dans les divers hôtels où il est descendu, il a bâti un livre : *La Rose et le Rosaire*, « *en démantelant autre chose* ». Il déclare n'avoir jamais « *remis le nez dans* Les Misérables *depuis 1882 ou 1883* », et ne se souvenir que « *très vaguement* » du contenu. « *C'est bien agréable de n'avoir pas lu ce dont on parle ; ça permet d'être péremptoire*[2]. » Rappelant à H.H. les « *affaires économiques* » qu'ils avaient dû traiter, jadis, à Rio, il en reste tout joyeux. « *Quel apprentissage, hein ? Nous travaillions en pleine matière, en plein concret. Ça, on peut le dire !* » ; puis, toujours jubilant : « *Comme formation morale, par exemple ! Et sur le plan de l'honnêteté !...* » Il articule en toute simplicité un nom propre, le nom d'un officiel brésilien, qui, je suppose, doit avoir depuis long-

1. *Sic*, hélas !
2. Cf. H.G., *Pas à pas*, p. 456.

440

temps disparu et qui, « *vous vous souvenez ? avait bien raflé là quelque vingt millions. Quel type ! Il avait rendu des services, c'est certain ; ça l'autorisait à de petites opérations personnelles* ». H.H. fait aussitôt observer qu'« *après tout c'était la méthode usuelle de Talleyrand* ». « *Exact, exact* », dit Claudel de bonne grâce.

Sur Élémir Bourges : « *Un si parfait travailleur ! Un homme si estimable ! Il avait tout lu ; il était exquis. Eh bien, c'est tout de même raté. La Nef, je ne connais rien de plus assommant.* » Et il enchaîne : « *C'est comme Flaubert qui s'esquintait le tempérament, et en pure perte. En revanche, regardez Colette ; sans culture, elle ne se fatiguait pas pour écrire, et elle réussissait quand même à tous les coups.* »

Encore ceci : « *Le premier littérateur que j'ai connu, c'est André Theuriet. Il s'intéressait beaucoup à ma sœur Camille, à ses sculptures. Puis nous nous sommes brouillés. Je veux dire que Camille s'est brouillée avec lui, et j'ai suivi.* »

Le lendemain, H.H. m'a montré un exemplaire de *L'Annonce faite à Marie* dédicacé par Claudel à Violaine – la fille d'Henri et d'Hélène Hoppenot : « *A ma chère filleule Violaine, son parrain émerveillé.* »

28 janvier 1946. Neuchâtel

J.-L. Barrault [1] me raconte qu'un jour d'octobre 1943 il fut réveillé, « *à l'aube* », par un coup de fil de Mme Claudel : son mari le convoquait, pour 8 heures, au Théâtre-Français : « *C'est très important.* »

Au Théâtre-Français, J.-L.B. voit un Claudel bouleversé, qui lui annonce avoir trouvé la « *vraie fin* » du *Soulier de satin* pour la scène. « *Tout m'a été dicté cette nuit.* » Et il a lu son texte à J.-L.B. « *d'une voix que coupaient des sanglots. Saisissant mélange*, commente aujourd'hui J.-L.B., *d'adolescence et de râtelier* ».

Il me dit aussi que, « *le soir des couturières* », lorsque tomba la

---

1. J.-L. Barrault et Madeleine Renaud, qui donnaient alors en Suisse une série de représentations, avaient dîné, ce soir-là, chez moi. Notes prises immédiatement après leur départ.

dernière phrase de la pièce : « *Délivrance aux âmes captives !* », la salle vit Claudel jaillir de son fauteuil, applaudissant avec frénésie et vociférant : « *Bravo, Claudel ! Bravo !* » « *Chez lui, je vous assure,* risque J.-L.B., *des symptômes de paranoïa.* »

5 juillet 1946

« *Je viens de recevoir un télégramme des Rencontres internationales de Genève. Déçus pour* Le Soulier de satin, *ils veulent monter l'*Annonce *avec Jouvet. Mais ils seront désappointés ! Les comptes rendus de la presse parisienne sont mensongers. L'exécution de l'Athénée est peut-être la plus mauvaise que j'aie jamais vue. Et Dieu sait si j'ai une riche expérience de ce côté ! Tout est exécrable : interprètes (J. le plus mauvais de tous), mise en scène, décors, musique (la musique ! ! !). C'est effroyable. J'ai répondu que je laissais l'affaire entièrement entre les mains de Jouvet. Je ne veux, à aucun prix, avoir l'air de me mêler d'un pareil massacre, qui n'est vraiment pas fait pour donner une haute idée de notre art dramatique. Et penser que c'est cette cochonnerie que Jouvet a promenée dans toute l'Amérique du Sud avec un succès, paraît-il, étourdissant ! !* »

21 novembre 1946. Paris

Demain, salle Gaveau, je ferai, à la demande de F. Ambrière, pour l'« Université des annales », une conférence sur « L'amour dans le théâtre de Claudel, de *Partage du Midi* au *Soulier de satin* ». J'ai rédigé mon texte, ligne à ligne, d'un bout à l'autre, ce que je ne fais presque jamais ; mais Claudel sera présent, ce qui ne me rend pas la tâche facile, et je dois surveiller mes propos avec une attention vigilante. Je me refuse à apprendre ce texte par cœur. Je le remettrai tel quel à Ambrière pour la publication prévue, mais je ne veux pas le « réciter ». Je me suis mis dans la tête, assez bien, je crois, l'enchaînement des paragraphes, quelques formules et la phrase finale. Mais j'ai tout de même estimé indispensable – et prudent – de soumettre cet exposé à P.C. en personne. Je le lui ai proposé, par téléphone, hier. Il m'a remercié et approuvé (j'ai même eu, un peu, le sentiment, qu'il jugeait cette précaution normale).

Chez lui, boulevard Lannes, il m'a fait asseoir à sa gauche («*ma meilleure oreille, et déjà pas fameuse*») et m'a prié de lire lentement, et d'«*une bonne voix*». Je me lance. Il me fait répéter, de temps à autre, tel mot, telle fin de phrase, simplement parce qu'il n'a pas clairement entendu.

Sur le mot «*partage*», il m'arrête pour une explication : qu'il a pris ce mot «*au sens canadien* [sic], *comme on dit : partage des eaux*». Oui, dit-il, au Canada, plusieurs endroits portent ce nom de «partage» ; passage d'un bassin à un autre, d'un lac à un autre. Mais il ajoute : «*Ça va, ce que vous dites de ce terme, continuez.*» J'arrive au paragraphe où je commente la fin du *Partage*, quand les amants, devant la mort, semblent ne considérer le «*paradis*» que comme le lieu de leur rencontre définitive, éternelle, Dieu n'étant que «*l'aubergiste*». Claudel sursaute et met brusquement sa main gauche sur mon bras : «*Vous êtes féroce !*» Je cède tout de suite : «*Très bien, monsieur l'ambassadeur. Je barre, je supprime.*» Et lui : «*Non ! Oh ! Mais non ! C'est vrai, ce que vous écrivez là ; je ne m'en étais pas rendu compte. C'est vrai. C'est terriblement vrai. Ne changez rien. Surtout pas ! J'avais besoin d'entendre ça. Allez-y !*»

A la fin de ma lecture, il se lève et me dit (il y a de cela moins d'une heure, je suis sûr de chacun des mots que je vais rapporter ici, et qui sont – malheureusement – comiques) : «*Vous voyez ce que fait la foi, hein ? Un grand poète et un grand critique* [sic]. *Vous tenez toutes les pistes. Vous avez les tenants et les aboutissants. C'est vraiment très, très bien.*» Puis il prend sur sa table un exemplaire de *L'œil écoute* et il y appose cette dédicace avant de me le remettre (en récompense...) [1].

1. Le texte de cet exposé, tel que j'en ai donné lecture à Claudel, a paru dans *Conferencia, Journal de l'Université des annales*, le 15 février 1947. Cette «*admirable*» conférence, si Claudel, par hasard, l'avait relue en 1952, nul doute qu'il ne l'ait tenue pour amèrement comique, dans sa naïveté enthousiaste.

A mon cher ami
Henri Guillemin
après la lecture de son admirable
conférence

P. Claudel

Paris, le 21 novembre 1946

22 novembre 1946

Ma conférence. Claudel était dans sa loge, à ma droite, tassé sur lui-même, en pardessus gris. On m'a dit que ses lèvres répétaient en silence les citations que j'apportais de lui. A la fin, dans les coulisses, tumulte, on criait : « *Vive Claudel !* », et lui : « *Non, non ! Vive Guillemin !* » Aussi gênant pour moi que ridicule. On l'a fait asseoir sur une chaise, dans un coin. Il paraissait très vieux, vieillard épuisé, alors que, hier, chez lui, il n'avait pas du tout cet aspect.

11 décembre 1946. Bruxelles

Claudel fera ce soir un discours, aux « Grandes Conférences catholiques ». Pendant le déjeuner, comme j'essayais de le faire s'exprimer sur les premières versions de *Tête d'or* et de *La Ville*, il s'esquiva en déclarant : « *Je n'aime pas parler de ces histoires de bébé.* » Il rit grassement à propos d'une offre que vient de lui faire la maison d'édition Ides et Calendes, à Neuchâtel : « *Elle me pro-*

pose 3 000 francs suisses » [et il répète, en insistant : " *3 000 francs suisses* "] *pour que je recopie* L'Endormie [et, là, encore, il répète : " *L'Endormie!* "*, en secouant la tête], et elle publierait ce manuscrit en fac-similé ! Soit ! Soit ! Il faut bien qu'il y ait des éditeurs fous pour faire vivre les honnêtes gens !* » Il confirme que le bateau qu'il a pris, en 1895, quand il s'est rendu en Chine pour la première fois, s'appelait bien le *Yarra*. C'est, dit-il, le nom d'un fleuve australien. Il ajoute que, sur la même ligne, existait un paquebot nommé l'*Anadyr* : « *Un fleuve du Kamtchatka, l'Anadyr ; quel beau mot ! Un anapeste !* »

L'ovation, interminable, de cette foule belge dans la grande salle du palais des Beaux-Arts. Plus de deux mille personnes, debout, qui criaient : « *Claudel ! Claudel !* » Il revient encore sur la scène, s'approchant jusqu'au bord, l'extrême bord, levant les bras, livide (je le voyais, de tout près, qui ravalait ses larmes). Quand il se retire, il s'affale tout de suite sur une chaise, derrière un décor. Il est haletant. On lui apporte un verre d'eau et on l'aide à se soulever pour qu'il aille jusqu'à un fauteuil, à quelques mètres, dans le « salon d'honneur ».

Jean-Louis Barrault vient de me raconter que Claudel cherche à vendre son uniforme d'ambassadeur pour que son habit d'académicien lui coûte un peu moins cher.

3 octobre 1947. Genève, hôtel des Bergues.
Conversation avec P. Claudel[1]

Il écrit une version personnelle des Psaumes. « *Adaptation libre. Ce que le texte me suggère ; ce que ça fait résonner en moi ; le résultat est quelquefois assez différent de ce qui est dit dans l'original.* »

Les éditions neuchâteloises Ides et Calendes l'avaient « *bien payé* » pour qu'il recopiât son *Endormie*. « *Au bout de trois pages,*

1. Notes prises sur-le-champ et mises en forme le soir même.

445

mon stylo n'a plus voulu marcher », et il s'est mis à écrire une « *farce toute nouvelle* » ; ça s'appelle *La Lune à la recherche d'elle-même* : « *J'ai conservé le poète, la nymphe Volpilla et le vieux faune qui tient du putois et du garde-chasse. Ça m'a beaucoup amusé. J'ai fait ça en trois jours.* »

« *Rops ne pense qu'à l'Académie. Moi je veux bien. Dire que Rops est fait pour l'Académie, ce n'est faire l'éloge ni de l'un, ni de l'autre.* »

Aurélien ? « *Oui, c'est un grand livre. Ce thème de l'amour insatisfait, c'est noble. Et puis, Aragon sait sa langue. Il a le sens charnel du français. L'homme est faible et fourbe, fascinant ; mais c'est un Français autochtone, et il n'y en a pas tellement !* »
« *Bernanos ? Un écrivain de sous-préfecture.* »

Il se lance dans une apologie des « *bien-pensants* ». « *Tenez ! La famille de ma femme... Des gens tout de même admirables. Un oncle de ma femme a eu dix enfants, dont huit prêtres. Et regardez les bustes des Dufaure, des Berryer ! Quels hommes ! De vrais sangliers. Le capital dynamique de ces types-là !* »

« *J'ai une mémoire déformante. Je me souviens assez bien, oui ; mais ce dont je me souviens, ça ne s'est pas passé comme ça, en fait !* »

Maurice Sachs. « *Je l'ai connu. Son* Sabbat *donne la mesure de l'incommensurable naïveté de Maritain. J'avais averti Maritain. Inutilement... Ce qui prouve que l'absence de goût littéraire est un très mauvais symptôme, même du point de vue religieux.* »

« *A Shanghai, fin 1897. J'ai dû m'occuper sérieusement de répression, dans l'affaire de la pagode Ling-Pô ; une espèce d'émeute chinoise. Je m'en suis servi pour le* Partage*, en 1905.* »

« *Kouliang ? Une montagne au-dessus de Fou-Tcheou, comme le Jura est au-dessus de Neuchâtel. Un peu quartier résidentiel ; des maisons de plaisance.* »

Connaissance de l'Est ? « *L'ouvrage est intéressant : on y sent un drame qui se prépare, inconsciemment. Déjà un commencement de cela dans* La Ville, *avec Lala.* »

« *Le* Partage, *je l'ai écrit à Paris, quai d'Anjou, chez ma mère. Ça m'a beaucoup soulagé. J'écrivais lentement alors. J'y ai employé presque toute l'année 1905 ; disons sept ou huit mois.* »

« *Cébès, dans* Tête d'or, *ce n'est personne. Je n'avais pas d'ami. J'étais absolument seul, sauvage, farouche. Cébès, c'est l'autre part de moi. Dans la plupart de mes drames, les personnages masculins, c'est toujours moi, réparti en plusieurs bonshommes, sauf dans le* Partage. »

« *Après avoir été reçu au concours des Affaires étrangères, j'ai cessé de vivre chez mes parents et j'ai pris, dans l'île Saint-Louis, un appartement très petit, très sale. Ce furent mes années saintes. J'étais alors un véritable ascète.* »

« *Armand Point, peintre très classique, avait eu pour modèle la femme que Berthelot épousa. Son fils, Victor Point, s'est suicidé pour l'actrice Cocéa. J'ai connu, par hasard, Berthelot en Indochine, où j'avais fait un voyage de quinze jours ; puis sa femme et lui (pas encore sa femme dans les règles) sont venus me voir à Fou-Tcheou et sont restés plus de trois semaines. En France, lorsqu'il a fallu liquider mon drame, rétablir ma situation, Berthelot m'a rendu les plus grands services ; il s'est vraiment conduit à mon égard comme un frère.* »

Dostoïevski ? « *J'ai lu, relu et médité ses romans. Une science inouïe de la composition ; et même tous les procédés, tous les trucs, des grands feuilletonistes, si injustement méprisés, comme Féval, qui est tellement plus fort que Flaubert.* »

« *Camille-le-More dans le* Soulier ? *A la fois quelque chose de moi, et beaucoup de Ciz. Pas d'Amalric, non ; de Ciz ; son côté câlin et insinuant.* »

« *Les latins ? Leur influence sur moi ? Virgile avant tout ; puis Catulle. Mais les tragiques grecs ont beaucoup compté dans ma formation d'écrivain. Cependant, je crois pouvoir dire que Shakespeare a été le plus important. Quand j'ai écrit* Tête d'or, *j'étais directement sous son imprégnation.* »

20 octobre 1947

« *Je viens d'achever, avec les sentiments que vous avez devinés en partie, votre livre*[1]. *C'est un acte d'accusation, tout frémissant d'une indignation généreuse, contre les hommes qui, pendant un siècle, ont eu la responsabilité des destinées de l'Église de France. Hélas ! Comment nier qu'il soit fondé et comment ne pas prendre connaissance, avec accablement, des documents terribles que vous produisez ! Quelle humiliation pour un catholique !* [...] *On ne peut lire sans horreur la noire forfaiture* [...] *d'un Falloux, et d'un Montalembert. Et Veuillot, que je considérais jusqu'ici comme un héros et dont je ne connaissais d'ailleurs, en dehors de la correspondance, que quelques fragments, quelles citations abominables !* [...] *Tout ce sang innocent sur des mains blanches, sur des mains consacrées !*

« *Tout de même, à ce réquisitoire contre le monde bourgeois, il est possible d'opposer, si faible qu'elle soit, une contrepartie* [...]. *Vous avez l'air de croire que c'était une chose facile de faire droit à la requête, si justifiée par le besoin, des prolétaires. Mais mettez-vous par la pensée au milieu de cette civilisation industrielle qui commence, et encore dans le stade chaotique ; tous ces aventuriers audacieux, obligés de calculer à un centime près, toujours au bord de la faillite, à la merci d'une innovation nouvelle et d'un concurrent mieux armé. Je n'excuse pas leur égoïsme, et leur férocité, mais comment s'étonner qu'en pleine crise ils aient eu un besoin presque désespéré d'ordre, de sécurité du lendemain* [...]. *Quant à l'Église officielle, elle a fait à l'Ordre des sacrifices excessifs et, je l'accorde, scandaleux. Mais la rançon de l'anarchie, n'aurait-elle pas été encore plus lourde ? Et, tout de même, l'œuvre*

1. Mon *Histoire des catholiques français au* XIXᵉ *siècle.*

accomplie, à quel point affreuse, a été immense. Voyez dans quelles difficultés se débat le gouvernement philanthropique dont nous jouissons maintenant ! [...] *Et puis il a dû y avoir tout de même quelqu'un en France pour soutenir tous ces grands mouvements de missions, d'enseignement, d'œuvres catholiques de toutes sortes. Quand je me suis converti, j'ai été bien heureux de retrouver la vieille maison à sa place, inébranlable.*

« *Et ici le papier me manque, je n'ai plus que la place de vous serrer la main. P.C.* »

22 juin 1948. Genève

Représentation de *Protée*, à Genève, par un groupe d'étudiants. Claudel, invité, y est venu avec joie.

L'après-midi, il me conte qu'après son baccalauréat il aurait « *refait ses études* », c'est-à-dire lu dans le texte « *tous les latins, tous les grecs* », et Shakespeare en plus. Dans l'été 1887, à Compiègne, où la famille était allée rejoindre le père, « *j'ai vécu avec Dante* [sic] ».

A la fin du spectacle, on a crié : « *L'auteur ! L'auteur !* » Le vieux Claudel est monté sur la scène, un peu chancelant, avec une espèce d'entrechat, très involontaire, mais qu'on pouvait prendre pour l'ébauche d'un pas de danse. Ensuite, autour de lui, une foule d'étudiants. Dans le grand café du Lycée, laïus du président du Conseil d'État de Genève. Pas fort. J'observe P.C. pendant cette allocution ; les sourcils remontés, il remue curieusement la bouche, lèvres pincées, comme s'il mâchonnait quelque chose. Peut-être prépare-t-il, en dedans, son propre speech. Il se lève dans un tonnerre d'applaudissements mêlés d'acclamations. Il dit qu'il rêve de faire jouer « *intégralement* » son *Soulier de satin* sur le lac, « *dans la rade genevoise* ». « *Pourquoi pas ? Après tout, je n'ai que quatre-vingts ans. L'avenir est à moi ! Quatre-vingts ans, c'est l'âge de la puberté académique.* » Retenu ceci, également : « *Comme Protée, moi aussi, vieux poisson, j'ai remonté le Rhône, de Brangues à Genève, et sans être gêné par Génissiat* [le grand barrage]. *Quelle splendeur, Génissiat ! C'est une chose comme les travaux des pharaons !* »

29 juin 1948 (après la représentation de *Protée*)

« *Ces étudiants de Genève sont bien gentils et on ne peut que les louer de leur entrain et de leur bonne volonté. Cette représentation de* Protée *leur fait grand honneur. Mais, cela dit, il est absolument impossible de la transporter telle quelle à Paris. Je ne saurais y consentir. Les protagonistes, surtout les femmes, étaient absolument insuffisants. Mauvaise diction, mise en scène rudimentaire, etc. Je ne parle pas des chœurs et de la musique !* Protée, *pour sa vraie réalisation, exige vraiment autre chose. N'en parlons plus. Les amateurs sont les amateurs. Bien entendu, je vous demande de garder cette appréciation pour vous. Inutile de faire de la peine à de braves gens. Je vous serre très affectueusement la main. P.C.* »

6 août 1948 [1]

A ce grand épandage, très contrôlé, de confidences dont Claudel m'avait honoré en septembre 1942, il avait adjoint une blague un peu particulière et côtoyant l'humour noir – dont il était visiblement ravi. L'incident se situe, si j'ai bien compris, en cette fin d'année 1936 où il se crut, réellement, au terme de ses jours, atteint d'« anémie pernicieuse ». Et puis non. Ce n'était pas son heure. Il s'en tira, et remonta gaillardement cette mauvaise pente. Un jeune diplomate, Paul Petit, éprouvait à son égard une admiration vénérante. (« *Il était bien le seul à me porter ainsi aux nues, et mes terribles enfants l'avaient baptisé " mon public ". Quand il m'appelait, par téléphone, j'entendais crier à travers la maison : " Papa ! Votre public, au téléphone ! " *») « *Paul Petit, donc, me sachant au plus mal, s'avisa de m'écrire, en toute simplicité chrétienne : " Quand vous serez auprès du Père, pensez à moi. " Je ne pus m'empêcher d'estimer qu'il m'ensevelissait un peu vite, et je dictai, à son intention, un bref télégramme : " Entendu, je ferai un nœud à mon linceul. " *»

1. J'écrivis ces lignes le jour même où Claudel eut ses quatre-vingts ans.

PAUL CLAUDEL

Ce qui me rappelle qu'en 1945, pendant l'été, comme nous passions une soirée à Brangues, P.C. très en verve, s'adressant à ma femme, lui dit, d'un air où s'annonçait une facétie, qu'il allait lui faire l'honneur d'une révélation : une strophe conçue par lui, la veille, et qu'elle serait ainsi la première à connaître. « *Le premier vers est de Baudelaire, le second de Victor Hugo, les trois autres de votre serviteur.* »

> *Lorsque par un décret des puissances suprêmes*
> *Caïn se fut enfui de devant Jéhovah,*
> *Il choisit une femme et l'appela Caha.*
> *Et depuis ce temps-là un empire exista*
> *Qui subsiste toujours et va Cahin-Caha.*

Lorsque j'avais été nommé attaché culturel à Berne et que j'entrais ainsi – de biais et provisoirement – dans le « corps diplomatique », P.C., que j'étais allé saluer à Paris, m'avait gratifié de cette recommandation joviale et sarcastique : « C'est très bien ; mais n'oubliez pas une des règles d'or du métier : dans le monde, dans les salons – et ces obligations mondaines ont été pour moi l'aspect calvaire [sic] de mes fonctions –, ne jamais ouvrir la bouche que lorsque l'on n'a strictement rien à dire[1]. »

Choses qu'il m'a dites au cours de nos rencontres et que je note ici de peur de les oublier. Ce fils de paysans et de fonctionnaires, il a toujours su ce que c'était que l'accomplissement de son « *devoir d'état* ». « *Le métier qu'on a choisi, et pour lequel on vous paye, c'est cela, d'abord, qui vous requiert et qui vous oblige. Mallarmé, tenez, son malheur, c'est de n'avoir pas voulu faire son devoir d'état, son métier de professeur. C'était malhonnête et puis c'était bête. Il aurait moins souffert s'il avait été consciencieux. Quand on fait de son mieux ce qu'on est payé pour faire, on a toujours plus de charme*

---

1. Ce jour-là, à propos d'un politicien MRP qui menait grand bruit et avait une liaison presque publique avec une dame très influente, mais fort endommagée par les ans, P.C. a eu cette remarquable formule : « *C'est ce que j'appelle coucher dans les démolitions.* »

451

à vivre. Quand on l'a enfin dégagé de ce joug qui lui pesait tellement, disait-il, il n'a plus su que devenir. » Et : « *Diplomate en poste, je n'ai jamais donné plus d'une heure, une heure et demie, par jour, au travail de mes livres.* » Mais, « *depuis 1935, que d'écrits ; et presque plus de ratures !* » Il me dit qu'il est sorti, désormais, de ces « *corps à corps* », de ces « *luttes enragées* » qu'il lui a fallu mener longtemps « *avec l'expression* ». Il a dompté sa forme ; trente-cinq ans de bataille, et il a gagné. A partir du *Soulier de satin*, il a senti que « *ça y était* », qu'il le tenait enfin, à pleine paume, librement, dans l'aisance de la maîtrise, son puissant outil lumineux de perforation et de sculpture. Constatation qu'il enregistre et qu'il me signale, sans le moindre soupçon, ni dans sa voix ni sur ses traits, d'emphase ou de suffisance. Cet homme imposant, toute pose lui est étrangère. Claudel n'est jamais quelqu'un qui fait le malin ou le joli cœur ou l'intéressant, ni qui se tresserait à lui-même des couronnes. Il me dit : « *Le fond de l'homme est très pauvre. Nous nous brûlons (Baudelaire, Balzac) ou bien nous nous tarissons (Vigny). Si l'on ne veut pas être une citerne, il faut demander ailleurs de quoi demeurer une source. C'est cela – entre autres choses, pour moi –, la messe. Incalculable, ce que j'y ai pu recevoir d'idées, d'inspirations, non seulement pour la conduite de ma vie, mais pour ce que j'écrivais ! La voilà, la grande fontaine ! Dans la Bible, les anges entourent les patriarches, les assistent, viennent leur parler, leur souffler ce qu'ils ont à faire. Pour nous, c'est à la messe que ça se passe. Et puis, il y a l'ange gardien.* » Je me rappelle l'instant précis où Claudel prononçait ces mots mêmes ; c'était à Brangues, à la fin d'un après-midi ; la fenêtre était grande ouverte ; dans son vêtement d'intérieur en tissu léger, le cou nu, Claudel regardait vaguement vers la cime des arbres.

Je lui demandais quelque chose à propos de la trilogie *Otage, Pain dur, Père humilié*. « *Oui, me dit-il, ça ne se termine pas. Je sens bien qu'il aurait fallu une quatrième pièce, en conclusion. Il n'y a pas eu moyen ; plusieurs fois, j'ai bien cru la tenir, en particulier, un jour, à la Guadeloupe. Je m'y suis mis avec entrain ; ça n'a pas marché. On se propose à soi-même des choses, mais le bonhomme du dedans, l'ermite, il tâte, il voit le goût que ça a ; il dit : " C'est bon ", ou bien il crache. Il n'a pas voulu de ce que je lui offrais. Pourtant, je n'aime pas ce qui reste en panne ; ça m'a tracassé...* » Il ne me dit pas s'il y pense toujours. Je crois que non ; la page est tournée ; la « *raie* » est faite « *sur le sable* ». Finie l'époque des songes lyriques et des créatures inventées.

« *Au fond, ce que je fais maintenant, je n'ai pas cessé de le faire depuis Noël 1886. Nous possédons un texte qui est signé par le Saint-Esprit. Il me semble que ça vaut la peine de se pencher dessus. L'essentiel, nous le savons. Quelqu'un s'est chargé de nous l'apprendre, avec son Incarnation et sa Croix ; mais il y a ce papier, qui doit bien être déchiffrable puisqu'on nous l'a mis dans les mains.* » C'est à cette recherche adorante et fougueuse que Paul Claudel s'est voué. Il y applique tout ce qu'il a d'intelligence et de pénétration et de ruse et de naïveté confiante.

« *Arbitraire, ce que je fais ? Bien sûr, arbitraire ! Et ces prosecteurs de la lettre morte, ces fiers-à-bras de l'interpolation, ces messieurs qui ont découvert qu'Isaïe était deux, pas arbitraires, leurs arguments ? Pas gratuites, leurs preuves ? Écoutez-les pérorer : " Il est parfaitement invraisemblable... Aucun esprit sérieux ne saurait admettre... " Vous verrez que, dans cinq cents ans, si jamais il y a des gens, à cette date, pour perdre leur temps à s'occuper de moi, vous verrez qu'on assistera à des démonstrations péremptoires pour établir qu'il y a eu, en réalité, deux Paul Claudel, l'un qui écrivait des espèces de livres, l'autre qui avait fini ambassadeur. Entièrement irrecevable qu'il puisse être question du même individu ! Et le plus fort, c'est qu'ils auront déterré, pour le brandir, le document massue ! l'acte de baptême qui me fait naître, en effet, par erreur, à une autre date que la vraie !*

« *Il s'agit d'être sérieux. Saint Paul et Notre-Seigneur, à plusieurs reprises, nous ont fait savoir que la Bible, où tout est concret, doit s'entendre figurativement ; ils nous ont donné des exemples ; ils nous ont montré la manière ; à nous de continuer.* »

Claudel « *continuera* », pour sa part, jusqu'à ce qu'il meure.

Sur le Cantique des Cantiques : « *Nullement le hors-d'œuvre un peu choquant qui gêne les bonnes âmes. Pascal a posé le principe fondamental : les différents livres de la Bible s'expliquent et s'éclairent l'un par l'autre. Le Cantique a sa place indispensable en tant qu'élucidation d'un des thèmes fondamentaux de la Révélation.*

« *Il faut bien se mettre dans la tête que la Bible n'est pas un amas de textes littéraires ; c'est un édifice admirablement composé où l'on sent partout la main et la manière, j'allais dire jusqu'aux manies, du même rédacteur.* »

6 septembre 1948

« *Je suis comme le poète Homère : sept cités se disputaient l'honneur de lui avoir donné le jour. Tous les éditeurs suisses se disputent mes lambeaux ruisselants d'encre ! Mais je ne puis donner satisfaction à tout le monde.* »

16 septembre 1948
(à propos de ma *Tragédie de 48*)

« *Un livre passionné et passionnant, que je suis en train de lire, ou plutôt de dévorer, avec le plus grand intérêt. Vous avez ce don, qui était celui des grands historiens romantiques, qu'on exprime par le mot entraînant* [1]. »

23 septembre 1948

H.H., pendant les trois jours qu'il vient de passer à Paris, est allé voir Claudel, qui s'est enquis de mon travail. H.H. a l'impression que Claudel souhaiterait beaucoup me voir lui consacrer une étude. L'ambassadeur a dit à P.C. que je préparais « *quelque chose sur la pensée de Victor Hugo* ». Et Claudel : « *Alors il aura vite fini !* » Puis il a ajouté : « *Cela me rappelle le traité d'un moine carolingien :* De tenebris et nihilo. »

Juin 1952. Hugo. Cent cinquantenaire de sa naissance

Mme de La Rochefoucauld m'a demandé un exposé sur Hugo devant un auditoire choisi par elle – environ cent personnes – au

1. Claudel s'en tiendra là sur mon ouvrage, qui n'a pas dû lui plaire beaucoup.

palais de Rohan. J'arrive en même temps que Claudel, l'un des principaux invités (le plus important, j'imagine, effectivement). Je le verrai tout à l'heure devant moi, au premier rang, et à droite de Mme de L.R. Mais nous nous rencontrons au bas d'un très grand escalier, et il est atterré, effaré, parlant de renoncer, de rentrer chez lui tout de suite : « *Cette escalade-là imprévue, ce n'est plus dans mes moyens.* » Je ne savais que dire. Mme Claudel, qui accompagnait son mari, se taisait, elle aussi, en me regardant sévèrement. (Je n'étais pas averti plus que P.C. de la position surélevée du local prévu pour ma conférence.) Claudel nous a donné, à sa femme et à moi-même, un ordre, exactement un ordre, et d'un ton impérieux : « *Allez-vous-en. Disparaissez. Je me débrouillerai seul ; c'est compris ?* » Nous l'avons donc laissé, épais menhir, au bas des marches, que nous avons gravies, sans nous retourner.

Mais, tout en haut, après avoir conduit Mme Cl. auprès de Mme de L.R., je suis revenu sur mes pas, prenant soin de faire un détour, pour regarder Claudel sans qu'il me voie. Courageux, haletant, il montait avec lenteur ; trois marches, puis stop, trente secondes d'arrêt, et il repartait à l'assaut de la terrible échelle de pierre. Et, lorsqu'il est parvenu au sommet, j'ai fait semblant de surgir d'un couloir latéral et l'ai rejoint. Il restait muet, le visage crispé, incapable, je pense, d'avoir assez de souffle pour une seule phrase. Devant la salle, tout de même, alors que j'allais ouvrir la porte, pour le faire entrer, il m'a murmuré, rassurant, gentil : « *Ça va, ça va, ne vous en faites pas.* »

Au cours de mon exposé, je le regardais parfois. Il se tenait penché en avant (à cause de sa surdité, sans doute), attentif à l'extrême, mais avec difficulté, visiblement. Alors je m'appliquai à parler moins vite, un peu plus fort, en articulant mieux sans tomber dans le didactisme. A la fin, il a posé ses deux mains sur mes épaules ; geste inédit, qui n'aura pas de récidive. Et, ce faisant, il ne prononçait pas un mot, et secouait la tête, avec cet air que je lui connaissais et qui signifiait, plein d'indulgence amicale : « Pas d'accord ; je ne marche pas ; mais ça ne fait rien ; c'est très bien tout de même. »

30 juillet 1952. Brangues.
Longue conversation avec P.C.

« *Alexis Leger m'avait écrit, très jeune, pour me demander conseil et appui en vue d'une carrière diplomatique. Je l'ai adressé à Berthelot, qui l'a casé.* »

« *En 1905, c'est ma sœur Louise, et non pas Camille, qui m'a accompagné aux Eaux-Chaudes.* »

« *J'ai refusé la propriété de Roche, que voulait me donner Isabelle Rimbaud. Je voyais le coup : Berrichon, son mari, y voyait le moyen de vivre à mes crochets.* »

« *A Bordeaux, en 1914, lorsque j'ai suivi le gouvernement, replié là, j'étais, avec les Berthelot, dans un appartement réquisitionné.* »

« *Au début de l'année 1905, j'ai écrit plusieurs poèmes, sept ou huit, en* terza rima, *sur mon amour et ma souffrance. Textes qui ont disparu, brûlés, en 1923, à Tokyo, dans l'incendie de mon ambassade.* »

« *Je n'ai jamais fait partie du conseil d'administration Cartier.* »

« *C'est le 8 février 1938 qu'est mort, à Berne, mon très cher petit-fils, Charles-Henri Paris.* »

« *Mon entrée au conseil d'administration de Gnome et Rhône, c'est P.-L. Weiller, que je connaissais par Berthelot, qui est venu me la demander. J'aurais bien préféré Suez, mais pas de place vacante...* »

« *C'est Tillon, le ministre communiste, qui, sans que de Gaulle s'y oppose, m'a cherché noise pour " collaboration économique " ; mais il y eut un " non-lieu " général.* »

« *En juin 40, à Alger, Saint-Ex. et moi, nous avons songé à un* pronunciamiento *contre Noguès. Un peu une blague, et pourtant Noguès a voulu me faire coffrer. Je me suis réfugié chez l'évêque. Puis j'ai pu, la marine étant très résignée à l'armistice, rejoindre ma femme à Toulon. J'ai vu plusieurs amiraux ; la plupart, des imbéciles ; les autres, des aliénés* [sic]. »

« *Elseneur ? Un champ de choux devant une mer de limonade. Des gens insipides, les Danois ; des mottes de beurre.* »

« *Non, ce n'est pas au Danemark que j'ai revu Ysé pour la première fois depuis notre " partage " d'août 1904 ; ce fut d'abord à Londres, puis à Paris.* »

25 septembre 1952

Je songeais à écrire un « gros livre » sur Claudel, sa vie, son œuvre, son art, sa poésie. Je m'en ouvris à lui en septembre 1952. Réponse :

« *Je n'ai pas besoin de vous dire que votre projet de gros livre m'intéresse au plus haut point. Mais il me semble impossible que vous le meniez à bien sans que nous ayons eu quelques conversations. Nous sommes si près l'un de l'autre, Berne de Brangues, et ce grand château est vide actuellement. Pourquoi ne viendriez-vous pas m'y faire une ou plusieurs visites, y passer quelques jours ? Nous aurions grand plaisir à vous accueillir. Après avoir vu ma maison natale*[1]*, je vous " introduirais ", comme on dit en anglais, ma future tombe. Entendu, n'est-ce pas ?* »

[1952][2]

Boulevard Lannes. Claudel me parle tout à coup, à l'improviste, de Laforgue, « *qui n'était pas mal* », me dit-il. Il croit avoir lu les

---

1. Au printemps de cette année 1952, j'étais allé, conduit en voiture par Pierre Claudel, de Paris à Villeneuve, où nous avions passé (dans les environs aussi) quelques heures dont chaque détail est resté longtemps gravé dans ma mémoire.
2. Sottement, je n'ai pas noté la date de cet entretien, le dernier, je crois, que j'ai eu seul à seul avec Claudel. Décembre 1952, me semble-t-il.

Complaintes dès 1885 ; « *du remplissage, mais des grains d'or* ». Et il me cite ces deux vers :

> *Beau commis voyageur d'une Maison là-haut*
> *Tes yeux mentent ; ils ne nous diront pas le mot.*

Puis : « *C'est ce que j'ai exprimé moi-même, autrement, moins bien, au sujet de la femme : promesse qui ne peut être tenue. Laforgue l'avait compris bien avant moi. La femme " commis voyageur du paradis ", idée dans laquelle, vers mes cinquante ans, mon imagination m'avait entraîné. J'ai mis plus d'un quart de siècle à me libérer de cette illusion trop commode. J'en suis bien revenu ! Et comment !* »

20 janvier 1953 (fragment de lettre). Sur l'Académie

« *En 1945, je mis pour condition à ma candidature, sollicitée par Duhamel, la promesse que je ne serais jamais un seul moment le confrère de Ch. Maurras. Cette condition ne fut réalisée qu'en 46.* »

11 décembre 1953. Berne

Jean Chauvel me parle de Claudel. Il a eu la curiosité de lire les dépêches de Claudel, ambassadeur à Washington, depuis l'automne 1928, et dont on répète volontiers qu'il avait prévu, annoncé, le krach d'octobre 1929. « *Rien de plus exact,* me dit-il. *Claudel est, sans conteste, un homme d'une grande intelligence, ce qui compte en matière de diplomatie. On peut affirmer qu'il aura été un excellent agent.* »

Jean Chauvel ajoute : Claudel, un personnage qui serait tout prêt pour un Rodin d'aujourd'hui, le Rodin du *Balzac*, par exemple : « *un homme-rocher, un homme-falaise, mais avec de la lumière au sommet* ».

8 avril 1954

Pierre-Henri Simon proteste, respectueusement, mais courageusement, dans *Le Monde* daté d'hier 7 avril, contre un article (dans *Le Figaro*, je pense) où Claudel félicite le Vatican d'avoir désavoué les prêtres-ouvriers, déclarant : « *Il n'était vraiment que temps d'intervenir.* » P.-H. Simon (le conservateur) se montre – et comme je le comprends ! – consterné par cette initiative de Claudel, que l'on voit piétiner, « *avec tout le poids de son grand nom et de ses dignités temporelles, la centaine d'humbles apôtres héroïques* » qu'il accuse d'« *étourderie* » ; et il s'en prend à l'abbé Godin et à son idée de la « *Mission de France* », comme si – écrit-il avec une malveillance qui feint la stupidité – « *la classe ouvrière* » exigeait « *un culte à part, une liturgie à part, une religion à part* ».

Oui, consternation, et, en moi, blessure. Je ne devrais pourtant pas m'étonner, ayant sous les yeux, dans le même petit dossier instructif où va trouver sa place l'article de P.-H. Simon, un « Manifeste » publié par *L'Occident* du 10 décembre 1937, portant, entre autres, les signatures de MM. Abel Bonnard, Henry Bordeaux, Léon Daudet, Drieu La Rochelle, Bernard Faÿ, Henri Massis et du général Weygand, avec, en double page, ces lignes de Paul Claudel :

« *En cette heure de ton crucifiement, sainte Espagne, en ce jour, sœur Espagne, qui est ton jour* [...], *je t'envoie mon admiration et mon amour* [...] *Comme au temps de Pélage et du Cid, une fois de plus tu as tiré l'épée. Le moment est venu de choisir et de dégainer son âme.* »

En 1954, afin de m'aider dans l'élaboration de l'ouvrage que j'avais l'intention de lui consacrer, Claudel m'adressa deux lettres de grande importance ; la seconde surtout. Le 23 août 1954, il appelait mon attention sur ce qu'il nommait « *le fait Alpha* » :

« *Ce fait qui s'est imposé à moi le jour de Noël 1886 avec une certitude absolue, ne laissant place à aucune espèce de doute. Mais, ce
fait Alpha, comment le concilier avec cet autre fait auquel il était
comme hétérogène ; l'existence de tous les jours dans ce monde,
autour de nous, de tous les jours ? Toute ma vie, je le sentais bien,
n'était pas de trop pour élucider cette urgence* [...]. *Une question
impitoyable à laquelle il ne s'agissait pas seulement de répondre ; il
s'agissait de la comprendre, question et réponse ne faisant qu'un.
Toute ma vie a été mise au pressoir sur cette* crux (*voir mes* Vers
d'exil). *La question de Noël qui, pour moi, avait bouleversé la Création de fond en comble* (Apocalypse), *il s'agissait pour moi, afin d'y
répondre, de remuer ciel et terre.*

« *De là, dans ma vie de poète, deux temps* [...] *Premier temps : la
Sulamite est invitée à sortir* [...] *et moi aussi ; c'est l'enquête que j'ai
menée, de vingt à soixante ans, à travers le monde* [...] *forgeant,
petit à petit, mes moyens, le périple de* L'Ecclésiaste. *A partir de
soixante ans, c'est le deuxième temps.* [Suit un développement sur
le " vin " qui, partout, dans la Bible, est le véhicule de l'âme, " *la
sève nourricière de la personne* ", sur " *la grenade, qui ressemble à
un crâne, plein de cellules rouges* ", et qui figure " *le cerveau, siège
de la mémoire, de la connaissance et de la pensée* ".] *C'est là que je
vis, depuis vingt-cinq ans, dans un étroit dialogue avec la parole de
Dieu que je ne laisserai pas en repos jusqu'à ce que j'en aie tiré tout
ce que j'ai à en tirer. Beaucoup, beaucoup, beaucoup de choses.* »

Après sa signature, P.C. ajouta ces deux petits paragraphes : « *Il
s'agit, pour un esprit formé uniquement par les méthodes huma-
nistes, de s'intéresser puissamment au fait Alpha.* » Et : « *Cette
question de l'authenticité de ce monde courant, pratique, est celle
qui a toujours tourmenté Mallarmé. Il existe de fait ; peut-on dire
qu'il existe de droit ? Où sont ses papiers ?* »

Et voici – du moins en larges extraits – la dernière lettre que je
reçus de Claudel, et la plus longue aussi : quatre grandes pages ;
lettre datée du 31 août 1954 où il s'efforce de m'éclairer pour ce

récit « en profondeur » de son destin qu'il s'obstinait à attendre de moi, alors que je m'en sentais – et le lui laissais entendre – de plus en plus incapable. J'avais eu l'imprudente hardiesse de lui dire qu'après tout sa vie n'avait pas été cruelle et j'avais risqué – incivilement – l'adjectif « *douillette* ».

31 août 1954

« *Cher Henri Guillemin, pourquoi penser que je puisse me fâcher d'une vue honnête et objective de mon œuvre et de moi-même ? Elle ne peut que m'aider à une prise de conscience instructive. Je réponds donc aux questions que vous me posez.*

« *[...] L'événement de Noël 1886 a été pour moi de caractère entièrement inattendu et fort dérangeant à la fois pour ma vie privée, pour mes convictions intellectuelles et pour ma vocation littéraire. La meilleure preuve est qu'il m'a fallu quatre années crucifiantes pour en tirer, lentement et malgré moi, toutes les conséquences. Il ne s'agissait de rien de moins que de cette seconde naissance que constitue la foi totale. Et spécialement pour la littérature une restriction si grave de ma liberté d'expression qu'il m'a fallu dix ans et la grave épreuve de Ligugé pour arriver à un modus vivendi. Croyez-moi, " le combat spirituel est aussi brutal que la bataille d'homme ". Que d'années avant que je réalise le champ immense que l'acquisition de la seconde partie du monde offrait à des forces secondées par la grâce ! [...]*

« *Évidemment, dans le subconscient, il y a eu des préparations comme je l'ai indiqué ; d'abord et surtout, le numéro de* La Vogue *du 6 mai 1886, le poème d'août, de la même année, et, en octobre, la* Saison en Enfer. *Mais cela ne change rien à la situation essentielle.*

« *[...] Second point. Le Turelure brutal, cupide et cynique que vous subodorez en moi, en prenant trop au sérieux certaines bravades de mauvais goût. Le fait est que j'ai un fond paysan et, si vous voulez, bourgeois, qui me donne le respect du " devoir d'état " (dont ne cessait de me parler mon premier confesseur) et de l'argent. Que voulez-vous ! Mes parents ne souffraient pas qu'on gaspille le pain ; et de même l'argent, qui participe à son caractère sacré. Bien entendu, on ne doit pas servir l'argent, mais comment s'en servir si l'on n'est pas pénétré de tout le bien dont il est le canal ? Quel bien pouvons-nous faire sans lui ? Toute frivolité m'est foncièrement étrangère.*

« Je suis entré au Ministère par le Concours, sans fortune, sans relations, sans manières, en pleine sauvagerie mystique. J'ai choisi la carrière qui pouvait me procurer le maximum de solitude et d'indépendance. Pendant de longues années, jusqu'à mon mariage, j'ai partagé mon maigre traitement[1] avec mes deux sœurs. J'étais entré en littérature comme on entre en Chartreuse, sans aucune idée de vogue et de succès. Je n'ai pas signé mes premiers livres. Je suis resté de longues années sans rien publier ni même écrire. [...] J'ai stupéfié Gallimard en lui déclarant que mes pourcentages étaient trop élevés et qu'il devait me faire une réduction [...] Je n'ai guère connu la grande notoriété que tout récemment. Et, encore actuellement, mon œuvre d'exégèse, à laquelle j'attache une importance capitale, me vaut l'incompréhension générale. [Sur sa carrière :] Plusieurs fois j'aurais succombé sans les puissantes interventions de Philippe Berthelot [...] J'étais père de famille. Avais-je le droit de prendre des risques ? Je les ai pris tout de même [...]. Quand Ysé s'est trouvée ruinée et abandonnée de tous, c'est moi qui l'ai recueillie avec ses trois enfants et qui pendant trente ans, jusqu'à sa mort, me suis occupé d'elle. A travers combien de déboires et de maladies, et à quel prix ! Les gens diront que je n'ai fait que mon devoir. Soit !

« Troisième point. La charité envers le prochain [...] Je suis comme ma sœur Camille, d'un caractère violent et orgueilleux, peu sociable. Sauvage, comme on dit. C'est ce que mon premier confesseur avait compris quand, dès nos premiers contacts, il m'imposa, à ma grande répugnance, de faire partie de la Conférence de Saint-Vincent-de-Paul[2][...] Mais il y avait une autre forme de charité à

1. Avant de recevoir sa première affectation à l'étranger (New York, avril 1893), P.C. travaille aux appointements de 600 francs par mois, ce qui, à cette époque, n'était pas négligeable. En ces mêmes années, mon père, jeune agent voyer à Lugny (Saône-et-Loire), percevait, marié, un traitement de 98 francs par mois. A Fou-Tcheou, Claudel sera largement payé, comme dans tous les postes consulaires lointains, et particulièrement en Chine. En 1904, il touchait environ 30 000 francs par an.
2. J'ai publié la suite, sur ce point, dans mon livre Le « Converti » Paul Claudel.

PAUL CLAUDEL

laquelle je n'ai pas manqué. Ma correspondance avec Rivière, avec Gide, avec Suarès, Jammes, Frizeau, Arthur Fontaine remplit de gros volumes. Jamais inconnus ne m'ont écrit sans que je leur réponde de mon mieux [...] Que de lettres ai-je écrites aussi à Delteil, à Maeterlinck, à Jouvet, à Gallimard ! Je me suis brouillé plusieurs fois avec la NRF *à cause de Léautaud, avec le* Mercure *pour leur faire des reproches ! Ce n'est pas ma faute si je ne me suis jamais senti une vocation de tribun et d'indigné professionnel [...].*

« *Quatrième point : la souffrance. Comment pouvez-vous penser que la vie d'aucun chrétien puisse être douillette ? Spécialement celle du professionnel de l'exil que j'ai été toute ma vie ; une vie qui, tout entière, s'est passée non seulement dans l'isolement, mais, dans un continuel antagonisme, à contre-courant ? Vous parlez bien légèrement de ces quatre effroyables années 1901-1905 qui m'ont vraiment donné un avant-goût de l'enfer. Car, à aucun moment, je n'ai perdu la foi, ni même été tenté de la perdre. J'en souffre encore aujourd'hui. Et puis, il y a tant de choses que vous ignorez ! Vous avez raison de parler de ces icebergs dont n'émerge qu'un dixième. Croyez-moi ; il n'y a pas d'épargnés. Chacun reçoit sa croix, la croix qu'il lui faut, sur mesure ; une croix à sa mesure. Ne jugez pas.*

« *Affectueusement.*

P.C.

« *Et ma sœur Camille ? Qui s'en est occupé pendant les trente ans qu'elle a passés à l'hôpital psychiatrique de Mondevergues ?* »

22 octobre 1954. Du *Monde*

La famille Maurras réclame à Claudel une indemnité d'un million de francs, pour « *accusation mensongère* » ; une accusation dont Paul Claudel se serait rendu coupable dans sa déposition du 8 octobre 1944 à Lyon, devant le juge d'instruction près la cour de justice. Il aurait parlé de Maurras comme d'un « *scélérat* » et, à l'égard de la France, d'un « *parricide* ». « *Personnellement,* a

déclaré Paul Claudel, *j'ai été averti par l'autorité administrative que Maurras m'avait dénoncé deux fois aux Allemands.* »
A suivre [1].

29 avril 1955

Pierre Claudel me raconte la mort de son père. Un jour de décembre, l'écrivain lui avait dit que la vie l'ennuyait, qu'il ne voyait plus ce qu'il pourrait ajouter à ses commentaires sur la Bible – la Bible constituait son « *unique objet d'intérêt* ». Le 22 février, au début de l'après-midi, il s'était occupé d'une affaire d'édition : une traduction allemande de ses œuvres. Vers 16 heures, tandis qu'il marchait, lourdement, dans le couloir de l'appartement, il a été saisi d'une violente douleur dans la poitrine et les suffocations ont commencé. On l'a porté dans son fauteuil, et c'est là qu'il mourra, dans la nuit du 22 au 23 février, à 2 h 40 du matin. Il avait le visage très rouge, respirait péniblement, les narines dilatées. Il a dit : « *Je n'ai pas peur* », ce qui nous a surpris ; la sérénité devant la mort n'allait-elle pas de soi pour un croyant comme lui ? Pourquoi cette précision de sa part ? Il n'a rien dit d'autre. Il gémissait seulement un peu, par intervalles. Il croisait et décroisait ses jambes et se passa plusieurs fois la main sur le crâne (un geste qui lui était familier). Le docteur, voyant qu'il souffrait, a envisagé, à voix haute, une piqûre de morphine. Claudel a entendu, et répété : « *Morphine* », d'un ton neutre où ne se percevait ni approbation ni refus. Il avait presque sans cesse les yeux fermés. Il est resté environ dix minutes avec le prêtre que nous avions fait venir.

« *Un instant,* me dit Pierre, *pour lui montrer qu'il n'était pas seul, que nous l'entourions tous, j'ai posé ma main sur la sienne, qu'il a retirée net.* » Puis nous l'avons laissé seul avec le prêtre. Nous sommes revenus près de lui pour l'extrême-onction ; « *il a communié avec un visage de bonheur* [2] ».

1. Je n'ai malheureusement pas « suivi ». Mais je pense que la mort de Claudel, trois mois après, a tout stoppé.
2. C'est là que se place, selon ce que m'a dit plus tard Maurice Noël, un important détail que Pierre Claudel avait eu soin d'oublier. Claudel aurait fait signe à son gendre Méquillet de se pencher sur lui et, entre deux très pénibles

PAUL CLAUDEL

Compléments

[Sans date] Berne

De H.H.[1] quand il était « conseiller », en 1932, ici même, à Berne, auprès de l'ambassadeur Marcilly. Françoise, la fille de ce Marcilly, était là, perpétuellement couchée, par ordre du médecin (son cœur) ; douce, très lettrée, très intelligente, très pieuse. *« Sachant mes liens avec Claudel, elle m'avait dit l'intérêt passionné qu'elle portait à son œuvre. J'ai demandé à Paul Claudel un geste pour elle. Il lui a envoyé une image de la " Sainte Face " avec ceci, au dos : " Heureuse la petite lampe qui brûle, sans bouger de place, devant la face du Seigneur. "»* Transportée de joie, Françoise entama alors avec Claudel une correspondance qui ne s'est jamais interrompue. Marcilly a pris sa retraite en 1933 ; il habite, à Paris, un quatrième étage sans ascenseur. Une fois par semaine, au moins, Claudel va voir Françoise. Il le fera jusqu'à ce qu'il ne puisse plus, physiquement, *« réussir cette ascension ».*

A l'occasion du seizième anniversaire du coup de force fasciste en Espagne, Claudel reçoit de Franco, au mois de juillet 1952, la *« grand-croix d'Isabelle la Catholique ».*

C'était à Louvain, après la réception grandiose qui lui avait été faite à l'université (1947 ? 1948 ?). Claudel, très satisfait, un peu las mais euphorique, se laisse tomber, à côté de sa femme, sur le

---

halètements, lui aurait recommandé (pourquoi à lui ?) sa fille (secrète) Louise, qui venait d'avoir cinquante ans.
1. Henri Hoppenot, ambassadeur de France à Berne, 1945-1952. Cette note a donc été prise à cette époque, sans que je puisse préciser davantage. Mais quelle importance ?

siège arrière de la voiture que l'ambassade a mise à sa disposition pour son bref séjour en Belgique. Jovial, rieur – mais il ne sait guère rire autrement que la bouche tordue –, s'adressant à son épouse pour une espèce de constat totalement inattendu, il lui dédie ces mots tels quels : « *En somme, hein ? Vous avez gagné le gros lot avec moi !* »

Quelque peu abasourdie, Mme P.C., s'est contentée, en réponse, d'une sourde et vague exclamation.

(Je n'indiquerai ni le lieu ni la date.)

Claudel venait d'achever une conférence. Nous rentrions. Trois dans la voiture, en plus du chauffeur, à côté duquel j'étais assis, mais tourné vers Claudel et celui qui le recevait, le ramenant à son domicile. Beaucoup plus libre avec le grand homme que je n'avais vu Hoppenot, qui demeurait, au fond, intimidé, ledit « vieil ami » félicitait Claudel, ce qui allait de soi, mais le taquinait un peu, en même temps : « *Je vous ai vu meilleur...* » Et P.C. de répondre (crac !) : « *Je me proportionne.* »

D'où l'impossibilité où je suis, sans tomber dans la délation, d'indiquer à quel auditoire Claudel venait de « *proportionner* » son effort.

4 novembre 1955. Bruxelles

Mme Paul Claudel me dit que son mari s'était d'abord abonné à *Témoignage chrétien*, mais qu'il s'est « *rapidement désabonné à cause de leur politique* ». Comme je prononce le nom de Mauriac, elle me coupe la parole pour des propos d'une extrême malveillance ; puis elle oriente immédiatement ailleurs la conversation, si bien que je n'ai pu comprendre, ni même deviner en rien, la (ou les) raison(s) de cette aversion furieuse. Il n'avait pas été question de la guerre d'Espagne ; je suppose pourtant que c'est l'attitude antifranquiste de F.M. qui l'aurait indignée ; mais à ce point, vraiment, et après tant d'années ?

PAUL CLAUDEL

Mon étude sur Le « *Converti* » *Paul Claudel* (1968) m'a valu une lettre emportée, accusatrice, de Pierre Claudel, comme si j'avais trahi son père, et m'étais rendu coupable d'une très vilaine action. J'avais écrit ce livre, pourtant, dans un esprit de respect et d'affectueux attachement, et je n'ai pas compris la réaction d'une famille dont je n'imaginais guère qu'elle pût se sentir offensée. Mauriac m'avait donné entièrement raison quant au retour graduel de P.C. à la foi, sans rien qui ressemblât à l'aventure de Paul sur le chemin de Damas. A propos du « *coup de grâce* » que connut André Frossard, F.M. écrivait, dans *Le Figaro littéraire* du 10 février 1969, sur P.C. en 1886 : « *Que toute son enfance chrétienne ait resurgi au chant de l'*Adeste, *rien là qui puisse déconcerter un adolescent, et il n'avait perdu la foi que depuis trois ans.* »

7 septembre 1970. Mousterlin

Tandis que nous marchions, vers 17 heures, au bord de l'Odet, dans cette forêt qui fait partie de « ses terres », à Combrit, Jean Chauvel m'affirma qu'existeraient (en tout cas, ont existé, car il les a eues lui-même jadis sous les yeux), dans les archives du Quai d'Orsay, des dépêches du successeur de Claudel à Rio, dépêches dans lesquelles étaient signalés au Département des « *procédés inhabituels* », me disait-il, des imprudences, des irrégularités qu'auraient commises P.C. dans le règlement du contentieux franco-brésilien à propos de bateaux et de fournitures alimentaires entre 1916 et 1918. Serait-ce à ce sujet que, dans *Nous autres, Français* (Pléiade, I, 648), Bernanos, « brésilien » à son tour, vingt ans après Claudel – un Bernanos trop content –, n'a pas hésité à écrire que P.C. « *a laissé au Brésil la réputation d'un champenois d'affaires peu naïf* ».

Février 1973

Déjà d'intéressantes rectifications – mais, dans l'ensemble, sans gravité – avaient été apportées, en 1969, par la réédition des

467

Mémoires improvisés de Claudel, parus d'abord en 1954 ; on se souvient qu'il s'agissait d'entretiens « radiophoniques » entre Claudel et Amrouche.
Mais voici beaucoup, beaucoup plus curieux. Sont aujourd'hui accessibles, et « dans le commerce », les disques où ont été gravées, d'après les bandes magnétiques elles-mêmes, la voix de Claudel et celle de son interlocuteur. Et la comparaison entre le texte de 1969 et le contenu réel des disques révèle d'étonnantes « erreurs d'audition ». Un claudélien méticuleux, M. Espiau de La Maëstre, rassemble dans un petit texte publié à Namur, les quelque soixante-dix méprises que comporte l'ouvrage (1969) qui fait encore autorité pour lesdits *Mémoires.* En voici trois, particulièrement savoureuses : le disque déclare que « *les choses ont une signification qu'elles somment le contemplateur de livrer* » ; texte imprimé : « *Une signification pour le contemplateur, somme toute, de l'idée.* » Disque : « *C'est un fait inexplicable* » ; « *irréfutable* », dit le volume. Claudel a distinctement prononcé : « *Une monade, comme dit Leibnitz.* » Il faut croire que le transcripteur s'est trouvé déconcerté par tant de science, car il a compris et imprimé : « *Une ménade, comme dit la Bible.* »

Sur un certain Claudel souterrain, mais qui parfois affleure dans son œuvre, Jacques Petit (aujourd'hui disparu) et André Espiau de La Maëstre (trop peu connu, ce dernier) nous ont fourni – et, pour le second, ce n'est pas fini – ce que Hugo eût appelé des « *clartés ténébreuses* ». Il dissimule dans d'introuvables cachettes (des bulletins universitaires de Dallas, ou Munich ou Tübingen) des choses singulières sur « *Claudel entre Rodrigue et Protée* » ou « *Satan dans l'œuvre théâtrale de Paul Claudel* ».

3 décembre 1976

Conversation avec Mme Romain Rolland. Elle me parle de Mme L. en l'appelant toujours « *Ysé* » ; m'apprend qu'elle l'avait

PAUL CLAUDEL

accueillie en 1940 avec Louise ; que la mère et la fille s'étaient
« *incrustées* » chez elle « *quatre mois* », Ysé devenant, « *chaque
jour de plus en plus impossible. Romain a fini par ne pouvoir plus la
supporter* ». Je reste, malgré moi, plein de doutes quant à la véracité de ce que j'entends là. A en croire Mme R.R., Ysé, à propos
d'une servante qui venait de changer de « compagnon », aurait
déclaré : « *Je n'aime pas les femmes qui changent d'amant* », et
Mme R.R. n'aurait pu se retenir de lui jeter : « *Elle n'est pas la
seule.* »

D'après cette vieille personne d'une loquacité comme irrépres-
sible, Lintner, le second mari d'Ysé, était « *un homme d'affaires
hollandais qui se fit naturaliser britannique* ». Ysé aurait un jour
déclaré : « *Je ne regarde jamais les domestiques* », avec ce correc-
tif, ce « repentir », immédiat et souriant, que, toutefois, à Fou-
Tcheou, elle avait eu, « *un temps, un boy si beau qu'il lui arrivait de
le faire venir auprès d'elle uniquement pour le contempler* ».

J'étais venu là pour interroger Mme R.R. sur Péguy. Elle m'entre-
tient surtout de Claudel, visiblement soucieuse de me convaincre
qu'elle avait, dans sa jeunesse, ébloui le « *grand poète* » ; qu'il
l'avait aimée (« *en tout bien, tout honneur* », naturellement) ;
qu'elle-même l'avait beaucoup aimé ; elle tient à m'en donner la
preuve en me récitant ces deux vers de certaines « *stances* » qu'elle
lui a jadis dédiées :

> *O votre cœur qu'un jour j'ai senti battre
> Si près, si près, contre mon propre cœur !*

(Ce « *cyprès* » endeuillait-il à dessein son émouvante évocation ?)

Je retrouve, dans une grosse enveloppe où ont été rassemblées
quantité de photos diverses, et toutes de dates lointaines, ce très
beau document claudélien, dont je ne sais plus l'origine et qui me
paraît dater des années vingt (voir page suivante).

PAUL CLAUDEL

Sera-t-il jamais possible de connaître exactement ce que furent les rapports, après 1904, de Claudel avec celle que son *Journal* désigne toujours seulement par l'initiale de son prénom : « *R.* », pour Rosalie.

Leur séparation, à Fou-Tcheou, le 1ᵉʳ août 1904, à midi juste (c'était l'heure fixée pour le départ du bateau ; rigoureuse précision, comme on voit, du titre de la pièce future ; la séparation, le « partage » des amants eut bien lieu tel jour, à « *midi* »), s'est faite d'un commun accord et dans les meilleurs termes. Mᵐᵉ Vetch, qui est d'abord accompagnée par son mari pendant quelques jours, traverse le Pacifique, se rend de Vancouver à Montréal et, de là, en Europe. Soudain, le 24 février 1905, Claudel, qui est encore à Fou-Tcheou, reçoit un choc terrible. Il apprend (comment ? Par qui [1] ?) la « *trahison* », « *l'horrible trahison* » de R., qui vit maintenant avec un autre homme. D'où cette « *affreuse nuit de la Sexagésime* » dont parlera Claudel dans une lettre à Suarès, un an plus tard, le 25 février 1906. C'est la rupture totale avec R. Elle ne répond plus à ses lettres. Elle les lui renverra même, intactes.

1. Un bref avis de R. elle-même, je suppose.

PAUL CLAUDEL

Dès que Claudel a obtenu du Département son congé normal, il se précipite en France, où il arrive au mois d'avril. Immédiatement, escorté de M. Vetch lui-même (l'infortuné mari) et s'assurant le concours de trois « hommes de main » (« *j'avais acheté,* me dira Claudel, à Brangues, le 2 septembre 1942, *les services d'un trio de voyous* » [nous dirions aujourd'hui des truands]), il se lance à la recherche de R., pour « *l'enlever* [sic] ». Elle lui échappe en Belgique, puis en Hollande. Il renonce.
Mais Claudel est en difficulté avec l'administration dont il dépend. De *graves* difficultés, que je ne connais pas exactement, mais qui lui font craindre le pire. C'est Philippe Berthelot qui le « *sauvera* ». Tel est le mot même que Claudel a employé devant moi (1942) en évoquant ces heures pénibles de 1905 : « *Berthelot m'a positivement sauvé, en sauvant ma carrière. Je lui dois tout.* »
Philippe Berthelot, en 1905, n'est cependant qu'un simple « attaché d'ambassade », un titre qu'il doit, sans avoir passé le concours, à son père, Marcelin Berthelot, l'illustre savant, qui avait été ministre des Affaires étrangères. Claudel avait rencontré Berthelot par hasard, en Indochine, où lui-même s'était rendu pour un bref séjour, sans doute officiel. En 1903, Berthelot voyage alors avec celle qui n'est pas encore sa femme, passe par Fou-Tcheou, et les deux « faux ménages » (Berthelot-Hélène et Claudel-Rosalie) vivent plusieurs semaines ensemble, au consulat. D'où l'affectueuse reconnaissance de Berthelot à l'égard de Claudel et l'appui décisif qu'il lui prêtera, au printemps 1905. Claudel s'attendait à une sanction, et, tout au contraire, ce qui lui échoit, par la grâce de Ph. Berthelot, c'est une promotion (il est nommé « consul de première classe ») et une distinction (il est fait chevalier de la Légion d'honneur).
Son drame intitulé *Partage de midi*, qu'il présente à Francis Jammes comme « *l'histoire un peu arrangée* » (certes !) de son « *aventure* », il s'en déclare « *possédé* », le 19 septembre 1905 ; il a déjà écrit, à cette date, « *un acte et demi* » de la pièce. Sans doute, on y trouve l'écho du déchirement et de la fureur qu'éprouva Claudel en février 1905 (« *Chienne !* », etc.), mais l'œuvre s'achève sur un cri d'amour, sur l'espoir d'une rencontre ardente et sans fin avec « Ysé » dans l'au-delà. Que faire, alors, de la lettre adressée

471

par Claudel à Suarès, de Villeneuve, le 27 septembre 1905, une lettre si violente (R. y est traitée de « *prostituée* » et taxée d'« *infamie* ») qu'il fut décidé de n'en pas tenir compte et de la garder secrète lorsque l'on fit paraître la *Correspondance Claudel-Suarès*[1]. Toujours est-il que Claudel domina rapidement cette rechute, accidentelle, de colère et de malédictions. Non seulement il laisse paraître, en 1906 (mais hors commerce et à tirage restreint), son *Partage de midi*, mais il parlera publiquement de R. dans la deuxième de ses *Grandes Odes*, datée « *Pékin, 1906* » (il est marié depuis le 15 mars) : « *J'ai connu cette femme* [...] *j'ai tenu entre mes bras l'astre humain* [...] *Et voici que, comme quelqu'un qui se détourne, tu m'as trahi ! ô Rose ! Rose, je ne verrai plus votre visage en cette vie.* » Puis, dans *L'Occident*, en février 1908, il publie cette *Ballade* (datée seulement « *1906* ») qu'il réunira, en 1915, à son recueil *Corona* et où, s'adressant à R., il évoque hardiment « *l'enfant qui nous était né, de nous, l'enfant qui est ma chair et mon sang et qui portera le nom d'un autre*[2] ».

Treize ans se seront écoulés, depuis la séparation du 1er août 1904, quand Paul Claudel, ministre de France au Brésil, « *trouve sur sa table* », à Rio, le 2 juillet 1917, une lettre de R. qui le bouleverse. Première lettre d'elle depuis 1905. Et d'autres lettres suivent, notamment une, datée du 19 juin 1918, dont il transcrit, dans son *Journal* (I, 416) l'essentiel, avec ces lignes finales : « *Notre petite Louise va faire sa première communion le jour de la fête de S. Pierre et S. Paul, le 29 juin.* » Dès lors naît en lui, pour R., une profonde tendresse où n'entre plus la convoitise. Il la reverra, d'abord à Londres, puis à Paris, avec bonheur. L'image qu'il avait d'elle se transfigure, et « Ysé » devient « Prouhèze ».

R., qui était Mme Vetch, du temps de Fou-Tcheou, est devenue Mme Lintner. Le *Journal* de P.C. signale qu'à Paris, en juin 1920, un des fils de R. lui déclare tout net qu'il cherche à gagner assez d'argent pour « *fournir à sa mère le moyen de quitter L*[intner] ». Dans une lettre d'août 1924 (reçue par Claudel à Tokyo), R.

1. Maurice Noël, qui en possédait une copie, me la communiqua. Mais je n'ai ni le goût ni le droit de la révéler.
2. Est-ce le 24 février 1905 que Claudel avait appris la naissance de sa fille Louise, mise au monde par R., à Londres, le 22 janvier 1905 ?

PAUL CLAUDEL

raconte qu'à Paris, au Ritz, elle s'est trouvée brusquement en présence de « *son mari* » (*Journal*, I, 640), qu'elle n'a pas d'abord reconnu, tant la maladie l'a changé ; elle l'aurait accueilli en lui conseillant aussitôt d'« *aller au diable* » (641).
Plusieurs rencontres entre Claudel et R., en 1925, en particulier le 8 juin, lorsqu'il va avec elle au cimetière militaire de Rémy, dans l'Oise, se recueillir sur la tombe de Teddy, le plus jeune fils de R., tué au front le 8 juin 1918. Le 21 avril de cette même année 1925, Claudel assiste, au Sacré-Cœur, à une messe dite par Robert (Robert Vetch, qui est prêtre) et servie par son frère Gaston ; P.C. est là, note-t-il, « *entre R. et L*[ouise] ». Du 14 janvier 1926 : « *A 7 heures du matin, communié avec R. à mon côté* » ; septembre 1927 : « *R. m'écrit qu'elle a demandé à Dieu de l'unir aux prières de son fils missionnaire* [...]. » Une courte notation en mai 1929 ; une autre en mars 1933, et plus rien concernant R. dans le *Journal* jusqu'au 23 juin 1942 : Claudel s'est rendu à Paris et il y a vu « *L*[ouise] *et sa mère mourant de faim et de maladie* ». Cependant, Mme Romain Rolland m'a confié (chez elle, en décembre 1976) qu'elle et son mari avaient hébergé, un temps, à Vézelay, en 1940, Mme Lintner et sa fille [1]. Et je suis un peu embarrassé par les lignes (que j'ai citées) de Claudel à moi-même, 31 août 1954 : « *Quand Ysé s'est trouvée ruinée et abandonnée de tous, c'est moi qui l'ai recueillie avec ses trois enfants et qui pendant trente ans, jusqu'à sa mort, me suis occupé d'elle. A travers combien de déboires et de maladies, et à quel prix !* »
Une chose est sûre : le 3 septembre 1942, Claudel m'a dit en propres termes et pesant ses mots, parlant d'Ysé : « *Cette femme, je puis, je dois vous le dire en toute vérité, c'est une sainte ; croyez-moi, une sainte.* » Et l'on peut trouver dans le *Journal* de Claudel une explication-confirmation de ce sentiment exprimé par lui avec force et sans la moindre réserve ; 20 mars 1944 : « *Rue des Marronniers. R. vraiment très vieille, très malade, la colonne vertébrale cariée, menacée de souffrances atroces, mais plus que résignée, me dit-elle, contente.* » Mais voici de l'inattendu, qui change tout. 8 septembre 1947 : « *Lettre extraordinaire de R.* » ; de quel-

1. Mme Romain Rolland précisait que, parlant de Claudel, R. disait toujours : « *Pécé* ».

473

PAUL CLAUDEL

ques jours plus tard, sans date précise : « *Correspondance de R. Impossible d'imaginer une vie plus atroce. L'enfer* » ; 7 décembre 1949 : « *A l'appel de R., je me rends 125 rue Michel-Ange. Elle me demande pardon.* » Du même mois de décembre 1949, entre le 26 et le 30 : « *Le docteur dit qu'il n'y a plus grand-chose à espérer. Parfaitement calme et courageuse.* » Rien sur R. dans le *Journal* de 1950. Du vendredi 14 septembre 1951 : « *Lettre de L*[Louise]. *R. à Avallon à l'agonie. Sombre et resurgit quatre fois* » ; 6 novembre 1951 : « *J'apprends la mort de R., à Avallon ; d'abord par Massignon, puis par Mme [Paul] Petit.* » Sans commentaire. Aucune émotion, semble-t-il.

A peine, donc, dans ces notes espacées, trois allusions à une mésentente. J'apprendrai par Maurice Noël, après la mort de Claudel, que des scènes amères, « *violentes* », avaient eu lieu entre P.C. et « Ysé » au sujet du *Partage de midi.* Ce drame confidentiel, J.-L. Barrault sut persuader Claudel d'en autoriser la représentation devant le plus large public. R. n'y aurait consenti qu'à certaines conditions financières, d'après elle non observées par Claudel. Lorsqu'en 1952 je proposai au poète de prévoir, dans le livre auquel je songeais sur sa vie intérieure, une page blanche pour sauter, sans essayer d'y pénétrer, par-dessus les années 1901-1904 à Fou-Tcheou, P.C. me déclara, tout de suite, énergiquement : « *Excellente idée ! D'autant plus qu'en fin de compte [...].* » Suivit une définition de R. qui me laissa interloqué. Décanonisée, à l'emporte-pièce, la « *sainte* » de 1942 [1].

Dans *Le Figaro* du 5 décembre 1951 :
« *On nous prie d'annoncer la mort, dans sa quatre-vingt-unième année, de Mme John W. Lintner, née Rosalie Agnès Thérèse Scibor de Rylska, pieusement décédée le 5 novembre à Avallon (Yonne). De la part du R.P. Robert Vetch O.S.B. à Macao, de M. et Mme Gas-*

1. Le document où j'ai consigné l'ultime jugement de Claudel sur « Ysé-Prouhèze », j'ai prescrit qu'il serait (avec quelques autres papiers) remis, quand j'aurai disparu, à la Bibliothèque nationale, et je spécifie que cette enveloppe ne pourra être ouverte que *cinquante* ans après mon décès.

ton Vetch à Genève, de M. et Mme Henri Vetch à Paris et de M. et Mme John Lintner à Durban, ses fils, fille, belles-filles et petits-enfants.

« *Les obsèques ont été célébrées dans l'intimité en la basilique de Vézelay, le 8 novembre.* »

Née en 1871, « Ysé » avait donc trente ans lorsque, à la fin de l'année 1900, Paul Claudel – trente-deux ans – s'éprit d'elle avec passion.

Maurice Chevalier

[Mars 1946] [1]

Notre agent consulaire aux Grisons nous signale que Maurice Chevalier, qui séjourne, depuis une quinzaine, et seul, dans un grand hôtel de Davos, a décidé d'offrir un spectacle gratuit aux anciens prisonniers français qui sont là, en convalescence ; une centaine environ. Nous connaissons la campagne que certains journaux parisiens mènent contre Chevalier, « *coupable* » d'avoir continué à travailler, sous l'occupation, à Radio-Paris, c'est-à-dire sous le contrôle allemand. Mais il semble bien qu'il ne s'y soit jamais compromis, à aucun degré, dans la « collaboration » et que ses chansons aient été sans rapport avec le problème national. Après tout, c'est bien dans Paris occupé que Sartre inaugura sa grande carrière au théâtre, et que Camus conquit la gloire littéraire avec deux romans, coup sur coup, en 1942 ; comme aussi le Claudel du *Soulier de satin* fut acclamé, en novembre 1943, par une salle constellée d'uniformes ennemis.

L'ambassadeur de France à Berne, Henri Hoppenot, décide de se faire représenter à la soirée de Davos. Il m'y délègue à cet effet ; et j'ai pour mission de transmettre ses remerciements à Chevalier : « *Dites-lui,* me précise-t-il, *que je le félicite de son geste et que, s'il traverse Berne, je serai heureux de lui serrer la main.* » J'arrivai à Davos, avec ma femme, au début de l'après-midi. Maurice Chevalier était assis dans l'angle d'un salon, une petite bouteille d'eau minérale devant lui. Dès mes premiers mots, je compris la pro-

---

1. Écrit à Berne peu après mon retour de Davos.

fonde satisfaction – le soulagement – que mon interlocuteur éprouvait à se voir salué officiellement par l'ambassade, ce qui lui donnait l'impression d'une page tournée, dès lors, sur d'injustes incriminations. Il se dépensa, le soir, dans son numéro, avec un merveilleux entrain, une vraie fougue, joyeuse. Succès, bien entendu, étourdissant ; ovations ; un Maurice rayonnant. Nous sommes restés avec lui, après son spectacle, jusqu'à 2 heures du matin, parlant, uniquement, de son travail. Au cours d'une de ses chansons : *Mon grand-père, un joli barbu...*, sa moustache s'était décollée à moitié, et il avait tiré de l'incident, qui se répétait malgré ses efforts, plusieurs effets comiques, très applaudis. Je lui demandai : « *Incident imprévu ?* » Réponse : « *Mais non ! Bien sûr que non ! Quand je suis en scène, tout est combiné, préparé, à la seconde près.* » J'insiste : « *Mais d'authentiques imprévus, ça existe, tout de même, non ?* » Il rit : « *Forcément ! Mais quand on est du métier, surtout comme moi, un vieux de la vieille* [sic]*, on s'arrange toujours.* »

J'étais content de le voir de près, ce célèbre « Maurice » qui m'avait toujours beaucoup plu et que j'avais souhaité approcher réellement, pour connaître, en lui, l'homme tel quel au-delà du comédien ; un désir qui ne m'avait jamais effleuré à l'égard d'un Dranem, par exemple, ou d'autres amuseurs. J'avais le sentiment – irraisonné, instinctif – que Maurice Chevalier n'était pas du même ordre ; un homme (comment dire ?) substantiel : d'une certaine race (je me risque), foncièrement noble. Quand il s'était « produit » au Caire, alors que j'y enseignais, j'avais tenté de le rencontrer, dans l'hôtel où il était descendu. En vain. Trop compréhensible. La chance m'était donnée, à Davos, de par mes fonctions mêmes, d'avoir pour lui quelque intérêt. Il nous avait ravis, ma femme et moi, par son intelligence, sa simplicité, sa « conscience professionnelle » aussi, tant il avait parlé sérieusement de sa technique, de son souci de toujours « *progresser* », si possible, dans le choix de ses thèmes, de ses rythmes, de ses gestes, de ses intonations. « *J'ai cinquante-six ans, nous disait-il, et j'ai encore tant à apprendre ! S'agit pas seulement de divertir, sans lourdeur, sans laideur ; mais il y a autre chose que je veux trouver, une autre manière de prendre les gens, sans prétendre faire le malin au-delà de mes moyens et du secteur qui est le mien dans ma profession.* » Je résume ici, j'arrange. Ses phrases étaient souvent suspendues, reprises autrement. Pas une ombre d'afféterie, encore moins de jactance. Des indications discrètes, presque timides, au sujet d'un perfectionnement-dépassement dont il rêvait tout haut, avec des mots qu'il proposait, puis corrigeait, et des trous de silence où il battait des paupières et hochait la tête comme pour déplorer sa maladresse à s'exprimer. Mais quelque chose d'extraordinaire avait lieu : nous étions, pour lui, la veille encore, totalement inconnus, et il nous parlait en confiance, avec une telle gentillesse, offrant tout droit son beau regard bleu. Rarement, oui, bien rarement devant qui que ce fût, j'avais, aussi vite, ressenti un pareil mouvement d'amitié. Je ne me lassais pas de contempler ce visage bruni par le soleil, le hâle ne cachant pas, sur les pommettes, les veinules trop visibles (légère couperose du buveur qui n'a su stopper qu'un peu trop tard ?). Des traits où régnait, paisible, une espèce de dignité mâle.

J'avais pris, de sa part, pour courtoisie pure et civilité élémentaire, le fait qu'il m'ait interrogé, brièvement, sur ma carrière. Je lui avais précisé que j'étais seulement un « diplomate » de rencontre ; au vrai, un professeur momentanément « détaché » auprès des Affaires étrangères ; que j'écrivais des livres : deux sur J.-J. Rousseau, un autre intitulé *La Bataille de Dieu.* Il n'avait pas poursuivi l'entretien dans cette direction. Mais j'allais m'apercevoir très vite qu'il m'avait attentivement écouté. Lorsque nous nous séparons enfin – vers 2 heures, donc – pour gagner nos chambres, M.C. me demande : « *Quand partez-vous ? – Cet après-midi, vers 14 h 30. – Bon. Ça vous irait, tout à l'heure, avant le déjeuner, un petit tour, si le soleil persiste ? – Avec joie. – Disons : à 10 heures ? – Très bien.* » A l'heure dite, je retrouve, dans le hall, un M.C. à gros souliers ; je n'avais rien d'un équipement semblable ; costume de ville. Il déclare : « *Aucune importance. La neige est dure sur le sentier et nous ne ferons pas d'escapades.* » Après trois ou quatre minutes meublées de phrases usuelles (le sommeil à l'altitude ; le temps splendide, etc.), tout à coup, lui : « *Vous croyez à quelque chose ?* » J'hésite, ou feins d'hésiter, tant je suis surpris. « *Qu'est-ce que vous voulez dire ? – Eh bien, c'est à cause de votre livre,* La Bataille de Dieu. *Vous croyez en Dieu ?* » J'ai répondu, presque à mi-voix, par un simple « *oui* » dont je voulais qu'il ne prît l'aspect ni d'un aveu gêné ni d'une proclamation. Mais Chevalier enchaînait déjà, tout de suite : « *Parce que ma mère, vous savez (je ne l'ai que trop dit !), vous savez comme je l'aimais... Eh bien, je lui parle souvent, tout bas. Et elle me répond.* » Je le revois distinctement, Maurice Chevalier, tel qu'il était en cet instant. Il s'était arrêté. Il était là, entre les deux talus de neige étincelants, aveuglants, la tête levée, regardant devant lui, un peu au-dessus, je crois, de l'horizon. Il disait (j'essaie de bien me souvenir, et j'ai l'impression de rapporter à peu près mot à mot ses paroles, car il s'était lancé, sans coupures ni retouches, cette fois) : « *Je l'entends me répondre... Ou c'est peut-être moi qui sais d'avance la réponse et qui me la formule en me figurant que je la reçois... Non, je n'entends pas, dans ma tête, un petit discours où je reconnaîtrais la voix de Maman. Mais, tout de même, ce qui m'est dit, ce qui se dit en moi, dans mon cœur, je ne peux pas m'y trom-*

per : c'est elle qui dicte... Alors, puisqu'elle me parle, c'est donc qu'elle existe toujours quelque part, je ne sais pas où, mais qu'elle est toujours vivante, d'une façon à elle, et que, par conséquent, il existe bien un autre monde... » Puis nous avons parlé de tout autre chose, du Paris de l'occupation, de Nita Raya, son amie (alors), des « *méchancetés* » dirigées contre lui et qui le consternent, le « *déchirent* ». Il y fait allusion sans colère, sans esprit de vengeance, avec un étonnement navré ; et, je ne sais comment ni pourquoi, de Colette, qu'il dévorait des yeux, à quinze-seize ans, me dit-il, quand elle apparaissait en scène, un sein nu (je cite fidèlement) : « *C'était fou, l'effet qu'elle me faisait. Je l'avais en l'air...* »

Je sens que désormais nous sommes liés, pour de bon, M.C. et moi. Vais-je écrire : « *A jamais* » ? Une imprudence dont j'ai envie. Littérature ? On verra. Ce qu'il y a de sûr, c'est qu'il y a en moi, depuis cinq jours, côté « Maurice », une grande joie inattendue.

6 avril 1946. Berne

Maurice Chevalier fait une tournée de « récitals » en Suisse. Je ne l'entendrai pas ce soir, car je dois prendre le train de nuit pour Paris. Après le déjeuner, il m'a conduit au Casino, où il doit « *travailler* » en soirée, et, dans cette grande salle vide, seul en scène (sans son pianiste), il m'a chanté *Je vais sur mon chemin*, qu'il n'a pas encore, dit-il, essayé sur le public. Puis nous avons fait une longue promenade dans la vieille ville, traversant l'Aar. Dans le Tiergarten, presque sans visiteurs, Maurice m'a redit tout à coup, à mi-voix, ce fragment de *L'Arc-en-ciel* : « *Églises, faites sonner vos cloches ! Mamans, embrassez vos petits !* » Puis : « *C'est beau, hein ?* » Il avait une buée dans les yeux.

481

21 novembre 1946. Paris

Soirée chez Maurice Chevalier. Je n'avais pas su remarquer, la première fois, les deux Vlaminck et l'Utrillo qui sont dans un angle de l'appartement.

Il tourne en ce moment son film *Le silence est d'or* et me parle de « *l'assurance inouïe* » du jeune premier ; il en reste « *soufflé* », me dit-il. « *A peine terminé un jeu de scène poignant, où il a été très bon, très convaincant, il rigole, il fait le fou dans le studio. En une seconde, il est sorti de son personnage... Une virtuosité qui me renverse, moi qui m'applique tellement, qui me concentre et me déconcentre lentement.* »

Vers 22 h 30, il se lève, passe son imperméable, dont il serre la ceinture. « *J'ai rendez-vous aux Champs-Élysées avec le directeur de Moët et Chandon... Bien envie de ne pas y aller.* » Il hésite et danse d'un pied sur l'autre, perplexe. Puis : « *Non ! Faut que je sorte, que je ne tourne pas au type qui vit dans sa tête, entre des bouquins.* » Puis il a cette formule : « *Je vais me ratatiner par en bas et ne pas m'hypertrophier par en haut.* »

Il m'a lu quelques pages de son *Journal* où il y a ceci, que je crois pouvoir reproduire sans erreur : « *As-tu fini, Maurice, de faire la fourmi, le peigne-cul ? Donne ! Voyons ! Donne !* » Il a noté aussi qu'à l'enterrement de Raimu il a « *consenti à ce renoncement* » : se laisser photographier avec ses lunettes. Quelques mots de politique : « *Pas de communisme policier ; pas non plus de dictature de droite ; un socialisme très hardi, très avancé ; c'est indispensable.* »

17 mai 1948. Paris

Chez Maurice Chevalier, avenue Foch, le soir. Il est rentré, la veille même, des États-Unis, après huit mois de tournées brillantes. Il est ravi, mais comme désorienté ; physiquement alourdi, l'estomac bombé, mais toujours son beau regard clair. A ma grande surprise, il me reparle de Nita Raya, que je croyais « envolée », oubliée. Pas du tout. Il me sort tout à trac : « *Dois-je l'épouser, ou non ? J'aurai soixante ans le 12 septembre.* » Et ceci : « *C'est un petit oiseau gentil, qui siffle joliment, mais elle ne siffle pas français ; elle est née à Kichinev, quelque chose comme ça ; je ne sais pas où...* »

Sa reprise de contact avec Paris lui donne une espèce de vertige. Il remue la tête, fermant les yeux, comme un qui se remet mal d'un choc, qui cherche son équilibre. Les gens (et j'étais ainsi, à son égard, avant de le connaître) doivent le prendre pour un gaillard sans problèmes, et sûr de lui, tant il est maintenant installé dans la gloire. Et non, il a constamment besoin de se rassembler, de se reprendre en main. Il dit : « *Faut que j'aille retrouver du calme sur la Côte* [dans sa maison de Cannes], *et un bon moment !* »

19 janvier 1954. Lausanne

Retrouvé Maurice Chevalier. Promenade au bord du lac, de 16 heures à 17 h 30. Il surveille son allure, alors que, tout à l'heure, quand il essayait les lumières de la salle, où il chantera ce soir, il se laissait aller, traînant les pieds, le ventre en avant. Mais toujours son regard clair, attentif et bon. C'est Willemetz (qui l'aurait cru) qui lui a fait découvrir « *un petit machin de Cisseron sur la vieillesse* » (je mets quelques instants à comprendre qu'il parle de Cicéron), un texte « *épatant* », un guide vers « *la sérénité* » ; « *moi qui ai eu tant d'histoires, je crois que ça y est, que je suis maintenant à l'abri des coups de passion* » ; « *après la petite Noël, je suis resté deux ans sans baiser ; c'est très facile ; il y a tant de choses plus importantes, plus vraies* [sic]. » Mme B., qui vit chez lui à Marnes-la-Coquette (« *mon intendante* », dit-il), « *il y a bien eu un moment, avec elle, où le diable s'en est mêlé* [sic], *mais tout est rentré dans l'ordre, et nos rapports sont parfaits ; confiance absolue, amitié loyale* ». « *Soixante-huit ans, c'est ce qu'on appelle la vieillesse, non ? Alors je suis un vieillard !* » Il rit. « *J'ai un moteur du tonnerre, mais fini d'aller de ville en ville ; cinquante-cinq récitals prévus, aux Champs-Élysées. Et ce sera tout.* » Je lui signale que, pour son récital de Berne, la salle est louée « *jusqu'au dernier stra-*

pontin ». « *C'est vrai ? – Archi-vrai.* » ; et j'ajoute : « *Ce soir, ici* [Lausanne], *c'est pareil, je pense ?* » Réponse : « *Sais pas, je ne pose jamais la question. Toujours peur qu'on me fasse comprendre que la location ne marche pas.* » Encore ceci : « *Je n'ai jamais perdu la tête. Je sais ce que je suis et ce que je ne suis pas.* » Et toujours cette incroyable jubilation qu'il éprouve, et que j'ai déjà constatée, à jouir du luxe : « *Il faut que je vous montre ma chambre, au Beau-Rivage ; une merveille !* » Le souvenir ne le quitte pas de son enfance et de ce qu'est la pauvreté. Il n'en revient toujours pas, à son âge, et depuis plus de quarante ans dans la « gloire », de pouvoir jouer, gratuitement, au grand prince (car ses frais d'hôtel sont toujours, par contrat, à la charge de l'imprésario). Chez lui, à « La Louque », sa vie quotidienne est sans faste. La première fois qu'il m'y a invité à déjeuner, le menu était digne d'un bon restaurant (sans plus), et Maurice avait tenu à préciser : « *Ne croyez pas que c'est comme ça tous les jours ! Une exception, en votre honneur !* » Il déteste dépenser pour lui-même.

[Date ?] [1]

C'est après mon topo sur « Jean-Jacques », à l'Institut français de Londres, que Maurice, dans la voiture qui le ramenait au Savoy, m'a donné d'intéressants conseils :

« *Vous êtes trop visiblement " tendu ", sur scène, tendu et inquiet. Mauvais pour le public, que vous mettez mal à l'aise ou qui guette un " cafouillage ", une catastrophe, quoi ! Il faut, il faut absolument, en scène, donner l'impression d'une pleine sécurité, d'une tranquillité intérieure parfaite, d'une facilité qui exclut tout risque d'accident, d'incident. Attention ! Ne pas tomber dans l'autre excès : le désinvolture royale et négligente. Un moyen terme à trouver. On peut. Je crois que j'y suis arrivé au bout d'une quinzaine d'années. Au fond, simplement, après une méticuleuse préparation*

---

1. Je ne parviens pas à retrouver la date de cette rencontre-là avec Maurice. Au cours des années cinquante, il me semble. Reconstitué de mémoire, en décembre 1960.

de l'affaire, rester naturel, trouver le ton, en veillant à le modifier souvent, ce ton, car la monotonie engourdit les gens, détache le spectateur. Si vous vous figurez que ça va toujours tout seul pour moi, même à présent que j'ai " de la bouteille " ! Je n'ai plus le trac. Je sais que je m'en tirerai toujours, même si mon texte m'échappe, je veux dire un bout de phrase, quelques mots (ça m'est arrivé et j'ai franchi le trou en fredonnant, comme exprès) ; mais les nerfs sont là, avec leur problème à eux. Moi, ça se passe dans les pieds, eh oui, dans les pieds ! Le public ne s'en doute guère. Et c'est pourtant radical, infaillible : chaque fois que je sors de scène, il faut qu'on me masse le bas des jarrets, les chevilles, la voûte plantaire. Tout ça me fait mal, et quelquefois salement, dans mes prestations. Régulièrement. Ça ne rate pas. Mais je ne veux pas, je ne veux à aucun prix, que le public s'en aperçoive. Et je continue à sourire, l'air heureux.

« Je ne vous demande pas de gambader sur les scènes. Vous n'êtes pas, comme moi, un saltimbanque. Mais, je vous assure, travaillez votre présentation. Arrangez-vous pour qu'on vous croie décontracté, peinard. Du travail, et du bon travail, sérieux, fouillé ; mais pas que vous vous arrachiez des tripes votre texte dans un effort de chaque seconde, tant " vous vous en donnez ". Faut pas. Le paquet, oui, il faut mettre le paquet tout le temps, sans ça on ne fait rien de bon ; mais en douce, mais en dedans, sans en avoir l'air. Pigé ? »

Maurice m'a dit aussi que, chaque fois qu'il a une représentation, le soir, il s'« *enferme* » à partir de 17 heures, 17 h 30 maximum. Il ne reçoit plus personne. Téléphone coupé. Il répète, dans sa chambre, minutieusement, chacun des numéros de son programme, chacun, et en détail : même, me disait-il en précisant, même pour « Valentine *et ses petits tétons* » : « *J'aurai bien chanté ce truc-là vingt mille fois, ça ne fait rien ; si c'est au programme, ou si je présume que le public me le réclamera, en supplément, je me le récite mot à mot, avec les gestes prévus ; toujours des améliorations possibles : et c'est à ce moment-là que je les trouve. Je crois que je n'aurai pas manqué une seule fois dans ma vie cette " répétition " solitaire, avant le " travail " en public. Un rite, peut-être, une manie, une superstition ? Non, je ne crois pas. Une précaution que je ne dois pas négliger.* »

[1972] [1]

Maurice vient de mourir, à quatre-vingt-quatre ans. Depuis quelques jours, nous avions perdu tout espoir. Le P. Carré, me dit-on, assure qu'il a été, constamment, « *admirable* » de courage, de calme, de confiance ; une « *confiance absolue* ».

Que d'heures nous avons passées ensemble, et toujours si pleines ! Une amitié forte et sûre, insoupçonnable dans son authenticité puisque nous n'en attendions rien, ni l'un ni l'autre, pour nos carrières, si parfaitement divergentes.

Des images de lui me reviennent en vrac. Cette visite, par exemple, qu'il nous avait demandé, à J. et à moi, de lui faire dans sa maison près de Cannes, quand elle lui appartenait encore. Il l'a donnée, tout le monde le sait, pour qu'elle devienne un *home* à l'usage de vieux comédiens malheureux. Ce « *radin* », selon la légende, si « *près de ses sous* », c'est un cadeau de plusieurs millions – en francs nouveaux – qu'il a fait là à des camarades sans ressources. Dans sa chambre, il nous a montré l'immense photographie (en couleurs) sur le mur, face à son lit : sa mère. « *Ainsi, elle a toujours un petit œil sur moi.* » C'est ce jour-là, également, que je vis chez lui une photo de Marlène Dietrich, à lui dédicacée, signée « *Marlaine* ». Je l'interrogeai, étonné. Il sourit, et fut très bref : « *Pour moi, rien que pour moi, cette façon d'écrire son prénom.* » A propos de la même, ceci qu'il m'a raconté un jour, et qui remontait à 1945. Marlène et Gabin, arrivant ensemble des États-Unis, étaient descendus à Paris, au George-V, et Gabin avait téléphoné à Maurice, incité peut-être par Marlène, pour qu'il vienne déjeuner avec eux. Récit de Maurice : « *J'arrive au George-V ; je m'annonce à la réception. On me dit que je suis attendu, et que je n'ai qu'à monter. Je monte. Je frappe à la porte. " Entrez ! " J'entre, et je vois seulement deux derrières levés ; rassurez-vous, tout à fait correctement vêtus. Marlène et Gabin, côte à côte, étaient agenouillés sur le tapis et jouaient à je ne sais quel jeu bizarre dont*

---

1. Pas noté la date de ces lignes, écrites quelques jours après ce trépas.

les pièces étaient disposées devant eux. Sans se retourner, ils me crient tous deux en même temps : " *On a presque fini !* " *Et, de fait, Gabin se relève le premier et applique une claque sonore sur les fesses tendues de Marlène avec cette cordiale injonction :* " *Debout, la grosse !* " *Tel quel. J'étais un peu éberlué, mais n'en montrai rien. Vous savez que je parle anglais avec un abominable accent français – que je cultive avec soin, car il fait partie, notoirement, de ma* " *séduction* "*. Mais Gabin, lui, pour l'accent, il en remettait. Jamais entendu un Yankee parler du nez avec une pareille véhémence.* » Une autre fois, il fut question, entre nous, de Michel Simon. Thème abandonné aussitôt qu'esquissé ; Maurice préférait se taire : « *Un personnage marécageux.* » Je sais, je sais : ses goûts pervers, sa guenon, et le reste. Mais, de tout cela, aucune trace ne nous apparut, chez ledit Michel, au cours de la soirée – l'unique soirée – qu'il passa chez moi, en famille, gentil, gai, drôle, intarissable ; et cette carte que nous avions reçue, une semaine après, de Lisbonne, avec ces mots énigmatiques : « *Chez vous, je me sentais protégé.* » De qui ? De quoi [1] ?

Il se trouva qu'un soir, gare du Nord, nous nous rencontrons, M.C. et moi, à l'improviste, dans le même train pour Londres. Maurice allait à un « *royal show* » – ce qui n'était pas la première fois –, et moi je devais, le lendemain, donner un cours sur J.-J. Rousseau, à l'Institut français. Le *royal show* était pour le surlendemain, et Maurice voulut absolument me « *voir travailler* » – comme il disait – devant un public. L'assistance devait être imposante ; l'ambassadeur de France à Londres, des personnalités britanniques, des journalistes. Je n'étais pas encore, à cette époque, comme je le fus (plus ou moins) par la suite, débarrassé d'un profond « trac » avant de prendre la parole en certains cas

1. En décembre 1942, réfugié en Suisse depuis septembre, j'avais fait à Genève une conférence sur Verlaine, au cinéma Rialto. Michel Simon y était. Il vint me trouver à ma sortie de scène pour me dire que, citoyen suisse, il pouvait se rendre librement et sans difficulté à Paris, et qu'il se chargerait volontiers d'aller voir, de ma part, « *des parents éventuels* ». Précisément, nous étions alors entièrement coupés des parents de ma femme qui habitaient Paris, près du Luxembourg. Et Michel Simon, loyal et bon, alla les voir, leur apportant (clandestinement) une lettre de nous, avec, en supplément, du chocolat et du café (cadeaux de sa part).

hors série, redoutables. Nous avions à suivre, dans l'Institut lui-même, un long couloir, parallèle à la salle de conférences, pour atteindre les premiers rangs et la scène. Maurice marchait à côté de moi ; il me regarda de biais, me découvrit livide : « *Ça ne va pas ?* » Je réponds : « *Pas trop.* » Alors il me saisit le haut du bras, une prise violente, avec ces mots murmurés, ce rappel à l'ordre : « *Alors, c'est Henri, ou Henriette ?* » Ça m'a fait du bien. Il est aussi venu deux fois m'entendre salle Gaveau, où Francis Ambrière m'avait invité ; un premier exposé sur le théâtre de Claudel (du *Partage de midi* au *Soulier de satin*) en présence du vieux maître ; une seconde fois, sur Rimbaud. Maurice s'était beaucoup intéressé à mon topo claudélien et s'associa avec joie au chaleureux accueil du public. En revanche, il ne me cacha pas sa désapprobation après mon topo sur Rimbaud. J'avais eu beau faire, Rimbaud lui était apparu comme « *un petit malpropre* » : « *Je ne comprends pas qu'on perde son temps à s'occuper de pareilles lopettes* [sic, hélas !]. » J'oubliais : en 1952, pour le cent cinquantenaire de la naissance de Victor Hugo, Maurice vint (avec Patachou) m'écouter, au palais de Rohan. Il se trouvait là, au troisième rang de l'auditoire, et Claudel, tout devant. Cette fois, un Maurice enthousiaste (Patachou, un peu pimbêche, plutôt glaciale).

Un soir, chez lui, avenue Foch, il me montra l'ouvrage dont ma visite interrompait sa lecture : le *Phédon*, tout bonnement (sur l'immortalité de l'âme). « *Difficile, mais je me force, et c'est beau !* » Il m'avait déjà dit, et il aimait à le répéter, qu'il devait « *tout* » à Charles Boyer quant à sa propre « culture » ; « *Oh,* disait-il, *ma fameuse " culture ", elle ne va pas loin ; mais c'est tout de même à Boyer, et uniquement à lui, que je dois de n'en être pas resté à des lectures-à-ras-de-terre* [sic]. » Nous avons plusieurs fois parlé de ses amours. Il affirmait que trois femmes, trois seulement, avaient « *compté* » dans sa vie : Mistinguett, d'abord (« *c'est elle qui m'a rattrapé, et par la peau du cou, au bord de la drogue* ») ; Yvonne Vallée, qu'il épousa (« *sa jalousie gâchait tout, dommage !* ») ; et Nita Raya. Dix ans, chaque fois, pour la première, la deuxième, la troisième. « *Pour Nita, au bout de dix ans, je voyais bien que notre liaison lui pesait. Je lui ai dit que, si elle le désirait, j'ouvrais la porte de sa cage, sa jolie cage de petit oiseau ; elle me plaisait bien toujours ; mais, chez elle, le cœur n'y était plus. Dès la cage ouverte, le petit oiseau s'est envolé.* » A l'approche de ses soixante-dix ans, il m'a confié : « *Quel repos, la vieillesse. Comme on n'est plus, à chaque instant, harcelé par le désir !* »

Je viens de rassembler et de classer chronologiquement toutes les lettres que j'ai reçues de lui, depuis 1946. Il y en a cent trente-trois, venant de tous les coins du monde : d'Allemagne, de Suède, du Caire, de Montréal, de Rio, de New York, de Johannesburg, etc. Je glane. De la première lettre (14 mars 1946, hôtel Belvédère, Davos), ceci : « *Cher monsieur Guillemin, votre coup de téléphone est à peine terminé qu'un réflexe me fait vous écrire pour vous remercier du son de votre voix* [etc.]. »

1er mai 1949 : « *Tout vient trop à moi. Mais je sais que je joue avec le feu, et me permets un dangereux chant du cygne. Mais c'est si bon pendant que c'est bon que j'ai l'impression, dans mon cas particulier, d'avoir raison de ne pas être raisonnable.* »

20 juin 1949 : « *Ma vie est téméraire et grisante.* »

21 septembre 1949 : « *Je suis de nouveau seul. J'ai eu un démon de midi. C'est ainsi, je crois, que l'on nomme le sentiment aigu qui peut révolutionner un homme de mon âge pour une trop jeune femme. J'ai vécu un genre d'éblouissement ; puis j'ai commencé à comprendre que je m'enlisais. J'ai rompu brutalement, comme on se sauve, et je suis certain, dans mes profondeurs, qu'il était grand temps de le faire. Je viens d'avoir soixante et un ans. Il faut que je fasse fonctionner mon reste d'intelligence pour m'obtenir à moi-même la sérénité – ou son ersatz.* »

20 février 1950 : « *Vous me manquez. Je ne vois personne au monde avec qui j'aimerais plus parler des pensées et des lumières qui se précisent en moi.* »

15 avril 1955 : « *J'étais, il y a deux semaines, à Copenhague, à déjeuner chez l'ambassadeur de France avec lequel nous vous avons tressé des couronnes de laurier*[1]. »

Et encore, en désordre, ce jeu de mots : « *Athée ? Ah ! Tais-toi !* » ; et ceci : « *Moi qui sais si peu, tout en ayant tout vu !* » ; et : « *Je vais sur mes soixante-treize, et essaie de conclure le mieux possible, en entreprenant moins et en espérant mieux, comme il se doit quand on est un peu fier* » ; et : « *J'ai l'impression que je vais mieux savoir vieillir que je n'ai su vivre* » ; et : « *Vous êtes un des êtres en qui je crois* » ; et : « *J'aimerais vous avoir près de moi toujours, partout* » ; et (pour finir en me glorifiant) : « *Vous et moi, nous sommes du même métal.* »

---

1. L'ambassadeur était alors M. Jean Bourdeillette, qui m'avait aidé à gagner la Suisse, en septembre 1942, dans les circonstances que l'on sait, qui m'avait fait venir à Copenhague en 1952, pour le cent cinquantième anniversaire de la naissance de Victor Hugo, et chez qui j'aurai, deux fois, habité (une semaine chaque fois), en 1963 et 1964, lorsqu'il représentait la France à Tel-Aviv.

Table

Avertissement   7

Parcours I (1914-1945)

Jours   11

Marges   91

Parcours II (1945-1962)

Jours   101

Marges   191

Parcours III (1963-1973)

Jours   201

Marges   261

Parcours IV (1973-1988)

Jours   273

Marges   359

Dossiers

François Mauriac   383

Paul Claudel   423

Maurice Chevalier   477

ILLUSTRATIONS

Collection de l'auteur : p. 292, 418, 444, 470 (photo publiée avec l'autorisation de Mme Claudel fille), p. 478 (photo publiée avec l'autorisation de Mme Odette Meslier). – © RTBF : p. 222. – Dessin de Plantu paru dans *Le Monde* : p. 334.

Du même auteur

Publications d'inédits

LAMARTINE : *Les Visions*, Paris, Belles Lettres, 1936 ; *Lettres des années sombres, 1852-1867*, Fribourg, LUF, 1942 ; *Lettres inédites, 1825-1851*, Porrentruy, Portes de France, 1944.

HUGO : *Pierres*, Genève, Milieu du Monde, 1951 ; *Souvenirs personnels, 1848-1851*, Paris, Gallimard, 1952 ; *Strophes inédites*, Neuchâtel, Ides et Calendes, 1952 ; *Carnets intimes, 1870-1871*, Paris, Gallimard, 1953 ; *Journal, 1839-1848*, Paris, Gallimard, 1954.

Histoire littéraire

Le « Jocelyn » de Lamartine, Paris, Boivin, 1936.

Flaubert devant la vie et devant Dieu, Paris, Plon, 1939, 2e éd. revue et corrigée, Bruxelles, La Renaissance du Livre, 1963.

Lamartine, n^{lle} éd., Paris, Éd. du Seuil, 1987 (1re éd. sous le titre *Lamartine, l'homme et l'œuvre*, Paris, Boivin [Hatier successeur], 1940).

Connaissance de Lamartine, Fribourg, LUF, 1942.

« Cette affaire infernale » (Rousseau-Hume), Paris, Plon, 1942.

Un homme, deux ombres (Rousseau, Julie, Sophie), Genève, Milieu du Monde, 1943.

Les Affaires de l'Ermitage, 1756-1757, Genève, Annales J.-J. Rousseau, 1943.

La Bataille de Dieu (Lamennais, Lamartine, Ozanam, Hugo), Genève, Milieu du Monde, 1944.

Les Écrivains français et la Pologne, Genève, Milieu du Monde, 1945.

Lamartine et la Question sociale, Paris, Plon, 1946.

Victor Hugo, Paris, Éd. du Seuil, coll. « Points », 1988 (1re éd., coll. « Écrivains de toujours », 1951).

L'Humour de Victor Hugo, Boudry, La Baconnière, 1951.

Hugo et la Sexualité, Paris, Gallimard, 1954.

Claudel et son art d'écrire, Paris, Gallimard, 1955.

M. de Vigny, homme d'ordre et poète, Paris, Gallimard, 1955.

A vrai dire, Paris, Gallimard, 1956.

Benjamin Constant muscadin, Paris, Gallimard, 1958.

Madame de Staël et Napoléon, n^{lle} éd., Paris, Éd. du Seuil, 1987 (1re éd. sous le titre *Madame de Staël, Benjamin Constant et Napoléon*, Paris, Plon, 1959).

Zola, légende et vérité, Paris, Julliard, 1960.

Éclaircissements, Paris, Gallimard, 1961.
Présentation des « Rougon-Macquart », Paris, Gallimard, 1964.
L'Homme des « Mémoires d'outre-tombe », Paris, Gallimard, 1965.
Le « Converti » Paul Claudel, Paris, Gallimard, 1968.
Pas à pas, Paris, Gallimard, 1969.
La Liaison Musset-Sand, Paris, Gallimard, 1972.
Précisions, Paris, Gallimard, 1973.
Regards sur Bernanos, Paris, Gallimard, 1976.
Sulivan, ou la Parole libératrice, Paris, Gallimard, 1977.
Charles Péguy, Paris, Éd. du Seuil, 1981.

Histoire

Histoire des catholiques français au XIXᵉ siècle, Genève, Milieu du Monde, 1947.
Lamartine en 1848, Paris, PU, 1948.
Le Coup du 2 décembre, Paris, Gallimard, 1951.
Les Origines de la Commune. Cette curieuse guerre de 70, Paris, Gallimard, 1956 ; *L'Héroïque Défense de Paris,* Paris, Gallimard, 1959 ; *La Capitulation,* Paris, Gallimard, 1960.
L'Énigme Esterhazy, Paris, Gallimard, 1962.
L'Arrière-pensée de Jaurès, Paris, Gallimard, 1966.
La Première Résurrection de la République, 24 février 1848, Paris, Gallimard, 1967.
Napoléon tel quel, Paris, Trévise, 1969.
Jeanne, dite Jeanne d'Arc, Paris, Gallimard, 1970.
L'Avènement de M. Thiers et Réflexions sur la Commune, Paris, Gallimard, 1971.
Nationalistes et Nationaux, Paris, Gallimard, 1974.
Le Général clair-obscur, Paris, Éd. du Seuil, 1984.
L'Engloutie (Adèle, fille de Victor Hugo), Paris, Éd. du Seuil, 1985.
Robespierre, politique et mystique, Paris, Éd. du Seuil, 1987.

Essais et récits

Par notre faute, Paris, Laffont, 1946.
Une histoire de l'autre monde, Neuchâtel, Ides et Calendes, 1942.
Reste avec nous, Boudry, La Baconnière, 1944.
Rappelle-toi, petit, Porrentruy, Portes de France, 1945.
Cette nuit-là, Neuchâtel, Le Griffon, 1949.
L'Affaire Jésus, Paris, Éd. du Seuil, 1982 ; rééd. coll. « Points », 1984.